KB085748

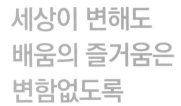

세상이 변해도
배움의 즐거움은
변함없도록

시대는 빠르게 변해도
배움의 즐거움은
변함없어야 하기에

어제의 비상은
남다른 교재부터
결이 다른 콘텐츠
전에 없던 교육 플랫폼까지

변함없는 혁신으로
교육 문화 환경의 새로운 전형을
실현해왔습니다.

비상은 오늘, 다시 한번
새로운 교육 문화 환경을 실현하기 위한
또 하나의 혁신을 시작합니다.

오늘의 내가 어제의 나를 초월하고
오늘의 교육이 어제의 교육을 초월하여
배움의 즐거움을 지속하는 혁신,

바로, 메타인지 기반 완전 학습을.

상상을 실현하는 교육 문화 기업 비상

메타인지 기반 완전 학습
초월을 뜻하는 meta와 생각을 뜻하는 인지가 결합한 메타인지는
자신이 알고 모르는 것을 스스로 구분하고 학습계획을 세우도록 하는
궁극의 학습 능력입니다. 비상의 메타인지 기반 완전 학습 시스템은
잠들어 있는 메타인지를 깨워 공부를 100% 내 것으로 만들도록 합니다.

한끝

진도 교재

초등
국어 6·1

구성과 특징 진도 교재

교과서 학습

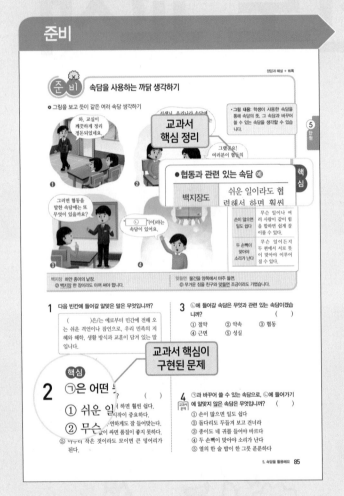

준비에서 앞으로 학습할 단원 목표와 내용을 쉽게 이해할 수 있습니다.

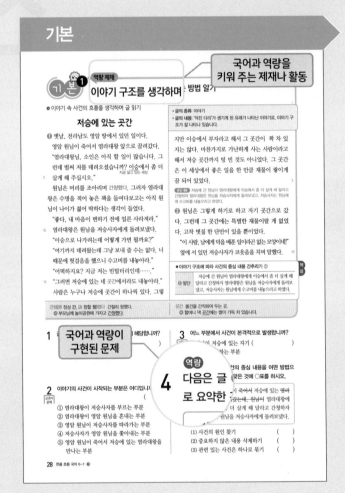

기본에서 핵심 개념과 관련된 다양한 형태의 문제를 통해 기본적인 학습 내용을 충분히 익힐 수 있습니다.

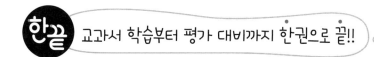
단원 마무리

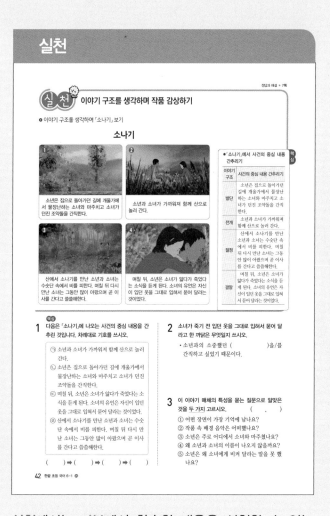

실천에서는 **기본**에서 학습한 내용을 실천할 수 있는 다양한 활동 문제를 구성하였습니다.

- **단원 마무리**
  단원에서 배운 내용을 빈 곳을 채우며 정리합니다.

- **단원 평가**
  꼭 나오는 핵심 문제로 단원에서 배운 내용을 확인합니다.

- **서술형 평가**
  답을 글로 쓰는 서술형 문제로 단원에서 배운 내용을 다시 한번 확인합니다.

평가 교재

- **단원 평가 대비**
  · 단원 평가 2회
  · 서술형 평가
  · 수행 평가

- **중간·기말 평가 대비**
  · 중간 평가
  · 기말 평가(중간 이후)
  · 기말 평가(전 범위)

차례

독서
단원

책을 읽고
생각을 넓혀요

이 단원은 '한 학기 한 권 읽기'를
실천하는 단원입니다.
독서 단원은 한 학기 동안
언제든지 공부할 수 있습니다.
학교 수업 순서에 맞추어 활용하세요.

독서
활동

[독서 준비]
읽을 책을 정하고
책 내용 예측하기

[독서]
책을 깊이 있게 읽기

[독서 후]
책 내용을 간추리고
생각 나누기

1 읽을 책 정하기

✦ 우리 사회에서 일어나는 문제를 주제로 이야기 나누기

① 환경 오염, 인공 지능 발달, 분별없는 외국어 사용 같은 다양한 문제에 대해 이야기를 나눕니다.

② 최근에 본 뉴스나 신문 기사, 도서관에서 사회 분야를 다룬 책을 찾아 문제를 살펴봅니다.

✦ 자신이 관심 있는 문제 정하기

예

관심 있는 문제	관심 있는 까닭
공기 오염의 원인과 해결 방안	요즘 공기 오염이 심각하고 미세 먼지로 생기는 피해가 점점 커지고 있기 때문이다.

✦ 친구들과 문제에 대해 이야기 나누기

예 그 문제를 어떻게 해결할 수 있을까?

✦ 앞에서 정한 문제와 관련해 자신이 읽을 책 정하기

① 누구와 읽을지 정합니다.

② 어떤 책을 찾아보면 좋을지 생각합니다.

③ 스스로 기준을 만들어 읽을 책을 평가합니다.

> • 모둠에서 관심 있는 문제와 관련이 있나요?
> • 책 분량은 알맞은가요?
> • 책 내용이 너무 어렵거나 쉽지 않나요?

④ 한 학기 동안 읽을 책을 정하고 그 책을 고른 까닭을 이야기합니다.

2 책 내용 예측하기

✦ 자신이 정한 책 제목과 표지를 보고 내용 예측하기

예  미세 먼지 대탈출

배경이 온통 회색빛인 것을 보니 공기 오염이 심하다는 것을 말하는 것 같아.

제목을 보니 미세 먼지를 다룬 책일 것 같아.

✦ 자신이 정한 책 차례와 그림을 살펴보고 내용 예측하기

✦ 자신이 정한 책을 추천하는 글을 읽고 내용 예측하기

① 책을 추천하는 글에는 추천하는 까닭, 책의 주제나 구성을 알려 주는 내용, 추천해 주고 싶은 사람이 나옵니다.

② 추천하는 글을 읽고 책이 어떤 내용일지 생각합니다.

---

1 다음과 같은 점을 생각하며 앞에서 정한 책을 꼼꼼히 읽기

주장이나 설명하려는 것이 무엇인지 생각하며 읽기
제목이나 내용을 보며 글쓴이가 글을 쓴 목적을 생각해 봅니다.

중심 내용을 찾으며 읽기
문단이나 책 전체에서 중요한 내용이 무엇인지 생각해 봅니다.

책을 읽을 때 생각할 점

자신의 생각과 비교하며 읽기
글쓴이의 생각과 같은 점, 다른 점을 생각해 봅니다.

스스로 점검하며 읽기
자신이 지금 책을 제대로 읽는지 생각해 봅니다.

질문하며 읽기
책을 읽고 궁금한 점을 묻고 답하며 생각을 넓힙니다.

2 책을 읽으면서 '스스로 점검하며 읽기'나 '중심 내용을 찾으며 읽기'가 어려울 때 참고 1 이나 참고 2 살펴보기

참고 1 스스로 점검하며 읽기

① 책을 읽다가 종종 읽기를 멈추고 읽은 내용을 다시 생각해 봅니다.

② 새롭게 안 내용이나 더 알고 싶은 내용은 표시를 하며 읽습니다.

③ 내용을 잘 이해하지 못할 때에는 두세 번 더 천천히 읽습니다.

참고 2 중심 내용을 찾으며 읽기

① 무엇을 다룬 글인지 생각합니다.

② 문단의 중심 내용은 문단 전체 내용을 포함할 수 있어야 합니다.

③ 문단의 중심 내용은 문단 첫머리나 끝머리에 오는 경우가 많습니다.

④ 중심 내용이 글에 드러난 경우도 있지만 숨겨진 경우도 있습니다.

1 책 내용에 대한 질문을 만들고 내용 간추리기

✚ 책을 읽으며 궁금했던 점 생각하기

예 책 제목을 왜 『달려라 지구』라고 했을까?

생활 속에서 이 문제를 해결하려면 어떻게 해야 할까?

어떤 문제를 다룬 책일까?

이 문제를 다르게 생각할 수는 없을까?

✚ 친구들과 궁금한 점을 서로 묻고 답하기

① 질문 카드에 질문을 씁니다.
② 질문 카드를 뜯어서 모둠 친구들과 질문 내용을 공유합니다.
③ 모둠 친구들과 함께 질문 카드를 보며 궁금한 점을 서로 묻고 답합니다.

✚ 친구들의 질문을 기준에 따라 분류하기

기준	• 책에서 답을 찾을 수 있는 질문 • 책 내용으로 미루어 생각했을 때 답을 찾을 수 있는 질문 • 책 평가나 감상과 관련한 질문

✚ 앞에서 한 활동을 바탕으로 하여 책 전체 내용 간추리기

예 『달려라, 지구』

이 책의 중심 내용은 무엇인가?

환경 오염 대책과 환경 보전 활동이야.

어떤 내용을 다룬 책인가?

환경 오염이 위험함을 알리고 환경 보전 방법을 소개한 책이야.

책 제목과 표지는 어떤 뜻을 담고 있는가?

책 제목이 『달려라, 지구』로 밝은 느낌을 주네. 지금은 힘들어도 더 힘을 내 달리라는 뜻 같아. 표지에도 지구가 힘차게 달리는 모습이 그려져 있어.

책 차례는 어떠한가?

지구 환경의 종류, 환경 오염의 심각성, 환경 보전의 필요성, 미래 시대에 환경을 보전하는 방법으로 나누어져 있어. 마지막 장이 중요해.

글의 구조는 어떠한가?

환경 오염이 왜 일어났는지 알아보고 해결 방안을 제시하는 구조야.

2 생각 나누기

✚ 독서 토론 하기

① 독서 토론을 할 만한 주제로 이야기를 나눕니다.
② 다음 내용을 생각해 독서 토론 주제를 정합니다.

우리 사회에서 일어나는 문제와 관련이 있는가?	자신이 읽은 책 내용과 관련이 있는가?	찬반 의견이 나올 수 있는가?

③ 독서 토론 주제에 따라 자신의 주장과 근거를 정리하며 독서 토론을 준비합니다.
④ 토론 절차를 생각하며 독서 토론을 합니다.

주장 펼치기	근거를 들어 주장 펼치기, 이때 근거를 뒷받침하는 자료 제시하기
반론하기	상대편 주장이 타당하지 못하거나 근거가 적절하지 않은 점 밝히기
주장 다지기	자기편 의견을 다시 강조하면서 상대편 반론 반박하기
정리하기	찬성편과 반대편의 잘한 점과 부족한 점 검토, 필요하면 판단 내리기

⑤ 독서 토론을 마치고 새롭게 안 점이나 생각이 바뀐 점을 생각합니다.

✚ 다음 활동 가운데에서 하나를 선택하기

선택 1 포스터 만들기

① 사회 문제를 알리는 포스터를 살펴봅니다.
② 다음 내용을 생각해 포스터 만들 준비를 합니다.

• 무엇을 알리려는 포스터인가?
• 누구를 대상으로 하는가?
• 어떤 그림이나 글을 넣고 싶은가?

③ 읽은 책 내용을 바탕으로 하여 포스터를 만듭니다.

선택 2 건의하는 글 쓰기

① 읽은 책 내용을 바탕으로 하여 건의하는 글을 쓸 때 생각할 점을 알아봅니다.

• 어떤 문제를 다룰 것인가?
• 누구에게 쓸 것인가?
• 문제를 해결하려고 어떤 방안을 제시할 것인가?
• 건의하는 글을 어떤 방법으로 보낼 것인가?

② 건의하는 글을 살펴보고 건의할 내용을 정리합니다. – 쓰는 대상, 문제 상황, 해결 방안이나 요구 사항, 기대하는 효과
③ 건의하는 글을 씁니다.

독서 단원

정리하기

독서 활동 돌아보기

✪ 이 단원에서 공부한 내용을 살펴보고 자신이 공부를 잘했는지 스스로 평가 기준을 만들어 해당하는 곳에 ○표를 합니다.

평가 기준	평가		
	매우 잘함	잘함	보통임
⑩ 독서 토론에 열심히 참여했다.			

✪ 자신에게 부족한 점이 무엇인지 살펴보고 어떻게 개선할지 생각합니다.

책의 중심 내용을 잘 파악하지 못했는데 글쓴이 의도를 생각하면 좋을 것 같아.

독서 토론을 할 때 주장에 따른 근거를 잘 마련하지 못했어. 자료를 좀 더 찾아보면 좋겠어.

책을 읽을 때 내가 제대로 이해하는지를 점검하며 읽으면 책 내용을 더 깊이 있게 이해할 수 있을 것 같아.

더 찾아 읽기

✪ 이 단원에서 공부한 주제와 관련해 더 읽고 싶은 책 목록을 만든 뒤 언제, 어느 정도의 기간 동안에 읽을 것인지 독서 달력을 만들어 계획을 세웁니다.

책 제목	글쓴이	이 책을 고른 까닭
⑩『지구가 뿔났다』	⑩ 남종영	⑩ 왜 지구가 뿔이 났는지 궁금해서 읽고 싶었다.
⑩『왜 기후 변화가 문제일까?』	⑩ 공우석	⑩ 평소 기후 변화 문제에 관심이 많아서 읽고 싶었다.

독서 습관 기르기

✪ 자신이 읽은 책을 기록하고, 다음과 같은 독서 태도 기록표를 만들어 자신의 독서 태도를 점검하여 잘한 만큼 색칠합니다.

기준	책 제목:			
	월	일 ~	월	일
우리 주변 문제와 관련 있는 내용을 다룬 책을 읽는다.	○		○	○
책 표지와 차례를 보고 내용을 예측하며 읽는다.	○		○	○
중심 내용을 파악하며 읽는다.	○		○	○
읽기 과정을 스스로 점검하며 읽는다.	○		○	○
책을 읽고 난 뒤에는 중요한 내용을 정리한다.	○		○	○
읽은 내용을 바탕으로 하여 자신의 의견을 제시한다.	○		○	○

매우 잘함: ●●●, 잘함: ●●, 보통임: ●

1

비유하는 표현

무엇을 배울까요?

1 비유하는 표현

1 비유하는 표현

┌ 비유하는 표현이 주는 효과
• 평소에는 별생각 없이 바라보던 대상을 새롭게 바라볼 수 있습니다.
• 대상에 대해 깊이 있게 생각해 볼 수 있습니다.

비유하는 표현	어떤 현상이나 사물을 비슷한 현상이나 사물에 빗대어 표현하는 것을 '비유하는 표현'이라고 합니다.	
비유하는 표현의 종류	직유법	'~같이', '~처럼', '~듯이'와 같은 말을 써서 두 대상을 직접 견주어 표현하는 방법 예 '풀잎 같은 친구 좋아 / 바람하고 엉켰다가 풀 줄 아는 풀잎처럼'(풀잎=친구)
	은유법	'~은/는 ~이다'로 빗대어 표현하는 방법 예 '달빛 내리던 지붕은 / 두둑 두드둑 / 큰북이 되고'(지붕=큰북)

2 비유하는 표현을 사용하면 좋은 점

① 글이나 그림책의 내용이 쉽게 이해됩니다.
② 글쓴이의 의도를 쉽게 파악할 수 있습니다.
③ 상황이 실감 나게 느껴집니다.
④ 장면이 쉽게 떠오릅니다.

3 비유하는 표현을 살려 시를 쓰는 방법

① 시로 표현하고 싶은 대상을 찾습니다.
② 비유할 대상의 특징을 살펴봅니다.
③ 대상의 특징을 생각하며 여러 가지 비유하는 표현을 떠올려 봅니다.
④ 비유하는 표현이 잘 드러나게 시를 씁니다.

4 시 낭송을 잘하는 방법

① 친구들 앞에서 부끄러워하지 않고 자신 있게 읽어야 합니다.
② 노래하듯이 부드럽고 자연스럽게 읽어야 합니다.
③ 시의 분위기와 느낌을 살려서 읽어야 합니다.
④ 시에서 떠오르는 장면을 상상하면서 읽어야 합니다.

5 시에 어울리는 그림을 그리는 방법

① 그림은 시를 잘 표현해야 합니다.
② 그림이 시 읽는 것을 방해하면 안 됩니다.
③ 시 내용이 잘 드러나게 그려야 합니다.
④ 시의 장면을 상상하며 그려야 합니다.

핵 심 개 념 문 제

정답과 해설 ● 2쪽

1 어떤 현상이나 사물을 비슷한 현상이나 사물에 빗대어 표현하는 것을 '☐☐하는 표현'이라고 합니다.

2 비유하는 표현 중, '~같이', '~처럼', '~듯이'와 같은 말을 써서 두 대상을 직접 견주어 표현하는 방법은 무엇입니까?

( )

3 다음 중 비유하는 표현을 사용하면 좋은 점을 모두 골라 기호를 쓰시오.

> ㉠ 장면이 쉽게 떠오른다.
> ㉡ 상황이 실감 나게 느껴진다.
> ㉢ 글쓴이의 의도를 감출 수 있다.

( )

4 시를 낭송할 때에는 노래하듯이 부드럽고 자연스럽게 읽어야 합니다.

(○ , ×)

5 시에 어울리는 ( )을/를 그릴 때에는 시 내용이 잘 드러나게 그립니다.

준비 비유하는 표현 살펴보기

○ 뻥튀기하는 모습을 본 경험을 떠올리며 글 읽기

뻥튀기

· 글: 고일 · 그림: 권세혁

"뻥이요. 뻥!"
'뻥이오'가 바른 표기임.

봄날 꽃잎이 <u>흩날리는</u> 것처럼 아름답게 보였습니다.
아니야, 아니야, 나비가 날아갑니다.
아니야, 아니야, 함박눈이 내리는 거야.

맞아요, 맞아요, 폭죽입니다.

하얀 연기 <u>고소하고요</u>.

가을날 메밀꽃 냄새가 납니다.
아니야, 아니야, 새우 냄새가 납니다.
아니야, 아니야, 멍멍이 냄새가 납니다.

맞아요, 맞아요, 옥수수 냄새입니다.

• 글의 종류: 그림책	
• 글의 내용: 뻥튀기가 사방으로 날리는 모양과 뻥튀기 냄새를 다른 사물에 비유하여 표현했습니다.	

●비유하여 표현한 부분

대상	비유하는 표현	비유한 까닭
뻥튀기가 사방으로 날리는 모양	봄날 꽃잎	뻥튀기가 봄날 꽃잎처럼 하늘에 흩날려서
	나비 / 함박눈 / 폭죽	다양한 방향으로 움직여서 / 소복하게 내리니까 / 멀리 퍼져 나가서
뻥튀기 냄새	메밀꽃 냄새 / 새우 냄새 / 멍멍이 냄새 / 옥수수 냄새	냄새가 고소하고 달콤해서

<u>흩날리는</u> 흩어져 날리는.
예 바람에 <u>흩날리는</u> 나뭇잎이 춤을 추는 것 같습니다.

<u>고소하고요</u> 볶은 깨, 참기름 따위에서 나는 맛이나 냄새와 같고요.
예 어머니께서 해 주신 비빔밥은 냄새부터 <u>고소하고요</u>.

1 교과서 문제 이 글에서 표현하려는 것을 두 가지 고르시오.
(,)

① 뻥튀기를 튀기는 아저씨 모습
② 뻥튀기를 바라보는 강아지 모습
③ 뻥튀기를 맛있게 먹는 아이들 모습
④ 뻥튀기를 튀길 때 나오는 고소한 냄새
⑤ 뻥튀기가 튀겨질 때 사방으로 튀는 모습

2 교과서 문제 이 글에서 뻥튀기가 사방으로 날리는 모양을 비유하는 표현이 아닌 것은 무엇입니까? ( )

① 나비 ② 폭죽
③ 메밀꽃 ④ 함박눈
⑤ 봄날 꽃잎

핵심
3 이 글에서 '뻥튀기 냄새'를 '새우 냄새'에 비유하여 표현한 까닭은 무엇인지 쓰시오.
( )

논술형
4 교과서 문제 '뻥튀기'를 다른 사물에 비유하여 표현해 보고, 그렇게 표현한 까닭을 쓰시오.

_____

_____

비유하는 표현을 생각하며 시 읽기

○ 비유한 대상과 비유하는 표현의 공통점을 찾으며 시 읽기

- 글의 종류: 시
- 글의 내용: 봄비가 사물에 부딪치는 소리를 다양한 악기에 비유했습니다.

봄비

· 글: 심후섭 · 그림: 노성빈

해님만큼이나
큰 은혜로
내리는 교향악

이 세상
모든 것이 다 / 악기가 된다.

달빛 내리던 지붕은
두둑 두드둑
큰북이 되고

아기 손 씻던
세숫대야 바닥은

도당도당 도당당
작은북이 된다.

앞마을 냇가에선
퐁퐁 포옹 퐁
뒷마을 연못에선
풍풍 푸웅 풍

외양간 엄마 소도 함께
댕그랑댕그랑
작은 쇠붙이, 방울, 종, 풍경, 워낭 따위가 잇따라
흔들리거나 부딪칠 때 나는 소리
엄마 치마 주름처럼
산들 나부끼며
사늘한 바람이 가볍고 보드랍게 부는 모양
왈츠

봄의 왈츠
하루 종일 연주한다.

●비유하여 표현한 부분

대상	비유하는 표현	비유한 까닭
봄비 내리는 소리	교향악	여러 가지 소리가 섞여 있는 것이 비슷해서
이 세상 모든 것	악기	소리가 나는 것이 비슷해서
지붕	큰북	큰 소리가 나는 것이 비슷해서
세숫대야 바닥	작은북	작은 소리가 나는 것이 비슷해서
봄비 내리는 모습	왈츠	경쾌하고 가볍게 움직이는 것이 비슷해서

교향악 관현악을 위해 만든 음악을 통틀어 이르는 말.
예 부모님과 마루에서 교향악을 들었습니다.

왈츠 3박자의 경쾌한 춤곡. 또는 그에 맞추어 남녀가 한 쌍이 되어 원을 그리며 추는 춤.

---

1 이 시에서 봄비를 무엇으로 표현했는지 쓰시오.
교과서 문제
( )

2 이 시에서 악기가 되는 것이 아닌 것은 무엇입니까?
교과서 문제
( )
① 지붕
② 아기
③ 앞마을 냇가
④ 뒷마을 연못
⑤ 외양간 엄마 소

핵심 역량

3 대상을 어떻게 비유하여 표현했는지 살펴보고, 다음 빈칸에 알맞은 말을 각각 쓰시오.

대상	비유하는 표현	비유한 까닭
봄비 내리는 소리	교향악	여러 가지 소리가 섞여 있는 것이 비슷해서
이 세상 모든 것	(2)	소리가 나는 것이 비슷해서
지붕	큰북	큰 소리가 나는 것이 비슷해서
(1)	작은북	작은 소리가 나는 것이 비슷해서
봄비 내리는 모습	왈츠	(3)

○ 비유하는 표현을 생각하며 시 읽기

풀잎과 바람

정완영

나는 풀잎이 좋아, 풀잎 같은 친구 좋아

바람하고 엉켰다가 풀 줄 아는 풀잎처럼

헤질 때 또 만나자고 손 흔드는 친구 좋아.
<u>헤어질 때</u>

나는 바람이 좋아, 바람 같은 친구 좋아

풀잎하고 헤졌다가 되찾아 온 바람처럼

만나면 얼싸안는 바람, 바람 같은 친구 좋아.

> • 글의 종류: 시
> • 글의 내용: 친구를 풀잎과 바람에 비유하여 표현했습니다.

1단원

● 「풀잎과 바람」에 나오는 비유하는 표현 바꾸어 보기 **핵심**

> 풀잎 같은 친구 좋아
> 바람하고 엉켰다가 풀 줄 아는 풀잎처럼

↓

> 꽃잎 같은 친구 좋아
> 언제나 아름답고 예쁜 꽃을 피우는 꽃잎처럼

엉켰다가 실이나 줄 따위가 풀기 힘들 정도로 서로 한데 얽혔다가.
예 연줄이 엉켰다가 풀어졌습니다.

얼싸안는 두 팔을 벌리어 껴안는.
예 헤어진 가족을 만나 얼싸안는 장면을 보니 눈물이 났습니다.

---

4 이 시에서 '친구'를 무엇과 무엇에 비유하여 표현했는지 쓰시오.

(   )

5 '풀잎 같은 친구'가 좋다고 한 까닭은 무엇입니까?
<small>교과서 문제</small>
(   )

① 풀잎이 세찬 바람을 막아 주기 때문에

② 풀잎이 내 몸을 따뜻하게 감싸 주기 때문에

③ 풀잎이 만나면 방긋 웃어 주는 친구 같기 때문에

④ 풀잎이 마음을 편안하게 해 주는 친구 같기 때문에

⑤ 바람하고 엉켰다가 풀 줄 아는 풀잎의 모습이 헤질 때 또 만나자고 손 흔드는 친구 같기 때문에

서술형

6 '바람 같은 친구'가 좋다고 한 까닭은 무엇인지 쓰시오.

_____

_____

핵심

7 친구의 의미에 대하여 생각해 보고, 이 시의 일부분을 다음 **보기** 처럼 바꾸어 쓰시오.

보기	친구의 의미	비유하는 표현
	소중함.	공기 같은 친구 좋아 언제나 내 옆에서 함께해 주는 공기처럼

(1) 친구의 의미	(2) 비유하는 표현

기본 ② 비유하는 표현을 살려 시 쓰기

○ 봄이 되면 새롭게 만날 수 있는 대상을 떠올려 비유하는 표현을 사용해 나타내기

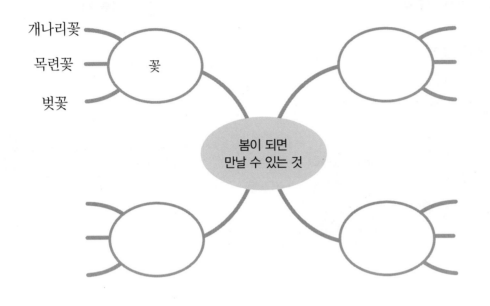

개나리꽃
목련꽃
벗꽃

꽃

봄이 되면
만날 수 있는 것

핵심

●**비유하는 표현을 사용해 나타내기**
• 대상의 특징을 생각하여 비유하는 표현 떠올리기

대상	비유하는 표현	공통점
친구	연예인	멋지다.

⬇

• 비유하는 표현을 살려 시 쓰기

내 친구

연예인같이 잘생긴
내 친구

---

1 봄이 되면 새롭게 만날 수 있는 대상을 한 가지 떠올려 쓰시오.

(   )

2 **1**번 문제에서 답한 대상의 특징을 다른 대상에 비유하여 표현해 보고, **1**번 대상과 비유할 대상의 공통점을 쓰시오.
교과서
문제

(1) 비유할 대상	(2) 공통점

핵심 논술형

3 다음은 '친구'를 대상으로 쓴 시입니다. 대상의 특징에 맞게 비유하는 표현을 사용하여 시를 완성하시오.

> 내 친구는 늘 내게 밝은 햇살
> 내 친구는 늘 내게 밝은 가로등
>
> 내 친구는 ＿＿＿＿＿＿＿＿＿＿
>
> ＿＿＿＿＿＿＿＿＿＿＿＿＿＿＿

4 다음은 친구들이 쓴 시에 대해 감상한 느낌과 생각을 이야기한 것입니다. 감상 평을 알맞게 말하지 못한 것의 번호를 쓰시오.

> ① 비유하는 표현이 참신해서 시가 정말 새로웠어.
> ② 시를 읽으니 전에 느끼지 못했던 봄의 모습이 새롭게 다가왔어.
> ③ 비유하는 표현이 잘 드러나는 부분에 표시해 가며 시를 읽으니 시에 대한 흥미가 사라졌어.

(   )

 **시 낭송회와 시화전 열기**

○ 시 낭송회와 시화전 하는 방법 알기

비유하는 표현이 잘 드러난 시 고르기	• 시집이나 자신이 써 둔 시에서 비유하는 표현이 잘 드러난 시를 고릅니다.

시 낭송하기	• 친구들 앞에서 부끄러워하지 않고 자신 있게 읽습니다. • 노래하듯이 부드럽고 자연스럽게 읽습니다. • 시의 분위기와 느낌을 살려서 읽습니다. • 시에서 떠오르는 장면을 상상하면서 읽습니다.

└ 시의 분위기에 어울리는 배경 음악을 준비합니다.

시에 어울리는 그림 그리기	• 그림은 시를 잘 표현해야 합니다. • 그림이 시 읽는 것을 방해하면 안 됩니다. • 시 내용이 잘 드러나게 그려야 합니다. • 시의 장면을 상상하며 그려야 합니다.

시화전 열기

1 시 낭송을 잘하는 방법으로 알맞지 <u>않은</u> 것은 무엇입니까? ( )

① 시의 분위기와 느낌을 살려서 읽는다.
② 노래하듯이 부드럽고 자연스럽게 읽는다.
③ 처음부터 끝까지 똑같은 목소리로 읽는다.
④ 시에서 떠오르는 장면을 상상하면서 읽는다.
⑤ 친구들 앞에서 부끄러워하지 않고 자신 읽게 읽는다.

2 시의 분위기가 다음과 같을 때 어울리는 배경 음악으로 가장 알맞은 것은 무엇입니까? ( )

> 조용하고 잔잔하다.

① 드럼 음악　　② 통기타 음악
③ 꽹과리 음악　　④ 탬버린 음악
⑤ 심벌즈 음악

핵심

3 시에 어울리는 그림을 그리는 방법으로 알맞지 <u>않은</u> 것은 무엇입니까? ( )

① 그림은 시를 잘 표현해야 한다.
② 시의 장면을 상상하며 그려야 한다.
③ 시 내용이 잘 드러나게 그려야 한다.
④ 그림이 시 읽는 것을 방해하면 안 된다.
⑤ 시 내용에 나오는 사물을 반드시 그려야 한다.

4 시와 그림이 가장 잘 어울리는 작품을 찾기 위한 기준으로 알맞지 <u>않은</u> 것의 기호를 쓰시오.

> ㉠ 시의 내용과 그림이 관련 있는가?
> ㉡ 그림을 시의 오른쪽에 배치하였는가?
> ㉢ 시의 전체적인 분위기에 어울리게 그림을 그렸는가?

( )

비유하는 표현 살펴보기

예 「뻥튀기」에서 비유하는 표현

대상	비유하는 표현	비유한 까닭
뻥튀기가 사방으로 날리는 모양	봄날 꽃잎	뻥튀기가 봄날 꽃잎처럼 ❶□□에 흩날리기 때문에
	나비 / 함박눈 / ❷□□	다양한 방향으로 움직이기 때문에 / 소복하게 내리기 때문에 / 멀리 퍼져 나가기 때문에
뻥튀기 냄새	메밀꽃 냄새 / 새우 냄새 / 멍멍이 냄새 / 옥수수 냄새	냄새가 ❸□□하고 달콤하기 때문에

비유하는 표현을 생각하며 시 읽기

예 「봄비」에서 비유하는 표현

대상	비유하는 표현	비유한 까닭
봄비 내리는 소리	❹□□□	여러 가지 소리가 섞여 있는 것이 비슷해서
이 세상 모든 것	악기	소리가 나는 것이 비슷해서
지붕	큰북	큰 소리가 나는 것이 비슷해서 / 크기가 커서
세숫대야 바닥	작은북	작은 소리가 나는 것이 비슷해서 / 크기가 작아서
봄비 내리는 모습	왈츠	경쾌하고 가볍게 움직이는 것이 비슷해서

비유하는 표현을
살려 시 쓰기

예 봄이 되면 새롭게 만날 수 있는 것 떠올려 시 쓰기

봄이 되면
새롭게 만날 수
있는 것
떠올리기

➡

봄이 되어 새롭게
만난 대상을
하나 정해
표현하고 싶은
생각이나 마음
정하기

➡

대상의
❺ ☐☐을/를
생각하며
여러 가지
비유하는 표현
떠올리기

➡

대상의 특징을
담아
비유하는 표현
살려 시 쓰기

내 친구

내 친구는 늘 내게 밝은 햇살
내 친구는 늘 내게 밝은 가로등

내 친구는 변하지 않는
나의 영원한 발전소

시 낭송회와
시화전 열기

예 시 낭송을 잘하는 방법

친구들 앞에서
부끄러워하지 않고
자신 있게 읽어야 해.

❻ ☐☐하듯이
부드럽고 자연스럽게
읽어야 해.

시의 분위기와
느낌을 살려서
읽어야 해.

시에서 떠오르는
장면을 상상하면서
읽어야 해.

예 시에 어울리는 그림을 그리는 방법

그림은 시를
잘 표현해야 해.

그림이 시 읽는
것을 방해하면
안 돼.

시 ❼ ☐☐이/가
잘 드러나게
그려야 해.

시의
장면을 상상하며
그려야 해.

단원 평가

1 다음에서 설명하는 것은 무엇인지 쓰시오.

> 어떤 현상이나 사물을 비슷한 현상이나 사물에 빗대어 표현하는 것

• (   )하는 표현

[2~4] 글을 읽고, 물음에 답하시오.

> "뻥이요. 뻥!"
>
> 봄날 꽃잎이 흩날리는 것처럼 아름답게 보였습니다.
> 아니야, 아니야, 나비가 날아갑니다.
> 아니야, 아니야, 함박눈이 내리는 거야.
>
> 맞아요, 맞아요, 폭죽입니다.
>
> 하얀 연기 고소하고요.
>
> 가을날 메밀꽃 냄새가 납니다.
> 아니야, 아니야, 새우 냄새가 납니다.
> 아니야, 아니야, 멍멍이 냄새가 납니다.
>
> 맞아요, 맞아요, 옥수수 냄새입니다.

2 이 글에 나오는 비유하는 표현과 비유한 까닭이 알맞지 <u>않은</u> 것은 무엇입니까? (   )

	비유하는 표현	비유한 까닭
①	폭죽	멀리 퍼져 나가서
②	나비	다양한 방향으로 움직여서
③	새우	냄새가 고소하고 달콤해서
④	함박눈	차가운 느낌이 들어서
⑤	봄날 꽃잎	하늘에 흩날려서

3 '뻥튀기 냄새'를 '옥수수 냄새'에 비유하여 표현한 까닭은 무엇인지 쓰시오.

(   )

논술형

4 이 글의 '뻥튀기'를 솜사탕에 비유하여 표현하려고 한다면 그 까닭은 무엇일지 쓰시오.

_____

_____

5 비유하는 표현을 사용하면 좋은 점이 <u>아닌</u> 것은 무엇입니까? (   )

① 장면이 쉽게 떠오른다.
② 상황이 실감 나게 느껴진다.
③ 글쓴이의 의도를 쉽게 파악할 수 있다.
④ 읽는 이를 내 생각에 따르게 할 수 있다.
⑤ 글이나 그림책의 내용이 쉽게 이해된다.

[6~9] 시를 읽고, 물음에 답하시오.

봄비

해님만큼이나
큰 은혜로
내리는 교향악

이 세상
모든 것이 다
악기가 된다.

달빛 내리던 지붕은
두둑 두드둑
큰북이 되고

아기 손 씻던
세숫대야 바닥은

도당도당 도당당
작은북이 된다.

┌ 앞마을 냇가에선
ⓖ 풍퐁 포옹 퐁
│ 뒷마을 연못에선
└ 퐁퐁 푸웅 퐁

외양간 엄마 소도
함께
　댕그랑댕그랑

엄마 치마 주름처럼
산들 나부끼며
왈츠

봄의 왈츠
하루 종일 연주한다.

점수   /점

6 '봄비 내리는 소리'를 '교향악'에 비유한 까닭은 무엇입니까? ( )

① 봄에만 볼 수 있어서
② 모든 사람이 좋아해서
③ 여러 가지 소리가 섞여 있어서
④ 일정한 장소에서만 볼 수 있어서
⑤ 한 번 시작하면 끝을 알 수 없어서

7 ㉠은 어떤 장면을 표현한 것인지 쓰시오.

• 앞마을 냇가와 뒷마을 연못에 (   ) 이/가 경쾌하게 내리는 장면을 표현한 것이다.

8 이 시에서 운율이 느껴지는 부분이 아닌 것은 어느 것입니까? ( )

① 두둑 두드둑
② 도당도당 도당당
③ 퐁퐁 포옹 퐁
④ 댕그랑댕그랑
⑤ 산들 나부끼며

논술형
9 봄비 내리는 장면을 상상했을 때 떠오르는 대상을 악기에 비유하여 그렇게 비유한 까닭과 함께 쓰시오.

(1) 떠오르는 대상	
(2) 비유하는 표현	
(3) 비유한 까닭	

[10~12] 시를 읽고, 물음에 답하시오.

풀잎과 바람

나는 풀잎이 좋아, ㉠풀잎 같은 친구 좋아
바람하고 엉켰다가 풀 줄 아는 풀잎처럼
헤질 때 또 만나자고 손 흔드는 친구 좋아.

나는 바람이 좋아, 바람 같은 친구 좋아
풀잎하고 헤졌다가 되찾아 온 바람처럼
만나면 얼싸안는 바람, 바람 같은 친구 좋아.

10 이 시에서 '친구'와 '바람'의 공통점은 무엇입니까? ( )

① 항상 필요한 존재라는 점
② 시원한 느낌을 준다는 점
③ 헤어질 때 손을 흔든다는 점
④ 헤어졌다가 다시 찾아온다는 점
⑤ 떠나지 않고 언제나 곁에 있다는 점

11 이 시의 ㉠ 부분을 빈칸에 알맞은 말을 넣어 새로운 표현으로 바꾸어 쓰시오.

_____ 같은 친구 좋아

_____처럼

12 이 시를 읽고 떠올린 생각이나 느낌을 바르지 않게 말한 친구는 누구인지 쓰시오.

혜정: 친구의 소중함과 고마움을 생각해 보았어.
지철: 풀잎과 바람으로 비유한 친구가 더욱 멀게 느껴졌어.
준호: 늘 곁에 있어서 잘 몰랐던 친구를 새롭게 생각해 보았어.

(   )

단원 평가

13 봄이 되면 새롭게 만날 수 있는 것을 떠올린 것으로 알맞지 <u>않은</u> 것은 무엇입니까? ( )

① 꽃 　② 새싹 　③ 단풍
④ 새 교실 　⑤ 새 친구

14 봄이 되어 새롭게 만난 대상을 떠올렸습니다. 다음 대상에 대해 표현하고 싶은 생각이나 마음을 쓰시오.

사람

( )

15 '친구'를 떠올려 시를 쓰려고 합니다. 친구를 비유할 대상과 공통점이 바르게 짝 지어지지 <u>않은</u> 것은 무엇입니까? ( )

	비유할 대상	공통점
①	흥부	장난이 심하다.
②	바다	깊고 넓다.
③	연예인	멋있다.
④	발전소	내게 힘을 준다.
⑤	밝은 햇살	잘 웃는다.

16 다음 시에 어울리는 제목을 쓰시오.

> 연예인같이 잘생긴
> 내 친구
>
> 지나가는 사람 돌아보게 하는
> 조각상 같은 내 친구
>
> 넓은 호수와 같이 날 안아 주고
> 넓은 바다와 같이 날 품어 주는

( )

17 비유하는 표현을 살려 친구들이 쓴 시를 읽은 뒤에 감상 평을 알맞게 말하지 <u>못한</u> 친구는 누구인지 쓰시오.

> 서현: 비유하는 표현이 참신해서 시가 정말 새로웠어.
> 효진: 이 시는 은유법을 알맞게 써서 시의 내용을 이해하기가 어려웠어.
> 석진: 비유하는 표현이 잘 드러나는 부분에 표시해 가며 시를 읽으니 시 내용이 마음에 더 잘 와닿았어.

( )

18 낭송할 시의 분위기가 조용하고 잔잔할 때 어울리는 배경 음악은 무엇일지 쓰시오.

( )

19 시 낭송회에서 시를 낭송하는 방법으로 알맞은 것은 무엇입니까? ( )

① 시집만 쳐다보고 읽어야 한다.
② 줄글을 읽듯이 한번에 이어서 읽어야 한다.
③ 시에서 떠오르는 장면을 상상하면서 읽어야 한다.
④ 시를 읽는 동안 곧게 선 자세로 움직이지 않아야 한다.
⑤ 친구들이 잘 들을 수 있도록 큰 목소리로 빠르게 읽어야 한다.

20 시에 어울리는 그림을 그리는 방법으로 알맞지 <u>않은</u> 것의 기호를 쓰시오.

> ㉠ 그림은 시를 잘 표현해야 한다.
> ㉡ 시의 장면을 상상하며 그려야 한다.
> ㉢ 시 내용이 잘 드러나게 그려야 한다.
> ㉣ 시보다 그림이 주목받을 수 있도록 그려야 한다.

( )

서술형 평가

1 다음 글에서 '뻥튀기가 사방으로 날리는 모양'을 비유한 표현을 모두 찾아 쓰시오.

> "뻥이요. 뻥!"
>
> 봄날 꽃잎이 흩날리는 것처럼 아름답게 보였습니다.
> 아니야, 아니야, 나비가 날아갑니다.
> 아니야, 아니야, 함박눈이 내리는 거야.
>
> 맞아요, 맞아요, 폭죽입니다.

[2~3] 시를 읽고, 물음에 답하시오.

> ### 봄비
>
> 달빛 내리던 지붕은
> 두둑 두드둑
> 큰북이 되고
>
> 아기 손 씻던
> 세숫대야 바닥은
>
> 도당도당 도당당
> 작은북이 된다.

2 이 시의 '지붕'과 '세숫대야 바닥'을 다음과 같이 비유하여 표현한 까닭을 쓰시오.

대상	비유하는 표현	비유한 까닭
지붕	큰북	(1)
세숫대야 바닥	작은북	(2)

3 이 시와 같이 봄비 내리는 장면을 상상해 보고, 마음속에 떠오르는 것을 쓰시오.

4 다음 시에서 '풀잎 같은 친구'가 좋다고 한 까닭은 무엇인지 쓰시오.

> ### 풀잎과 바람
>
> 나는 풀잎이 좋아, 풀잎 같은 친구 좋아
> 바람하고 엉켰다가 풀 줄 아는 풀잎처럼
> 헤질 때 또 만나자고 손 흔드는 친구 좋아.
>
> 나는 바람이 좋아, 바람 같은 친구 좋아
> 풀잎하고 헤졌다가 되찾아 온 바람처럼
> 만나면 얼싸안는 바람, 바람 같은 친구 좋아.

5 비유하는 표현을 사용해 친구의 의미를 표현하려고 합니다. 친구의 의미가 다음과 같을 때, 다음의 의미를 비유하는 표현과 그렇게 비유한 까닭을 쓰시오.

친구의 의미	비유하는 표현	비유한 까닭
소중함.	(1)	(2)

● 다음 교과서 문장의 파란색 낱말 중에서 알맞은 것을 골라 인물들이 한 말을 완성하시오.

- 봄날 꽃잎이 **흩날리는** 것처럼 아름답게 보였습니다.
- 해님만큼이나 / 큰 **은혜로** / 내리는 교향악
- 바람하고 **엉켰다가** 풀 줄 아는 풀잎처럼 / 헤질 때 또 만나자고 손 흔드는 친구 좋아.
- 우리에게 **익숙한** 대상을 비유하는 표현을 살려 표현하면 어떤 점이 좋은지 친구들과 이야기해 봅시다.

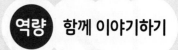
2

이야기를 간추려요

무엇을 배울까요?

- 이야기 속 사건의 흐름 살펴보기

- 이야기 구조를 생각하며 요약하는 방법 알기
- 이야기를 읽고 요약하기

- 이야기 구조를 생각하며 작품 감상하기

2 이야기를 간추려요

1 이야기 구조

발단	이야기의 사건이 시작되는 부분
전개	사건이 본격적으로 발생하고 갈등이 일어나는 부분
절정	사건 속의 갈등이 커지면서 긴장감이 가장 높아지는 부분
결말	사건이 해결되는 부분

2 이야기를 요약하는 방법

① 이야기 구조를 생각하며 각 부분에서 중요한 사건이 무엇인지 찾습니다.
② 이야기 흐름에서 중요하지 않은 내용은 삭제하거나 간단히 씁니다.
　└ 중요하지 않은 내용 삭제하기
③ 중요한 사건이 일어난 원인과 그에 따른 결과를 찾습니다.
　└ 사건의 원인 찾기
④ 여러 사건이 관련 있을 때에는 관련 있는 사건을 하나로 묶습니다.
　└ 관련 있는 사건은 하나로 묶기

예 「저승에 있는 곳간」에서 발단의 중심 내용 간추리기

이야기 구조	사건의 중심 내용 정리하기
발단	① 옛날, 영암 원님이 죽어서 저승에 있는 염라대왕 앞으로 끌려갔는데, 원님이 염라대왕에게 이승에서 좀 더 살게 해 달라고 간청하자 염라대왕은 원님을 저승사자에게 돌려보냈다. 중요하지 않은 내용 삭제하기　사건의 원인 찾기 ② 저승사자는 원님에게 이승으로 가려면 저승에 있는 곳간에서라도 수고비를 내놓으라고 했다.

▼

이야기 구조	사건의 중심 내용 간추리기
발단	저승에 간 원님이 염라대왕에게 이승에서 좀 더 살게 해 달라고 간청하자 염라대왕은 원님을 저승사자에게 돌려보냈고, 저승사자는 원님에게 수고비를 내놓으라고 하였다. ──→ 관련 있는 사건은 하나로 묶기

3 이야기 구조를 생각하며 작품 감상하기

확인할 내용
• 이야기 구조에 맞게 정리했는가?
• 요약하는 방법에 맞게 이야기를 간추렸는가?

① 이야기 구조를 생각하며 작품을 봅니다.
② 작품을 보고 질문을 만들어 친구들과 묻고 답해 봅니다.
③ 작품의 사건 전개 과정을 이야기 구조에 따라 요약해 봅니다.
④ 내용을 잘 간추렸는지 확인해 봅니다.
⑤ 작품에서 인상 깊었던 장면을 보고 든 생각이나 느낌을 친구들과 이야기해 봅니다.

핵심 개념 문제

정답과 해설 ● 4쪽

1 이야기 구조에 맞게 빈칸에 들어갈 단계를 쓰시오.
　• 발단 → (　　　　　　)
　　→ 절정 → 결말

2 이야기에서 사건이 본격적으로 발생하고 갈등이 일어나는 부분은 '절정'입니다.
　(　　　○ , ×　　　)

3 이야기를 요약하는 방법이 아닌 것의 기호를 쓰시오.

> ㉠ 중요하지 않은 내용까지 모두 요약한다.
> ㉡ 중요한 사건이 일어난 원인과 그에 따른 결과를 찾는다.
> ㉢ 여러 사건이 관련 있을 때에는 관련 있는 사건을 하나로 묶는다.

　(　　　　　　　　　)

4 이야기 구조를 생각하며 작품을 감상할 때, 작품의 사건 전개 과정을 이야기 □□에 따라 요약해 봅니다.

준비 이야기 속 사건의 흐름 살펴보기

◉ 이야기 속 사건의 흐름을 생각하며 글 읽기

황금 사과

· 글: 송희진 · 옮김: 이경혜

• **글의 종류:** 이야기
• **글의 내용:** 황금 사과가 열리는 사과나무를 서로 가지겠다고 싸우던 윗동네와 아랫동네 사람들이 오랜 시간이 지난 뒤 화해하게 되었습니다.

❶ 오래전 일이야.

어느 작은 도시 한가운데에 예쁜 사과나무가 있었어. / 나무는 두 동네를 정확하게 반으로 가르는 곳에 있었지.

5 하지만 아무도 그 나무를 눈여겨보지 않았어.

그 나무에 황금 사과가 열린다는 걸 누군가 알아채기 전까지는 말이야.

"얘기 들었어? 사과나무에 황금 사과가 열린대!"

"황금 사과? 말도 안 돼!"

10 "가 보면 알 거 아냐. 우리 눈으로 직접 확인하자고!"

그 소식은 아랫동네부터 윗동네까지 쫙 퍼져 나갔지. / 사람들은 황금 사과를 따려고 마법의 나무 주위로 벌 떼처럼 우르르 몰려들었어.
<small>사람이나 동물 따위가 한꺼번에 움직이거나 한곳에 몰리는 모양</small>

"이 사과들은 우리 거예요!"

15 "천만에! 이건 우리 것입니다!"

"이 사과를 처음 본 건 우리라고요."

두 동네 사이에는 툭하면 싸움이 벌어졌어.

다들 황금 사과를 갖겠다고 아우성이었지.

할 수 없이 사람들은 모여서 의논을 했어.

"이 나무는 우리 두 동네의 한가운데에 있습니 5 다. 그러니 잘 나누기 위해 땅바닥에 금을 그읍시다. 금 오른쪽에 열리는 사과는 윗동네, 금 왼쪽에 열리는 사과는 아랫동네에서 갖도록 말입니다." / 그렇게 해서 땅바닥에 금이 생겼지.

중심 내용 어느 작은 동네의 한가운데에 있는 사과나무에 황금 사과가 열렸는데 두 동네 사람들이 황금 사과를 서로 가지겠다고 땅바닥에 금을 그었다.

❷ 잠깐 동안은 별일 없이 평화롭게 지냈어. 10

하지만 사람들은 곧 약속을 어겼어.

●**이야기 속 사건의 흐름 정리하기 ①**

두 동네의 한가운데에 있는 사과나무에 황금 사과가 열렸는데, 두 동네 사람들이 황금 사과를 서로 가지겠다고 땅바닥에 금을 그었다.

핵심

눈여겨보지 주의 깊게 잘 살펴보지.
　⑩ 눈여겨보지 않았던 곳에 예쁜 강아지들이 살고 있었습니다.

아우성 떠들썩하게 기세를 올려 지르는 소리.
　⑩ 아이들은 서로 자기가 발표를 하겠다고 아우성이었습니다.

---

1 어느 작은 도시 한가운데에 있는 것은 무엇입니까?

（　　　　　　　　）

2 윗동네와 아랫동네 사람들은 왜 싸웠습니까?
<small>교과서 문제</small>
（　　　）

① 사과를 서로 먹고 싶어서
② 사과를 서로 팔고 싶어서
③ 사과나무를 서로 베고 싶어서
④ 황금 사과를 서로 가지고 싶어서
⑤ 사과나무를 서로 보살피고 싶어서

3 두 동네 사람들은 황금 사과를 잘 나누기 위해 어떻게 하였습니까? （　　　）

① 땅바닥에 금을 그었다.
② 사과나무를 반으로 잘랐다.
③ 사과나무를 한 그루 더 심었다.
④ 가장 나이 많은 어른에게 부탁했다.
⑤ 사과나무 주변에 아무도 못 오게 하였다.

논술형

4 황금 사과를 사이좋게 나누려면 어떻게 하는 것이 좋을지 쓰시오.

_____

_____

사과를 따려고 금을 넘어가기 시작한 거야.

두 동네 사이에는 다시 싸움이 일어났지.

결국 금보다 더 확실하고 분명한 방법이 있어야 했어. / 이런저런 생각 끝에 사람들은 드나들 수 있

5 는 작은 문이 달린 나무 울타리를 세웠지.

그렇지만 나무 울타리도 사람들의 욕심을 막을 수가 없었어.

사람들은 이제 담을 쌓기 시작했어.

사방이 꽉 막힌 높고 단단한 담을.

10 그런 다음 양쪽에 보초를 세우고 담을 넘는 사람이 있나 잘 감시했지.

윗동네도 아랫동네도 서로를 의심하는 마음이 차츰차츰 쌓여 갔어. / 그러다 나중에는 서로 잡아먹을 듯이 미워하게 되었지.

15 세월이 흘러갈수록 담은 점점 더 높아졌지.

그러다 어느 때부터인가 아무도 그 담에 관심을 갖지 않게 되었어. / 언제 담을 세웠는지, 왜 세웠는지조차 사람들은 까맣게 잊고 만 거야.

기억이나 아는 바가 전혀 없게

보초(步 걸음 보, 哨 망볼 초) 부대의 경계선이나 각종 출입문에서 경계와 감시의 임무를 맡은 병사.

담을 넘는 사람들이 없어지자 보초도 사라졌고, 황금 사과까지 사라졌어. / 오직 남은 것은 가슴 깊숙이 뿌리박힌 서로 미워하는 마음뿐이었지.

중심내용 두 동네 사람들은 담까지 높게 쌓았는데, 담을 세운 까닭을 잊고 미워하는 마음만 남았다.

❸ 어느 날, 한 꼬마 아이가 물었어.

㉠"엄마, 저 담 너머에는 누가 살아요?"

5

"쉿! 아가야, 절대로 저 담 옆에 가면 안 돼. 저 담 너머에는 심술궂고 못된, 아주 나쁜 사람들이 산단다."

그 아이가 어른이 되어 다시 딸을 낳았지.

어느 날, 어린 딸이 물었어.

10

"엄마, 저 담 너머에는 누가 살아요?"

"쉿! 아가야, 절대로 저 담 옆에 가면 안 돼. 저 담 너머에는 무시무시한 괴물들이 산단다."

●이야기 속 사건의 흐름 정리하기 ②

핵심

두 동네 사람들은 담까지 높게 쌓았는데, 담을 세운 까닭을 잊고 미워하는 마음만 남았다.

심술궂고 남을 성가시게 하는 것을 좋아하거나 남이 잘못되는 것을 좋아하는 마음이 매우 많고.

---

5 사과를 지키기 위해 사람들이 한 일은 무엇인지 빈칸에 알맞은 말을 쓰시오.

• 금을 그었다. → 작은 문이 달린 나무 울타리를 세웠다. → (   )
→ 보초를 세웠다.

6 두 동네 사람들은 서로 어떤 마음을 가지게 되었는지 두 가지 고르시오.   (,   )

① 고마운 마음   ② 미안한 마음
③ 불쌍한 마음   ④ 미워하는 마음
⑤ 의심하는 마음

7 두 동네가 서로 화해하려면 어떻게 해야 할지 알맞은 것에 ○표를 하시오.

• 자신의 (이익 , 손해)만 추구하기보다는 대화와 소통으로 문제를 해결해야 한다.

8 ㉠과 같은 꼬마 아이의 질문에 엄마는 담 너머에 누가 산다고 답하였습니까?   (   )

① 남을 도와주는, 착한 사람들
② 거짓이 없는, 순수한 사람들
③ 책임감이 강한, 건강한 사람들
④ 배려심이 가득한, 친절한 사람들
⑤ 심술궂고 못된, 아주 나쁜 사람들

시간이 지날수록 윗동네는 점점 바뀌어 갔어.

어느새 커다란 현대식 건물들로 가득 찬 엄청나게 큰 동네가 되었지. / 하지만 아랫동네는 높은 담 때문에 멀리까지 그늘이 졌어.

5 그래서 낮에도 햇볕이 들지 않고, 동네는 늘 어두웠어. / 그늘진 곳에 살던 사람들은 따뜻하고 밝은 곳을 찾아 멀리 떠났지.

중심 내용 어느 날, 한 꼬마 아이가 엄마께 담 너머에 누가 사느냐고 묻자 엄마는 괴물이 사니 조심하라고 했다.

❹ 그러던 어느 날, 한 꼬마 아이가 공놀이를 하다가 공을 놓치고 말았어.

10 공은 떼굴떼굴 담 쪽으로 굴러갔지.

아이는 아무도 살지 않는 으스스한 그곳으로 걸어갔어. / 그런데 담 쪽으로 다가가 보니 작은 문이 언뜻 보이는 거야.

몸이 오싹거렸지만 그 아이는 계속 다가갔어.
무섭거나 추워서 자꾸 몸이 움츠러들거나 소름이 끼쳤지만
15 열쇠 구멍에서 희미한 빛이 새어 나왔거든.

아이는 무서운 마음을 꾹 누르고 구멍 속을 들여

다보았어. / "와, 세상에 이럴 수가!"

아이의 눈에 보인 건 공을 가지고 즐겁게 노는 아이들이었어. / 엄마가 말한 끔찍한 괴물들이 아니라 자기하고 비슷한 또래 친구들 말이야.

끼이이이익– / 아이가 문을 밀자 쓱 열렸어.
5 문은 낡았고, 자물쇠는 망가져 있었거든.
환한 햇살 때문에 아이는 눈이 부셨지.
아이는 친구들에게 다가가 말했어.
㉠"얘들아, 안녕! 내 이름은 사과야. 너희 이름은 뭐야?"
10

중심 내용 꼬마 아이가 공을 주우려고 담 쪽으로 갔다가 담에 있는 문을 열자, 그곳에는 아이들이 즐겁게 놀고 있었다.

● **이야기 속 사건의 흐름 정리하기 ③**

어느 날, 한 꼬마 아이가 엄마께 담 너머에 누가 사느냐고 묻자 엄마는 괴물이 사니 조심하라고 했다.

↓

꼬마 아이가 공을 주우려고 담 쪽으로 갔다가 담에 있는 문을 열자, 그곳에는 아이들이 즐겁게 놀고 있었다.

으스스한 차거나 싫은 것이 몸에 닿았을 때 크게 소름이 돋는 느낌이 있는. **예** 시골길은 가로등이 없어 으스스한 느낌이 듭니다.

언뜻 지나는 결에 잠깐 나타나는 모양. **예** 놀이터에서 놀고 있는 동생을 언뜻 본 것 같기도 했습니다.

논술형

9 ㉠의 말을 읽고 어떤 생각이나 느낌이 드는지 쓰시오.

_____
_____
_____

10 두 동네 사람들의 관계는 앞으로 어떻게 되겠습니까? ( )

① 담을 더 높이 쌓을 것이다.
② 괴물을 잡으러 나설 것이다.
③ 서로 오해를 풀어 사이좋게 지내게 될 것이다.
④ 황금 사과를 서로 먼저 찾겠다고 싸울 것이다.
⑤ 아이들이 어울리지 못하도록 보초를 세울 것이다.

핵심 역량

11 다음은 이 이야기에서 일어난 일을 정리한 것입니다. 사건이 일어난 차례대로 기호를 쓰시오.

㉠ 두 동네의 한가운데에 있는 사과나무에 황금 사과가 열렸는데, 두 동네 사람들이 황금 사과를 서로 가지겠다고 땅바닥에 금을 그었다.
㉡ 꼬마 아이가 공을 주우려고 담 쪽으로 갔다가 담에 있는 문을 열자, 그곳에는 아이들이 즐겁게 놀고 있었다.
㉢ 어느 날, 한 꼬마 아이가 엄마께 담 너머에 누가 사느냐고 묻자 엄마는 괴물이 사니 조심하라고 했다.
㉣ 두 동네 사람들은 담까지 높게 쌓았는데, 담을 세운 까닭을 잊고 미워하는 마음만 남았다.

( ) ➡ ( ) ➡ ( ) ➡ ( )

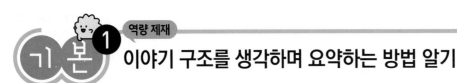

이야기 구조를 생각하며 요약하는 방법 알기

○ 이야기 속 사건의 흐름을 생각하며 글 읽기

> · 글의 종류: 이야기
> · 글의 내용: '덕진 다리'가 생기게 된 유래가 나타난 이야기로, 이야기 구조가 잘 나타나 있습니다.

저승에 있는 곳간

❶ 옛날, 전라남도 영암 땅에서 있던 일이다.

영암 원님이 죽어서 염라대왕 앞으로 끌려갔다.

"염라대왕님, 소인은 아직 할 일이 많습니다. 그런데 벌써 저를 데려오셨습니까? 이승에서 좀 더
지금 살고 있는 세상
5 살게 해 주십시오."

원님은 머리를 조아리며 간청했다. 그러자 염라대왕은 수명을 적어 놓은 책을 들여다보고는 아직 원님이 나이가 젊어 딱하다는 생각이 들었다.

"좋다, 내 마음이 변하기 전에 얼른 사라져라."

10 염라대왕은 원님을 저승사자에게 돌려보냈다.

"이승으로 나가려는데 어떻게 가면 될까요?"

"여기까지 데려왔는데 그냥 보내 줄 수는 없다. 너 때문에 헛걸음을 했으니 수고비를 내놓아라."

"어떡하지요? 지금 저는 빈털터리인데……."

15 "그러면 저승에 있는 네 곳간에서라도 내놓아라."

사람은 누구나 저승에 곳간이 하나씩 있다. 그렇

지만 이승에서 부자라고 해서 그 곳간이 꽉 차 있지는 않다. 마찬가지로 가난하게 사는 사람이라고 해서 저승 곳간까지 텅 빈 것도 아니었다. 그 곳간은 이 세상에서 좋은 일을 한 만큼 재물이 쌓이게끔 되어 있었다.
5

> **중심 내용** 저승에 간 원님이 염라대왕에게 이승에서 좀 더 살게 해 달라고 간청하자 염라대왕은 원님을 저승사자에게 돌려보냈고, 저승사자는 원님에게 수고비를 내놓으라고 하였다.

❷ 원님은 그렇게 하기로 하고 자기 곳간으로 갔다. 그런데 그 곳간에는 특별한 재물이랄 게 없었다. 고작 볏짚 한 단만이 있을 뿐이었다.

"이 사람, 남에게 덕을 베푼 일이라곤 없는 모양이네!"
옆에 서 있던 저승사자가 코웃음을 치며 말했다.
10

●이야기 구조에 따라 사건의 중심 내용 간추리기 ①

❶ 발단	저승에 간 원님이 염라대왕에게 이승에서 좀 더 살게 해 달라고 간청하자 염라대왕은 원님을 저승사자에게 돌려보냈고, 저승사자는 원님에게 수고비를 내놓으라고 하였다.

핵심

간청(懇 정성 **간**, 請 청할 **청**)했다 간절히 청했다.
　예 부모님께 놀이공원에 가자고 간청했다.

곳간 물건을 간직하여 두는 곳.
　예 할머니 댁 곳간에는 쌀이 가득 차 있습니다.

---

1 글 ❶은 이야기 구조에서 어느 부분에 해당합니까?

(　　　　　　)

2 이야기의 사건이 시작되는 부분은 어디입니까?
교과서 문제
(　　)

① 염라대왕이 저승사자를 부르는 부분

② 염라대왕이 영암 원님을 혼내는 부분

③ 영암 원님이 저승사자를 따라가는 부분

④ 저승사자가 영암 원님을 쫓아내는 부분

⑤ 영암 원님이 죽어서 저승에 있는 염라대왕을 만나는 부분

3 어느 부분에서 사건이 본격적으로 발생합니까?
교과서 문제
· 원님이 저승에 있는 자기 (　　　　) 을/를 확인하는 부분

역량

4 다음은 글 ❶의 사건의 중심 내용을 어떤 방법으로 요약한 것인지 알맞은 것에 ○표를 하시오.

> 옛날, 영암 원님이 죽어서 저승에 있는 염라대왕 앞으로 끌려갔는데, 원님이 염라대왕에게 이승에서 좀 더 살게 해 달라고 간청하자 염라대왕은 원님을 저승사자에게 돌려보냈다.

(1) 사건의 원인 찾기 (　　)

(2) 중요하지 않은 내용 삭제하기 (　　)

(3) 관련 있는 사건은 하나로 묶기 (　　)

“어찌해 제 곳간에는 볏짚 한 단밖에 없습니까?”

“너는 이승에 있을 때 남에게 덕을 베푼 일이 없지 않느냐?”

원님은 순간, 쥐구멍에라도 숨고 싶을 만큼 부끄러웠다. 생각해 보니 자신은 남에게 좋은 일 한 번 변변히 한 적이 없었다.

단 한 번, 몹시 가난한 아낙이 아기를 낳을 때 짚이 없어서 쩔쩔매는 것을 우연히 보고 볏짚 한 단을 구해다 준 게 전부였다. 저승 곳간에 볏짚이나마 있는 것은 그 때문이었다.

“남에게 덕을 베풀려면 어떻게 해야 합니까?”

“배고픈 사람에게는 밥을 주고, 옷이 없는 사람에게는 옷을 주고, 돈이 없는 사람에게는 돈을 주는 것이 다 남에게 덕을 베푸는 일이니라.”

원님은 자기 곳간이 비어 이승으로 갈 수 없다고 생각하니 걱정되었다. / ‘어쩐다……?’

그때였다. 저승사자가 핀잔하듯 말했다.

“네 고을에 사는 주막집 딸은 곳간을 그득하게 채웠

는데, 고을 원님이라는 사람이 이게 무슨 꼴이냐?”

“아니, 그게 무슨 얘깁니까?”

“덕진이라는 아가씨의 곳간에는 쌀이 수백 석이나 있으니, 일단 거기서 쌀을 꾸어 계산하고 이승에 나가서 갚도록 해라.”

저승사자가 원님에게 제안했다. 결국 원님은 덕진의 곳간에서 쌀 삼백 석을 꾸어 셈을 치를 수 있었다. / 원님은 저승사자를 쫓아 얼마쯤 갔다. 드디어 이승 문 앞에 이르렀다.

저승사자는 그 문을 열며

“이 컴컴한 데로만 들어가면 이승으로 나갈 수 있다. 속히 나가거라.”

하면서 원님을 문밖으로 밀쳤다.

> **중심 내용** 저승사자는 원님에게 덕진이라는 아가씨의 곳간에서 쌀을 꾸어 계산하게 하고 원님을 이승으로 보냈다.

● **이야기 구조에 따라 사건의 중심 내용 간추리기 ②**

② 전개	저승사자는 원님에게 덕진이라는 아가씨의 곳간에서 쌀을 꾸어 계산하게 하고 원님을 이승으로 보냈다.

변변히 제대로 갖추어져 충분하게.
예 어제는 늦어서 선생님께 변변히 인사도 못 드리고 왔습니다.

핀잔하듯 맞대어 놓고 언짢게 꾸짖거나 비꼬아 꾸짖듯. 예 내가 청소한 것이 마음에 안 든다고 어머니께서 핀잔하듯 말씀하셨습니다.

5 원님의 저승 곳간에는 왜 볏짚이 한 단밖에 없었는지 쓰시오.

( )

6 원님은 저승사자에게 줄 수고비를 어떻게 마련하였습니까? ( )

① 일을 하여 돈을 벌었다.
② 저승사자에게 돈을 빌렸다.
③ 덕진의 곳간에서 쌀을 몰래 훔쳤다.
④ 앞으로 덕을 쌓겠다는 약속을 하였다.
⑤ 덕진의 곳간에서 쌀 삼백 석을 꾸었다.

7 이승으로 내려간 원님이 할 일은 무엇이겠습니까? ( )

① 열심히 재물을 모은다.
② 덕진을 찾아가 빚을 갚는다.
③ 덕진 곳간에 재물을 채운다.
④ 덕진의 재물을 사람들에게 나누어 준다.
⑤ 덕진에게 곳간을 채우는 방법을 배운다.

> 핵심

8 다음은 이 글의 중심 내용을 요약한 것입니다. 빈칸에 들어갈 알맞은 말을 각각 쓰시오.

• 저승사자는 (1)( )에게 (2)( )(이)라는 아가씨의 곳간에서 쌀을 꾸어 계산하게 하고 원님을 이승으로 보냈다.

❸ 원님이 깜짝 놀라 정신을 차려 보니, 그곳은 바로 이승이었고, 자신도 이승 사람이 되어 있었다.

원님은 즉시 나졸들을 시켜 덕진이라는 아가씨를
조선 시대에 포도청에 속하여 순찰과 죄인을 잡아들이는 일을 맡아 하던 하급 병졸
찾으라고 명령했다. 얼마 뒤, 덕진이라는 아가씨가
5 어머니와 주막을 차려 살고 있으며, 인정이 많아 손님을 후하게 대접한다는 것을 알았다.

사실을 확인하고 싶은 원님은 허름한 선비 모습으로 변장하고, 밤에 덕진의 주막을 찾아갔다.

덕진은 따뜻하게 원님을 맞이했다. 술을 달라는
10 원님에게 덕진은 술상을 정성스럽게 차려서 가지고 왔다.

"한 잔에 두 푼씩 여섯 푼만 주십시오."

"술값이 무척 싼 편이로군. 무슨 까닭이라도 있소?"

"다른 집에서 두 푼을 받으면 저희 집은 한 푼을
15 받고, 다른 집에서 서 푼을 받으면 저희 집에서는 두 푼을 받아 왔습니다."

원님은 며칠 뒤에 다시 덕진의 주막을 찾았다.

원님은 머뭇거리며 말했다.
말이나 행동 따위를 선뜻 결단하여 행하지 못하고 자꾸 망설이며
"저, 돈 열 냥만 빌려줄 수 있소?"

"그렇게 하지요."

덕진은 선뜻 열 냥을 내주었다.

"아니, 모르는 사람에게 돈을 빌려주었다가 안 5 갚으면 어쩌려고 그러시오?"

"걱정 마시고 형편이 어렵거든 가져다 쓰시고, 돈이 생기거든 갚으십시오."

덕진은 웃으며 대답했다. 원님은 열 냥을 받아 가지고 나오면서 생각했다. 10

'이런 것이 만인에게 적선하는 것이로구나. 이런 식으로 덕진은 수많은 사람을 도와주고, 돈 수천 냥을 다른 사람들에게 나누어 주었을 것이다. 그러니 덕진의 저승 곳간에는 곡식이 가득 차 있을 수밖에……' 15

원님은 크게 감명받아 며칠 뒤에 달구지에 쌀 삼백 석을 싣고 덕진의 주막을 찾아갔다.

선뜻 동작이 빠르고 시원스러운 모양.
예 힘든 일인데도 선뜻 도와준 친구들이 고맙습니다.

만인(萬 일만 만, 人 사람 인) 모든 사람.
적선하는 착한 일을 많이 하는.

---

9 이 이야기에서 긴장감이 가장 높아지는 부분으로
교과서 문제 알맞은 것은 무엇입니까? ( )

① 원님이 덕진에게 돈을 빌리는 부분
② 원님이 덕진에게 질문을 하는 부분
③ 원님이 덕진에 대해 생각하는 부분
④ 원님이 나졸들을 시켜 덕진을 찾는 부분
⑤ 원님이 허름한 선비 모습으로 변장해 덕진을 만나는 부분

10 덕진에 대한 설명으로 알맞지 않은 것은 무엇입니까? ( )

① 돈을 잘 빌린다.
② 술값을 싸게 받는다.
③ 주막에서 일을 한다.
④ 어머니와 둘이 살고 있다.
⑤ 인정이 많아 손님을 후하게 대한다.

11 원님이 덕진에게 열 냥을 빌렸을 때, 원님의 마음으로 알맞은 것은 무엇이겠습니까? ( )

① 슬픈 마음
② 억울한 마음
③ 귀찮은 마음
④ 번거로운 마음
⑤ 감동적인 마음

서술형
12 자신이 만약 덕진이라면 처음 본 사람에게 큰돈을 빌려줄 수 있을지 없을지 쓰고, 그 까닭을 쓰시오.

_____

_____

주모가 호들갑스럽게 원님을 맞이했다.
말이나 하는 짓이 야단스럽고 방정맞게
"주모 딸을 좀 불러 주게."

"아니, 소인의 딸은 무슨 일로……."

"해코지하려는 게 아니니 염려 말게."

5 잠시 뒤, 덕진은 마당에 나와 원님 앞에 **다소곳이**
섰다.

"너에게 빚진 쌀 삼백 석을 갚으러 왔느니라."

그러자 덕진은 어리둥절해하며 원님을 쳐다보았다.

"하여튼 받아 두어라. 먼 훗날, 너도 알게 될 것
10 이니라."

덕진이 받을 수 없다고 하자 원님은 강제로 쌀을
떠맡겼다.

ᴄ**중심 내용** 원님이 이승으로 돌아와 덕진을 만나고 덕진의 말과 행동에 크게
감명받아 덕진에게 쌀 삼백 석을 갚았다.

❹ 원님이 가고 난 다음에도 덕진은 영문을 몰라
그 자리에 멍하게 서 있었다. 덕진은 어머니와 함
15 께 쌀을 어떻게 할 것인지 의논했다.

소인 신분이 낮은 사람이 자기보다 신분이 높은 사람을 상대하여
자기를 낮추어 이르던 말.

"나도 영문을 모르겠구나. 무슨 까닭이 있는 것 같
긴 한데……. 네가 주인이니 네 뜻대로 해라."

그날 밤, 덕진은 이리저리 몸을 뒤척이며 고민하
다가 결론을 내렸다.

'어차피 내 쌀이 아니니 좋은 일에 쓰도록 하자.'

그리하여 덕진은 쌀을 팔아서 마을 앞을 가로지
르는 강가에 다리를 놓기로 했다. 마을 사람들 모
두가 그곳에 다리가 없어서 불편을 겪던 참이었
다. 이렇게 해서 돌다리를 놓자, 사람들은 그 다리
를 '덕진 다리'라고 했다.

ᴄ**중심 내용** 덕진이 원님에게 받은 쌀로 마을 앞을 가로지르는 강가에 다리를
놓았다.

● **이야기 구조에 따라 사건의 중심 내용 간추리기 ③**

❸ 절정	원님이 이승으로 돌아와 덕진을 만나고 덕진의 말과 행동에 크게 감명받아 덕진에게 쌀 삼백 석을 갚았다.
❹ 결말	덕진이 원님에게 받은 쌀로 마을 앞을 가로지르는 강가에 다리를 놓았다.

다소곳이 고개를 조금 숙이고 온순한 태도로 말이 없이.
ᴇᴊ 동생과 <u>다소곳이</u> 앉아 할아버지의 말씀을 들었습니다.

13 원님이 덕진에게 쌀 삼백 석을 준 까닭은 무엇입
니까? (   )

① 덕진의 주막을 사기 위해서
② 마을 앞에 강을 만들기 위해서
③ 저승에서 빌린 것을 갚기 위해서
④ 덕진에게 심부름을 시키기 위해서
⑤ 덕진에게 빌린 열 냥을 갚기 위해서

역량 서술형
14 이야기 구조에 따라 이 글의 결말 부분을 요약하여
쓰시오.

_____

_____

15 이 이야기를 읽고 느낀 점을 알맞게 말한 친구는 누
구인지 쓰시오.

> 서희: 나도 덕진처럼 아끼고 아껴서 재물을
> 많이 모아야겠어.
> 영훈: 자신의 잘못을 깨닫는 원님처럼 나도
> 내 잘못을 고쳐야겠다는 생각을 했어.

(   )

핵심
16 이와 같은 이야기를 요약하는 방법으로 알맞지 <u>않은</u>
것에 ×표를 하시오.

(1) 여러 사건이 관련 있을 때에는 모든 사건을 쓴
다. (   )
(2) 중요한 사건이 일어난 원인과 그에 따른 결
과를 찾는다. (   )
(3) 이야기 흐름에서 중요하지 않은 내용은 삭
제하거나 간단히 쓴다. (   )

기본 ② 이야기를 읽고 요약하기

○ 이야기 구조를 생각하며 글 읽기

우주 호텔

• 글: 유순희 • 그림: 오승민

❶ 할머니는 공터 구석진 곳에 꾸부정하게 앉아서 폐지를 묶고 있었어. 꽤 시간이 흘렀는데도 손놀림은 느려지지 않았지. 다 묶은 폐지 꾸러미를 손수레에 싣고, 할머니는 혹시 하나라도 빠질까 봐 다시 한번 노끈으로 단단히 묶었단다.

할머니는 손수레를 힘껏 끌었어. 뒤에서 보면 수수깡처럼 마른 할머니가 손수레에 밀려가는 것처럼 보였지. 할머니는 머리를 수그린 채 땅만 보며 걸었어. 할머니는 자신의 나이만큼 늙지 않은 건 눈뿐이라고 생각했어. 웬만한 것은 다 보였지. 껌 종이, 담배꽁초, 빨대, 어딘가에 박혀 있다 떨어져 나온 녹슨 못……. / 그리고 갈라진 시멘트 틈도 보였어. 할머니는 이리저리 땅을 살폈어. 종이를 찾는 거

야. 무게가 조금도 나가지 않을 것 같은 작은 종이라도, 할머니의 눈에는 무게가 있어 보였거든. 그래서 점점 더 등을 납작하게 구부리고 땅을 뚫어져라 살피게 되었어. 그럴수록 할머니는 하늘을 쳐다보는 일이 줄어들었지. 어느 날부터인가 하늘이 어떻게 생겼는지, 구름이 어떻게 흘러가는지도 까맣게 잊게 되었단다.

그런 할머니를 사람들은 '종이 할머니'라고 불렀어.

> **중심 내용** 종이 할머니는 허리를 굽혀 땅만 보며 종이를 주웠다.

• 글의 종류: 이야기
• 글의 내용: 땅만 보며 종이를 줍고 다니던 '종이 할머니'가 메이가 그린 우주 그림을 보고 꿈을 되찾고 눈에 혹이 난 할머니와 서로 의지하며 행복한 마음으로 살게 되었습니다.

● 이야기 구조에 따라 사건의 중심 내용 간추리기 ①

이야기 구조	사건의 중심 내용
발단	종이 할머니는 허리를 굽혀 땅만 보며 종이를 주웠다.

노끈 실, 삼, 종이 따위를 가늘게 비비거나 꼬아서 만든 끈.
예 헌 책을 노끈으로 묶어 창고에 넣었습니다.

수수깡 수수의 줄기.
예 할머니는 텃밭 주위를 수수깡으로 이리저리 얽어 놓았습니다.

역량 **서술형**

1 이야기 구조를 생각할 때 이 이야기의 사건은 어떻게 시작되는지 쓰시오.

_____

_____

2 할머니의 마른 모습을 무엇에 빗대어 표현하였는지 이 글에서 찾아 빈칸에 알맞은 말을 쓰시오.

• ( )처럼 마른 할머니

3 할머니가 하늘을 쳐다보는 일이 줄어든 까닭은 무엇입니까? ( )

① 나이가 들어 허리가 아파서
② 하늘을 쳐다보면 눈이 부셔서
③ 길에 떨어진 쓰레기를 줍느라고
④ 땅만 쳐다보며 농사일을 하느라
⑤ 종이를 찾기 위해서 땅만 살펴서

4 할머니는 왜 '종이 할머니'라고 불렸습니까?
교과서 문제 ( )

① 종이를 아껴 쓰기 때문에
② 종이접기를 잘하기 때문에
③ 분리수거를 잘하기 때문에
④ 종이의 종류를 잘 알기 때문에
⑤ 땅만 살피며 종이를 줍기 때문에

❷ 종이 할머니는 손수레를 끌고 채소 가게로 갔어. 채소 가게 주인은 아침마다 배달되는 채소들을 가게 안에 들이고, 빈 상자를 가게 앞에 쌓아 놓았어. 그 상자는 종이 할머니의 거였어. 이 동네에는 5 폐지를 주워서 파는 노인이 여럿 있었는데, 노인마다 빈 상자를 거두는 가게가 따로 있었거든. 종이 할머니는 이 채소 가게에서 나오는 상자를 차지하기 위해 일부러 여기에서 반찬거리를 사곤 했어.

중심 내용 채소 가게의 빈 상자는 종이 할머니의 거였다.

❸ 그런데 그 가게 앞에 칠이 벗겨진 낡은 유모차 10 가 서 있었어. 그리고 작고 뚱뚱한 할머니가 가게 앞에 쌓인 빈 상자를 유모차에 싣고 있는 게 아니겠어! ㉠종이 할머니는 깜짝 놀랐어. 자기 상자를 처음 보는 노인이 가져가니 놀랄 수밖에. 종이 할머니는 잰걸음으로 다가가 작고 뚱뚱한 할머니의 15 뒤통수에 대고 소리쳤어.

"이 상자는 내 것이여! 이 가게 주인이 나더러 가져가라고 내놓은 거여."

작고 뚱뚱한 할머니는 흠칫 놀라 뒤돌아보았어.

그런데 정작 놀란 건 종이 할머니였어. 작고 뚱뚱한 할머니의 한쪽 눈두덩에 불룩한 혹이 나 있었 5 기 때문이야. 눈동자는 아예 보이지도 않았지. 게다가 다른 한쪽 눈에서 흘러나오는 눈빛은 뿌유스레한 안개 같았어.
선명하지 않고 약간 부연

"그런 뱁이 어디 있어!"

눈에 혹이 난 할머니가 벌그데데한 낯빛이 되어 10 쏘아붙였어. 그 소리는 마치 혹이 난 눈에서 나는 것 같았어. 섬뜩하고 소름이 끼쳤지. 하지만 종이 할머니는 ㉡빈 상자를 포기할 수 없었어. 한번 포기하면 다른 곳의 상자나 폐지도 흉측하게 생긴 이 노인에게 빼앗길지 모르니까. 15

잰걸음 보폭이 짧고 빠른 걸음.
⑩ 수현이가 잰걸음으로 모퉁이를 돌아가는 것을 보았습니다.

흠칫 몸을 움츠리며 갑작스럽게 놀라는 모양.
⑩ 갑자기 튀어나온 고양이 때문에 흠칫 놀랐습니다.

---

5 ㉠에서 종이 할머니가 깜짝 놀란 까닭은 무엇입니까? ( )

① 자기 상자가 없어져서
② 아는 노인이 동네에 나타나서
③ 작고 뚱뚱한 할머니가 다가와서
④ 자기 상자를 처음 보는 노인이 가져가서
⑤ 작고 뚱뚱한 할머니가 상자를 나누어 주고 있어서

6 작고 뚱뚱한 할머니의 생김새로 알맞은 것은 무엇입니까? ( )

① 한쪽 눈이 매우 크다.
② 한쪽 눈에 점이 있다.
③ 한쪽 눈두덩에 혹이 있다.
④ 한쪽 눈을 찡그리고 있다.
⑤ 한쪽 눈에 안대를 하고 있다.

7 ㉡의 까닭은 무엇인지 쓰시오.

_____

_____

핵심

8 이 글에 나타난 이야기 구조의 특징을 잘못 말한 친구는 누구인지 쓰시오.

진수: 인물 간 갈등이 시작되고 있어.
다영: 이야기에서 사건이 본격적으로 발생하는 부분이야.
찬욱: 사건 속의 갈등이 커지면서 긴장감이 가장 높아지는 부분이야.

( )

"내 거여! 이 동네에서 폐지 줍는 노인네들은 다 아는구먼."

하지만 눈에 혹이 난 할머니는 아무 대꾸도 없이 상자를 실은 유모차를 끌고 가려고 했어.

5 울뚝, 화가 치밀어 오른 종이 할머니는 눈에 혹이 난 할머니의 팔을 잡고는 힘껏 밀어 버렸어. 벌러덩, 눈에 혹이 난 할머니는 힘없이 넘어졌어. 그리고는 앞이 잘 안 보이는지 땅을 허둥허둥 짚어 대다가 유모차를 간신히 잡고 일어났어.

10 종이 할머니는 미안한 마음이 들기도 했지만 그보다는 ㉠마음이 놓였어. 인상도 험하고 자신보다 힘이 셀 것 같았는데, 흐무러진 살구처럼 약하고 부서지기 쉽다는 걸 알게 되었으니까.

내친김에 종이 할머니는 낡은 유모차에 실린 상
15 자를 자신의 손수레로 옮겼어. 그러고는 단단히 울
름댔지.
━━━━━━━━━━━━
제힘을 믿고 남을 위협했지

"또 내 것을 가져갔다가는 큰코다칠 테니께 조심혀."

눈에 혹이 난 할머니는 힘없이 골목을 빠져나갔단다.

종이 할머니는 손수레를 끌고 고물상으로 향했어. 여전히 땅만 보면서 말이야. 그때 바닥에 실금 5
그릇 따위가 깨지거나 터져서 생긴 가는 금
처럼 갈라진 틈이 보였어. 문득 의사 선생님의 말이 떠올랐지.

'할머니, 허리를 자꾸 펴시려고 해야 해요. 운동도 하시고요. 계속 그렇게 허리를 구부리시면 점점 더 허리를 펼 수 없게 돼요.' 10

종이 할머니는 고개를 저었어.

'허리를 펴고 똑바로 살면 뭐혀. 허리가 구부러질 대로 구부러지면 땅에 납작하게 붙어 버리겠지. 그럼 저 갈라진 틈으로 사라지면 그뿐 아니겠어?' 15

종이 할머니는 고개를 천천히 끄덕였어.

━━━━━━━━━━━━
울뚝 성미가 급하여 참지 못하고 말이나 행동이 우악스러운 모양.
흐무러진 잘 익어서 무르녹은.

납작하게 몸을 바닥에 바짝 대고 냉큼 엎드려.
예 거북이가 납작하게 엎드려 고개만 내밀고 있었습니다.

---

9 종이 할머니는 눈에 혹이 난 할머니에게 어떻게 했습니까? ( )

① 주운 종이를 나누어 주었다.
② 자신의 유모차를 빌려주었다.
③ 넘어질까 봐 팔을 붙잡아 주었다.
④ 친해지고 싶어 집으로 초대했다.
⑤ 종이 상자를 빼앗기지 않으려고 소리치며 밀어 버렸다.

서술형
10 눈에 혹이 난 할머니가 넘어진 것을 보고 종이 할머니가 ㉠과 같은 마음이 든 까닭은 무엇인지 쓰시오.

_____

_____

11 의사 선생님이 종이 할머니에게 한 말은 무엇입니까? ( )

① 병원에 자주 오셔야 한다.
② 종이를 더 많이 주우셔야 한다.
③ 무리한 운동을 하지 말아야 한다.
④ 허리를 자주 펴시려고 해야 한다.
⑤ 넘어지지 않도록 조심하셔야 한다.

12 의사 선생님의 말을 떠올린 종이 할머니의 마음을 알맞게 짐작한 것에 ○표를 하시오.

(1) 사는 것이 의미가 없다고 느끼는 것 같아.
( )

(2) 건강하게 살고 싶은 간절한 마음이 생긴 것 같아. ( )

(3) 이웃과 나누며 행복하게 살고 싶은 마음이 든 것 같아. ( )

종이 할머니는 고물상 안으로 들어가 손수레를 세웠어. 손수레에는 눌러 편 종이 상자와 신문지가 차곡차곡 쌓여 있었어. 고물상 주인 정 씨는 익숙
물건을 가지런히 겹쳐 쌓거나 포개는 모양
한 손놀림으로, 손수레에서 폐지를 내려 무게를 재
5 고 한쪽 구석에 쌓았어. 그리고 종이 할머니의 손바닥에 만 원짜리 지폐 한 장과 천 원짜리 지폐 네 장을 올려놓았어. 언제나 자신이 일한 것보다 턱없이 적은 돈이었지. 종이 할머니는 그 돈을 꼭 쥐었어. 아주아주 가벼웠단다. ㉠부스러기처럼 말이야.

중심 내용 종이 할머니는 자신의 빈 상자를 빼앗기지 않으려고 소리치며 눈에 혹이 난 할머니를 밀어 버렸다.

10 ❹ 종이 할머니는 다시 손수레를 끌고 집으로 향했어. / 골목에 들어서니 이삿짐 차가 보였어. 맞은편 집에 누군가 이사를 온 모양이야. 머리에 빨간 리본 핀을 꽂은 여자아이가 골목에서 뛰어다니고 있었어. 얼굴은 통통하고 보조개가 있었지. 눈은 커
15 다랬는데 쪽빛 가을 하늘처럼 맑았어.

이삿짐 차가 돌아가자, 맞은편 집에서 젊은 여자가 책을 한 아름 안고 할머니한테 다가왔어.

"할머니, 이거요." / 젊은 여자 뒤로 골목에서 놀고 있던 아이가 얼굴을 내밀었어.
"엄마, 이거 왜 할머니한테 줘?"
"할머니가 종이를 모으시거든. 너도 다 쓴 종이 있으면 할머니한테 갖다드려."
5 엄마가 말하자 아이는 신이 난 듯 대답했어.
"으응."
다음 날, 종이 할머니는 집 앞 골목에 쭈그리고 앉아서 폐지를 묶고 있었어. 그때 맞은편 집에서 아이가 쪼르르 달려 나왔어. / "할머니, 이거요." 10
작은 발걸음을 재게 움직여 걷거나 따라다니는 모양
다음 날, 그다음 날도 아이는 다 쓴 공책을 가져왔어. 다 쓴 공책이 없으면 문에 붙여진 광고지라도 떼어 가지고 왔단다. 아이에게는 아주 ㉡즐거운 놀이처럼 보였지.

●이야기 구조에 따라 사건의 중심 내용 간추리기 ②

이야기 구조	사건의 중심 내용
전개	종이 할머니는 자신의 빈 상자를 빼앗기지 않으려고 소리치며 눈에 혹이 난 할머니를 밀어 버렸다.

턱없이 수준이나 분수에 맞지 아니하게.
예 원하는 물건을 사기엔 돈이 턱없이 모자랐습니다.

쪽빛 짙은 푸른빛.
예 도로 옆으로 시원스레 펼쳐진 쪽빛 바다가 보였습니다.

13 ㉠'부스러기'는 무엇을 말하는 것입니까? (   )
① 먼지   ② 신문
③ 광고지   ④ 종이 상자
⑤ 고물상에서 받은 돈

14 이사를 온 젊은 여자가 할머니에게 책을 갖다드린 까닭은 무엇입니까?   (   )
① 자신이 쓴 책을 선물하려고
② 할머니가 책을 빌려 달라고 해서
③ 할머니가 책 읽기를 좋아한다고 해서
④ 할머니가 폐지를 모은다는 것을 알아서
⑤ 아이에게 책을 읽어 달라고 부탁하려고

15 ㉡'즐거운 놀이'는 무엇인지 쓰시오.
(   )

핵심
16 이와 같은 이야기를 읽고 내용을 요약하는 방법을 알맞게 말한 친구는 누구인지 쓰시오.

철호: 이야기 흐름에서 중요하지 않은 내용은 삭제할 수 있어.
수진: 중요한 사건은 일어난 원인과 상관 없이 결과만 찾으면 돼.
은희: 전체 내용을 요약한 다음에 마음에 드는 부분부터 요약할 수 있어.

(   )

종이 할머니는 아이의 이름이 궁금해졌어.

"이름이 뭐냐?"

"메이요."

그런데 아이는 뭐가 바쁜지 쪼르르 달려가는 거야. 아이는 걷는 법이 없었지. 언제나 날다람쥐처럼 뛰어다녔어. 종이 할머니는 아이의 뒷모습이 사라지는 게 아쉬웠어.

다음 날은 아이가 오지 않았어. ㉠종이 할머니는 이상하게 기운이 없었어. 폐지를 주우러 나가야 하는데도 아이가 올까 봐 기다리게 되었어. 누군가를 이렇게 기다린 적이 없었는데 말이야.

중심내용 맞은편 집에 이사 온 메이는 할머니께 폐지를 가져다드렸으며, 할머니는 폐지를 가져다주는 메이를 기다리게 되었다.

❺ 그러던 어느 날 점심때가 지날 무렵, 대문 밖에서 아이의 목소리가 들렸어.

"할머니, 이거요!"

종이 할머니는 얼른 밖으로 나갔어. 그런데 아이는 어느새 골목 귀퉁이로 사라져 버렸어.

종이 할머니는 아이가 폐지 위에 놓고 간 스케치북을 찬찬히 넘겼어. 첫 장에는 아이가 뽀그르르
작은 거품이 잇따라 갑자기 빠르게 일어날 때 나는 소리. 또는 그 모양
비누 거품 속에서 노는 모습이 그려져 있었어. 다음 장을 넘기자 알록달록한 꽃밭에서 아이가 친구랑 노는 모습이 그려져 있었지. 또 다음 장을 넘겼어. 그런데 이번에는 친구와 싸운 모양이야. 친구와 따로 떨어져서 고개를 숙이고 있는데, 시커먼 먹구름이 화난 표정으로 비를 퍼붓고 있었어.

㉡'메이가 화가 많이 난 모양이네.'

종이 할머니는 조용히 웃었단다.

날다람쥐 움직임이 매우 민첩한 사람을 비유적으로 이르는 말.
예 성호는 날다람쥐처럼 이곳저곳을 뛰어다녔습니다.

알록달록한 여러 가지 밝은 빛깔의 점이나 줄 따위가 고르지 아니하게 무늬를 이룬.

---

17 메이가 뛰어다니는 모습을 무엇에 비유하여 표현했는지 네 글자로 쓰시오.

(   )

18 ㉠과 같이 종이 할머니가 기운이 없어진 까닭은 무엇입니까? (   )

① 가족이 그리워져서
② 폐지를 주우러 가지 못해서
③ 아이의 손에 종이가 없어서
④ 기다리던 아이가 오지 않아서
⑤ 아이가 말도 없이 뛰어나가서

19 메이의 스케치북에 있는 그림이 아닌 것은 어느 것입니까? (   )

① 시커먼 먹구름의 모습
② 아이가 할머니와 이야기하는 모습
③ 아이가 꽃밭에서 친구랑 노는 모습
④ 아이가 비누 거품 속에서 노는 모습
⑤ 아이가 친구와 떨어져서 고개를 숙인 모습

서술형
20 종이 할머니가 ㉡처럼 생각한 까닭은 무엇인지 쓰시오.

_____

_____

그러고는 마지막 장을 넘겼어.

㉠"아!"

종이 할머니는 자신도 모르게 탄성을 질렀어. 지금까지 한 번도 보지 못한 세상이 그려져 있었기 5 때문이야. 약간 찌그러진 똥그스름한 파란 지구, 아름다운 테를 두른 토성, 몸빛이 황갈색으로 빛나는 불퉁불퉁한 목성, 붉은빛이 뿜어져 나오는 태
여기저기 툭툭 불거져 있는
양……. 그리고 그 주위를 돌고 있는 버섯 모양의 우주선까지.

10 '그러고 보니 하늘을 본 지 꽤 오래됐구먼.'

하늘을 본 게 언제였더라? 별을 본 건 언제였 15 지? 달을 본 건…….

아주 어릴 적에 달을 올려다보면서 '꼭 한 번 달에 가고 싶다'고 꿈꿨던 기억이 아슴아슴 떠올랐어. 하지만 도무지 이루지 못할 꿈이라 아주 금세 버렸던 기억도 함께 났지.

종이 할머니는 하늘을 품은 듯한, 별을 품은 듯 5 한, 달을 품은 듯한 기분이었단다.

"다 늙어 빠졌는데 품고 싶은 게 생기다니……."

종이 할머니는 중얼거리면서 가만히 하늘을 올려다보았어. 허리가 뻐근하게 아팠어. 하늘은 비가 올 듯 회색빛이었지. 10

중심 내용 종이 할머니는 메이가 그린 우주 그림을 보고 어릴 적 꿈을 떠올렸다.

❻ 그때 톡탁, 빗방울 하나가 뺨에 떨어졌어. 이내 두 방울, 세 방울이 떨어지더니 후두두 세차게 쏟
빗방울이나 자잘한 돌 따위가 갑자기 떨어지는 소리. 또는 그 모양
아지기 시작했어. 이런 날은 폐지를 주우러 가지 않아. 대문 앞에 버려진 폐지들이 대부분 젖어 있기 때문이야. 15

탄성 몹시 감탄하는 소리.
예 우리 반이 이어달리기에서 앞서 나가자 곳곳에서 탄성이 터졌습니다.

아슴아슴 정신이 흐릿하고 몽롱한 모양.
예 전에 살던 동네에 들어서자 어릴 적 기억들이 아슴아슴 떠올랐습니다.

---

21 종이 할머니가 메이의 그림을 보고 ㉠과 같이 탄성을 지른 까닭은 무엇입니까? (　　)

① 메이가 그림을 빨리 그려서
② 메이가 그림을 많이 그려서
③ 메이의 그림 솜씨가 좋아서
④ 메이가 우주의 모습을 잘못 그려서
⑤ 한 번도 보지 못한 세상이 그려져 있어서

22 종이 할머니가 하늘을 올려다본 까닭은 무엇입니까? (　　)
교과서
문제
① 메이와 다투어서
② 하늘이 회색빛이 되어서
③ 빗방울 하나가 뺨에 떨어져서
④ 의사 선생님이 허리를 펴라고 해서
⑤ 메이가 그린 우주 그림을 보고 어릴 적 꿈이 떠올라서

23 종이 할머니가 비가 오는 날 폐지를 주우러 가지 않는 까닭을 쓰시오.

(　　　　　　　　　　　　)

24 메이가 그린 그림을 본 종이 할머니의 감정을 알맞게 말한 친구를 쓰시오.

수영: 어릴 적 꿈을 이루지 못해 화가 났을 것 같아.
민기: 자신의 처지가 힘들게 느껴져 더 슬퍼졌을 거야.
지혜: 우주 그림에서 어릴 적 꿈을 떠올려 감동적이었을 거야.

(　　　　　　　　　　)

종이 할머니는 스케치북을 안고 집으로 들어갔어. 햇빛이 잘 들어오지 않아서 단칸방은 늘 어둑했어. 하지만 아늑했지. 종이 할머니는 스케치북에 있는 그림을 한 장 한 장 떼어 내어 벽에 붙였어.
5 그리고 옆으로 누워서 찬찬히 그림을 보았단다. 가장 마음에 드는 건 마지막 장에 그려진 우주 그림이었어. 종이 할머니는 우주 그림을 자세히 보다가 아까는 보지 못했던 것을 보게 되었어. 바로 찌그러진 파란 지구 맞은편 위에 떠 있는 ㉠포도 모양의
10 성이야. 포도 알갱이들은 하나하나가 작은 방 같았지. 그리고 그 알갱이들은 투명하고 푸른빛을 띠며 빛나고 있었어. 꼭 유리로 만든 바다처럼 보였어.

포도 모양의 성 맨 꼭대기에는 두 아이가 앉아서 차를 마시고 있었어. 그런데 참 이상하지 뭐야. 두
15 아이 중 하나는 눈이 불룩하게 튀어나오고 입은 개구리처럼 커다랬어. 게다가 팔다리는 길고 머리부

터 발끝까지 초록빛이었지. 이런 사람은 한 번도 본 적이 없었어. 할머니는 그게 뭔지 무척 궁금했어.

'희한하다. 다 늙어 빠졌는데 이제 와서 뭐가 궁금하단 말이여.'

종이 할머니는 자신을 타박하다가 궁금증을 애써 5 지워 버리고는 돌아누웠어. 그런데도 자꾸만 생각나는 거야. '그 초록색 아이는 누구일까?' 하고.

중심 내용 종이 할머니는 메이의 우주 그림에서 포도 모양의 성 꼭대기에 앉은 초록색 아이를 보고 누구일지 궁금해하였다.

❼ 그때였어. / "할머니, 이거요!"

아이의 목소리가 들렸어. 종이 할머니는 반가운 마음에 문을 활짝 열었어.
10

"우리 집에 들어올려?"

아이는 방으로 들어와 벽에 붙은 자신의 그림을 보고는 팔짝팔짝 뛰었지.

"와, 이거 내가 그린 그림이다!"

단칸방 한 칸으로 된 방.
　예 비좁은 단칸방에서 자려니 잠이 오지 않습니다.

타박하다가 허물이나 결함을 나무라거나 핀잔하다가.
　예 어머니는 넘어진 나를 타박하다가 상처를 보고 놀라셨습니다.

---

25 메이의 그림 중에서 종이 할머니가 가장 마음에 들어 한 그림은 무엇인지 쓰시오.

（　　　　　　　　　）

27 우주 그림을 보면서 종이 할머니가 궁금해한 것은 무엇입니까? 　（　　）

① 이 별은 어느 별일까?
② 초록색 아이는 누구일까?
③ 지구가 왜 찌그러졌을까?
④ 포도 모양의 성은 무엇일까?
⑤ 두 아이는 무엇을 하는 것일까?

26 ㉠'포도 모양의 성'에 대한 설명으로 알맞지 않은 것은 무엇입니까? 　（　　）

① 찌그러진 모양이다.
② 알갱이들이 빛이 난다.
③ 지구 맞은편 위에 떠 있다.
④ 알갱이들이 투명하고 푸르다.
⑤ 포도 알갱이 하나하나가 방 같다.

28 메이가 종이 할머니의 방에 들어와서 기뻐한 까닭은 무엇입니까? 　（　　）

① 벽에 그림을 그릴 수 있어서
② 할머니가 맛있는 음식을 주셔서
③ 방 안을 그림처럼 멋지게 꾸며서
④ 벽에 자신의 그림이 붙어 있어서
⑤ 종이 할머니가 종이를 많이 모아 두어서

종이 할머니는 우주 속에 떠 있는 포도 모양의 성을 가리켰어.

"그란디 저건 뭐여?"
그런데

5 "우주 호텔."

"우주 호텔이 뭐여? 우주에도 호텔이 있단 말이여?"

10 "네, 우주는 아주아주 넓은 곳이니까요. 우주 호텔은 우주를 여행하다가 쉬는 곳이에요. 목성에 갔다가 쉬고, 토성에 갔다가 쉬고…… 우주여행은 무척 힘들어요. 그래서 우

15 주 호텔에 들러 잠깐 쉬는 거예요. 외계인 친구를 만나서 차도 마시면서요."

"외계인? 진짜 외계인이 있는 겨?"

종이 할머니의 눈이 커다래졌어. 그러자 아이는 초록색 아이를 가리켰어.

"얘는 뽀뽀나예요. 내가 우주를 여행할 때 만난 외계인 친구예요. 뽀뽀나는 뽀뽀하는 걸 좋아해
5 요. 그래서 입을 개구리처럼 내밀고 다녀요."

아이는 이렇게 말하고는 밖으로 달려 나갔어.

중심 내용 메이는 포도 모양의 성은 우주 호텔이고, 초록색 아이는 외계인 뽀뽀나라고 하였다.

❽ 아이가 나가고, 종이 할머니는 아이의 말을 곰곰이 생각해 보았어.

'그래, 아이의 말이 맞을지도 모르겠군. 하늘도 저렇게 넓은데 저 하늘 밖의 우주는 얼마나 넓을까?'
10 종이 할머니의 눈에는 우주 호텔이 보이는 것 같았어. 바람개비처럼 돌고 있는 별들 사이에 우뚝 솟아 있는 우주 호텔.

종이 할머니는 그곳으로 비둘기처럼 날아가고 싶었단다.
15

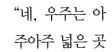

외계인(外 바깥 외, 界 경계 계, 人 사람 인) 우주인. 공상 과학 소설 따위에서 지구 이외의 천체에 존재한다고 생각되는 지적인 생명체.

곰곰이 여러모로 깊이 생각하는 모양.
예 민지는 수첩을 어디에 두고 왔는지 곰곰이 생각해 보았습니다.

---

29 메이는 그림 속에 있는 포도 모양의 성을 무엇이라고 하였습니까?

( )

30 메이가 그림 속에서 표현한 '뽀뽀나'에 대한 설명으로 알맞지 않은 것은 무엇입니까? ( )

① 외계인 친구이다.
② 초록색 아이이다.
③ 팔짝팔짝 뛰어다닌다.
④ 뽀뽀하는 것을 좋아한다.
⑤ 입을 개구리처럼 내밀고 다닌다.

31 우주 그림에 대한 설명을 들은 종이 할머니의 마음은 어떠하겠습니까? ( )

① 설렌다.
② 화난다.
③ 슬프다.
④ 억울하다.
⑤ 짜증 난다.

32 메이가 그린 우주 호텔을 보고 종이 할머니가 한 생각으로 알맞은 것은 무엇입니까? ( )

① 외계인을 만나고 싶다.
② 우주 호텔은 없을 것이다.
③ 우주는 매우 좁을 것이다.
④ 메이는 상상력이 풍부하다.
⑤ 우주 호텔로 날아가고 싶다.

종이 할머니는 작은 마당으로 나갔어. 그리고 힘겹게 허리를 펴고 천천히 고개를 들었단다. 그러고는 하늘을 올려다보았지. 하늘엔 먹구름이 물러가고 환한 빛이 눈부시게 쏟아지고 있었어.

5 "눈은 아직 늙지 않았구먼. 아주 멀리 있는 것도 볼 수 있지."

종이 할머니는 환한 빛 너머, 하늘 너머, 별 너머, 우주 호텔 너머 유리 바다에 둘러싸인 성을 보았지.

종이 할머니는 결심했어. 쉽게 허리를 구부리지 10 않기로 말이야. 쉽게 허리를 구부리면 다시는 저 우주 호텔을 보지 못할 것 같았거든.

중심 내용 종이 할머니는 메이와 이야기를 나눈 뒤에 앞으로는 우주 호텔을 보기 위해 쉽게 허리를 구부리지 않기로 결심했다.

❾ 다음 날, 종이 할머니는 다른 날과 마찬가지로 손수레를 끌며 동네를 돌아다녔어. 가게마다, 집집마다 버려진 폐지들을 주워서 손수레에 실었지.

15 도서관 앞을 지날 때였어. 전봇대 앞에 고개를 숙이고 강낭콩을 파는 할머니가 보였어. 며칠 전, 채소 가게 앞에서 본 눈에 혹이 난 할머니였어.

아마 폐지를 줍는 것은 포기한 모양이야. 하긴 앞이 잘 보이지 않으니 폐지 줍기가 쉽지는 않았을 거야. 종이 할머니는 손수레를 멈추고 눈에 혹이 난 할머니에게 다가갔어.

"이 강낭콩, 얼마유?" 5

강낭콩이 그릇마다 수북하게 담겨 있었어.
쌓이거나 담긴 물건 따위가 불룩하게 많게
"천 원만 주소."

눈에 혹이 난 할머니가 힘없이 말했어. 얼마 전, 자신과 다투었던 것도 모르는 눈치였어. 잘 볼 수 없으니 자신이 누구인지 알 리가 없겠지. 종이 할 10 머니는 시치미를 떼며 말했어.

"너무 싸게 파는구먼."

종이 할머니가 한 마디 던지자, 눈에 혹이 난 할머니가 쓸쓸하게 말했단다. / "그래도 잘 안 팔려라."

● 이야기 구조에 따라 사건의 중심 내용 간추리기 ③

이야기 구조	사건의 중심 내용
절정	종이 할머니는 메이가 가져다주는 종이를 매일 기다렸는데, 메이가 그린 우주 그림을 보고 어릴 적 꿈을 떠올렸다.

핵심

시치미를 떼며 자기가 하고도 하지 아니한 체하거나 알고 있으면서도 모르는 체하며.

쓸쓸하게 달갑지 아니하여 조금 싫거나 언짢게.
예 경진이는 수아의 미안하다는 말에 괜찮다며 쓸쓸하게 웃었습니다.

---

33 종이 할머니는 왜 쉽게 허리를 구부리지 않기로 결심
교과서 문제 했습니까?

( )

서술형
34 메이가 그린 그림을 본 뒤에 종이 할머니의 생각이 어떻게 달라졌는지 쓰시오.

> 그림을 보기 전에는 매일 폐지를 주우려고 땅만 처다보며 의미 없이 살았다.

↓

>

35 눈에 혹이 난 할머니는 도서관 근처에서 무엇을 팔고 있었습니까?

( )

36 종이 할머니는 눈에 혹이 난 할머니를 다시 만났을 때 어떻게 했습니까? ( )

① 천 원만 달라고 했다.
② 주운 폐지를 나누어 주었다.
③ 처음 보는 척 다가가 말을 건넸다.
④ 얼마 전 다투었던 일을 사과하였다.
⑤ 폐지를 다시는 줍지 말라고 충고했다.

그때 동네 꼬마들이 지나가며 소리쳤어.

"눈에 혹이 났어!"

"외계인이다! 도망가자."

종이 할머니는 외계인이라는 소리에 깜짝 놀라

5 서 눈에 혹이 난 할머니의 얼굴을 찬찬히 살펴보았

지. 그러고 보니 메이가 그린 초록색 외계인 친구

하고 닮은 것도 같았어.

"이 동네로 이사 왔수?"

종이 할머니가 넌지시 물었어.

10 "한 달 조금 됐는디 말 상대가 없어라. 생긴 게

이래서……."

"……."

종이 할머니는 강낭콩을 받아 들고 돈을 내밀었어.

"심심하면…… 놀러 오우. 우리 집은 도서관 뒷

15 골목 세 번째 집이라오. 참, 대문 안쪽에 폐지들

이 쌓여 있어서 금방 찾을 수 있다우."

종이 할머니는 손수레를 끌며 고물상으로 향했

어. 그리고 이제는 허리를 구부리지 않았어. 더 이

상 고개도 수그리지 않았지.

중심 내용 종이 할머니는 눈에 혹이 난 할머니를 다시 만났을 때 집에 놀러 오라고 하였다.

⑩ 여러 계절이 왔다가 가고, 다시 왔다가 갔단다.

종이 할머니는 여전히 폐지를 모았어. 그렇지만

이제는 혼자가 아니야. 눈에 혹이 난 할머니와 같

이 주웠어. 그리고 저녁이 되면 따뜻한 밥도 같이 5

먹고 생강차도 나누어 마셨지.

종이 할머니는 벽에 붙여 놓은 우주 그림을 보며

잠깐잠깐 이런 생각에 빠졌단다. / '여기가 우주 호

텔이 아닌가? 여행을 하다가 잠시 이렇게 쉬어 가

는 곳이니……, 여기가 바로 우주의 한가운데지.' 10

중심 내용 종이 할머니는 눈에 혹이 난 할머니와 친구처럼 지내며 자신이 사는 곳이 바로 우주 호텔이라고 생각했다.

● 이야기 구조에 따라 사건의 중심 내용 간추리기 ④

이야기 구조	사건의 중심 내용
결말	종이 할머니는 눈에 혹이 난 할머니와 친구처럼 지내며 자신이 사는 곳이 바로 우주 호텔이라고 생각했다.

찬찬히 동작이나 태도가 급하지 않고 느릿하게.
⑩ 일찍 서둘렀더니 시간이 남아서 밥을 <u>찬찬히</u> 먹었습니다.

넌지시 드러나지 않게 가만히.
⑩ 나는 민지에게 그 소문이 사실인지 <u>넌지시</u> 물어보았습니다.

37 동네 꼬마들은 눈에 혹이 난 할머니를 무엇이라고
불렀는지 쓰시오.

( )

38 종이 할머니가 자신이 사는 곳을 우주 호텔이라고
생각한 까닭은 무엇입니까? ( )

① 우주 그림을 벽에 붙여 놓아서

② 눈에 혹이 난 할머니와 함께 살아서

③ 누구든지 언제나 쉬어 가는 곳이어서

④ 집이 호텔처럼 좋은 곳이라고 생각해서

⑤ 인생이라는 여행을 하다가 잠시 쉬어 가는
곳이라고 생각해서

핵심

39 이 이야기의 주제에 대하여 알맞게 말한 것에 모두
○표를 하시오.

(1) 꿈을 가지면 삶이 변한다는 것을 말하고 있
어. ( )

(2) 우주를 비롯한 환경의 소중함을 이야기하고
있어. ( )

(3) 이웃과 마음을 나눌 줄 아는 사람이 되자는
것을 말하고 있어. ( )

논술형

40 이 글 전체에서 인상 깊은 장면과 그 까닭을 쓰시오.

_____

_____

 이야기 구조를 생각하며 작품 감상하기

○ 이야기 구조를 생각하며 「소나기」 보기

소나기

소년은 집으로 돌아가던 길에 개울가에서 물장난하는 소녀와 마주치고 소녀가 던진 조약돌을 간직한다.

소년과 소녀가 가까워져 함께 산으로 놀러 간다.

산에서 소나기를 만난 소년과 소녀는 수숫단 속에서 비를 피한다. 며칠 뒤 다시 만난 소녀는 그동안 많이 아팠으며 곧 이사를 간다고 쓸쓸해한다.

며칠 뒤, 소년은 소녀가 앓다가 죽었다는 소식을 듣게 된다. 소녀의 유언은 자신이 입던 옷을 그대로 입혀서 묻어 달라는 것이었다.

핵심

●「소나기」에서 사건의 중심 내용 간추리기

이야기 구조	사건의 중심 내용 간추리기
발단	소년은 집으로 돌아가던 길에 개울가에서 물장난하는 소녀와 마주치고 소녀가 던진 조약돌을 간직한다.
전개	소년과 소녀가 가까워져 함께 산으로 놀러 간다.
절정	산에서 소나기를 만난 소년과 소녀는 수숫단 속에서 비를 피한다. 며칠 뒤 다시 만난 소녀는 그동안 많이 아팠으며 곧 이사를 간다고 쓸쓸해한다.
결말	며칠 뒤, 소년은 소녀가 앓다가 죽었다는 소식을 듣게 된다. 소녀의 유언은 자신이 입던 옷을 그대로 입혀서 묻어 달라는 것이었다.

핵심

1 다음은 「소나기」에 나오는 사건의 중심 내용을 간추린 것입니다. 차례대로 기호를 쓰시오.

> ㉠ 소년과 소녀가 가까워져 함께 산으로 놀러 간다.
> ㉡ 소년은 집으로 돌아가던 길에 개울가에서 물장난하는 소녀와 마주치고 소녀가 던진 조약돌을 간직한다.
> ㉢ 며칠 뒤, 소년은 소녀가 앓다가 죽었다는 소식을 듣게 된다. 소녀의 유언은 자신이 입던 옷을 그대로 입혀서 묻어 달라는 것이었다.
> ㉣ 산에서 소나기를 만난 소년과 소녀는 수숫단 속에서 비를 피한다. 며칠 뒤 다시 만난 소녀는 그동안 많이 아팠으며 곧 이사를 간다고 쓸쓸해한다.

( ) ➡ ( ) ➡ ( ) ➡ ( )

2 소녀가 죽기 전 입던 옷을 그대로 입혀서 묻어 달라고 한 까닭은 무엇일지 쓰시오.

• 소년과의 소중했던 ( )을/를 간직하고 싶었기 때문이다.

3 이 이야기 매체의 특성을 묻는 질문으로 알맞은 것을 두 가지 고르시오. (,)

① 어떤 장면이 가장 기억에 남나요?
② 작품 속 배경 음악은 어떠했나요?
③ 소년은 주로 어디에서 소녀와 마주쳤나요?
④ 왜 소년과 소녀의 이름이 나오지 않을까요?
⑤ 소년은 왜 소녀에게 비켜 달라는 말을 못 했나요?

단원 마무리

**이야기 속
사건의 흐름
살펴보기**

📖 「황금 사과」 속 사건의 흐름 정리하기

| ❶ 두 동네의 한가운데에 있는 사과나무에 황금 사과가 열렸는데, 두 동네 사람들이 황금 사과를 서로 가지겠다고 땅바닥에 ❶[   ]을/를 그었다. | ➡ | ❷ 두 동네 사람들은 담까지 높게 쌓았는데, 담을 세운 까닭을 잊고 미워하는 마음만 남았다. | ➡ | ❸ 어느 날, 꼬마 아이가 엄마께 담 너머에 누가 사느냐고 묻자 엄마는 괴물이 사니 조심하라고 했다. | ➡ | ❹ 꼬마 아이가 공을 주우려고 담 쪽으로 갔다가 담에 있는 문을 열자, 그곳에는 아이들이 즐겁게 놀고 있었다. |

**이야기 구조를
생각하며
요약하는 방법
알기**

📖 이야기 구조에 따라 「저승에 있는 곳간」의 중심 내용 간추리기

이야기 구조	사건의 중심 내용 간추리기
발단	저승에 간 원님이 염라대왕에게 이승에서 좀 더 살게 해 달라고 간청하자 염라대왕은 원님을 저승사자에게 돌려보냈고, 저승사자는 원님에게 수고비를 내놓으라고 하였다.
전개	저승사자는 원님에게 덕진이라는 아가씨의 곳간에서 ❷[ ]을/를 꾸어 계산하게 하고 원님을 이승으로 보냈다.
절정	원님이 이승으로 돌아와 덕진을 만나고 덕진의 말과 행동에 크게 감명받아 덕진에게 쌀 삼백 석을 갚았다.
❸[ ][ ]	덕진이 원님에게 받은 쌀로 마을 앞을 가로지르는 강가에 다리를 놓았다.

**이야기를 읽고
요약하기**

📖 「우주 호텔」의 사건 전개 과정을 이야기 구조에 따라 요약하기

이야기 구조	사건의 중심 내용 간추리기
발단	종이 할머니는 허리를 굽혀 땅만 보며 ❹[ ][ ]을/를 주웠다.
전개	종이 할머니는 자신의 빈 상자를 빼앗기지 않으려고 소리치며 눈에 혹이 난 할머니를 밀어 버렸다.
절정	종이 할머니는 메이가 가져다주는 종이를 매일 기다렸는데, 메이가 그린 우주 그림을 보고 어릴 적 꿈을 떠올렸다.
결말	종이 할머니는 눈에 혹이 난 할머니와 친구처럼 지내며 자신이 사는 곳이 바로 ❺[ ][ ][ ][ ](이)라고 생각했다.

[1~3] 글을 읽고, 물음에 답하시오.

> **가** 오래전 일이야.
> 어느 작은 도시 한가운데에 예쁜 사과나무가 있었어.
> **나** "얘기 들었어? 사과나무에 황금 사과가 열린 대!"
> "황금 사과? 말도 안 돼!"
> "가 보면 알 거 아냐. 우리 눈으로 직접 확인하자고!"
> 그 소식은 아랫동네부터 윗동네까지 쫙 퍼져 나갔지.
> **다** 두 동네 사이에는 툭하면 싸움이 벌어졌어.
> 다들 황금 사과를 갖겠다고 아우성이었지.
> **라** "땅바닥에 금을 그읍시다. 금 오른쪽에 열리는 사과는 윗동네, 금 왼쪽에 열리는 사과는 아랫동네에서 갖도록 말입니다."

1 윗동네와 아랫동네 사이에 있는 사과나무에서 열리는 것은 무엇인지 쓰시오.

( )

논술형
2 황금 사과를 서로 가지겠다고 땅바닥에 금을 긋고 싸우는 사람들에 대한 자신의 생각이나 느낌을 쓰시오.

_____

_____

3 이 글에서 답을 찾을 수 있는 질문을 두 가지 고르시오. (,)

① 사과나무는 누가 심은 건가요?
② 사과나무를 돌보는 사람은 누구인가요?
③ 윗동네와 아랫동네 사람들은 왜 싸우게 됐나요?
④ 어느 작은 도시 한가운데에 어떤 나무가 있었나요?
⑤ 황금 사과를 사이좋게 나누려면 어떻게 하는 것이 좋을까요?

[4~6] 글을 읽고, 물음에 답하시오.

> **가** 어느 날, 어린 딸이 물었어.
> "엄마, 저 담 너머에는 누가 살아요?"
> "쉿! 아가야, 절대로 저 담 옆에 가면 안 돼. 저 담 너머에는 무시무시한 괴물들이 산단다."
> **나** 그런데 담 쪽으로 다가가 보니 작은 문이 언뜻 보이는 거야.
> 몸이 오싹거렸지만 그 아이는 계속 다가갔어.
> **다** 아이의 눈에 보인 건 공을 가지고 즐겁게 노는 아이들이었어.
> 엄마가 말한 끔찍한 괴물들이 아니라 자기하고 비슷한 또래 친구들 말이야.
> **라** 아이는 친구들에게 다가가 말했어.
> ㉠"얘들아, 안녕! 내 이름은 사과야. 너희 이름은 뭐야?"

4 엄마는 담 너머에 누가 산다고 하였습니까?

( )

5 ㉠에서 알 수 있는 '사과'의 성격으로 알맞은 것은 무엇입니까? ( )

① 소심하다. ② 게으르다.
③ 용기 있다. ④ 내성적이다.
⑤ 잘난 척한다.

☆☆
6 다음은 이 이야기 속 사건의 흐름을 정리한 것입니다. 빈칸에 알맞은 말을 각각 쓰시오.

> 어느 날, 아이가 엄마께 (1)( ) 너머에 누가 사느냐고 묻자 엄마는 괴물이 사니 조심하라고 했다.

➡

> 사과가 담 쪽으로 갔다가 담에 있는 문을 열자, 그곳에는 (2)( ) 이/가 즐겁게 놀고 있었다.

점수 / 점

[7~13] 글을 읽고, 물음에 답하시오.

㉮ "여기까지 데려왔는데 그냥 보내 줄 수는 없다. 너 때문에 헛걸음을 했으니 수고비를 내놓아라."

"어떡하지요? 지금 저는 빈털터리인데……."

"그러면 저승에 있는 네 곳간에서라도 내놓아라."

㉯ 그 곳간은 이 세상에서 좋은 일을 한 만큼 재물이 쌓이게끔 되어 있었다.

㉰ "덕진이라는 아가씨의 곳간에는 쌀이 수백 석이나 있으니, 일단 거기서 쌀을 꾸어 계산하고 이승에 나가서 갚도록 해라."

저승사자가 원님에게 제안했다. 결국 원님은 덕진의 곳간에서 쌀 삼백 석을 꾸어 셈을 치를 수 있었다.

㉱ 저승사자는 그 문을 열며

"이 컴컴한 데로만 들어가면 이승으로 나갈 수 있다. 속히 나가거라."

㉲ 잠시 뒤, 덕진은 마당에 나와 원님 앞에 다소곳이 섰다.

"너에게 빚진 쌀 삼백 석을 갚으러 왔느니라."

그러자 덕진은 어리둥절해하며 원님을 쳐다보았다.

㉳ 덕진은 쌀을 팔아서 마을 앞을 가로지르는 강가에 다리를 놓기로 했다. 마을 사람들 모두가 그곳에 다리가 없어서 불편을 겪던 참이었다. 이렇게 해서 돌다리를 놓자, 사람들은 그 다리를 '덕진 다리'라고 했다.

7 이 이야기의 구조에 맞게 나눈 것은 어느 것입니까? ( )

① ㉮ / ㉯ / ㉰ / ㉱, ㉲, ㉳
② ㉮ / ㉯ / ㉰, ㉱ / ㉲, ㉳
③ ㉮ / ㉯, ㉰ / ㉱ / ㉲ / ㉳
④ ㉮, ㉯ / ㉰ / ㉱ / ㉲ / ㉳
⑤ ㉮, ㉯ / ㉰ / ㉱, ㉲ / ㉳

8 저승의 곳간에 재물이 쌓이게 하는 방법은 무엇인지 쓰시오.

( )

9 원님은 수고비를 어떻게 마련했습니까? ( )

① 저승사자의 곳간에서 꾸었다.
② 덕진에게 가져오라고 하였다.
③ 다음에 올라와서 주기로 하였다.
④ 이승에 가서 가져오기로 하였다.
⑤ 덕진의 곳간에서 쌀 삼백 석을 꾸었다.

10 원님이 쌀 삼백 석을 갚으러 왔을 때 덕진의 기분은 어떠했는지 쓰시오.

( )

11 이 이야기의 결말 부분을 요약하여 쓰시오.

• (1)( )이/가 (2)( )에게 받은 쌀로 마을 앞을 가로지르는 강가에 다리를 놓았다.

12 이와 같은 이야기에서 여러 사건이 관련 있을 때에 요약하는 방법은 무엇인지 보기 에서 찾아 기호를 쓰시오.

> 보기
> ㉠ 사건의 원인 찾기
> ㉡ 중요하지 않은 내용 삭제하기
> ㉢ 관련 있는 사건은 하나로 묶기

( )

13 이와 같은 이야기를 요약하는 방법으로 알맞지 않은 것은 무엇입니까? ( )

① 이야기 구조를 생각한다.
② 이야기 흐름에서 중요하지 않은 내용은 앞부분에 쓴다.
③ 이야기의 각 부분에서 중요한 사건이 무엇인지 찾는다.
④ 중요한 사건이 일어난 원인과 그에 따른 결과를 찾는다.
⑤ 여러 사건이 관련 있을 때에는 관련 있는 사건을 하나로 묶는다.

[14~18] 글을 읽고, 물음에 답하시오.

우주 호텔

㉮ 종이 할머니는 아이가 폐지 위에 놓고 간 스케치북을 찬찬히 넘겼어.

㉯ 마지막 장을 넘겼어.

"아!"

종이 할머니는 자신도 모르게 탄성을 질렀어. 지금까지 한 번도 보지 못한 세상이 그려져 있었기 때문이야. 약간 찌그러진 똥그스름한 파란 지구, 아름다운 테를 두른 토성, 몸빛이 황갈색으로 빛나는 불퉁불퉁한 목성, 붉은빛이 뿜어져 나오는 태양……. 그리고 그 주위를 돌고 있는 버섯 모양의 우주선까지.

'그러고 보니 하늘을 본 지 꽤 오래됐구먼.'

하늘을 본 게 언제였더라? 별을 본 건 언제였지? 달을 본 건…….

아주 어릴 적에 달을 올려다보면서 '꼭 한 번 달에 가고 싶다'고 꿈꿨던 기억이 아슴아슴 떠올랐어. 하지만 도무지 이루지 못할 꿈이라 아주 금세 버렸던 기억도 함께 났지.

14 이 글은 전체 이야기의 구조에서 어디에 해당하는지 알맞은 것에 ○표를 하시오.

| 발단 | 전개 | 절정 | 결말 |

15 종이 할머니의 어릴 적 꿈은 무엇이었는지 쓰시오.

( )

16 종이 할머니가 꿈을 되찾은 계기는 무엇입니까?

( )

① 문득 하늘을 올려다보고
② 우주 그림을 직접 그려 보고
③ 아이와 함께 하늘을 바라보고
④ 아이가 그린 우주 그림을 보고
⑤ 눈에 혹이 난 할머니의 이야기를 듣고

17 이 글의 중심 내용을 간추려 쓰시오.

_____

_____

18 「우주 호텔」을 읽고 요약한 글을 친구들과 비교해 보고 잘된 점을 말한 것으로 바르지 <u>않은</u> 것은 무엇입니까? ( )

① 민수는 중요한 사건의 원인을 찾아 잘 요약했어.
② 채빈이는 관련 있는 사건들을 하나로 합쳐서 잘 요약했어.
③ 서연이는 발단, 전개, 절정, 결말이 잘 드러나게 요약했어.
④ 진욱이는 중요하지 않은 내용도 빠짐없이 꼼꼼하게 요약했어.
⑤ 소라는 각 부분을 요약한 내용이 잘 어우러지도록 연결해서 좋았어.

[19~20] 장면을 보고, 물음에 답하시오.

며칠 뒤, 소년은 소녀가 앓다가 죽었다는 소식을 듣게 된다. 소녀의 유언은 자신이 입던 옷을 그대로 입혀서 묻어 달라는 것이었다.

19 다음 장면에 대한 자신의 생각이나 느낌을 쓰시오.

> 소녀가 자신이 입던 옷을 그대로 입혀서 묻어 달라고 한 장면

( )

20 이 작품의 뒷이야기를 상상할 때 상상할 점으로 바르지 <u>않은</u> 것에 ×표를 하시오.

(1) 소년은 얼마나 슬퍼했을까? ( )
(2) 소년은 소녀의 옷을 받았을까? ( )
(3) 소년은 슬픔을 어떻게 이겨 냈을까? ( )

서술형 평가

1 다음 글을 읽고 이야기 속 사건을 정리해 쓰시오.

> ㉮ "금 오른쪽에 열리는 사과는 윗동네, 금 왼쪽에 열리는 사과는 아랫동네에서 갖도록 말입니다."
> 그렇게 해서 땅바닥에 금이 생겼지.
> ㉯ 사람들은 이제 담을 쌓기 시작했어.
> 사방이 꽉 막힌 높고 단단한 담을.
> ㉰ 어느 때부터인가 아무도 그 담에 관심을 갖지 않게 되었어.
> 언제 담을 세웠는지, 왜 세웠는지조차 사람들은 까맣게 잊고 만 거야.
> ㉱ 오직 남은 것은 가슴 깊숙이 뿌리박힌 서로 미워하는 마음뿐이었지.

_____

_____

[2~3] 글을 읽고, 물음에 답하시오.

> ㉮ "너 때문에 헛걸음을 했으니 수고비를 내놓아라."
> ㉯ "어찌해 제 곳간에는 볏짚 한 단밖에 없습니까?"
> "너는 이승에 있을 때 남에게 덕을 베푼 일이 없지 않으냐?"
> ㉰ "덕진이라는 아가씨의 곳간에는 쌀이 수백 석이나 있으니, 일단 거기서 쌀을 꾸어 계산하고 이승에 나가서 갚도록 해라."
> 저승사자가 원님에게 제안했다. 결국 원님은 덕진의 곳간에서 쌀 삼백 석을 꾸어 셈을 치를 수 있었다.
> ㉱ "이 컴컴한 데로만 들어가면 이승으로 나갈 수 있다. 속히 나가거라."

2 원님은 저승사자에게 줄 수고비를 어떻게 마련했는지 쓰시오.

_____

3 이 글의 중심 내용을 간추려 쓰시오.

_____

_____

[4~5] 글을 읽고, 물음에 답하시오.

> ㉮ 할머니는 이리저리 땅을 살폈어. 종이를 찾는 거야. 무게가 조금도 나가지 않을 것 같은 작은 종이라도, 할머니의 눈에는 무게가 있어 보였거든. 그래서 점점 더 등을 납작하게 구부리고 땅을 뚫어져라 살피게 되었어. 그럴수록 할머니는 하늘을 쳐다보는 일이 줄어들었지.
> ㉯ 종이 할머니는 빈 상자를 포기할 수 없었어. 한번 포기하면 다른 곳의 상자나 폐지도 흉측하게 생긴 이 노인에게 빼앗길지 모르니까.
> "내 거여! 이 동네에서 폐지 줍는 노인네들은 다 아는구먼."
> 하지만 눈에 혹이 난 할머니는 아무 대꾸도 없이 상자를 실은 유모차를 끌고 가려고 했어.
> 울뚝, 화가 치밀어 오른 종이 할머니는 눈에 혹이 난 할머니의 팔을 잡고는 힘껏 밀어 버렸어.

4 글 ㉮와 ㉯의 중심 내용을 간추려 쓰시오.

(1) 글 ㉮	
(2) 글 ㉯	

5 글 ㉮와 ㉯에 나오는 종이 할머니의 감정은 어떠한지 쓰시오.

(1) 글 ㉮	
(2) 글 ㉯	

● 다음 교과서 문장의 파란색 낱말 중에서 알맞은 것을 골라 인물들이 한 말을 완성하시오.

- 이런저런 생각 끝에 사람들은 드나들 수 있는 작은 문이 달린 나무 **울타리**를 세웠지.
- 원님이 가고 난 다음에도 덕진은 **영문**을 몰라 그 자리에 멍하게 서 있었다.
- 아주 어릴 적에 달을 올려다보면서 '꼭 한 번 달에 가고 싶다'고 꿈꿨던 기억이 **아슴아슴** 떠올랐어.
- 종이 할머니는 외계인이라는 소리에 깜짝 놀라서 눈에 혹이 난 할머니의 얼굴을 **찬찬히** 살펴보았지.

3

짜임새 있게 구성해요

무엇을 배울까요?

 준 비

- 공식적인 말하기 상황 살펴보기

기 본

- 다양한 자료의 특성 알기
- 발표할 내용 준비하기
- 발표할 내용 정리하기

실 천

- 자료를 활용해 발표하기

3 짜임새 있게 구성해요

1 공식적인 말하기 상황

공식적인 말하기 상황의 특성
• 큰 소리로 또박또박 말해야 합니다.
• 높임 표현을 사용해야 합니다.

공식적인 말하기 상황 예	수업 시간에 발표하기 / 학급 회의에서 발표하기 / 국어 시간에 토론하기 / 방송에서 아나운서가 뉴스 진행하기

2 다양한 자료의 특성

자료 종류	자료 특성
표	• 대상의 수량이 얼마나 되는지 쉽게 알 수 있습니다. • 여러 가지 자료의 수량을 비교하기 쉽습니다. • 많은 양의 자료를 간단하게 나타낼 수 있습니다.
사진	• 장면을 있는 그대로 보여 줄 수 있습니다. • 설명하는 대상의 정확한 모습을 보여 줄 수 있습니다. • 설명하는 대상을 한눈에 보여 줄 수 있습니다.
도표	• 대상의 수량을 견주어 볼 수 있습니다. • 수량의 변화 정도를 알 수 있습니다. • 정확한 수치를 나타낼 수 있습니다.
동영상	• 대상이 움직이는 모습을 잘 전달할 수 있습니다. • 음악이나 자막을 넣어 분위기를 잘 전달할 수 있습니다.

3 자료를 활용해서 말하면 좋은 점

① 자료를 활용해서 말하면 듣는 사람이 흥미를 느끼게 할 수 있습니다.
② 자료를 활용해서 말하면 정보를 효과적으로 전달할 수 있습니다.
③ 자료를 활용해서 말하면 듣는 사람이 더 잘 이해할 수 있습니다.

4 발표할 내용 준비하기

자료를 활용할 때 주의할 점
• 자료를 활용할 때에는 너무 길거나 복잡하지 않아야 합니다.
• 자료를 활용할 때에는 자료를 가져온 곳을 꼭 밝혀야 합니다.

① 발표할 주제와 내용을 정합니다.
② 발표에 필요한 자료를 어떻게 찾으면 좋을지 생각합니다.
③ 발표하는 상황의 특성에 따라 자료 제시 방법을 떠올립니다.
④ 발표 자료를 발표 내용에 알맞게 만듭니다.

예

	발표할 내용	자료 종류	출처
자료 1	사라진 직업의 종류	표	직업 관련 누리집

5 발표할 내용을 정리하여 자료를 활용해 발표하기

① 발표할 내용을 어떻게 구성할지 생각하여 발표할 내용을 정리합니다.

> 제목 → 시작하는 말 → 자료 → 설명하는 말 → 끝맺는 말

② 발표할 내용과 발표 상황을 고려하여 발표합니다.

준비 공식적인 말하기 상황 살펴보기

○ 공식적인 말하기 상황 떠올리기

> • **그림 설명**: 공식적인 말하기 상황을 나타낸 그림입니다.

3 단원

●공식적인 말하기 상황

가	학생들이 둘러앉아 학급 토의를 하는 상황
나	방송에서 아나운서가 뉴스를 진행하는 상황
다	수업 시간에 교실에서 발표하는 상황

핵심

1 그림 **가**~**다** 중 다음 말하기 상황에 해당하는 그림의 기호를 각각 쓰시오.

(1) 수업 시간에 교실에서 발표하고 있다. (   )
(2) 학생들이 둘러앉아 학급 토의를 하고 있다.
(   )
(3) 방송에서 아나운서가 뉴스를 진행하고 있다.
(   )

2 그림 **가**~**다**의 말하기 상황의 공통점에 ○표를 하시오.

공식적인 말하기 상황	비공식적인 말하기 상황

(핵심)

3 2번 문제에서 답한 상황이 아닌 것을 두 가지 고르시오. (,   )

① 국어 시간에 토론을 했다.
② 학급 회의에서 발표를 했다.
③ 아침에 어머니께 인사를 했다.
④ 학급 회장 선거에서 소견을 발표했다.
⑤ 점심을 먹으며 친구와 이야기를 했다.

(서술형)

4 이와 같이 여러 사람 앞에서 말하는 상황의 특성을 보기 와 같이 쓰시오.

> **보기** 여러 사람 앞에서 말할 때에는 큰 소리로 또박또박 말해야 합니다.

○ 공식적인 말하기 상황의 특성을 생각하며 읽기

전교 학생회 회장단 선거 후보의 연설

• **글의 특징**: 나성실 후보자가 전교 학생회 회장단 선거에 입후보하여 학생들에게 소견을 발표한 연설문입니다.

선생님: 다음은 기호 2번 나성실 학생의 소견 발표를 들어 보겠습니다.

나성실: 안녕하세요? 저는 전교 학생회 회장단 선거에 입후보한 나성실입니다. 저는 가고 싶은 학교, 즐거운 학교를 만들고 싶어서 이 자리에 섰습니다. 우리 학교에서는 지난해에 학생들이 학교에 바라는 점을 설문 조사 했습니다. 학생들이 학교에 바라는 점 가운데에서 가장 많이 나온 의견은 바로 "깨끗한 화장실을 만들어 주세요."라는 의견으로 47퍼센트가 나왔습니다.

학생들: 맞아요. 좋아요.

나성실: 저는 이러한 여러분의 의견을 교장 선생님께 적극적으로 말씀드리고 전교 학생회에서도 의견을 모아 꼭 깨끗한 화장실을 만들겠습니다. 저는 최근에 『오늘의 순위』라는 책을 우연히 보았습니다. 이 책은 우리나라의 여러 가지를 조사한 순위를 알려 주는 책인데, 우리나라의 초등학생들 가운데에서 꿈이 없는 사람이 남학생은 14.2퍼센트, 여학생은 16.7퍼센트라고 합니다. 꿈을 정하지 못한 것이 아니라 꿈이 없는 학생들이 그만큼이라는 얘기입니다. 백 명 가운데 열다섯 명이 꿈이 없는 학생이라니, 어릴 때부터 공부만 열심히 하라는 말을 지겹게 들어 온 결과가 아닌가 싶습니다. 그래서 저는 우리 학교의 학생들만큼은 꼭 누구나 꿈을 하나씩 정하고 그 꿈을 이루려고 노력하도록 도와주고 싶습니다. 그래서 첫째, 여러분이 꿈을 찾을 수 있게 여러 가지 직업을 체험할 수 있는 직업 체험학습을 가도록 노력하겠습니다. 둘째, 우리가 모르는 직업을 알 수 있도록 선생님의 도움을 받아서 여러 가지 꿈 찾기 기획을 진행하려고 합니다. 여러분, 깨끗한 환경과 꿈이 있는 학교를 만들려고 최선을 다하겠습니다. 기호 2번 나성실, 꼭 뽑아 주십시오. 감사합니다.

소견(所 바 소, 見 볼 견) 어떤 일이나 사물을 살펴보고 가지게 되는 생각이나 의견.

설문 조사를 하거나 통계 자료 따위를 얻기 위하여 어떤 주제에 대하여 문제를 내어 물음. 또는 그 문제.

---

5 〔교과서 문제〕 후보자가 어디에서 누구에게 말하고 있는지 빈칸에 알맞은 말을 쓰시오.

• 강당에서 ( )에게 말하고 있다.

6 〔교과서 문제〕 후보자가 말한 공약이 <u>아닌</u> 것을 찾아 기호를 쓰시오.

> ㉠ 깨끗한 화장실을 만들겠다.
> ㉡ 꿈 찾기 기획을 진행하겠다.
> ㉢ 운동장에 쓰레기통을 설치하겠다.
> ㉣ 다양한 직업 체험학습을 가도록 노력하겠다.

( )

7 〔교과서 문제〕 후보자가 의견을 발표할 때 활용한 자료를 **두 가지** 고르시오. (,)

① 책 ② 그림 ③ 사진
④ 동영상 ⑤ 설문 조사 결과

〔핵심〕

8 이와 같은 상황에서 나성실 후보자는 어떻게 말해야 하는지 **두 가지** 고르시오. (,)

① 동생에게 말하듯이 말한다.
② 어려운 낱말을 써서 말한다.
③ 바른 자세와 태도로 말한다.
④ 높임 표현을 사용하여 말한다.
⑤ 듣는 사람을 쳐다보지 않고 말한다.

준비

○ 그림을 보고, 두 가지 말하기 상황에서 비슷한 점과 다른 점 비교하기

└→친구들과 개인적으로 말하고 있음.　└→수업 시간에 교실에서 여러 사람 앞에서 발표하고 있음.

○ 그림을 보고, 자료를 활용해 발표할 때에 좋은 점 생각하기

●㉮, ㉯의 말하기 상황 비교하기

비슷한 점
• 말하는 사람과 듣는 사람이 있음.
• 듣는 사람이 친구들임.

다른 점	
㉮	㉯
• 교실 밖에서 자유롭게 말함. • 친구들과 개인적으로 말함.	• 수업 시간에 교실에서 여러 사람 앞에서 발표함. • 여러 친구 앞에서 공식적으로 말함.

→ ㉯의 말하기 상황은 여러 사람 앞에서 발표하는 상황이므로 높임 표현을 사용하여 큰 소리로 또박또박 말해야 합니다.

●자료를 활용해 발표할 때에 좋은 점
• 설명하는 내용을 쉽게 전달할 수 있습니다.
• 설명하는 내용을 한눈에 알아보기 쉽습니다.

---

9 그림 ㉮와 ㉯의 말하기 상황에서 비슷한 점을 두 가지 고르시오. (,)

① 교실에서 말하고 있다.
② 듣는 사람이 친구들이다.
③ 모두 의자에 앉아서 말하고 있다.
④ 말하는 사람과 듣는 사람이 있다.
⑤ 한 사람에게 개인적으로 말하고 있다.

10 그림 ㉯와 같은 말하기 상황의 특성으로 알맞은 것은 무엇입니까? ( )

① 친근한 말투로 자유롭게 말한다.
② 듣는 사람은 집중하지 않아도 된다.
③ 여러 명이 한꺼번에 말하는 때가 많다.
④ 말하는 사람은 큰 소리로 또박또박 말해야 한다.
⑤ 듣는 사람이 웃어른일 때만 높임 표현을 사용한다.

11 ❶과 ❷에서 듣는 사람의 반응이 서로 다른 까닭은 무엇인지 빈칸에 공통으로 들어갈 말을 쓰시오.

❶에서는 ( )을/를 활용하지 않고 발표했고, ❷에서는 ( )을/를 활용해 발표했기 때문이다.

( )

12 자료를 활용해 발표할 때에 좋은 점을 모두 골라 기호를 쓰시오.

㉠ 자세한 설명은 하지 않아도 된다.
㉡ 설명하는 내용을 쉽게 전달할 수 있다.
㉢ 설명하는 내용을 한눈에 알아보기 쉽다.

( )

기본 ① 다양한 자료의 특성 알기

○ 공식적인 말하기 상황에서 활용할 수 있는 자료의 특성 정리하기

우리 반 친구들이 좋아하는 운동

종목	축구	배드민턴	줄넘기	합계
인원(명)	10	5	8	23

표

• 대상의 수량이 얼마나 되는지 쉽게 알 수 있습니다.

사진

• 장면을 있는 그대로 보여 줄 수 있습니다.

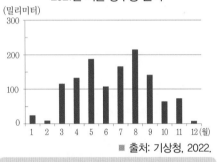

도표

• 대상의 수량을 견주어 볼 수 있습니다.

동영상

• 대상이 움직이는 모습을 잘 전달할 수 있습니다.

핵심

●각 자료의 특성

자료 종류	자료 특성
표	• 대상의 수량이 얼마나 되는지 쉽게 알 수 있음. • 여러 가지 자료의 수량을 비교하기 쉬움.
사진	• 장면을 있는 그대로 보여 줄 수 있음. • 설명하는 대상의 정확한 모습을 보여 줄 수 있음.
도표	• 대상의 수량을 견주어 볼 수 있음. • 수량의 변화 정도를 알 수 있음. • 정확한 수치를 나타낼 수 있음.
동영상	• 대상이 움직이는 모습을 잘 전달할 수 있음. • 음악이나 자막을 넣어 분위기를 잘 전달할 수 있음.

핵심

1 동영상 자료의 특성으로 알맞은 것을 두 가지 고르시오. (,)

① 직접 만져볼 수 있다.
② 여러 가지 자료의 수량을 비교할 수 있다.
③ 대상이 움직이는 모습을 잘 전달할 수 있다.
④ 많은 양의 자료를 간단하게 나타낼 수 있다.
⑤ 음악이나 자막을 넣어 분위기를 잘 전달할 수 있다.

2 대상의 수량을 견주어 볼 수 있고, 수량의 변화 정도를 알 수 있는 자료는 무엇입니까? ( )

① 실물　　　② 도표
③ 사진　　　④ 그림
⑤ 지도

3 다음과 같은 공식적인 말하기 상황에서 활용할 수 있는 자료를 쓰고, 그 자료를 활용한 까닭을 쓰시오.

> 우리 지역 축제를 조사해 친구들 앞에서 발표하는 상황

(1) 자료: (　　　　　　　　　　　)

(2) 활용한 까닭: _____

_____

4 공식적인 말하기 상황에서 자료를 활용하는 까닭으로 알맞지 <u>않은</u> 것은 무엇입니까? ( )

① 더 쉽게 설명하기 위해서
② 발표 시간을 오래 끌기 위해서
③ 듣는 사람의 이해를 돕기 위해서
④ 듣는 사람의 흥미를 끌기 위해서
⑤ 생생하고 효과적으로 전달하기 위해서

3 단원

○ 그림 **㉮**와 그림 **㉯**에서 자료를 어떻게 활용해 발표하는지 살펴보기

㉮

사라진 직업	사라진 까닭
물장수	수돗물이 집집마다 나오기 때문입니다.
전화 교환원	전화가 자동으로 연결되기 때문입니다.

> 이 표는 과거에는 있었지만 지금은 사라진 **직업**의 종류를 보여 줍니다. 기술이 발달해 사라진 직업이 많습니다.

㉯

> 과거에 있던 직업인 **보부상**을 소개하는 동영상을 보여 드리겠습니다.

핵심

●그림 **㉮**와 **㉯**에서 활용한 자료 비교하기

	그림 **㉮**	그림 **㉯**
말할 내용	사라진 직업의 종류	과거의 직업인 보부상의 모습
활용한 자료	표	동영상

직업 생계를 유지하기 위하여 자신의 적성과 능력에 따라 일정한 기간 동안 계속하여 종사하는 일.

보부상 봇짐(등에 지기 위하여 물건을 보자기에 싸서 꾸린 짐)장수와 등짐(등에 진 짐)장수를 통틀어 이르는 말.

---

5 그림 **㉮**와 **㉯**의 발표 모습을 살펴보고 어떤 말하기 상황인지 쓰시오.

• (   )에서 발표하는 말하기 상황입니다.

6 그림 **㉮**와 **㉯**에서 학생들은 무엇을 발표했습니까?
_{교과서 문제}   (   )

① 현재의 직업
② 과거의 직업
③ 직업의 종류
④ 선호하는 직업
⑤ 새로 생긴 직업

7 그림 **㉮**와 **㉯**에서 활용한 자료로 알맞은 것에 선을 이으시오.

(1) **㉮** •   • ㉠ 동영상

(2) **㉯** •   • ㉡ 표

서술형

8 그림 **㉮**와 **㉯**에서 **7**번 문제에서 답한 자료를 활용하여 발표한 까닭은 무엇인지 빈칸에 알맞은 까닭을 쓰시오.

그림 **㉮**	사라진 직업의 종류와 그 까닭을 직업별로 정리해서 보여 주기에 표가 알맞기 때문이다.
그림 **㉯**	

기본 1

○ 가족과 다녀온 여행지를 학급 친구들에게 소개할 때 활용할 자료 떠올리기

독도의 자연환경

독도는 동도와 서도, 딸린 섬 89개로 이루어져 있다.

지민 ▶

말할 내용	여행지의 자연환경	여행 일정	여행지까지 가는 길
활용할 자료	사진	㉠	㉡

핵심

● 여행지를 소개할 때 말할 내용과 활용할 자료 예

말할 내용	활용할 자료	그렇게 생각한 까닭
여행지의 자연환경	사진	여행지의 자연환경을 한눈에 보여 줄 수 있기 때문임.
여행 일정	관광 안내서	여행 코스와 일정이 잘 설명되어 있기 때문임.
여행지까지 가는 길	지도	여행지까지 가는 길을 지도로 한눈에 보여 줄 수 있기 때문임.

9 이 그림은 어떤 말하기 상황입니까? (   )

① 좋아하는 음식을 소개하는 상황
② 우리나라의 가옥 구조를 소개하는 상황
③ 우리나라의 전통 음식을 소개하는 상황
④ 가족과 다녀온 여행지를 소개하는 상황
⑤ 앞으로 가고 싶은 세계의 도시를 소개하는 상황

핵심

10 여행지의 자연환경을 소개할 때 사진 자료를 활용한 까닭은 무엇입니까? (   )

① 간단하게 보여 줄 수 있기 때문에
② 가는 길이 잘 설명되어 있기 때문에
③ 여행지의 문화재를 보여 줄 수 있기 때문에
④ 수량의 변화 정도를 보여줄 수 있기 때문에
⑤ 있는 그대로의 모습을 보여 줄 때 더 이해하기 쉽기 때문에

역량

11 말할 내용에 따라 활용할 자료를 생각하여 ㉠, ㉡에 들어갈 자료를 쓰시오.

(1) ㉠: (   )
(2) ㉡: (   )

12 자료를 활용해서 말하면 좋은 점을 알맞지 **않게** 말한 친구는 누구입니까?

교과서 문제

> 성희: 듣는 사람이 더 잘 이해할 수 있어.
> 민주: 정보를 효과적으로 전달할 수 있어.
> 소진: 설명하는 내용을 잘 몰라도 발표할 수 있어.

(   )

기본 2 발표할 내용 준비하기

○ '우리의 미래'와 관련해 무엇을 조사해 발표할지 생각하기

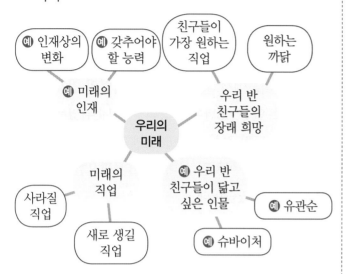

○ 발표하는 상황에 따른 자료 제시 방법 생각하기

발표하는 상황	교실에서 학급 친구들에게 발표할 때
발표하는 상황의 특성	㉠
자료 제시 방법	교실에서 발표할 때에는 멀리 있는 친구도 잘 볼 수 있도록 자료를 크게 확대해서 제시해야 합니다.

○ 자료를 활용할 때에 주의할 점 생각하기

●발표할 내용 준비하기

발표할 주제와 발표할 내용 정하기 → 발표에 필요한 자료를 찾는 방법 생각하기 → 발표 상황의 특성에 따라 자료 제시 방법 생각하기 → 발표할 내용에 알맞게 발표 자료 만들기

1 '우리의 미래'를 주제로 발표할 때 무엇을 조사하면 좋을지 떠올린 것으로 알맞지 <u>않은</u> 것은 무엇입니까? ( )

① 미래의 인재
② 미래의 직업
③ 방과 후 자주 가는 장소
④ 우리 반 친구들의 장래 희망
⑤ 우리 반 친구들이 닮고 싶은 인물

2 ㉠에 들어갈 발표하는 상황의 특성을 <u>두 가지</u> 고르시오. (,)

① 발표 장소가 넓다.
② 말하는 사람이 많다.
③ 속삭여도 다 들을 수 있다.
④ 여러 사람 앞에서 발표한다.
⑤ 듣는 사람의 수가 매우 적다.

3 [교과서 문제] 다음은 그림 ⑦~⑭ 중 어떤 그림의 발표자가 주의해야 할 점입니까?

자료를 활용할 때에는 자료를 가져온 곳을 꼭 밝혀야 한다.

그림 ( )의 발표자

4 다음 빈칸에 들어갈 알맞은 말에 ○표를 하시오.

발표 자료를 만들 때 ( )을/를 활용하면 글, 그림, 동영상과 같은 자료를 쉽게 만들 수 있고 발표할 때 효과적으로 보여 줄 수 있습니다.

(책 , 사진 , 컴퓨터)

○ 발표할 내용을 어떻게 구성했는지 생각하며 「미래의 인재」 읽기

제목 미래의 인재

시작하는 말 안녕하세요? 1모둠 발표를 맡은 김대한입니다. 우리의 미래를 생각하면서 우리 모둠은 '미래에는 어떤 인재가 필요할까'라는 주제로 발표를 준비했습니다. 우리 모둠이 준비한 자료는 표와 동영상입니다. 자료를 보면서 발표를 들어 주십시오.

자료 1 100대 기업의 인재상 변화

	2008년	2013년	2018년
1순위	창의성	도전 정신	소통과 협력
2순위	전문성	주인 의식	전문성
3순위	도전 정신	전문성	원칙과 신뢰
4순위	원칙과 신뢰	창의성	도전 정신
5순위	소통과 협력	원칙과 신뢰	주인 의식

출처: 대한상공회의소, 2018.

• **글의 특징**: '미래에는 어떤 인재가 필요할까'라는 주제로 발표할 내용을 쓴 것으로, 제목 – 시작하는 말 – 자료 – 설명하는 말 – 끝맺는 말의 순서로 구성했습니다.

설명하는 말 미래에는 어떤 인재가 필요할까요? 대한상공회의소에서 조사한 '100대 기업의 인재상 변화'에 따르면 2008년에는 창의성이 1순위였는데 2013년에는 도전 정신이, 2018년에는 소통과 협력이 1순위입니다. 이처럼 시대에 따라 필요한 인재상은 달라지고 있습니다.

우리가 어른이 되는 미래에는 어떤 인재가 필요할까요? 우리 모둠은 인공 지능, 사물 인터넷 같은 4차 산업 혁명으로 이전과는 다른 산업 형태가 나타나면서 필요한 인재상도 달라질 것이라고 예상했습니다. 미래에는 변화가 굉장히 빠른 속도로 일어나기 때문에 미래의 인재에게 가장 중요한 것은 계속 배우려는 의지라고 생각합니다. (보통 이상으로 대단하게)

인재 어떤 일을 할 수 있는 학식이나 능력을 갖춘 사람.
소통 뜻이 서로 통하여 오해가 없음.
 예 의견 소통이 잘 이루어지도록 서로 대화하는 것이 중요합니다.

지능 사물이나 현상을 이해하고 처리하는 두뇌의 능력.
의지(意 뜻 의, 志 뜻 지) 어떠한 일을 이루고자 하는 마음.
 예 실패를 해도 하려는 의지만 있다면 다시 일어날 수 있습니다.

---

1 1모둠의 발표 주제는 무엇인지 쓰시오.
교과서 문제 ( )

2 1모둠이 발표를 위해 준비한 자료는 무엇인지 두 가지 고르시오. (,)
① 표
② 사진
③ 그림
④ 도표
⑤ 동영상

3 **자료 1**을 근거로 하여 말할 수 있는 것은 무엇입니까? ( )
① 기업별로 바라는 인재상이 다르다.
② 소통과 협력이 미래의 인재상이다.
③ 시대에 따라 필요한 인재상이 다르다.
④ 전문성은 미래에 필요한 능력이 아니다.
⑤ 창의성이 점점 중요하게 평가받고 있다.

핵심 서술형
4 **자료 1**이 발표 주제와 어울리는지 생각하여 그렇게 생각하는 까닭과 함께 쓰시오.

_____

_____

자료 2

출처: 한국교육방송공사(2018), 「지식 채널 e: 일자리의 미래」

설명하는 말 다음으로 준비한 자료는 한국교육방송공사에서 방송한 「일자리의 미래」입니다. 자료를 보면서 발표를 이어 가겠습니다.

이 동영상에서는 2020년까지 사라지는 일자리는
5 510만 개로, 미래에는 한 사람이 평균 4~5개의 직업을 가져야 한다고 합니다. 우리가 이러한 미래 사회에서 성공하려면 여러 분야에서 다양한 능력을 갖춰야 합니다. 경제협력개발기구[OECD]가 정리한 미래 핵심 역량은 도구 활용 능력, 사회적 상호 작
10 용 능력, 자기 삶에 대한 자주적 관리 능력입니다. 앞서 발표한 '100대 기업의 인재상 변화'에서도 나타난 소통, 협력, 전문성과 관련 있다고 생각합니다. 이러한 능력을 키우려고 핀란드, 독일, 아르헨티나와 같은 세계 여러 나라에서는 단순한 암기 교

육이 아니라 현실에 적용할 수 있는 능력을 키우는 역량 중심 교육을 강화한다고 합니다.

미래에는 더 많은 변화가 더 빨리 이루어질 것입니다. 미래에 우리에게 필요한 능력은 기계가 대신할 수 없는, 인간만이 지니는 능력이라고 생각합니 5 다. 기술과 지식을 창의적으로 활용하고 이로써 문제를 해결해 내는 인간만이 지닐 수 있는 능력을 더욱 키워 나가야 할 것입니다.

끝맺는 말 지금까지 '미래에는 어떤 인재가 필요할까'라는 주제로 발표했습니다. 발표를 준비하면 10 서 미래에 훌륭한 사람이 되려면 어떻게 준비해야 할지 친구들과 생각해 볼 수 있었습니다. 이상으로 우리 모둠 발표를 마치겠습니다. 끝까지 잘 들어 주셔서 감사합니다.

● 발표 내용 구성

	들어갈 내용
시작하는 말	발표하려는 주제나 제목 등
설명하는 말	자료에 담긴 핵심 내용, 자료의 출처 등
끝맺는 말	발표한 내용을 간단하게 정리하는 말, 발표를 준비하며 느낀 점, 함께 생각할 점 등

경제협력개발기구 경제 성장, 개발 도상국 원조, 통상 확대의 세 가지를 주요 목적으로 하여 1961년에 창설된 국제 경제 협력 기구.

역량(力 힘 력(역), 量 헤아릴 량) 어떤 일을 해낼 수 있는 힘.
예 제 짝은 우리 반 대표가 되기에 충분한 역량을 가지고 있습니다.

---

5 **자료 2** 와 같은 동영상 자료의 특성을 한 가지 쓰시오.

( )

핵심

6 **설명하는 말** 에 들어갈 내용으로 알맞지 않은 것을 두 가지 고르시오. (,)

① 발표자 소개
② 자료를 가져온 곳
③ 자료를 설명하는 내용
④ 자료에 담긴 핵심 내용
⑤ 발표 주제를 선택한 까닭

역량

7 **자료 2** 를 마지막에 구성한 까닭으로 알맞은 것에 ○표를 하시오.

(1) 발표한 내용을 간단하게 정리하기 위해서
( )

(2) 자료의 출처를 밝히지 않고 궁금증을 불러일으키기 위해서 ( )

(3) 친구들이 마지막까지 집중해서 발표를 들을 수 있도록 하기 위해서 ( )

8 끝맺는 말의 역할을 한 가지 쓰시오.

( )

 **자료를 활용해 발표하기**

1 발표 상황의 특성을 생각하여 자료를 제시하는 방법으로 알맞은 것을 두 가지 고르시오.
(,)

듣는 사람	우리반 친구들
발표 장소	교실
발표 상황의 특성	• 발표 장소가 넓은 곳입니다. • 여러 사람 앞에서 발표합니다.

① 자료를 축소하여 보여 준다.
② 텔레비전으로 자료를 보여 준다.
③ 앞에 앉은 친구에게만 자료를 보여 준다.
④ 사진이나 안내 책자를 그대로 보여 준다.
⑤ 뒤쪽에서도 잘 보이도록 큰 자료를 활용한다.

2 교실에서 학급 친구들에게 발표할 때에 주의할 점을 말한 것으로 알맞지 않은 것에 ×표를 하시오.

자료를 보여 줄 때에는 친구들이 집중할 수 있도록 자세히 소개해야지!
(1)
( )

준비한 자료를 차례에 맞게 잘 보여 주면서 말해야겠어.
(2)
( )

가까이 있는 사람만 들을 수 있도록 작은 목소리로 말해야겠어.
(3)
( )

3 발표를 들을 때에 주의할 점으로 알맞은 것을 모두 고르시오. (, ,)
① 다른 곳을 쳐다보며 듣는다.
② 발표하는 내용에 집중하며 듣는다.
③ 발표할 때에 주의할 점을 적으며 듣는다.
④ 발표하는 내용 가운데에서 중요한 부분은 적으며 듣는다.
⑤ 발표하는 내용과 방법에 어울리는 자료인지 생각하며 듣는다.

핵심
4 자료를 활용한 발표를 듣고 점검할 내용으로 알맞지 않은 것은 무엇입니까? ( )
① 자료를 꼭 한 가지만 활용했는가?
② 듣는 사람에게 전하려는 내용이 잘 전달되었는가?
③ 발표 내용에 알맞은 자료를 적절히 활용했는가?
④ 자료를 활용할 때 저작권을 침해하지 않았는가?
⑤ 활용한 자료가 너무 길거나 복잡하지 않았는가?

5 자료를 활용한 모둠별 발표를 듣고 잘한 점을 말했습니다. 빈칸에 들어갈 자료로 알맞은 것은 무엇입니까?

모둠 이름	잘한 점
○○ 모둠	우리 반 친구들이 원하는 직업을 조사해 ( )(으)로 정리해 보여 주니 한눈에 알아볼 수 있어서 좋았습니다.

( )

단원 마무리

**발표할 내용
준비하기**

예 **교실에서 학급 친구들에게 발표할 때의 특성과 자료 제시 방법**

발표하는 상황의 특성	• 여러 사람 앞에서 발표합니다. / 발표 장소가 넓습니다.
자료 제시 방법	교실에서 발표할 때에는 멀리 있는 친구도 잘 볼 수 있도록 자료를 크게 ❶ □□ 해서 제시해야 합니다.

예 **자료를 활용할 때에 주의할 점**

상황	자료가 너무 길어. / 자료가 너무 복잡해. / 자료를 어디에서 가져왔을까?
주의 할점	• 자료를 활용할 때에는 너무 길거나 ❷ □□□□ 않아야 합니다. • 자료를 활용할 때에는 자료를 가져온 곳을 꼭 밝혀야 합니다.

**발표할 내용
정리하기**

예 **'미래의 인재'에 대해 발표할 내용 정리하기**

발표 주제	미래에는 어떤 인재가 필요할까
발표 내용 구성	제목 → 시작하는 말 → 자료 1 → 설명하는 말 → 자료 2 → 설명하는 말 → 끝맺는 말
활용한 자료와 활용한 까닭	• 자료 1 표: 미래에 필요한 인재상을 설명할 때 '100대 기업의 인재상 변화'를 보여 주며 ❸ □□을/를 끌기 위해서입니다. • 자료 2 동영상: 친구들이 마지막까지 집중해서 발표를 들을 수 있도록 하기 위해서입니다.

**자료를 활용해
발표하기**

발표할 때에 주의할 점	준비한 자료를 차례에 맞게 잘 보여 주면서 말해야겠어. / 자료를 보여 줄 때에는 친구들이 집중할 수 있도록 자세히 소개해야지! / 멀리까지 잘 들리도록 또박또박 큰 목소리로 말해야겠어.
발표를 들을 때에 주의할 점	• 발표하는 내용 가운데에서 ❹ □□□ 부분은 적으며 듣습니다. • 발표하는 내용과 방법에 어울리는 자료인지 생각하며 듣습니다. • 발표하는 내용에 집중하며 듣습니다.

단원 평가

서술형

1 자신이 경험한 공식적인 말하기 상황을 떠올려 쓰시오.

_____

_____

2 공식적인 말하기 상황의 특성을 알맞지 <u>않게</u> 말한 친구는 누구입니까?

> 찬희: 듣는 사람이 알아듣기 쉽게 친근한 표현을 사용해야 해.
> 현아: 공식적인 말하기 상황에서 듣는 사람은 집중해서 들어야 해.
> 수진: 여러 사람 앞에서 발표하는 상황이므로 큰 소리로 또박또박 말해야 해.

(   )

[3~4] 그림을 보고, 물음에 답하시오.

3 ㉮, ㉯의 말하기 상황에서 비슷한 점을 두 가지 고르시오. (,   )

① 듣는 사람이 없다.
② 친구들에게 말한다.
③ 두 사람이 같이 말한다.
④ 비공식적인 말하기 상황이다.
⑤ 말하는 사람과 듣는 사람이 있다.

4 그림 ㉮의 말하기 상황이 그림 ㉯와 다른 점은 무엇입니까? (   )

① 자료를 활용해 말한다.
② 여러 사람 앞에서 말한다.
③ 친구들과 개인적으로 말한다.
④ 듣는 사람이 또래 친구들이다.
⑤ 친구들에게 공식적으로 말한다.

5 자료를 활용해 발표할 때에 좋은 점으로 알맞은 것을 <u>두 가지</u> 고르시오. (,   )

① 발표자가 집중하지 않아도 된다.
② 설명하는 내용을 쉽게 전달할 수 있다.
③ 설명하는 내용을 한눈에 알아보기 쉽다.
④ 발표자가 높임 표현을 쓰지 않아도 된다.
⑤ 설명하는 대상을 잘 몰라도 발표할 수 있다.

6 다음 자료의 특성으로 알맞지 <u>않은</u> 것의 기호를 쓰시오.

우리 반 친구들이 좋아하는 운동			
종목	축구	배드민턴	줄넘기	합계
인원(명)	10	5	8	23

> ㉠ 장면을 있는 그대로 보여 줄 수 있다.
> ㉡ 많은 양의 자료를 간단하게 나타낼 수 있다.
> ㉢ 대상의 수량이 얼마나 되는지 쉽게 알 수 있다.

(   )

점수

／점

7 다음과 같은 특성이 있는 자료는 무엇입니까?
( )

> 대상이 움직이는 모습을 잘 전달할 수 있다.

① 지도　　　② 도표　　　③ 그림
④ 사진　　　⑤ 동영상

[8~10] 그림을 보고, 물음에 답하시오.

8 그림 ⑦와 ⓝ에서 학생들은 무엇에 대해 발표하는지 쓰시오.

( )

9 학생들이 활용한 자료는 각각 무엇인지 ㉠, ㉡에 들어갈 자료를 쓰시오.

(1) ㉠: ( )
(2) ㉡: ( )

10 그림 ⑦, ⓝ와 같이 말할 내용에 따라 활용할 자료가 달라지는 까닭은 무엇인지 쓰시오.

_____

_____

11 말할 내용과 활용할 자료가 알맞지 <u>않게</u> 짝 지어진 것은 무엇입니까? ( )

① 여행지의 날씨 – 도표
② 여행지의 축제 – 동영상
③ 여행 일정 – 관광 안내서
④ 여행지의 자연환경 – 표
⑤ 여행지까지 가는 길 – 지도

12 교실에서 학급 친구들에게 발표하는 상황의 특성으로 알맞은 것을 <u>두 가지</u> 고르시오.
(,)

① 발표 장소가 넓다.
② 발표자가 선생님이다.
③ 듣는 사람이 한 명이다.
④ 여러 사람 앞에서 발표한다.
⑤ 두 사람이 번갈아 발표한다.

13 교실에서 학급 친구들에게 발표하는 상황에 알맞은 자료 제시 방법은 무엇인지 기호를 쓰시오.

> ㉠ 작은 글씨의 자료라도 있는 그대로 사용한다.
> ㉡ 멀리 있는 친구도 잘 볼 수 있도록 자료를 크게 확대해서 제시한다.

( )

3 단원

14 자료를 활용할 때에 주의할 점이 아닌 것은 무엇입니까? ( )

① 자료가 너무 길지 않아야 한다.
② 한꺼번에 많은 자료를 제시해야 한다.
③ 자료가 너무 복잡하지 않아야 한다.
④ 자료를 가져온 곳을 꼭 밝혀야 한다.
⑤ 발표할 내용의 특성에 따라 알맞은 자료를 활용해야 한다.

15 발표할 내용이 다음과 같다면 어떤 자료를 활용하여 발표하는 것이 효과적일지 쓰시오.

우리 반 친구들의 장래 희망

( )

[16~18] 글을 읽고, 물음에 답하시오.

자료 1 100대 기업의 인재상 변화

	2008년	2013년	2018년
1순위	창의성	도전 정신	소통과 협력
2순위	전문성	주인 의식	전문성
3순위	도전 정신	전문성	원칙과 신뢰
4순위	원칙과 신뢰	창의성	도전 정신
5순위	소통과 협력	원칙과 신뢰	주인 의식

출처: 대한상공회의소, 2018.

설명하는 말 미래에는 어떤 인재가 필요할까요? 대한상공회의소에서 조사한 '100대 기업의 인재상 변화'에 따르면 2008년에는 창의성이 1순위였는데 2013년에는 도전 정신이, 2018년에는 (㉠)이/가 1순위입니다. 이처럼 시대에 따라 필요한 인재상은 달라지고 있습니다.

16 이 글의 내용으로 보아 발표 주제는 무엇이겠습니까? ( )

① 미래의 과학 기술
② 기업이 바라는 인재
③ 미래에 필요한 인재
④ 창의성을 키우는 방법
⑤ 시대에 따라 변하는 직업

17 ㉠에 들어갈 알맞은 말을 **자료 1** 에서 찾아 쓰시오.

( )

18 이와 같이 발표 내용을 구성할 때 설명하는 말을 쓰는 방법으로 알맞지 않은 것은 무엇입니까? ( )

① 자료 종류에 따라 다르게 쓴다.
② 자료의 출처를 반드시 밝힌다.
③ 자료를 설명하는 내용을 쓴다.
④ 자료에 담긴 핵심 내용을 쓴다.
⑤ 발표를 준비하며 느낀 점을 쓴다.

19 여러 사람 앞에서 발표할 때에 주의할 점으로 알맞은 것에 ○표를 하시오.

(1) 준비한 자료를 기분에 따라 다르게 보여 준다. ( )
(2) 멀리까지 잘 들리도록 또박또박 큰 목소리로 말한다. ( )
(3) 친구들이 지루해할 수 있으므로 자료는 대충 소개한다. ( )

20 발표를 들을 때에 잘못한 친구는 누구입니까?

장민: 발표자가 발표할 때 딴 생각을 하며 들었어.
문영: 발표하는 내용 가운데에서 중요한 부분은 적으며 들었어.
원희: 발표하는 내용과 방법에 어울리는 자료인지 생각하며 들었어.

( )

서술형 평가

1 다음 그림을 보고 자료를 활용하지 않고 발표할 때와 자료를 활용해 발표할 때 듣는 사람이 각각 어떻게 반응했는지 쓰시오.

어떤 음식을 소개하는지 잘 모르겠어.

(1) 자료를 활용하지 않고 발표할 때	
(2) 자료를 활용해 발표할 때	

2 1번 문제에서 답한 것을 참고하여 자료를 활용해 발표할 때에 좋은 점을 쓰시오.

3 다음 자료의 특성을 쓰시오.

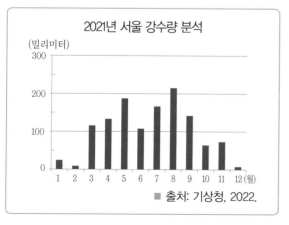

2021년 서울 강수량 분석
(밀리미터)
■ 출처: 기상청, 2022.

4 다음 발표하는 상황에서 발표하는 상황의 특성에 맞게 자료 제시 방법을 쓰시오.

발표하는 상황	교실에서 학급 친구들에게 발표할 때
발표하는 상황의 특성	• 여러 사람 앞에서 발표한다. • 발표 장소가 넓다.
자료 제시 방법	교실에서 발표할 때에는

5 다음 발표 내용을 참고하여 '시작하는 말'과 '설명하는 말'에 들어갈 내용을 쓰시오.

시작하는 말 안녕하세요? 1모둠 발표를 맡은 김대한입니다. 우리의 미래를 생각하면서 우리 모둠은 '미래에는 어떤 인재가 필요할까'라는 주제로 발표를 준비했습니다. 우리 모둠이 준비한 자료는 표와 동영상입니다. 자료를 보면서 발표를 들어 주십시오.

자료 1 　　　　100대 기업의 인재상 변화

	2008년	2013년	2018년
1순위	창의성	도전 정신	소통과 협력
2순위	전문성	주인 의식	전문성
3순위	도전 정신	전문성	원칙과 신뢰
4순위	원칙과 신뢰	창의성	도전 정신
5순위	소통과 협력	원칙과 신뢰	주인 의식

출처: 대한상공회의소, 2018.

설명하는 말 미래에는 어떤 인재가 필요할까요? 대한상공회의소에서 조사한 '100대 기업의 인재상 변화'에 따르면 2008년에는 창의성이 1순위였는데 2013년에는 도전 정신이, 2018년에는 소통과 협력이 1순위입니다. 이처럼 시대에 따라 필요한 인재상은 달라지고 있습니다.

(1) 시작하는 말	
(2) 설명하는 말	

● 다음 교과서 문장의 파란색 낱말 중에서 알맞은 것을 골라 인물들이 한 말을 완성하시오.

- 자료를 **활용**해 발표할 때에 좋은 점을 친구들과 이야기해 보세요.
- 다른 사람의 창작물을 사용할 때에는 반드시 **허락**을 구하거나 출처를 밝혀야 해요.
- 기술과 지식을 **창의적**으로 활용하고 이로써 문제를 해결해 내는 인간만이 지닐 수 있는 능력을 더욱 키워 나가야 할 것입니다.
- 자료의 핵심 내용이 담겨 있는지 **점검**하자.

정답 | ❶ 활용 ❷ 창의적 ❸ 허락 ❹ 점검

4

주장과 근거를 판단해요

무엇을 배울까요?

 준비

• 다양한 주장 살펴보기

 기본

• 논설문의 특성을 생각하며 글 읽기
• 내용의 타당성과 표현의 적절성 판단하기

 실천

• 타당한 근거를 들어 알맞은 표현으로 논설문 쓰기

4 주장과 근거를 판단해요

핵 심 개 념 문 제
정답과 해설 ● 13쪽

1 같은 문제 상황에서 서로 다른 주장을 하는 까닭

① 겪은 일이 서로 다르기 때문입니다.
② 처한 상황이 서로 다르기 때문입니다.

1 글쓴이의 주장과 이를 뒷받침 하는 근거로 이루어져 있는 글을 무엇이라고 합니까?

(   )

2 논설문의 특성 →논설문은 읽는 사람을 설득하는 것이 목적입니다.

① 논설문은 글쓴이의 주장과 이를 뒷받침하는 근거로 이루어져 있습니다.
② 논설문은 서론, 본론, 결론으로 짜여 있습니다.

서론	글을 쓴 문제 상황을 밝히고, 글쓴이가 글 전체에서 내세우는 주장을 분명하게 나타냅니다.
본론	• 글쓴이의 주장에 적절한 근거를 제시합니다. 　　　　하나의 주장에 근거가 여러 개 제시되기도 합니다. • 서론에서 글쓴이가 제시한 주장의 근거와 그 근거를 뒷받침하는 내용을 제시합니다.　　구체적인 예나 다양한 자료
결론	글 내용을 요약하기도 하고 글쓴이의 주장을 다시 한번 강조할 수도 있습니다.

2 서론의 특성에 ○표를 하시오.

(1) 글쓴이의 주장에 적절한 근거를 제시한다. (   )
(2) 글을 쓴 문제 상황과 글 쓴이의 주장을 밝힌다.
(   )
(3) 글 내용을 요약하고 글 쓴이의 주장을 다시 한 번 강조한다. (   )

3 내용의 타당성과 표현의 적절성을 판단하는 방법

내용의 타당성을 판단하는 방법	• 주장이 가치 있고 중요한지 살펴봅니다. • 근거가 주장과 관련 있는지 살펴봅니다. • 근거가 주장을 뒷받침하는지 살펴봅니다.
표현의 적절성을 판단하는 방법	주관적인 표현, 모호한 표현, 단정하는 표현을 쓰지 않았는지 살펴봅니다.

논설문에 사용하면 안 되는 표현
┌ 주관적인 표현: 자신만의 생각이나 감정에 치우치는 표현
├ 모호한 표현: 낱말이나 문장이 나타내는 의미가 분명하지 않아 정확하게 해석할 수 없는 표현
└ 단정하는 표현: '반드시', '절대로', '결코'와 같이 어떤 사실을 딱 잘라 판단하거나 결정하는 표현

3 근거의 타당성을 판단할 때는 근거가 주장과 관련 있는지, 근거가 주장을 뒷받침하는지 살펴봅니다.

(○ , ×   )

4 표현의 적절성을 판단할 때는 ☐☐적인 표현, 모호한 표현, 단정하는 표현을 사용하지 않았는지 살펴봅니다.

4 타당한 근거를 들어 알맞은 표현으로 논설문 쓰기

① 주장을 펼치고 싶은 문제 상황을 떠올립니다.
② 문제 상황을 해결할 수 있는 주장을 정하고, 주장을 뒷받침할 근거를 씁니다.
③ 근거를 뒷받침하는 자료를 찾아 정리합니다.
④ 근거와 자료가 타당한지 판단하고, 판단 결과가 적절하지 않으면 근거와 자료를 보완합니다.
⑤ 정리한 내용을 바탕으로 하여 서론, 본론, 결론이 드러나도록 논설문을 씁니다.
⑥ 쓴 글을 모둠 친구들과 바꾸어 읽고 글에 쓰인 표현이 적절한지 판단합니다.

5 논설문을 쓰기 위하여 가장 먼 저 할 일의 기호를 쓰시오.

┌─────────────────┐
│ ㉠ 주장을 뒷받침할 근거를 쓴다.
│ ㉡ 문제 상황을 해결할 수 있는 주장을 정한다.
│ ㉢ 주장을 펼치고 싶은 문제 상황을 떠올린다.
└─────────────────┘

(   )

준비 다양한 주장 살펴보기

○ 주장과 근거를 생각하며 글 읽기

동물원은 필요한가

시은이네 모둠은 '동물원은 필요한가'라는 주제로 서로 이야기해 보기로 했다. 먼저 시은이가 문제 상황을 설명했다.

[시은] 동물원은 살아 있는 동물들을 모아서 기르
5 는 곳입니다. 자연 상태에서 보기 힘든 다양한 동물을 가까이에서 볼 수 있어 동물의 생태와 습성,
_{생물이 살아가는 모양이나 상태}
자연환경의 소중함을 배울 수 있는 교육 장소입니다. 하지만 좁은 우리에 갇혀 살아가는 동물들은 스트레스를 많이 받습니다. '동물원은 필요한가'에
10 대해 우리 모둠 친구들은 어떻게 생각하나요?

지훈이가 손을 들고 자기 생각을 말했다.

[지훈] 저는 동물원이 있어야 한다고 생각합니다. 그 까닭은 첫째, 동물원은 우리에게 큰 즐거움을 줍니다. 3000년 전에 이미 동물원을 만들었을 만큼 사
15 람은 동물을 좋아하고 가까이해 왔습니다. 동물원에서는 쉽게 만날 수 없는 동물을 가까이에서 볼

• **글의 내용**: '동물원은 필요한가'라는 주제에 대해 찬성하는 주장과 반대하는 주장을 근거를 들어 말했습니다.

수 있는데, 열대 지역에 사는 사자나 극지방에 사는 북극곰도 쉽게 만날 수 있습니다. 서울 동물원에만 한 해 평균 350만 명이 방문한다고 합니다. 이렇게 많은 사람이 동물원을 좋아하고 동물원에서 즐거움을 느낍니다. 둘째, 동물원은 동물을 보 5
호해 줍니다. 야생에서는 약한 동물이 더 강한 동물에게 공격당하거나 먹이가 없어 굶어 죽기도 합니다. 동물원은 자유를 제한하더라도 먹이와 안전을 보장하기 때문에 동물에게 훨씬 이롭습니다. 최근에는 친환경 동물원으로 탈바꿈하는 곳도 많습니 10
_{원래의 모양이나 형태를 바꾸는}
다. 동물들이 지내는 환경을 개선하면 동물원은 사람에게도, 동물에게도 이로운 곳이 될 것입니다.

● **지훈이의 주장과 근거**

주장	동물원이 있어야 한다.
근거	• 동물원은 우리에게 큰 즐거움을 준다. • 동물원은 동물을 보호해 준다.

습성(習 익힐 **습**, 性 성품 **성**) 동일한 동물종 내에서 공통되는 생활 양식이나 행동 양식.

제한 일정한 한도를 정하거나 그 한도를 넘지 못하게 막음.
예 영화 관람에 나이 제한을 두고 있습니다.

---

1 시은이네 모둠은 어떤 주제로 이야기를 하려고 합니까? ( )

① 동물원은 안전한가
② 동물원은 필요한가
③ 동물원에 가야 하는가
④ 동물원의 동물은 건강한가
⑤ 동물원을 더 만들어야 하는가

2 시은이는 어떤 문제 상황을 제시했는지 빈칸에 알맞은 말을 각각 쓰시오.
_{교과서 문제}

> 동물원은 동물의 생태와 습성, 자연환경의 소중함을 배울 수 있는 (1)( )
> 이지만 좁은 우리에 갇혀 살아가는 동물들은 (2)( )을/를 많이 받는다는 것

3 지훈이의 주장은 무엇입니까? ( )
_{핵심}

① 동물원이 있어야 한다.
② 동물원은 없애야 한다.
③ 동물은 집에서 키워야 한다.
④ 동물원을 더 크게 지어야 한다.
⑤ 동물은 야생에서 자라도록 해야 한다.

4 지훈이가 주장에 대한 근거로 제시한 것을 한 가지 더 쓰시오.
_{교과서 문제}

• 동물원은 우리에게 큰 즐거움을 준다.

• _____

준비

지훈이가 말을 마치자 미진이가 자기 생각을 말했다.

미진 동물원은 없애야 합니다. 첫째, 동물원은 동물의 자유를 구속하고, 동물에게 사람의 구경거리
5 가 되는 고통을 줍니다. 동물원에서 동물은 제한된 공간에 갇혀 수많은 관람객과 마주해야 합니다. 이러한 상황에서 동물은 극심한 스트레스를 받습니다. 동물은 사람의 눈요깃거리가 아니라 그 자체로 존중받아야 하는 소중한 생명체입니다. 둘째, 동물
10 원은 인공적인 환경이기 때문에 자연을 대신할 수 없습니다. 동물원의 우리는 동물의 행동반경에 비해 턱없이 좁습니다. 친환경 동물원이 생기고 있지만 동물이 원래 살던 환경을 그대로 동물원으로 옮기는 것은 불가능합니다. 동물은 인위적으로 만든 동물원보
15 다 생태계가 어우러진 광활한 자연에서 살아야 합니

(매우 심한)

(막힌 데가 없이 트이고 넓은)

다. 동물에게 이로움보다 해로움이 훨씬 더 많은 동물원은 없애야 한다고 생각합니다.

모둠 친구들은 지훈이와 미진이의 주장을 듣고 곰곰이 생각했다.

●미진이의 주장과 근거

주장	동물원은 없애야 한다.
근거	• 동물원은 동물의 자유를 구속하고, 동물에게 사람의 구경거리가 되는 고통을 준다. • 동물원은 인공적인 환경이기 때문에 자연을 대신할 수 없다.

핵심

눈요깃거리 눈으로 보기만 하면서 어느 정도 만족을 느끼는 대상.
대신할 어떤 대상의 자리나 구실을 바꾸어서 새로 맡을.

행동반경 사람이나 동물이 행동할 수 있는 범위.
예 아기는 커 가면서 행동반경이 점점 넓어집니다.

핵심
5 미진이의 주장은 무엇인지 쓰시오.
( )

논술형
7 '동물원은 필요한가'라는 주제에 찬성하거나 반대하는 주장을 정하고, 그 근거를 쓰시오.

(1) 주장	동물원은 (있어야 , 없애야) 한다.
(2) 근거	

6 미진이의 주장에 대한 근거를 두 가지 고르시오.
교과서 문제
(,)
① 동물원은 동물들이 살기에 이로운 곳이다.
② 동물들이 동물원에서 지내는 것을 좋아한다.
③ 사람들이 더 이상 동물원에 가는 것을 좋아하지 않는다.
④ 동물원은 인공적인 환경이기 때문에 자연을 대신할 수 없다.
⑤ 동물원은 동물의 자유를 구속하고, 동물에게 사람의 구경거리가 되는 고통을 준다.

8 자신의 생각과 다른 주장에 어떤 마음을 가져야 할지 알맞게 말한 친구는 누구입니까?

현서: 나와 생각이 다른 친구의 주장은 끝까지 받아들이지 말아야 해.
수지: 내 생각과 다른 주장이라도 무시하지 말고, 구체적인 근거와 내용을 보고 판단해야 해.

( )

기본 ❶ 논설문의 특성을 생각하며 글 읽기

◉ 글쓴이의 주장을 생각하며 글 읽기

전통 음식의 우수성

・글의 종류: 논설문
・글의 특징: 우리 전통 음식을 사랑하자는 글쓴이의 주장에 대해 세 가지의 근거를 들어 읽는 사람을 설득하는 글입니다.

❶ 요즘에 우리 전통 음식보다 외국에서 유래한 햄버거나 피자와 같은 음식을 더 좋아하는 어린이를 쉽게 볼 수 있습니다. 이러한 음식은 지나치게 많이 먹으면 건강이 나빠지기도 합니다. 그에 비해
5 우리 전통 음식은 오랜 세월에 걸쳐 전해 오면서 우리 입맛과 체질에 맞게 발전해 왔기 때문에 여러 가지 면에서 우수합니다. 우리 전통 음
10 식을 사랑합시다. 왜 우리 전통 음식을 사랑해야 할까요?

문단 ❶에서는 문제 상황과 글쓴이의 주장을 밝혔어.

중심 내용 우리 입맛과 체질에 맞게 발전해 온 우리 전통 음식을 사랑하자.

❷ 첫째, 우리 전통 음식은 건강에 이롭습니다. 우리가 날마다 먹는 밥은 담백해 쉽게 싫증이 나지 않으며 어떤 반찬과도 잘 어우러져 균형 잡힌 영양분을 섭취하기 좋습니다. 또 된장, 간장, 고추장과 같은 발효 식품에는 무기질과 비타민이 풍부하게 5 들어 있어 몸을 건강하게 해 줍니다. 특히 청국장은 항암 효과는 물론 해독 작용까지 뛰어나다고 합니다.
암세포의 증식을 억제하거나 암세포를 죽임.
된장도 건강에 이로운 식품으로 알려져 있습니다.

중심 내용 우리 전통 음식은 건강에 이롭다.

▲ 된장　　　　▲ 고추장　　　　▲ 청국장

유래(由 말미암을 유, 來 올 래)한 사물이나 일이 생겨난.
체질 날 때부터 지니고 있는 몸의 생리적 성질이나 건강상의 특질.

담백해 음식이 느끼하지 않고 산뜻해.
예 이 음식은 맛이 담백해 단맛에 길들여진 아이들은 싫어합니다.

---

1 문단 ❶에서 제시한 문제 상황을 쓰시오.
교과서 문제

_____

_____

2 글쓴이의 주장은 무엇입니까? (　　)

① 음식을 골고루 먹자.
② 건강에 좋은 음식을 먹자.
③ 우리 전통 예절을 지키자.
④ 우리 전통 음식을 사랑하자.
⑤ 균형 잡힌 영양분을 섭취하자.

3 문단 ❷에 나타난 글쓴이의 주장을 뒷받침하는 근거는 무엇입니까? (　　)

① 우리 전통 음식은 맛이 좋다.
② 우리 전통 음식은 만들기 쉽다.
③ 우리 전통 음식은 건강에 이롭다.
④ 우리 전통 음식은 우리 체질에 맞다.
⑤ 우리 전통 음식은 많은 사람들이 좋아한다.

핵심

4 논설문에서 서론이 하는 역할을 바르게 설명하지 못한 친구는 누구인지 쓰시오.

솔아: 글을 쓴 문제 상황을 밝혀야 해.
석준: 글쓴이가 글 전체에서 내세우는 주장을 분명하게 나타내야 해.
현지: 글쓴이가 제시한 주장의 근거와 그 근거를 뒷받침하는 내용을 제시해야 해.

(　　　　　　)

❸ 둘째, 우리 전통 음식을 가까이하면 계절과 지역에 따라 다양한 맛을 즐길 수 있습니다. 우리 조상은 생활 주변에서 나는 여러 가지 재료를 이용해 계절에 맞는 다양한 음식을 만들어 왔습니다. 주변 바다와 <u>산천</u>에서 나는 풍부하고 다양한 <u>해산물</u>과 <u>갖은</u> 나물이나 채소와 같은 재료에는 각각 고유한 맛이 있습니다. 이러한 재료를 이용해 만든 여러 가지 음식은 지역 특색을 살린 독특한 맛을 냅니다.
<small>특별하게 다른</small>
비빔밥의 경우, 콩나물을 비롯한 여러 가지 나물에 육회를 얹은 전주비빔밥, 기름에 볶은 밥에 고사리와 가늘게 찢은 닭고기, 각종 나물과 황해도 <u>특산물</u>인 김을 얹은 해주비빔밥, 멍게를 넣은 통영비빔밥과 같이 그 지역 특산물에 따라 다양하게 만들었습니다. 김치 또한 시원하고 톡 쏘는 맛이 강하거나

맵고 진한 감칠맛이 나<small>음식물이 입에 당기는 맛</small>는 등 지역에 따라 다양한 맛으로 만든 것을 볼 수 있습니다.

문단 ❷~❹에서는 글쓴이의 주장에 대한 근거를 제시했어.

중심 내용 우리 전통 음식을 가까이하면 계절과 지역에 따라 다양한 맛을 즐길 수 있다.

▲ 전주비빔밥

산천(山 메 **산**, 川 내 **천**) '산'과 '내'라는 뜻으로, '자연'을 이르는 말.
　예 봄이 되면 산천이 온통 푸르러집니다.
해산물 바다에서 나는 동식물을 통틀어 이르는 말.

갖은 골고루 다 갖춘. 또는 여러 가지의.
　예 휴대전화를 찾기 위해 갖은 노력을 했지만 찾지 못했습니다.
특산물 어떤 지역에서 특별하게 생산되는 물건.

서술형

5 문단 ❸에서 글쓴이가 제시한 근거는 무엇인지 쓰시오.

　_____

　_____

6 우리 전통 음식을 가까이하면 계절과 지역에 따라 다양한 맛을 즐길 수 있는 까닭은 무엇입니까? 　　　　　　　(　　)
① 우리 전통 음식의 기준이 다양하기 때문에
② 음식의 맛을 내는 조미료가 들어가기 때문에
③ 같은 음식 재료로 다양한 음식을 만들기 때문에
④ 지역마다 음식을 가리키는 언어가 다르기 때문에
⑤ 생활 주변에서 나는 재료를 이용해 다양한 음식을 만들기 때문에

7 비빔밥 중, 전주비빔밥의 특징은 무엇입니까?
　　　　　　　　　　　　　　(　　)
① 비빔밥에 멍게를 넣어 먹는다.
② 숙주나물을 듬뿍 넣어 먹는다.
③ 나물을 넣지 않고 고기를 넣어 먹는다.
④ 여러 가지 나물에 육회를 함께 먹는다.
⑤ 기름에 볶은 밥에 닭고기, 나물, 김을 얹어 먹는다.

핵심

8 논설문에서 본론은 어떤 역할을 합니까? 　(　　)
① 글 내용을 요약한다.
② 글을 쓴 문제 상황을 밝힌다.
③ 읽는 이의 흥미를 불러일으킨다.
④ 글쓴이의 주장을 다시 한번 강조한다.
⑤ 글쓴이의 주장에 적절한 근거를 제시한다.

❹ 셋째, ㉠우리 전통 음식에서 우리 조상의 슬기와 문화를 경험할 수 있습니다. 우리 조상은 겨울을 나려고 김장을 하고, 저장 온도와 저장 기간을 조
<u>겨우내 먹기 위하여 김치를 한꺼번에 많이 담그는 일</u>
절해 겨울철에도 신선하게 채소를 먹을 수 있도록
5 했습니다. 삼국 시대부터 발달한 염장 기술로 고기류와 어패류를 오랫동안 보관해 맛있게 먹을 수 있도록 했습니다. 또 농경 생활을 하면서 설이나 추석과 같은 명절에 가족이나 이웃과 함께 세시 음식을 만들어 먹으며 정답게 어울려 지냈습니다.

중심 내용 우리 전통 음식에서 우리 조상의 슬기와 문화를 경험할 수 있다.

10 ❺ 우리나라 전통 음식은 세계 여러 나라 사람에게 주목받고 있습니다. 우리 조상의 넉넉한 마음과 삶
<u>관심을 가지고 주의 깊게 살핌.</u>
에서 배어 나온 지혜가 담긴 우리 전통 음식은 그 맛과 멋과 영양의 삼박자를 모두 갖추고 있습니다. 우리는 우리 전통 음식의 과학성과 우수성을 알고

우리 전통 음식에 관심을 가지고 우리 전통 음식을 사랑해야겠습니다.

문단 ❺에서는 글 내용을 요약하고 글쓴이의 주장을 다시 한번 강조했어.

중심 내용 우리 전통 음식의 과학성과 우수성을 알고 우리 전통 음식에 관심을 가지고 우리 전통 음식을 사랑해야겠다.

● 「전통 음식의 우수성」의 짜임

❶	우리 전통 음식을 사랑합시다.	서론
❷	우리 전통 음식은 건강에 이롭습니다.	본론
❸	우리 전통 음식을 가까이하면 계절과 지역에 따라 다양한 맛을 즐길 수 있습니다.	
❹	우리 전통 음식에서 우리 조상의 슬기와 문화를 경험할 수 있습니다.	
❺	우리 전통 음식의 과학성과 우수성을 알고 우리 전통 음식에 관심을 가지고 우리 전통 음식을 사랑해야겠습니다.	결론

슬기 사리를 바르게 판단하고 일을 잘 처리해 내는 재능.
염장 소금에 절여 저장함.
　예 식품을 염장하면 오랫동안 보관할 수 있습니다.

어패류 어류와 조개류를 아울러 이르는 말.
세시 한 해의 절기나 달, 계절에 따른 때.
　예 단오를 맞아 창포에 머리를 감는 것은 우리의 세시 풍속입니다.

---

9 글쓴이가 ㉠을 뒷받침하는 예로 제시한 것이 아닌 것은 무엇입니까? （　　）

① 겨울을 나려고 김장을 했다.
② 고기류를 염장하여 보관하였다.
③ 명절에 세시 음식을 만들어 먹었다.
④ 지역에 따라 다양한 음식을 만들어 먹었다.
⑤ 저장 온도와 기간을 조절해 겨울철에도 채소를 먹을 수 있도록 했다.

핵심
10 문단 ❺는 서론, 본론, 결론 중 어디에 해당하는지 쓰시오.

（　　　　　　）

11 문단 ❺의 역할로 알맞지 않은 것에 ×표를 하시오.
<u>교과서 문제</u>
(1) 글 내용을 요약한다. （　　）
(2) 글쓴이의 주장을 다시 한번 강조한다. （　　）
(3) 근거를 뒷받침하는 구체적인 예나 다양한 자료를 제시한다. （　　）

12 이 글을 쓴 목적은 무엇이겠습니까? （　　）

① 우리 전통 음식의 상차림을 알려 주려고
② 우리 전통 음식을 사랑하자는 주장을 하려고
③ 우리 전통 음식을 만드는 방법을 알려 주려고
④ 우리 전통 음식과 서양 음식의 차이점을 알려 주려고
⑤ 우리 전통 음식이 점점 사라져가는 문제를 제기하려고

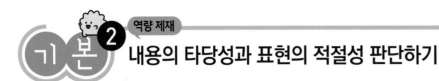

◉ 논설문의 특성을 생각하며 글 읽기

자연 보호는 우리가 꼭 해야 할 일

• 글의 종류: 논설문
• 글의 특징: 자연을 보호해야 하는 까닭을 근거로 들어 자연을 보호하자고 주장하는 글입니다.

❶ 우리나라뿐만 아니라 세계 곳곳에서 벌어지는 자연 개발은 우리 삶을 위협한다. 이러한 무분별한 개발로 우리 삶의 터전인 자연은 몸살을 앓고, 이제 인류의 생존까지 위협하는 상황에 이르렀다. 우리는 자연의 목소리에 귀를 기울이고 자연을 보호해야 한다. 왜 자연을 보호해야 할까?

중심 내용 우리는 자연의 목소리에 귀를 기울이고 자연을 보호해야 한다.

❷ 첫째, 자연은 한번 파괴되면 <u>복원되기가</u> 어렵다. 어린나무 한 그루가 <u>아름드리나무</u>로 성장하는
원래대로 회복되기가
데 약 30년에서 50년이 걸린다고 한다. 우유 한 컵(150밀리리터)으로 오염된 물을 물고기가 살 수 있는 깨끗한 물로 만들려면 우유 한 컵의 약 2만 배의 물이 필요하다. 이처럼 환경을 오염시키는 것은 순식간이지만 오염된 환경을 되살리는 데는 수십, 수백 배의 시간과 노력이 든다. 자연의 힘이 아무리 위대해

도 <u>자정</u> 능력을 넘어서는 오염을 감당하기는 어렵다.

중심 내용 자연은 한번 파괴되면 복원되기가 어렵다.

❸ 둘째, 무리한 자연 개발은 생태계를 파괴한다. 생물은 서로 유기적인 생태계로 얽혀 있으며 주변 환경과 영향을 주고받으면서 살아간다. 자연 개발로 생태계를 파괴하면 결국 사람의 생활 환경을 악화시키는 결과를 초래한다. 예를 들어, 사람의 편
어떤 결과를 가져오게 한다.
의를 돕는 시설을 만들면서 무분별하게 산을 파헤치면 동식물은 삶의 터전을 잃는다. 무리한 자연 개발의 결과로 기후 변화 현상까지 나타나 동물이 멸종 위기에 처하고, 지구 환경이 위협을 받기도 한다. 동식물이 살 수 없는 곳은 사람도 살 수 없는 곳이 된다. 사람도 자연의 일부분이므로 자연과 조화를 이루어야 우리 삶이 풍요로워진다.

중심 내용 무리한 자연 개발은 생태계를 파괴한다.

아름드리나무 둘레가 한 아름이 넘는 큰 나무.
순식간 눈을 한 번 깜짝하거나 숨을 한 번 쉴 만한 아주 짧은 동안.
 예 불이 <u>순식간</u>에 번져서 손을 쓸 수가 없었습니다.

자정(自 스스로 자, 淨 깨끗할 정) 오염된 물이나 땅 따위가 물리학적·화학적·생물학적 작용으로 저절로 깨끗해짐.
무리한 도리나 이치에 어긋나 있거나 정도가 지나치게 심한.

---

1 이 글의 서론에서 제시한 문제 상황은 무엇입니까? ( )

① 우리의 전통 문화가 파괴된다.
② 동물들이 살아갈 터전을 잃는다.
③ 무분별한 환경 운동이 늘어난다.
④ 자연 보호 운동이 점차 확대된다.
⑤ 자연 개발이 우리 삶을 위협한다.

서술형

2 자연이 한번 파괴되면 복원되기가 어려운 까닭은 무엇인지 쓰시오.

_____

_____

핵심 역량

3 다음 판단 기준을 바탕으로 이 글의 내용이 타당한지 바르게 판단한 친구는 누구인지 쓰시오.

• 주장이 가치 있고 중요한가
• 근거가 주장과 관련 있는가
• 근거가 주장을 뒷받침하는가

가빈: 글쓴이가 제시한 두 번째 근거는 주장과 연결되기 어려워.
현아: 자연 개발을 위해 더 노력해야 한다는 글쓴이의 주장은 가치가 있어.
민주: 이상 기후 현상이 점점 심각해지는 지금 상황에서 글쓴이의 주장은 중요해.

( )

❹ 셋째, ㉠자연은 우리 후손이 살아갈 삶의 터전이다. 당장의 편리와 이익만을 추구하다 보면 우리 후손에게 훼손된 자연을 물려주게 된다. 환경을 고려하지 않은 개발로 물, 공기, 토양, 해양과 같은 자연
5 환경이 돌이키기 힘들 정도로 훼손되면 우리 후손은 그 훼손된 자연 속에서 살아가야 한다. 조상으로부터 금수강산을 물려받은 우리는 후손에게 아름다운 자연을 물려주어야 할 의무가 있다. 자연은 조상이 남긴 소중한 환경 유산이자 후손이 앞으로 살아갈
10 삶의 터전임을 기억해야 한다.

> 헐거나 깨뜨려 못 쓰게 만든

중심 내용 자연은 우리 후손이 살아갈 삶의 터전이다.

❺ 자연은 어머니의 따뜻한 품이자 우리의 영원한 안식처이다. 더 이상 무분별한 개발로 금수강산을 훼손해서는 안 된다. ㉡자연 개발로 사라져 가는 동식물을 다시 이 땅으로 돌아오게 하여 더불어 살아야 한다. 지나친 개발 때문에 나타나는 지구 온난화와 이상 기후 현상이 더 이상 심해지지 않도록 노력하는 일도 우리 모두에게 남겨진 과제이다. 이제 우리 모두 자연 보호를 실천해야 한다.

> 편히 쉬는 곳

중심 내용 이제 우리 모두 자연 보호를 실천해야 한다.

● 내용의 타당성 판단하기 예

주장이 가치 있고 중요한가	이상 기후 현상이 점점 심각해지는 지금 상황에서 이 주장은 중요해.
근거가 주장과 관련 있는가	자연은 한번 파괴되면 복원되기가 어렵다는 첫 번째 근거는 주장과 연결될 수 있어.
근거가 주장을 뒷받침하는가	근거에 포함된 다양한 예가 글쓴이의 주장을 뒷받침하는 데 도움이 됐어.

추구(追 쫓을 **추**, 求 구할 **구**)**하다** 목적을 이룰 때까지 뒤쫓다.
돌이키기 본디의 모양이나 상태로 돌아가기.

금수강산 비단에 수를 놓은 것처럼 아름다운 산천이라는 뜻으로, 우리나라의 산천을 비유적으로 이르는 말.

서술형

4 ㉠의 내용이 타당한지 판단하여 그렇게 생각한 까닭을 쓰시오.

_____

_____

5 결론에 해당하는 문단 ❺의 중심 문장은 무엇입니까? ( )

① 자연은 어머니의 따뜻한 품이다.
② 자연은 우리의 영원한 안식처이다.
③ 동식물을 이 땅으로 돌아오게 해야 한다.
④ 이제 우리 모두 자연 보호를 실천해야 한다.
⑤ 더 이상 무분별한 개발로 금수강산을 훼손해서는 안 된다.

6 ㉡을 다음과 같이 표현하면 안 되는 까닭은 무엇일지 빈칸에 알맞은 말을 쓰시오.

> 자연 개발로 사라져 가는 동식물을 다시 이 땅으로 돌아오게 하여 반드시 더불어 살아가야 한다.

• 논설문에서는 '반드시'와 같이 어떤 사실을 딱 잘라 판단하거나 결정해 ( ) 표현은 조심해서 써야 하기 때문이다.

7 이와 같은 논설문에서 다음과 같은 표현을 쓰면 무엇이 문제인지 쓰시오.

교과서 문제

> 적당히 먹어야 건강에 좋다.

• 모호한 표현을 사용하면 _____

_____

 **역량 활동**

실천 타당한 근거를 들어 알맞은 표현으로 논설문 쓰기

1 다음 그림과 같이 주장을 펼치고 싶은 문제 상황을 한 가지 쓰시오.
(교과서 문제)

스마트폰 중독 | 즉석 음식 즐겨 먹기

한 가지 갈래의 책만 읽기

?

(   )

역량 **서술형**

2 1번 문제에서 답한 문제 상황을 해결할 수 있는 주장을 정하고, 주장을 뒷받침할 근거를 쓰시오.

(1) 주장	
(2) 근거	

3 근거가 타당한지 알아보기 위한 판단 기준으로 알맞은 것을 두 가지 고르시오. (,   )

① 근거가 재미있는가?
② 근거가 주장과 관련 있는가?
③ 근거가 주장을 뒷받침하는가?
④ 근거를 한 가지만 제시했는가?
⑤ 근거가 많은 사람이 좋아하는 근거인가?

4 논설문을 쓸 때 서론, 본론, 결론에 들어갈 내용을 생각하여 다음 빈칸에 각각 알맞은 말을 쓰시오.

> (1) (   )에는 글쓴이가 글을 쓴 문제 상황과 글쓴이가 글 전체에서 내세우는 주장이 들어간다.
> (2) (   )에는 글쓴이의 주장에 적절한 근거와 근거를 뒷받침하는 내용이 들어간다.
> (3) (   )에는 글 내용을 요약하고 글쓴이의 주장을 다시 한번 강조하는 내용이 들어간다.

5 논설문을 쓸 때 사용하면 안 되는 표현을 세 가지 고르시오. (,   ,   )

① 정확한 표현
② 모호한 표현
③ 객관적인 표현
④ 주관적인 표현
⑤ 단정하는 표현

단원 마무리

논설문의 특성을 생각하며 글 읽기

예 「전통 음식의 우수성」에서 논설문의 특성 생각하기

❶ ☐☐	❶	우리 전통 음식을 사랑합시다.	문제 상황, 글쓴이의 주장
본론	❷	우리 전통 음식은 건강에 이롭습니다.	근거
	❸	우리 전통 음식을 가까이하면 계절과 지역에 따라 다양한 맛을 즐길 수 있습니다.	
	❹	우리 전통 음식에서 우리 조상의 슬기와 문화를 경험할 수 있습니다.	
결론	❺	우리 전통 음식의 과학성과 우수성을 알고 우리 전통 음식에 관심을 가지고 우리 전통 음식을 사랑해야겠습니다.	글 내용 요약, 주장 강조

내용의 타당성과 표현의 적절성 판단하기

예 「자연 보호는 우리가 꼭 해야 할 일」에서 내용의 타당성과 표현의 적절성 판단하기

주장	자연을 보호해야 한다. / 자연 보호를 실천해야 한다.
❷ ☐☐	• 자연은 한번 파괴되면 복원되기가 어렵다. • 무리한 자연 개발은 생태계를 파괴한다. • 자연은 우리 후손이 살아갈 삶의 터전이다.

이상 기후 현상이 점점 심각해지는 지금 상황에서 이 주장은 중요해.

자연은 한번 파괴되면 복원되기가 어렵다는 첫 번째 근거는 주장과 연결될 수 있어.

이 글에서는 주관적인 표현, 모호한 표현, 단정하는 표현은 사용하지 않았어.

타당한 근거를 들어 알맞은 표현으로 논설문 쓰기

1. 논설문에 들어갈 내용

서론	글을 쓴 문제 상황과 글쓴이의 ❸ ☐☐ 을/를 밝힙니다.
본론	글쓴이의 주장에 적절한 근거를 제시합니다.
결론	글 내용을 요약하기도 하고 글쓴이의 주장을 다시 한번 강조합니다.

2. 내용이 타당한지, 표현이 적절한지 판단하기

내용의 타당성 판단 기준	❹ ☐☐ 의 적절성 판단 기준
• 주장이 가치 있고 중요한가 • 근거가 주장과 관련 있는가 • 근거가 주장을 뒷받침하는가	• 주관적인 표현을 사용했는가 • 모호한 표현을 사용했는가 • 단정하는 표현을 사용했는가

단원 평가

★ 단원 평가 더 풀기 >> 평가 교재 20~25쪽

[1~5] 글을 읽고, 물음에 답하시오.

시은 동물원은 살아 있는 동물들을 모아서 기르는 곳입니다. 자연 상태에서 보기 힘든 다양한 동물을 가까이에서 볼 수 있어 동물의 생태와 습성, 자연환경의 소중함을 배울 수 있는 교육 장소입니다. 하지만 좁은 우리에 갇혀 살아가는 동물들은 스트레스를 많이 받습니다.

지훈 저는 동물원이 있어야 한다고 생각합니다. 그 까닭은 첫째, 동물원은 우리에게 큰 즐거움을 줍니다. 3000년 전에 이미 동물원을 만들었을 만큼 사람은 동물을 좋아하고 가까이해 왔습니다. 동물원에서는 쉽게 만날 수 없는 동물을 가까이에서 볼 수 있는데, 열대 지역에 사는 사자나 극지방에 사는 북극곰도 쉽게 만날 수 있습니다. 서울 동물원에만 한 해 평균 350만 명이 방문한다고 합니다. 이렇게 많은 사람이 동물원을 좋아하고 동물원에서 즐거움을 느낍니다. 둘째, 동물원은 동물을 보호해 줍니다. 야생에서는 약한 동물이 더 강한 동물에게 공격당하거나 먹이가 없어 굶어 죽기도 합니다. 동물원은 자유를 제한하더라도 먹이와 안전을 보장하기 때문에 동물에게 훨씬 이롭습니다.

미진 동물원은 없애야 합니다. 첫째, 동물원은 동물의 자유를 구속하고, 동물에게 사람의 구경거리가 되는 고통을 줍니다. 동물원에서 동물은 제한된 공간에 갇혀 수많은 관람객과 마주해야 합니다. 이러한 상황에서 동물은 극심한 스트레스를 받습니다. 동물은 사람의 눈요깃거리가 아니라 그 자체로 존중받아야 하는 소중한 생명체입니다. 둘째, 동물원은 인공적인 환경이기 때문에 자연을 대신할 수 없습니다. 동물원의 우리는 동물의 행동반경에 비해 턱없이 좁습니다. 친환경 동물원이 생기고 있지만 동물이 원래 살던 환경을 그대로 동물원으로 옮기는 것은 불가능합니다. 동물은 인위적으로 만든 동물원보다 생태계가 어우러진 광활한 자연에서 살아야 합니다.

1 시은이가 말한 것은 다음 중 무엇인지 알맞은 것에 ○표를 하시오.

(문제 상황 , 주장 , 근거)

2 지훈이와 미진이는 어떤 주제에 대한 의견을 말하였는지 쓰시오.

( )

3 지훈이와 미진이가 주장하는 것을 각각 선으로 이으시오.

(1) [지훈] •　•① [동물원은 없애야 한다.]

(2) [미진] •　•② [동물원은 있어야 한다.]

4 다음 근거는 지훈이와 미진이 중 누구의 주장에 적절한 근거입니까?

- 동물원은 동물의 자유를 구속하고, 동물에게 사람의 구경거리가 되는 고통을 준다.
- 동물원은 인공적인 환경이기 때문에 자연을 대신할 수 없다.

( )

5 지훈이와 미진이가 서로 다른 주장을 하는 까닭은 무엇인지 알맞은 것의 기호를 모두 쓰시오.

㉠ 겪은 일이 서로 다르기 때문이다.
㉡ 처한 상황이 서로 다르기 때문이다.
㉢ 생긴 모습이 서로 다르기 때문이다.

( )

논술형

6 자신의 생각과 다른 주장에 어떤 마음을 가져야 할지 쓰시오.

_____

_____

[7~8] 글을 읽고, 물음에 답하시오.

요즘에 우리 전통 음식보다 외국에서 유래한 햄버거나 피자와 같은 음식을 더 좋아하는 어린이를 쉽게 볼 수 있습니다. 이러한 음식은 지나치게 많이 먹으면 건강이 나빠지기도 합니다. 그에 비해 우리 전통 음식은 오랜 세월에 걸쳐 전해 오면서 우리 입맛과 체질에 맞게 발전해 왔기 때문에 여러 가지 면에서 우수합니다. 우리 전통 음식을 사랑합시다. 왜 우리 전통 음식을 사랑해야 할까요?

7 이 글은 논설문의 짜임 중 무엇에 해당합니까?

（　　　　　　　　）

8 이 글 다음에 이어질 내용은 무엇입니까? （　　）

① 우리 전통 음식의 맛
② 우리 전통 음식의 종류
③ 우리 전통 음식이 나아갈 길
④ 우리 전통 음식을 만드는 방법
⑤ 우리 전통 음식을 사랑해야 하는 까닭

[9~13] 글을 읽고, 물음에 답하시오.

㉮ 우리 전통 음식은 건강에 이롭습니다. 우리가 날마다 먹는 밥은 담백해 쉽게 싫증이 나지 않으며 어떤 반찬과도 잘 어우러져 균형 잡힌 영양분을 섭취하기 좋습니다.

㉯ _____㉠_____
우리 조상은 겨울을 나려고 김장을 하고, 저장 온도와 저장 기간을 조절해 겨울철에도 신선하게 채소를 먹을 수 있도록 했습니다. 삼국 시대부터 발달한 염장 기술로 고기류와 어패류를 오랫동안 보관해 맛있게 먹을 수 있도록 했습니다. 또 농경 생활을 하면서 설이나 추석과 같은 명절에 가족이나 이웃과 함께 세시 음식을 만들어 먹으며 정답게 어울려 지냈습니다.

㉰ 우리 조상의 넉넉한 마음과 삶에서 배어 나온 지혜가 담긴 우리 전통 음식은 그 맛과 멋과 영양의 삼박자를 모두 갖추고 있습니다. 우리는 우리 전통 음식의 과학성과 우수성을 알고 우리 전통 음식에 관심을 가지고 우리 전통 음식을 사랑해야겠습니다.

9 글쓴이의 주장은 무엇입니까? （　　）

① 우리 전통 음식을 사랑합시다.
② 우리 전통 음식 축제를 엽시다.
③ 다른 나라의 전통 음식을 소개합니다.
④ 우리 전통 음식이 사라지는 까닭을 알아봅시다.
⑤ 우리 전통 음식과 다른 나라의 음식을 비교해 봅시다.

10 글 ㉮에서 글쓴이가 주장을 뒷받침하기 위해 제시한 근거는 무엇입니까? （　　）

① 우리 전통 음식은 만들기 쉽다.
② 우리 전통 음식은 건강에 이롭다.
③ 우리 전통 음식의 종류가 다양하다.
④ 외국 전통 음식은 건강에 좋지 않다.
⑤ 우리 전통 음식을 먹는 사람들이 많다.

11 글 ㉯에서 알 수 있는, 우리 조상이 염장 기술을 이용하여 한 일은 무엇입니까? （　　）

① 밥을 맛있게 지었다.
② 김치를 만들어 먹었다.
③ 세시 음식을 만들었다.
④ 채소를 신선하게 보관했다.
⑤ 고기류와 어패류를 오랫동안 보관했다.

12 ㉠에 들어갈 알맞은 말에 ○표를 하시오.

(1) 우리 전통 음식에서 우리 조상의 슬기와 문화를 경험할 수 있습니다. （　　）
(2) 우리 전통 음식을 가까이하면 계절과 지역에 따라 다양한 맛을 즐길 수 있습니다.
（　　）

13 이와 같은 논설문에서 글 ㉮, ㉯의 역할을 두 가지 고르시오. （　，　）

① 글을 쓴 문제 상황이 나타나 있다.
② 글쓴이의 주장에 대한 근거가 있다.
③ 글을 쓰는 목적이나 방향을 제시한다.
④ 어떤 사실에 대해 자세하게 알려 준다.
⑤ 근거를 뒷받침하는 예나 자료를 제시한다.

[14~16] 글을 읽고, 물음에 답하시오.

> ㉮ 우리는 자연의 목소리에 귀를 기울이고 자연을 보호해야 한다. 왜 자연을 보호해야 할까?
> 　첫째, ▨▨▨▨▨▨ ㉠ ▨▨▨▨▨▨
> 어린나무 한 그루가 아름드리나무로 성장하는 데 약 30년에서 50년이 걸린다고 한다. 우유 한 컵(150밀리리터)으로 오염된 물을 물고기가 살 수 있는 깨끗한 물로 만들려면 우유 한 컵의 약 2만 배의 물이 필요하다. 이처럼 환경을 오염시키는 것은 순식간이지만 오염된 환경을 되살리는 데는 수십, 수백 배의 시간과 노력이 든다.
> 　㉯ 둘째, 무리한 자연 개발은 생태계를 파괴한다. 생물은 서로 유기적인 생태계로 얽혀 있으며 주변 환경과 영향을 주고받으면서 살아간다. 자연 개발로 생태계를 파괴하면 결국 사람의 생활 환경을 악화시키는 결과를 초래한다.

14 이 글에서 말하려는 글쓴이의 주장은 무엇인지 쓰시오.

　　（　　　　　　　　　　　　　）

15 ㉠에 들어갈 가장 알맞은 말은 무엇입니까?

　　　　　　　　　　　　　　　（　　　）

① 자연은 우리 삶의 터전이다.
② 자연이 오염되면 인간도 위험해진다.
③ 자연을 보호하려면 많은 돈이 필요하다.
④ 자연은 한번 파괴되면 복원되기가 어렵다.
⑤ 자연이 파괴되는 데는 오랜 시간이 필요하다.

16 이 글의 내용이 타당한지 바르게 판단한 친구는 누구인지 쓰시오.

> 호연: 주장이 하나뿐이라서 타당하지 못해.
> 민희: 글쓴이의 주장이 내 생각과 같아서 타당하다고 생각해.
> 경수: 근거가 주장을 뒷받침하는 데 도움이 되니까 타당하다고 생각해.

　　　　　　　　（　　　　　　　　　　）

[17~20] 글을 읽고, 물음에 답하시오.

> 　자연은 우리 후손이 살아갈 삶의 터전이다. 당장의 편리와 이익만을 추구하다 보면 우리 후손에게 훼손된 자연을 물려주게 된다. 환경을 고려하지 않은 개발로 물, 공기, 토양, 해양과 같은 자연환경이 돌이키기 힘들 정도로 훼손되면 우리 후손은 그 훼손된 자연 속에서 살아가야 한다. 조상으로부터 금수강산을 물려받은 우리는 후손에게 ㉠아름다운 자연을 물려주어야 할 의무가 있다.

17 이 글에서 글쓴이가 자연을 보호해야 하는 까닭으로 든 근거는 무엇입니까?　　　（　　　）

① 자연 보호는 우리 후손의 몫이다.
② 환경을 고려한 개발은 불가능하다.
③ 자연은 후손이 살아갈 삶의 터전이다.
④ 훼손된 자연환경은 절대 돌이킬 수 없다.
⑤ 자연 개발은 당장의 이익에도 도움이 되지 않는다.

논술형
18 이 글에 나타난 표현이 논설문의 표현으로 적절한지 판단하여 그 까닭과 함께 쓰시오.

　_____

　_____

19 ㉠'아름다운 자연'과 바꾸어 쓸 수 있는 낱말을 이 글에서 찾아 쓰시오.

　　　　　　　（　　　　　　　　　　）

20 이와 같은 논설문에 들어갈 내용으로 알맞지 <u>않은</u> 것은 무엇입니까?　　　　　（　　　）

① 추측하는 내용　　② 글쓴이의 주장
③ 글을 요약한 내용　④ 주장에 대한 근거
⑤ 글을 쓴 문제 상황

서술형 평가

1 '동물원은 필요한가'에 대해 지훈이가 자신의 생각을 말했습니다. 빈칸에 들어갈 지훈이의 주장을 쓰시오.

> 지훈: [   ]
>
> 그 까닭은 첫째, 동물원은 우리에게 큰 즐거움을 줍니다. 3000년 전에 이미 동물원을 만들었을 만큼 사람은 동물을 좋아하고 가까이 해 왔습니다. 동물원에서는 쉽게 만날 수 없는 동물을 가까이에서 볼 수 있는데, 열대 지역에 사는 사자나 극지방에 사는 북극곰도 쉽게 만날 수 있습니다. 서울 동물원에만 한 해 평균 350만 명이 방문한다고 합니다. 이렇게 많은 사람이 동물원을 좋아하고 동물원에서 즐거움을 느낍니다. 둘째, 동물원은 동물을 보호해 줍니다.

_____

_____

2 다음 글에서 알 수 있는 논설문의 특성을 쓰시오.

> 요즘에 우리 전통 음식보다 외국에서 유래한 햄버거나 피자와 같은 음식을 더 좋아하는 어린이를 쉽게 볼 수 있습니다. 이러한 음식은 지나치게 많이 먹으면 건강이 나빠지기도 합니다. 그에 비해 우리 전통 음식은 오랜 세월에 걸쳐 전해 오면서 우리 입맛과 체질에 맞게 발전해 왔기 때문에 여러 가지 면에서 우수합니다. 우리 전통 음식을 사랑합시다. 왜 우리 전통 음식을 사랑해야 할까요?

• 논설문의 서론에서는 _____

_____

3 다음 글을 읽고 근거가 주장과 관련 있는지 근거의 타당성을 판단하여 쓰시오.

> 우리는 자연의 목소리에 귀를 기울이고 자연을 보호해야 한다. 왜 자연을 보호해야 할까?
> 첫째, 자연은 한번 파괴되면 복원되기가 어렵다. 어린나무 한 그루가 아름드리나무로 성장하는 데 약 30년에서 50년이 걸린다고 한다. 우유 한 컵(150밀리리터)으로 오염된 물을 물고기가 살 수 있는 깨끗한 물로 만들려면 우유 한 컵의 약 2만 배의 물이 필요하다.

_____

_____

4 다음에 제시한 표현을 논설문에 알맞은 표현으로 바꾸어 쓰고, 그렇게 바꾼 까닭을 쓰시오.

> 국립 공원에 절대로 케이블카를 설치해서는 안 된다.

(1) 바꾼 표현	
(2) 바꾸어 쓴 까닭	

5 우리 주변에서 문제 상황을 떠올려 쓰고, 문제 상황을 해결할 수 있는 주장을 쓰시오.

(1) 문제 상황	
(2) 주장	

● 다음 교과서 문장의 파란색 낱말 중에서 알맞은 것을 골라 인물들이 한 말을 완성하시오.

- **야생**에서는 약한 동물이 더 강한 동물에게 공격당하거나 먹이가 없어 굶어 죽기도 합니다.
- 동물원은 자유를 제한하더라도 먹이와 안전을 **보장**하기 때문에 동물에게 훨씬 이롭습니다.
- 동물들이 지내는 환경을 **개선**하면 동물원은 사람에게도, 동물에게도 이로운 곳이 될 것입니다.
- 환경을 오염시키는 것은 **순식간**이지만 오염된 환경을 되살리는 데는 수십, 수백 배의 시간과 노력이 든다.

정답 ❶ 야생 ❷ 보장 ❸ 개선 ❹ 순식간

5

속담을 활용해요

무엇을 배울까요?

• 속담을 사용하는 까닭 생각하기

• 다양한 상황에서 쓰이는 속담의 뜻 알기

• 주제를 생각하며 글 읽기

• 속담 사전 만들기

5 | 속담을 활용해요

1 속담을 사용하는 까닭
→ • 속담은 예로부터 민간에 전해 오는 쉬운 격언이나 잠언입니다.
• 속담에는 우리 민족의 지혜와 해학, 생활 방식과 교훈이 담겨 있습니다.

글을 쓸 때	글을 쓸 때 속담을 사용하면 자신의 생각을 효과적으로 드러낼 수 있기 때문입니다.
서로 말을 주고 받을 때	서로 말을 주고받을 때 속담을 사용하면 듣는 사람이 흥미를 느낄 수 있기 때문입니다.
자신의 의견을 제시할 때	자신의 의견을 제시할 때 속담을 사용하면 주장의 논리를 뒷받침해 상대를 쉽게 설득할 수 있기 때문입니다.

2 속담을 사용하면 좋은 점
① 듣는 사람이 흥미를 느낄 수 있습니다.
② 조상의 지혜와 슬기를 알 수 있습니다.
③ 자신의 의견을 쉽고 효과적으로 전달할 수 있습니다.

3 다양한 상황에서 쓰이는 속담의 뜻 알기

속담	속담의 뜻	사용할 수 있는 다른 상황
소 잃고 외양간 고친다	일이 이미 잘못된 뒤에는 손을 써도 소용이 없다는 말	안전에 주의하지 않고 친구들과 놀다가 다친 뒤에 후회했던 상황
티끌 모아 태산	아무리 작은 것이라도 모이고 모이면 나중에 큰 덩어리가 된다는 말	용돈을 저축해 부모님께 선물을 사 드려서 자랑스러웠던 상황
우물을 파도 한 우물을 파라	어떤 일이든 한 가지 일을 끝까지 해야 성공할 수 있다는 말	여러 가지 일을 하다 보니 아무것도 이룬 것이 없는 상황
하룻강아지 범 무서운 줄 모른다	철없이 함부로 덤빈다는 말	어린아이들이 농구 선수에게 농구 시합을 하자고 하는 상황

4 주제를 생각하며 글 읽기
① 인물의 말이나 행동에서 짐작할 수 있는 인물의 마음을 생각합니다.
② 인물의 마음을 생각하며 인물에게 해 주고 싶은 말을 씁니다.
③ 글의 주제를 친구들과 이야기해 봅니다.
예 「독장수구구」와 「까마귀 고기를 먹었나」에 나오는 속담의 뜻과 주제

속담	속담의 뜻	주제
독장수구구는 독만 깨뜨린다	실현성이 없는 허황된 계산은 도리어 손해만 가져온다는 말	헛된 욕심은 손해를 가져온다.
까마귀 고기를 먹었나	무엇인가를 잘 잊어버리는 사람을 가리키는 말	중요한 일을 잊어버리지 않도록 노력하자.

 **속담을 사용하는 까닭 생각하기**

○ 그림을 보고 뜻이 같은 여러 속담 생각하기

와, 교실이 깨끗하게 정리 정돈되었네요.

❶

선생님, 우리나라 속담에 ㉠"백지장도 맞들면 낫다."라는 말이 있는데, 친구들과 함께 청소하니 쉬웠어요.

그랬군요! 여러분이 협동의 힘을 알았군요.

❷

• **그림 내용**: 학생이 사용한 속담을 통해 속담의 뜻, 그 속담과 바꾸어 쓸 수 있는 속담을 생각할 수 있습니다.

그러면 협동을 말한 속담에는 또 무엇이 있을까요?

❸

" ㉡ "(이)라는 속담이 있어요.

❹

● 협동과 관련 있는 속담 예

백지장도 맞들면 낫다	쉬운 일이라도 협력해서 하면 훨씬 쉽다.
손이 많으면 일도 쉽다	무슨 일이나 여러 사람이 같이 힘을 합하면 쉽게 잘 이룰 수 있다.
두 손뼉이 맞아야 소리가 난다	무슨 일이든지 두 편에서 서로 뜻이 맞아야 이루어질 수 있다.

백지장 하얀 종이의 낱장.
예 백지장 한 장이라도 아껴 써야 합니다.

맞들면 물건을 양쪽에서 마주 들면.
예 무거운 짐을 친구와 맞들면 조금이라도 가볍습니다.

---

1 다음 빈칸에 들어갈 알맞은 말은 무엇입니까?

> ( )은/는 예로부터 민간에 전해 오는 쉬운 격언이나 잠언으로, 우리 민족의 지혜와 해학, 생활 방식과 교훈이 담겨 있는 말입니다.

( )

핵심

2 ㉠은 어떤 뜻의 속담입니까? ( )

① 쉬운 일이라도 협력해서 하면 훨씬 쉽다.
② 무슨 일이나 그 일의 시작이 중요하다.
③ 뜻하지 않은 일이 우연하게도 잘 들어맞는다.
④ 무슨 물건이고 값이 싸면 품질이 좋지 못하다.
⑤ 아무리 작은 것이라도 모이면 큰 덩어리가 된다.

3 ㉡에 들어갈 속담은 무엇과 관련 있는 속담이겠습니까? ( )

① 절약 ② 약속 ③ 협동
④ 근면 ⑤ 성실

4 ㉠과 바꾸어 쓸 수 있는 속담으로, ㉡에 들어가기에 알맞지 않은 속담은 무엇입니까? ( )
교과서 문제

① 손이 많으면 일도 쉽다
② 돌다리도 두들겨 보고 건너라
③ 종이도 네 귀를 들어야 바르다
④ 두 손뼉이 맞아야 소리가 난다
⑤ 열의 한 술 밥이 한 그릇 푼푼하다

● 속담을 사용한 상황들을 보고 초록색으로 쓰인 속담을 사용한 까닭 생각하기

가 글을 쓸 때

영주네 가족은 이삿짐 싸는 차례를 서로 다르게 생각했어요.

할머니와 이모께서는 깨지기 쉬운 항아리나 유리그릇부터 싸라고 하셨고, 삼촌께서는 텔레비전이나 컴퓨터부터 옮기라고 하셨어요. "사공이 많으면 배가 산으로 간다."라는 속담처럼 서로 의견을 굽히지 않아 시간만 흘러갔어요.

나 서로 말을 주고받을 때

윤경아, 내가 청소 도와줄게.

우진아, 괜찮아. 혼자서도 할 수 있어.

"바늘 가는 데 실 간다."라고 했어. 우리는 짝이니까 함께하자.

재미있는 말이네. 고마워!

다 자신의 의견을 제시할 때

친구들이 바른 몸가짐으로 항상 웃으며 인사하면 좋겠어. "하나를 보면 열을 안다."라는 말이 있듯이 작은 행동 하나에 그 사람의 많은 것이 드러나게 돼.

친구의 의견이 옳은 것 같아.

● 속담을 사용하는 까닭 （핵심）

가 글을 쓸 때	자신의 생각을 효과적으로 드러낼 수 있기 때문입니다.
나 서로 말을 주고받을 때	듣는 사람이 흥미를 느낄 수 있기 때문입니다.
다 자신의 의견을 제시할 때	주장의 논리를 뒷받침해 상대를 쉽게 설득할 수 있기 때문입니다.

（핵심）
5 가～다의 상황에서 속담을 사용한 까닭은 무엇인지 보기 에서 찾아 각각 번호를 쓰시오.

보기
① 듣는 사람이 흥미를 느낄 수 있다.
② 자신의 생각을 효과적으로 드러낼 수 있다.
③ 주장의 논리를 뒷받침해 상대를 쉽게 설득할 수 있다.

(1) 가: (　　) (2) 나: (　　) (3) 다: (　　)

6 가～다에서 사용한 속담 중에서 다음 뜻에 해당하는 속담은 무엇입니까?

주관하는 사람이 없이 여러 사람이 자기주장만 내세우면 일이 제대로 되기 어렵다는 말입니다.

(　　　　　　　　　　)

7 속담을 사용한 경험을 말했습니다. 다음 빈칸에 들어갈 속담에 ○표를 하시오.

고운 말을 쓰자고 주장하는 글을 시작할 때 관심을 끌려고 "(　　　　　)"라는 속담을 쓴 적이 있습니다.

(1) 소 잃고 외양간 고친다　　　　　 (　　)
(2) 돌다리도 두들겨 보고 건너라　　 (　　)
(3) 가는 말이 고와야 오는 말이 곱다 (　　)

8 속담을 사용하면 좋은 점으로 알맞지 않은 것은 무엇입니까? (　　)

① 조상의 지혜를 알 수 있다.
② 조상의 슬기를 알 수 있다.
③ 듣는 사람이 흥미를 느낄 수 있다.
④ 자신의 의견을 쉽고 효과적으로 전달할 수 있다.
⑤ 다른 사람에게 무조건 내 의견을 따르게 할 수 있다.

기본 1
다양한 상황에서 쓰이는 속담의 뜻 알기

○ 초록색으로 쓰인 속담의 뜻과 속담을 사용할 수 있는 다른 상황 생각하기

• **그림 내용**: 상황에 따라 쓰이는 속담이 다르다는 것을 알 수 있습니다.

> 어제 뉴스 봤니? □가 탈출했던 동물원에서 ○전 관리 실태를 점검하고 있대.

> 미리 점검하지 않고, ㉠소 잃고 외양간 고치는 격이구나.

> 일 년 동안 모은 동전이 20만 원이나 돼.

> 그래? ㉡티끌 모아 태산 이라더니 그 말이 맞네.

> 피아노를 배우다 그만두고, 태권도도 힘들어 그만두고, 이제 수영을 배우려고 해.

> ㉢우물을 파도 한 우물을 파라는 말이 있듯이 이번에는 수영을 끝까지 배우면 좋겠어.

> ㉣하룻강아지 범 무서운 줄 모른다더니, 한 달 배운 네가 태권도 대표 선수인 영주를 이길 수 있겠니?

> 영주에게 태권도 겨루기를 하자고 했어.

●초록색으로 쓰인 속담의 뜻

소 잃고 외양간 고친다	일이 이미 잘못된 뒤에는 손을 써도 소용이 없다는 말
티끌 모아 태산	아무리 작은 것이라도 모이고 모이면 나중에 큰 덩어리가 된다는 말
우물을 파도 한 우물을 파라	어떤 일이든 한 가지 일을 끝까지 해야 성공할 수 있다는 말
하룻강아지 범 무서운 줄 모른다	철없이 함부로 덤빈다는 말

1 ㉠은 어떤 상황에서 사용할 수 있는 속담입니까?
( )
① 욕심을 너무 많이 부리는 상황
② 열심히 노력해서 성공을 거둔 상황
③ 노력하지 않고 잘되기를 바라는 상황
④ 일이 이미 잘못되어 손을 써도 소용이 없는 상황
⑤ 거짓말을 많이 해서 아무도 자신의 말을 믿어 주지 않는 상황

2 ㉡과 ㉢의 속담 중 '어떤 일이든 한 가지 일을 끝까지 해야 성공할 수 있다.'는 뜻의 속담은 무엇인지 기호를 쓰시오.
( )

3 ㉣ 속담의 뜻은 무엇인지 쓰시오.
( )

4 ㉠~㉣의 속담을 사용할 수 있는 다른 상황을 알맞게 짝 지은 것에 ○표를 하시오.
(1) ㉠ – 어린아이들이 농구 선수에게 농구 시합을 하자고 하는 상황 ( )
(2) ㉡ – 용돈을 저축해 부모님께 선물을 사 드려서 자랑스러웠던 상황 ( )
(3) ㉢ – 안전에 주의하지 않고 친구들과 놀다가 다친 뒤에 후회했던 상황 ( )
(4) ㉣ – 여러 가지 일을 하다 보니 아무것도 이룬 것이 없는 상황 ( )

○ 글 ㉮~㉣의 상황에서 사용할 수 있는 다양한 속담과 속담의 뜻 알기

㉮ 만 원을 주고 장난감을 샀습니다. 그런데 가지고 놀다가 고장 나서 고치러 갔더니 수리비가 만오천 원이라고 합니다. 장난감 가격보다 수리비가 더 비쌉니다.

㉯ 우리 반 지우는 야구를 좋아하고 야구 선수가 되고 싶어 합니다. 그래서 지우가 가는 곳에는 언제나 야구공과 야구 장갑이 있습니다.

㉰ 사랑하는 영주야!
처음에는 어렵다고 느껴지는 책도 두세 번씩 읽다 보면 어느덧 담긴 뜻을 생각하며 쉽게 읽을 수 있단다. 그러니 힘든 일이 있더라도 꿋꿋하게 견디며 희망을 가졌으면 좋겠다.
  <u>꿋꿋하게</u> 태도나 마음가짐 따위가 매우 굳세게

㉱ 지난주에 내 자랑 발표 대회가 있었습니다. 그런데 친구들과 놀고 싶은 마음에 말할 내용을 준비하지 않아서 더듬거리며 발표했습니다. 좀 더 노력하지 않은 제 모습이 후회가 됩니다.

● **관련 속담과 비슷한 속담** 예

상황	관련 속담	비슷한 속담
㉮	배보다 배꼽이 더 크다	얼굴보다 코가 더 크다
㉯	바늘 가는 데 실 간다	구름 갈 제비가 간다
㉰	쥐구멍에도 볕 들 날 있다	응달에도 햇빛 드는 날이 있다
㉱	콩 심은 데 콩 나고 팥 심은 데 팥 난다	가시나무에 가시가 난다

핵심

5 글 ㉮, ㉯의 상황에서 사용할 수 있는 속담을 알맞게 선으로 이으시오.

(1) │ 글 ㉮ │ •   • ㉠ │ 바늘 가는 데 실 간다 │

(2) │ 글 ㉯ │ •   • ㉡ │ 배보다 배꼽이 더 크다 │

6 다음은 글 ㉰의 상황에서 사용할 수 있는 속담입니다. 빈칸에 들어갈 말을 보기 에서 찾아 속담을 완성하시오.
교과서 문제

보기 마당 볕 이슬 우박 응달

관련 속담	비슷한 속담
쥐구멍에도 (1)( )들 날 있다	• (2)( )에도 햇빛 드는 날이 있다 • 마룻구멍에도 볕 들 날이 있다

7 글 ㉱의 상황에서 사용할 수 있는 속담을 모두 고르시오. (,   ,   )

① 바늘보다 실이 굵다
② 용 가는 데 구름 간다
③ 가시나무에 가시가 난다
④ 콩 심은 데 콩 나고 팥 심은 데 팥 난다
⑤ 오이 덩굴에 오이 열리고 가지 나무에 가지 열린다

역량 논술형

8 '행복한 학교생활을 하려면 우리가 지켜야 할 일'에 대한 자신의 생각을 쓰고, 생각을 뒷받침할 수 있는 속담을 쓰시오.

(1) 자신의 생각	
(2) 속담	

기본 ② 역량 제재 주제를 생각하며 글 읽기

◌ 이야기의 주제를 생각하며 글 읽기

속담 하나 이야기 하나

임덕연

• **글의 종류:** 이야기
• **글의 특징:** 속담 '독장수구구는 독만 깨뜨린다'와 '까마귀 고기를 먹었나'의 뜻을 짐작할 수 있는 이야기입니다.

독장수구구

❶ 옛날 어느 마을에 독을 만들어 파는 독장수가 있었습니다. 옛날에는 간장이나 된장을 담거나 곡식을 보관할 때 또는 술을 담글 때 독을 사서 썼습니다. 어느 마을에서는 독을 무덤으로 쓰기도 했습니다.

5 　독은 잘만 팔면 큰 부자가 될 수 있었지만 워낙 크고 무거워서 많이 가지고 다니지 못했습니다.

　하루는 독장수가 지게에 큰독 세 개를 지고 독을 팔러 나섰습니다.

　그러나 하루 종일 지고 다녀도 독은 팔리지 않고
10 어깨만 빠지도록 아팠습니다. 땀이 목덜미를 타고 내려 등줄기를 적셨습니다.

　"아이고, 어깨야. 어째 오늘은 독을 사는 사람이 하나도 없네."

　독장수는 고갯길을 힘겹게 올랐습니다. 숨을 헐떡거리며 높은 고개턱을 겨우 올라왔습니다. 혹시라도 몸을 잘못 가누면 독이 굴러떨어져 산산조각이 나고 맙니다. 독장수는 너무 힘들어 눈앞이 핑 5 핑 돌 지경이었습니다.

　"아이고, 저 나무 밑에서 좀 쉬었다 가야겠다."

　독장수는 고개를 다 오르고는 나무 그늘 밑에다 지겟작대기로 지게를 받쳐 세워 놓았습니다. 독장수는 허리춤에 찼던 수건을 꺼내 이마와 얼굴의 땀 10 을 닦았습니다.
　　바지의 허리 부분 안쪽

　"아, 이제 살 것 같다. 아이고, 그놈의 고개 오지기도 해라."

중심 내용 ┃ 독장수가 지게에 큰독 세 개를 지고 고갯길을 올랐다.

목덜미 목의 뒤쪽 부분과 그 아래 근처.
　예 누군가 뒤에서 내 목덜미를 쓰다듬어 깜짝 놀랐습니다.

가누면 몸을 쓰러지지 않도록 똑바르게 하면.
오지기도 허술한 데가 없이 알차기도.

---

1 독장수가 하는 일은 무엇입니까?

교과서 문제 (　　　　　　　　　　　)

2 이 글에서 말한 독의 쓰임새로 알맞지 <u>않은</u> 것은 무엇입니까? (　　　)

① 술을 담근다.
② 곡식을 보관한다.
③ 무덤으로 사용한다.
④ 장식용으로 사용한다.
⑤ 간장이나 된장을 담는다.

3 독을 팔면 큰 부자가 될 수도 있지만 많이 가지고 다니지 못하는 까닭은 무엇입니까?

(　　　　　　　　　　　)

4 고개를 다 오른 독장수의 마음은 어떠하겠습니까? (　　　)

① 기쁘다.
② 슬프다.
③ 무섭다.
④ 안타깝다.
⑤ 당황스럽다.

❷ 독장수는 지게 옆에 벌렁 누웠습니다.

"야, 정말 시원하구나. 저 독 둘은 팔아 빚을 갚는 데 쓰고, 나머지 독을 팔면 다른 독 두 개는 살 수 있겠지? 그 독 둘을 다시 팔면 독 네 개를

5 살 수 있고, 넷을 팔면 가만있자, 이 이는 사, 이 사 팔. 그래 여덟 개를 살 수 있구나. 그다음에 여덟 개를 팔면, 가만있자……."

이렇게 계산해 나가니 열여섯 개가 서른두 개가 되고, 서른두 개면 예순네 개가 되고, 예순네 개는

10 백스물여덟 개가 되었습니다.

"야, 이렇게 계산해 보니 며칠 안 가 독이 천만 개나 되겠는걸. 그럼 그 돈으로 논과 밭을 사는 거야. 그러고 남는 돈으로는 고래 등 같은 기와집을 짓는 거야."

15 독장수는 너무 기쁜 나머지 팔을 번쩍 들었습니다. 그러다가 팔로, 지게를 받치던 지겟작대기를 밀

어 버렸습니다. 지게는 기우뚱하더니 옆으로 팍 쓰러졌습니다. 지게에 있던 독들도 와장창 깨지고 말았습니다.

"아이고, 망했다. 이걸 어쩐다?"

독장수는 눈물을 뚝뚝 흘리며 박살 난 독 조각들 5 을 쓰다듬었습니다.

이와 같이 허황된 것을 궁리하고 미리 셈하는 것을 '독장수구구'라고 하고, 실현성이 없는 허황된 계산은 도리어 손해만 가져온다는 뜻으로 ㉠"독장수구구는 독만 깨뜨린다."라는 속담이 쓰입니다. 10

중심 내용 독장수는 부자가 되는 상상에 기쁜 나머지 팔을 번쩍 드는 바람에 독들이 모두 깨지고 말았다.

● 「독장수구구」의 주제 말하기 ⑩

독장수가 실현성이 없는 허황된 생각을 하는 모습을 보고, '헛된 욕심은 손해를 가져온다'는 생각이 들었어.

핵심

벌렁 발이나 팔을 활짝 벌린 상태로 맥없이 뒤로 눕는 모양.
고래 등 같은 주로 기와집이 덩그렇게 높고 큰 것을 이르는 말.
⑩ 고래 등 같은 집에 살고 싶습니다.

받치던 물건의 밑이나 옆 따위에 다른 물체를 대던.
기우뚱하더니 물체가 한쪽으로 약간 기울어지더니.
⑩ 할머니께서는 몸이 기우뚱하더니 넘어지셨습니다.

서술형
5 독장수는 어떻게 하다가 독을 깨뜨렸는지 쓰시오.

_____

_____

6 ㉠'독장수구구는 독만 깨뜨린다'의 뜻은 무엇입니까? ( )
교과서 문제
① 자신이 하고 싶은 일만 한다.
② 게으르고 약속을 잘 지키지 않는다.
③ 계획을 세워 자신이 할 일을 잘한다.
④ 자신이 할 일을 미루고 남 탓만 한다.
⑤ 실현성이 없는 허황된 계산은 도리어 손해만 가져온다.

7 ㉠'독장수구구는 독만 깨뜨린다'는 속담을 사용할 수 있는 상황은 무엇입니까? ( )
① 용돈을 모아 친구의 선물을 사 준 상황
② 연주회가 있었는데 연습을 하지 않은 상황
③ 자전거가 고장 난 것을 알았는데 수리하지 않은 상황
④ 선물 포장을 하느라 선물보다 더 비싼 돈을 들인 상황
⑤ 친구가 노력은 하지 않고 욕심만으로 헛된 장래 희망을 꿈꾸는 상황

핵심
8 이 글의 주제를 쓰시오.
( )

까마귀 고기를 먹었나

❶ "여봐라, 게 아무도 없느냐?"

저승의 염라대왕이 소리치자 까마귀가 냉큼 달려왔습니다.

"네, 까마귀 여기 대령했습니다."

5 "급히 인간 세상에 다녀오너라."

"네, 인간 세상에 무슨 일이라도 났습니까?"

까마귀가 놀란 얼굴로 물었습니다.

"아무 말 말고 어서 이 편지를 강 도령에게 전해 줘라."

10 염라대왕이 말했습니다.

"강 도령요?"

"그래, 이 녀석아, 인간 세상의 모든 일을 맡아보는 강 도령을 모른단 말이냐!"

"아, 그 강 도령요. 알고말고요. 어서 편지나 주세요. 휭하니 다녀오겠습니다."

15

까마귀가 머리를 긁적이며 말했습니다.

"가다가 딴전 부리지 말고 곧장 강 도령에게 전해야 한다. 아주 중요한 편지야."

㉠염라대왕이 몇 번씩 다짐을 받았습니다.

"네, 네. 심부름 한두 번 해 보나요. 전 심부름 5 하나는 틀림없다니까요."

중심 내용 염라대왕이 까마귀에게 강 도령에게 편지를 전하는 심부름을 시켰다.

❷ 까마귀는 염라대왕이 준 편지를 물고 인간 세상에 내려왔습니다. 한참 맴을 돌며 내려오는데 어디선가 ㉡아주 고소한 냄새가 났습니다.
<small>제자리에서 서서 뱅뱅 도는 장난</small>

"이야, 참 고소하다. 어디서 고기 냄새가 날까?" 10

까마귀는 그만 고기 냄새에 넋을 잃었습니다.

"앗, 저기다. 아니, 말이 쓰러져 있잖아. 어디 가까이 가 볼까."

까마귀는 메밀밭가에 죽어 쓰러져 있는 말에게 날아갔습니다. 15

냉큼 머뭇거리지 않고 가볍게 빨리.
　　 예 내 동생은 얄밉게도 맛있는 음식만 나오면 냉큼 먹어 치웁니다.
대령 윗사람의 지시나 명령을 기다림. 또는 그렇게 함.

딴전 어떤 일을 하는 데 그 일과는 전혀 관계없는 일이나 행동.
　　 예 시간이 없으니 딴전 피우지 말고 열심히 공부해라.
다짐 앞으로 할 일에 틀림이 없음을 단단히 강조하거나 확인함.

---

9 염라대왕은 까마귀에게 어떤 심부름을 시켰습니까? （　　　）

① 강 도령을 만나고 오는 심부름
② 강 도령에게 편지를 전하는 심부름
③ 강 도령과 함께 밥을 먹고 오는 심부름
④ 강 도령에게서 편지를 받아 오는 심부름
⑤ 강 도령을 염라대왕에게 데려오는 심부름

11 ㉠과 같이 염라대왕이 까마귀에게 편지를 주면서 몇 번씩 다짐을 받은 까닭은 무엇입니까? （　　　）

① 아주 중요한 편지라서
② 까마귀가 잘 듣지 못해서
③ 편지의 내용을 잊어버릴까 봐
④ 까마귀가 평소에 심부름을 잘 못해서
⑤ 여러 사람에게 전해야 하는 편지라서

10 인간 세상에 사는 강 도령이 하는 일은 무엇입니까?
（　　　　　　　　　　　　）

12 ㉡'아주 고소한 냄새'는 무슨 냄새입니까?
（　　　　　　　　　　　　）

"꼴깍!"

까마귀는 침을 삼키며 강 도령에게 빨리 편지를 전하고 와서 배불리 먹어야겠다고 생각했습니다.

'아냐, 그새 누가 와서 다 먹어 버리면 어떡하지?

5 조금만 먹고 빨리 갔다와야지.'

까마귀는 생각을 바꿔 말고기를 먹고 가기로 했습니다. 까마귀가 말고기를 먹으려고 입을 벌리는 순간, 입에 문 편지가 바람에 날려 어디론가 사라졌습니다. 그래도 까마귀는 정신없이 말고기를 먹

10 었습니다.

"후유, 정말 잘 먹었다. 인간 세상은 참 좋아. 나도 여기서 살았으면 좋겠다. 배불리 먹고 나니 부러울 게 하나도 없구나."

까마귀는 좀 쉬고 난 뒤 편지를 찾았습니다. 그

15 러나 편지는 온데간데없었습니다.
감쪽같이 사라져 찾을 수가 없었습니다.

㉠"아니, 편지가 없어졌네. 이거 큰일 났다."

까마귀는 높이 날아올라 이리저리 편지를 찾았습니다. 지나가는 새들을 붙잡고 물어보았지만 편지를 본 새가 아무도 없었습니다.

중심 내용 까마귀는 말고기를 먹느라 염라대왕이 준 편지를 잃어버렸다.

❸ "하는 수 없다. 아무렇게나 꾸며 댈 수밖에!"

까마귀는 편지 찾는 걸 포기하고 강 도령에게 갔 5
습니다.

"강 도령님, 염라대왕께서 보내서 왔습니다."

"그런데 왜 이리 늦었느냐?"

"네, 염라대왕께서 다른 곳에도 심부름을 시켜 거기 먼저 다녀오느라 늦었습니다." 10

까마귀가 시치미를 떼고 말했습니다.

"그건 그렇고, 어디 편지를 보자꾸나."

강 도령이 손을 내밀며 말했습니다.

"편지는 안 주시고 그냥 아무나 빨리 끌어 올리라고 하셨습니다." 15

그새 '그사이'의 준말. 어느 때부터 어느 때까지의 동안.
예 금방 밥 먹을 건데 그새를 못 참고 또 빵을 먹니?

시치미를 떼고 자신이 하고도 하지 않은 체, 알고도 모르는 체하고.
예 동생은 자기가 먹고도 먹지 않았다고 시치미를 떼고 말합니다.

---

13 까마귀는 어떻게 하다가 편지를 잃어버렸는지 빈칸에 알맞은 말을 쓰시오.

• (   )을/를 먹으려고 입을 벌리는 순간 편지가 바람에 날려 사라졌다.

14 ㉠의 말에서 짐작할 수 있는 까마귀의 마음으로
교과서
문제 알맞은 것은 무엇입니까?   (   )

① 편지가 없어져 화나는 마음
② 편지가 없어진 것을 즐거워하는 마음
③ 고기를 더 먹지 못해 아쉬워하는 마음
④ 중요한 편지를 잃어버려서 걱정하는 마음
⑤ 편지를 전하고 빨리 하늘에 올라가고 싶은
   마음

15 까마귀가 강 도령에게 전한 내용은 무엇입니까?
                              (   )

① 그냥 아무나 끌어 올리라고 하였다.
② 어린 사람을 먼저 올리라고 하였다.
③ 키 큰 사람 순서대로 올리라고 하였다.
④ 나이 많은 사람을 먼저 올리라고 하였다.
⑤ 몸무게가 많이 나가는 사람을 올리라고 하였다.

논술형

16 까마귀는 편지 찾는 것을 포기하고 강 도령에게 그냥 갔습니다. 만약 자신이 까마귀라면 어떻게 행동했을지 쓰시오.

_____

_____

"뭐, 아무나 끌어 올리라고? 그럴 리가 없을 텐데."

강 도령은 고개를 갸우뚱했습니다.

"저는 염라대왕께서 말씀하신 대로 전하는 것입니다."

5 "그래, 알았다. 어서 가 봐라."

강 도령이 말했습니다.

까마귀는 강 도령과 헤어지고 한숨을 내쉬었습니다.

"어휴, 간이 콩알만 해졌네. 이럴 줄 알았으면 편지 내용을 한번 보는 건데. 그러나저러나 큰일이네.

10 하늘에 올라가면 분명 염라대왕께서 이 사실을 알고 호통을 치실 텐데. 할 수 없지, 인간 세상에 눌러앉는 수밖에. 여기서는 누가 뭐라는 사람도 없겠지."

까마귀는 하늘로 올라가는 것을 포기하고 말고

15 기가 있는 자리로 갔습니다.

강 도령은 갑자기 바빠졌습니다. 아무나 되는대로 저승으로 보내야 했기 때문입니다.

그전까지는 나이 많은 순서대로 저승에 보내졌습니다. 그래서 사람들은 죽음을 슬픔이 아닌 당연한 일로 받아들였습니다. 본디 왔던 곳으로 돌아간다고 생각했기 때문입니다.
_{원래}

5 그러나 까마귀가 염라대왕의 뜻을 잘못 전한 뒤부터는 어른, 아이 할 것 없이 아무나 먼저 죽게 되었답니다. 이때부터 나이에 상관없이 사람들이 죽게 되었지요.

10 ㉠"까마귀 고기를 먹었나."라는 속담은 이런 경우와 같이 무엇인가를 잘 잊어버리는 사람을 가리켜 사용됩니다.

> **중심 내용** 까마귀는 강 도령에게 잘못된 내용을 전했고 그 후로 나이에 상관없이 사람들이 죽었다.

● 「까마귀 고기를 먹었나」의 주제 말하기 예

까마귀가 강 도령에게 편지도 전하지 않고 말고기를 먹는 모습에서 '중요한 일을 잊어버리지 않도록 노력하자'라고 생각했어.

간이 콩알만 해졌네 몹시 두려워지거나 무서워졌네.
예 나쁜 짓을 들킬까 봐 간이 콩알만 해졌네.

호통 몹시 화가 나서 크게 소리 지르거나 꾸짖음. 또는 그 소리.
저승 사람이 죽은 뒤에 그 혼이 가서 산다고 하는 세상.

17 까마귀가 강 도령에게 편지를 잘 전했다면 어떻게 되었겠습니까? ( )

① 순서 없이 죽었을 것이다.
② 가고 싶은 순서대로 죽었을 것이다.
③ 친한 사람들끼리 같이 죽었을 것이다.
④ 나이가 많은 사람은 죽지 않았을 것이다.
⑤ 사람들이 나이에 상관없이 죽지 않았을 것이다.

18 ㉠'까마귀 고기를 먹었나.'는 어떤 사람을 가리키는 속담입니까? ( )

① 무엇이든 잘 먹는 사람
② 무엇이든 잘 만드는 사람
③ 무엇이든 잘 던지는 사람
④ 무엇인가를 잘 버리는 사람
⑤ 무엇인가를 잘 잊어버리는 사람

논술형

19 ㉠'까마귀 고기를 먹었나.'라는 속담을 사용할 수 있는 상황을 생각하여 쓰시오.

_____

_____

핵심 역량

20 이 글의 주제는 무엇입니까? ( )

① 언제나 말조심을 하자.
② 지나치게 욕심을 부리지 말자.
③ 쉬운 일이라도 서로 도와가며 하자.
④ 자신이 할 일을 남에게 미루지 말자.
⑤ 중요한 일을 잊어버리지 않도록 노력하자.

 **속담 사전 만들기**

1 띠 동물 중 '소'와 관련 있는 속담을 쓰시오.
_{교과서 문제} (   )

2 다음 속담은 어떤 상황에서 사용할 수 있는 속담 인지 [보기]에서 찾아 기호를 쓰시오.

[보기]
ㄱ 잡혀서 옴싹달싹 못하는 상황
ㄴ 아무리 익숙하고 잘하는 사람이라도 간혹 실수하는 상황
ㄷ 하던 일이 실패로 돌아가 남보다 뒤떨어져 어찌할 도리가 없는 상황
ㄹ 다른 사람에 대한 이야기를 하는데 공교롭게도 그 사람이 나타나는 상황

(1) 그물에 걸린 토끼 신세 (   )
(2) 닭 쫓던 개 지붕 쳐다보듯 (   )
(3) 호랑이도 제 말 하면 온다 (   )
(4) 원숭이도 나무에서 떨어진다 (   )

3 우리가 사용하는 '말'과 관련 있는 속담 중 말조심을 하라는 뜻과 거리가 먼 것은 무엇입니까? (   )

① 발 없는 말이 천 리 간다
② 말이 많으면 쓸 말이 적다
③ 아 해 다르고 어 해 다르다
④ 살은 쏘고 주워도 말은 하고 못 줍는다
⑤ 부모 말을 들으면 자다가도 떡이 생긴다

논술형

4 3번 문제의 속담과 같이 우리가 사용하는 속담 중 말과 관련 있는 속담이 많은 까닭은 무엇인지 쓰시오.

_____

_____

_____

핵심

5 [보기]와 같이 탐구 대상을 정하고 그 대상과 관련 있는 속담을 한 가지 쓰시오.

보기	탐구 대상	쥐
	속담	쥐구멍에도 볕 들 날 있다

(1) 탐구 대상	
(2) 속담	

핵심
● 탐구 대상을 정하여 그 대상과 관련 있는 다양한 속담 찾기 예

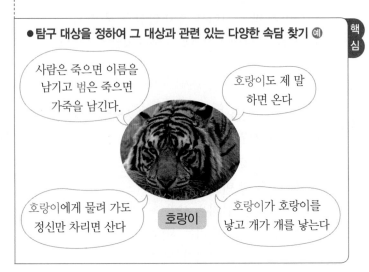

사람은 죽으면 이름을 남기고 범은 죽으면 가죽을 남긴다.

호랑이도 제 말 하면 온다

호랑이에게 물려 가도 정신만 차리면 산다

호랑이

호랑이가 호랑이를 낳고 개가 개를 낳는다

5
단원

속담을 사용하는
까닭 생각하기

예 각 상황에서 초록색으로 쓰인 속담을 사용한 까닭

글을 쓸 때	영주네 가족은 이삿짐 싸는 차례를 서로 다르게 생각했어요. …… "사공이 많으면 배가 산으로 간다."라는 속담처럼 서로 의견을 굽히지 않아 시간만 흘러갔어요.	자신의 ❶☐☐ 을/를 효과적으로 드러낼 수 있기 때문입니다.
서로 말을 주고받을 때	"바늘 가는 데 실 간다."라고 했어. 우리는 짝이니까 함께하자. / 재미있는 말이네. 고마워!	듣는 사람이 흥미를 느낄 수 있기 때문입니다.
자신의 의견을 제시할 때	친구들이 바른 몸가짐으로 항상 웃으며 인사하면 좋겠어. "하나를 보면 열을 안다."라는 말이 있듯이 작은 행동 하나에 그 사람의 많은 것이 드러나게 돼. / 친구의 의견이 옳은 것 같아.	주장의 논리를 뒷받침해 상대를 쉽게 ❷☐☐할 수 있기 때문입니다.

다양한 상황에서 쓰이는 속담의 뜻 알기

상황	관련 속담	속담의 뜻	비슷한 속담
장난감 가격보다 수리비가 더 비싼 상황	❸☐보다 배꼽이 더 크다	상황이 이치에 맞지 않는다는 뜻으로, 중심이 되는 것보다 부분적인 것이 더 크거나 많은 것처럼 마땅히 작아야 할 것이 크고 커야 할 것이 작다는 말입니다.	얼굴보다 코가 더 크다 / 바늘보다 실이 굵다
지우가 야구를 좋아하여 언제나 야구공과 야구 장갑이 함께하는 상황	바늘 가는 데 실 간다	사람의 긴밀한 관계를 비유적으로 이르는 말입니다.	❹☐☐ 갈 제 비가 간다 / 용 가는 데 구름 간다
힘든 일이 있어도 견디고 희망을 가지라고 말해 주는 상황	쥐구멍에도 볕 들 날 있다	아무리 어려운 일이 계속되어 고생이 심해도 언젠가는 좋은 날이 올 수 있다는 뜻으로, 희망을 가지라는 말입니다.	응달에도 햇빛 드는 날이 있다 / 마룻구멍에도 볕 들 날이 있다
자랑 발표 대회 준비를 하지 않고 놀아서 더듬거리며 발표한 상황	콩 심은 데 콩 나고 팥 심은 데 팥 난다	모든 일은 근본에 따라 거기에 걸맞은 결과가 나타난다는 뜻으로, 자신이 뿌리고 노력한 만큼 거두게 된다는 말입니다.	오이 덩굴에 오이 열리고 가지 나무에 가지 열린다 / 가시나무에 가시가 난다

[1~3] 그림을 보고, 물음에 답하시오.

1 ㉠에 들어갈 속담은 무엇입니까? (　　)

① 등잔 밑이 어둡다
② 백지장도 맞들면 낫다
③ 세 살 버릇 여든까지 간다
④ 돌다리도 두들겨 보고 건너라
⑤ 낮말은 새가 듣고 밤말은 쥐가 듣는다

2 1번 문제에서 답한 속담의 뜻을 쓰시오.
(　　　　　　　　　　　　　　　)

3 ㉠에 들어갈 속담과 바꾸어 쓸 수 있는 속담을 **두 가지** 고르시오. (　　,　　)

① 손이 많으면 일도 쉽다
② 비 온 뒤에 땅이 굳어진다
③ 지렁이도 밟으면 꿈틀한다
④ 종이도 네 귀를 들어야 바르다
⑤ 콩 심은 데 콩 나고 팥 심은 데 팥 난다

4 속담을 사용한 상황을 생각하여 ㉠에 들어갈 속담을 쓰시오.

　　영주네 가족은 이삿짐 싸는 차례를 서로 다르게 생각했어요.
　　할머니와 이모께서는 깨지기 쉬운 항아리나 유리그릇부터 싸라고 하셨고, 삼촌께서는 텔레비전이나 컴퓨터부터 옮기라고 하셨어요. "　　　㉠　　　" (이)라는 속담처럼 서로 의견을 굽히지 않아 시간만 흘러갔어요.

(　　　　　　　　　　　　　　　)

5 다음 그림에서 속담을 사용한 까닭은 무엇인지 알맞은 말에 ○표를 하시오.

친구들이 바른 몸가짐으로 항상 웃으며 인사하면 좋겠어. "하나를 보면 열을 안다."라는 말이 있듯이 작은 행동 하나에 그 사람의 많은 것이 드러나게 돼.

친구의 의견이 옳은 것 같아.

　　주장의 논리를 뒷받침해 상대를 쉽게 (설득, 설명, 고백)할 수 있기 때문이다.

논술형
6 속담을 사용해 자신의 생각을 말하거나, 누군가에게 속담을 들은 경험을 쓰시오.

_____

_____

7 속담을 사용하면 좋은 점으로 알맞지 <u>않은</u> 것의 기호를 쓰시오.

　　㉠ 듣는 사람이 흥미를 느낄 수 있다.
　　㉡ 조상의 지혜와 슬기를 알 수 있다.
　　㉢ 자신의 의견을 길고 자세하게 전달할 수 있다.

(　　　　　　　　　　　　　　　)

점수

/ 점

5
단원

[8~9] 그림을 보고, 물음에 답하시오.

8 그림 ㉮와 ㉯에 쓰인 속담 중 다음 뜻과 관련 있는 속담은 무엇입니까?

아무리 작은 것이라도 모이고 모이면 나중에 큰 덩어리가 된다는 뜻입니다.

( )

논술형

9 그림 ㉯에 쓰인 속담을 사용할 수 있는 다른 상황을 쓰시오.

_____

_____

10 다음 상황에서 사용할 수 있는 속담은 무엇입니까?
( )

어린아이들이 농구 선수에게 농구 시합을 하자고 하는 상황

① 시작이 반
② 가는 날이 장날
③ 강 건너 불구경하듯 한다
④ 구슬이 서 말이라도 꿰어야 보배
⑤ 하룻강아지 범 무서운 줄 모른다

[11~12] 글을 읽고, 물음에 답하시오.

㉮ 만 원을 주고 장난감을 샀습니다. 그런데 가지고 놀다가 고장 나서 고치러 갔더니 수리비가 만오천 원이라고 합니다. 장난감 가격보다 수리비가 더 비쌉니다.
㉯ 우리 반 지우는 야구를 좋아하고 야구 선수가 되고 싶어 합니다. 그래서 지우가 가는 곳에는 언제나 야구공과 야구 장갑이 있습니다.

11 ㉮, ㉯의 상황과 관련 있는 속담을 각각 선으로 이으시오.

(1)  ㉮ • • ① 바늘 가는 데 실 간다

(2) ㉯ • • ② 배보다 배꼽이 더 크다

12 다음과 같은 뜻을 가진 속담을 11번 문제의 답에서 찾아 쓰시오.

상황이 이치에 맞지 않는다는 뜻으로, 중심이 되는 것보다 부분적인 것이 더 크거나 많은 것처럼 마땅히 작아야 할 것이 크고 커야 할 것이 작다는 말입니다.

( )

★★
13 '쥐구멍에도 볕 들 날 있다'는 속담과 비슷한 속담을 두 가지 고르시오. (,)

① 얼굴보다 코가 더 크다
② 바늘보다 실이 더 굵다
③ 도둑맞고 사립문 고친다
④ 마룻구멍에도 볕 들 날이 있다
⑤ 응달에도 햇빛 드는 날이 있다

단원 평가

14 속담을 활용해 자신의 생각을 효과적으로 표현하는 방법으로 알맞지 <u>않은</u> 것에 ×표를 하시오.

(1) 상황에 어울리는 속담을 활용한다. (　　　)

(2) 듣는 사람이 이해하기 어려운 속담을 활용한다. (　　　)

(3) 자신의 생각을 뒷받침할 수 있는 속담을 활용한다. (　　　)

[15~18] 글을 읽고, 물음에 답하시오.

㉮ 이렇게 계산해 나가니 열여섯 개가 서른두 개가 되고, 서른두 개면 예순네 개가 되고, 예순네 개는 백스물여덟 개가 되었습니다.

"야, 이렇게 계산해 보니 며칠 안 가 독이 천만 개나 되겠는걸. 그럼 그 돈으로 논과 밭을 사는 거야. 그러고 남는 돈으로는 고래 등 같은 기와집을 짓는 거야."

독장수는 너무 기쁜 나머지 팔을 번쩍 들었습니다. 그러다가 팔로, 지게를 받치던 지겟작대기를 밀어 버렸습니다. 지게는 기우뚱하더니 옆으로 팍 쓰러졌습니다.

지게에 있던 독들도 와장창 깨지고 말았습니다.

"아이고, 망했다. 이걸 어쩐다?"

독장수는 눈물을 뚝뚝 흘리며 박살 난 독 조각들을 쓰다듬었습니다.

㉯ "이럴 줄 알았으면 편지 내용을 한번 보는 건데. 그러나저러나 큰일이네. 하늘에 올라가면 분명 염라대왕께서 이 사실을 알고 호통을 치실 텐데. 할 수 없지, 인간 세상에 눌러앉는 수밖에. 여기서는 누가 뭐라는 사람도 없겠지."

까마귀는 하늘로 올라가는 것을 포기하고 말고기가 있는 자리로 갔습니다.

강 도령은 갑자기 바빠졌습니다. 아무나 되는 대로 저승으로 보내야 했기 때문입니다.

그전까지는 나이 많은 순서대로 저승에 보내졌습니다. 그래서 사람들은 죽음을 슬픔이 아닌 당연한 일로 받아들였습니다. 본디 왔던 곳으로 돌아간다고 생각했기 때문입니다.

그러나 까마귀가 염라대왕의 뜻을 잘못 전한 뒤부터는 어른, 아이 할 것 없이 아무나 먼저 죽게 되었답니다.

15 글 ㉮, ㉯ 중 다음 상황과 비슷한 상황은 무엇입니까?

> 친구가 노력은 하지 않고 욕심만으로 헛된 장래 희망을 꿈꾸는 상황

(　　　　　　　)

16 　　　　　에서 독장수의 마음은 어떠하겠습니까? (　　　)

① 고맙다.　　　　　② 떨린다.
③ 속상하다.　　　　④ 행복하다.
⑤ 기대된다.

17 글 ㉮에서 글쓴이가 말하고자 하는 주제는 무엇입니까? (　　　)

① 약속을 잘 지키자.
② 헛된 욕심은 손해를 가져온다.
③ 자신이 할 일은 스스로 해야 한다.
④ 어려서부터 좋은 버릇을 들여야 한다.
⑤ 중요한 일을 잊어버리지 않도록 노력하자.

18 글 ㉯와 관련 있는 속담으로, '무엇인가를 잘 잊어버리는 사람'을 가리키는 속담에 맞게 빈칸에 알맞은 말을 쓰시오.

• (　　　　　　　　) 고기를 먹었나.

19 우리가 자주 사용하는 속담 중에 동물과 관련 있는 속담을 떠올려 한 가지 쓰시오.

(　　　　　　　　　)

20 다음 중 속담 사전에 들어갈 내용으로 알맞지 <u>않은</u> 것은 무엇입니까? (　　　)

① 속담　　　　　　② 속담 뜻
③ 비슷한 뜻의 속담　④ 속담을 만든 사람
⑤ 속담을 사용할 수 있는 상황

서술형 평가

1 속담을 사용하면 좋은 점을 한 가지만 쓰시오.

_____

_____

2 다음 대화에서 ㉠의 뜻을 생각하여 ㉠을 사용할 수 있는 다른 상황을 쓰시오.

영주에게 태권도 겨루기를 하자고 했어.

㉠하룻강아지 범 무서운 줄 모른다더니, 한 달 배운 네가 태권도 대표 선수인 영주를 이길 수 있겠니?

_____

_____

3 다음 상황에서 쓸 수 있는 속담을 쓰고, 그 속담과 비슷한 속담을 한 가지 쓰시오.

> 지난주에 내 자랑 발표 대회가 있었습니다. 그런데 친구들과 놀고 싶은 마음에 말할 내용을 준비하지 않아서 더듬거리며 발표했습니다. 좀 더 노력하지 않은 제 모습이 후회가 됩니다.

(1) 관련 속담	
(2) 비슷한 속담	

4 ㉠'독장수구구는 독만 깨뜨린다'의 뜻을 짐작해 빈칸에 들어갈 내용을 쓰시오.

> "야, 이렇게 계산해 보니 며칠 안 가 독이 천만 개나 되겠는걸. 그럼 그 돈으로 논과 밭을 사는 거야. 그리고 남는 돈으로는 고래 등 같은 기와집을 짓는 거야."
>
> 독장수는 너무 기쁜 나머지 팔을 번쩍 들었습니다. 그러다가 팔로, 지게를 받치던 지겟작대기를 밀어 버렸습니다. 지게는 기우뚱 하더니 옆으로 팍 쓰러졌습니다. 지게에 있던 독들도 와장창 깨지고 말았습니다.
>
> "아이고, 망했다. 이걸 어쩐다?"
>
> 독장수는 눈물을 뚝뚝 흘리며 박살 난 독 조각들을 쓰다듬었습니다.
>
> 이와 같이 허황된 것을 궁리하고 미리 셈하는 것을 '독장수구구'라고 하고, ⎡ ⎤ (이)라는 뜻으로 "㉠독장수구구는 독만 깨뜨린다."라는 속담이 쓰입니다.

_____

_____

5 다음과 같이 탐구 대상을 한 가지 정하여 대상과 관련된 속담을 두 가지 쓰시오.

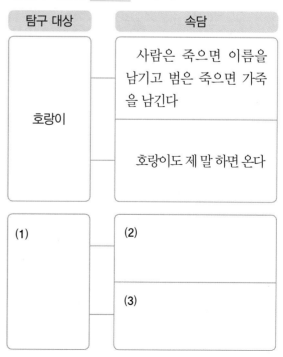

탐구 대상	속담
호랑이	사람은 죽으면 이름을 남기고 범은 죽으면 가죽을 남긴다
	호랑이도 제 말 하면 온다
(1)	(2)
	(3)

● 다음 교과서 문장의 파란색 낱말 중에서 알맞은 것을 골라 인물들이 한 말을 완성하시오.

- 고운 말을 쓰자고 주장하는 글을 시작할 때에 **관심**을 끌려고 속담을 쓴 적이 있어.
- 힘든 일이 있더라도 **꿋꿋하게** 견디며 희망을 가졌으면 좋겠다.
- 실현성이 없는 **허황된** 계산은 도리어 손해만 가져온다는 뜻으로 "독장수구구는 독만 깨뜨린다."라는 속담이 쓰입니다.
- 까마귀는 편지 찾는 걸 **포기**하고 강 도령에게 갔습니다.

연극 단원

함께
연극을 즐겨요

이 단원은 자신의 생각이나 느낌을 다른 사람과
나누고 목소리, 표정, 몸짓으로 표현하는
활동을 배우는 단원입니다.
연극 단원은 한 학기 동안 언제든지 공부할 수
있습니다. 학교 수업 순서에 맞추어 활용하세요.

연극
활동

[연극 준비]
• 연극과 극본의 관계
  살펴보기

[연극 연습]
• 극본의 특성 이해하기
• 일상 경험을 극본으로
  표현하기

[연극 실연]
• 극본 낭독하기

연극 준비   연극과 극본의 관계 살펴보기

정답과 해설 ● 20쪽

✦ **다양한 형식으로 표현한 작품을 살펴보기 【1~2】**

장영실 전기문을 읽었어요.

장영실이 주인공인 연극도 있어요.

장영실이 주인공인 드라마를 봤어요.

✦ **연극이 다른 형식의 작품들과 다른 점을 말해 보기 【3】**

배우는 대사를 외워서 말해야 해.

인물이 무대에서 행동하며, 직접 관객을 만나기도 해.

인물의 말과 행동, 무대 설명을 적은 글이 있어야 해.

또 다른 점은 없을까?

✦ **연극과 극본의 관계를 살펴보기 【4】**

극본에서 인물의 대사는 어떻게 나타냈을까?

별주부: 제가 토끼를 잡아 오겠습니다. 저는 용왕님의 병환이 하루빨리 낫기만을 바랄 뿐이옵니다.

극본에서 인물의 행동은 어떻게 나타냈을까?

극본에서 무대 배경은 어떻게 나타냈을까?

연극을 하려면 잘 짠 극본이 있어야 하는구나.

1 ㉠~㉢의 세 작품에는 어떤 공통점이 있습니까?

· (   )이/가 주인공으로 나온다.

2 ㉠~㉢의 세 작품은 각각 어떤 형식으로 표현한 것인지 보기 에서 찾아 쓰시오.

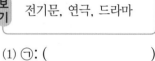

보기	전기문, 연극, 드라마

(1) ㉠: (   )
(2) ㉡: (   )
(3) ㉢: (   )

3 연극이 다른 형식의 작품들과 다른 점은 무엇인지 알맞은 것에 모두 ○표를 하시오.

(1) 배우는 대사를 외워서 말해야 한다. (   )
(2) 자신의 생각이나 느낌을 짧은 말로 표현한다. (   )
(3) 인물이 무대에서 행동하며, 직접 관객을 만나기도 한다. (   )

4 연극을 하려면 잘 짠 ☐☐이/가 있어야 합니다.

정답과 해설 ● 20쪽

연극
단원

✚ 다음 「버들잎 편지」의 처음 부분을 보고 빨간색, 보라색, 초록색으로 쓰인 부분이 무엇을 나타내는지 알아보기 【1~3】

버들잎 편지

주평

> • 때: 이른 봄 / • 곳: 서울 영이의 집 / • 나오는 사람들: 영이, 할아버지, 복순

막이 열리면 복순이 콧노래를 부르며 방을 청소하고 있다. 조금 뒤, 창가로 가서 밖을 향하여 소리친다.

복순: 할아버지!
할아버지: (소리만) 오냐.
복순: 다 됐어요?
할아버지: (소리만) 오냐, 다 되어 간다.
복순: 어머! 웬 사람들이 저렇게 쏟아져 나왔을까?
　(시계를 보며) 그런데 영이는 왜 여태 안 올까?

할아버지, 캔버스 받침을 들고 들어온다.

✚ 극본의 특성을 생각하며 글 읽기 【4~16】

숲이 준 마법 초콜릿

배봉기

앞부분 이야기
　성민이는 주변 친구들에게 느리다고 놀림을 받는 아이이다. 그러나 엄마는 그런 성민이를 위로하고 격려한다. 어느 날 미술 시간에 혜지가 성민이의 다리에 걸려 넘어진다. 혜지가 성민이에게 다리를 오므리라고 했지만 성민이가 다리를 오므리려고 할 때 이미 혜지가 넘어진 상태였다. 성민이는 침울해한다.

> • 나오는 사람: 성민, 숲의 마음 할아버지
> • 때: 오후 / • 곳: 아파트 뒷동산

제4장 숲의 마음 할아버지

아파트 뒷동산이다. (스크린으로 숲의 모습을 보여 준다.)
새소리 들린다. / 가방을 멘 성민, 천천히 걸어 등장한다. 어깨가 축 처졌다.
성민, 바위에 앉는다.

숲의 마음 할아버지(소리): 왜 그렇게 힘들어하니?
성민: (두리번거린다.)
숲의 마음 할아버지(소리): 여기다 여기.

1 빨간색으로 쓰인 부분은 극본에서 때, 곳, 나오는 사람, 무대와 무대 바뀜 따위를 설명하는 해설입니다.
(　　○ , ×　　)

2 보라색으로 쓰인 부분처럼 극본에서 괄호 안에 써서 인물의 행동이나 표정을 나타내는 부분이 ☐☐입니다.

3 초록색으로 쓰인 부분처럼 극본에서 인물이 직접 하는 말을 무엇이라고 합니까?
(　　　　　　　)

4 성민이는 혜지와의 일로 어떤 마음이었습니까?
(　　　　　　　)

성민: 어디요?

숲의 마음 할아버지(소리): 여기라니까.

무엇인가 '펑' 터지는 소리.

무대 뒤에서 흰 안개가 사방으로 피어오르기 시작한다.

놀라는 성민. / 무대 뒤에서 숲의 마음 할아버지 등장.

키가 작다. 하얀 두루마기 같은 긴 옷에 하얀 수염이 무릎까지 내려올 정도로 길다.

성민: (호기심 어린 목소리로) 할아버지가, 말했어요?

숲의 마음 할아버지: 그래, 성민아.

성민: (놀란다.) 내 이름을, 어떻게, 아세요?

숲의 마음 할아버지: 난 이 숲의 정령이니까.

성민: 숲의, 정령?

숲의 마음 할아버지: 정령이란 말이 너무 어렵나? 그럼 영혼이라면 알아듣겠니? 더 쉬운 말로 하면 마음이라고 할 수 있지. 그래, 그 말이 좋겠다. 숲의 마음. 숲의 마음이라고 불러 다오.

성민: 숲의 마음이면, 다, 알아요?

숲의 마음 할아버지: 물론. 이 숲에서 벌어지는 일들은 속속들이 알고 있지. 네가 이 숲을 제일 사랑하는 사람이라는 것도 잘 알고 있어.

성민: 제가, 숲을, 제일 사랑한다고요?

숲의 마음 할아버지: 그래. 넌 지금까지 이 숲을 찾은 모든 사람 중에서 제일 이 숲을 아끼고 사랑하는 사람이야.

성민: 정말요?

숲의 마음 할아버지: 넌 천천히 다니면서 개미나 벌레도 밟지 않으려고 조심하잖니.

성민: (천천히 고개를 끄덕인다.)

숲의 마음 할아버지: 그리고 넌 숲을 정말 관심 깊게 지켜봐 줄 줄 아는 아이야. 지난번에는 아기 메꽃이 피는 모습도 내내 지켜보지 않았니?

성민: 맞아요. (웃는다.)

숲의 마음 할아버지: 이 숲에서 그렇게 꽃이 피는 것을 지켜본 사람은 네가 처음이야. 그렇게 관심을 갖고 지켜봐 주는 것, 그게 바로 사랑이야.

성민: 전, 숲이, 좋아요. 조용하고, 천천히, 느리게, 걷고, 생각해도, 놀리는 아이들도, 없고…….

숲의 마음 할아버지: 그래서 그렇게 자주 오는 거니?

성민: 예.

숲의 마음 할아버지: 그런데 오늘은 무슨 일이 있어서 그렇게 한숨을 쉬었니?

성민: (고개를 푹 숙인다.)

숲의 마음 할아버지: 숲의 마음은 그 숲을 제일 사랑하는 사람을 위하여 마법의 힘을 사용할 수 있단다. 그러니까 네 마음속 걱정이나 슬픔을 말해 보렴.

5 성민이가 숲에서 만난 인물은 누구입니까?

(   )

6 숲의 정령은 숲에서 벌어지는 일들을 속속들이 알고 있습니다.

(○ , ×   )

7 성민이의 평소 행동에 대한 설명으로 알맞지 않은 것의 기호를 쓰시오.

> ㉠ 숲을 아낀다.
> ㉡ 숲에 자주 간다.
> ㉢ 숲을 관심 깊게 지켜본다.
> ㉣ 개미나 벌레 잡는 것을 좋아한다.

(   )

8 숲의 마음은 그 숲을 제일 사랑하는 사람을 위하여 ☐☐의 힘을 사용할 수 있습니다.

성민: 정말요?

숲의 마음 할아버지: 그렇다니까.

성민: 어떤 마법도, 부릴 수, 있어요? 그럼, 사람을, 바꿀 수도, 있어요?

숲의 마음 할아버지: 글쎄, 그건 네 말을 듣고 판단해야겠구나. 네게 가장 도움이 되는 마법의 힘을 빌려주마.

성민: 혜지가 나를, 굼벵이라고, 놀렸어요. 난, 혜지를, 제일, 좋아하는데, 말이에요.

숲의 마음 할아버지: 왜 놀렸는데?

성민: 왜냐면요…….

성민, 숲의 마음 할아버지에게 열심히 ㉠귓속말을 한다.
숲의 마음 할아버지, 연신 고개를 끄덕인다.
다 듣고 난 숲의 마음 할아버지, 어이가 없다는 표정을 짓는다.

숲의 마음 할아버지: ㉡(혀를 끌끌 차며) 허, 참, 그러니까 네가 느리다고 사람들이 놀리고 힘들게 한다 이거지? 막 별명을 지어 부르고 말이야?

성민: 예.

숲의 마음 할아버지: 그럴 수가! 그것참, 어리석고 한심한 일이군. 그렇다면 어떻게 한다?

생각하던 숲의 마음 할아버지, 손뼉을 짝 친다.

숲의 마음 할아버지: 그래, 그거야. 좋은 생각이 났다.

성민: 뭔데요?

숲의 마음 할아버지: 네 별명을 다 말해 보렴. 느림보나 게으름뱅이 같은 것 말고 곤충이나 동물들 이름으로 지은 별명 말이야.

성민: 싫어요.

숲의 마음 할아버지: 널 놀리려는 게 아냐. 멋진 마법을 생각해 냈다니까.

성민: 정말요?

숲의 마음 할아버지: 그래, 말해 봐.

성민: 지렁이, 달팽이, 굼벵이, 베짱이, 나무늘보, 거북이, 코알라.

숲의 마음 할아버지: 됐다, 다 외웠어. 넌 여기서 조금만 기다려라. 멋진 마법을 만들어 올 테니까.

숲의 마음 할아버지 퇴장. / 성민은 나무와 꽃 들을 천천히 살펴본다.
호주머니에서 수첩과 연필을 꺼내 꽃 그림을 그린다.

사이

숲의 마음 할아버지 등장.

9 연극에서 [ ][ ]은/는 인물의 마음에 알맞은 목소리로 읽습니다.

10 성민이가 말한 ㉠'귓속말'의 내용은 무엇일지 알맞은 것에 ○표를 하시오.
⑴ 성민이가 느리다고 사람들이 놀린다. ( )
⑵ 성민이가 똑똑하다고 사람들이 부러워한다. ( )

11 ㉡의 지문과 대사로 보아 숲의 마음 할아버지는 어떤 마음이겠습니까?
(   )

12 극본에서는 [ ][ ]의 말과 행동을 직접 나타냅니다.

숲의 마음 할아버지: 짜아안—.

성민: (할아버지를 본다. 아무것도 없다.) 피이—.

숲의 마음 할아버지: 잘 보시라. (소매에서 주머니 하나를 꺼낸다. 밤색 가죽 주머니다.) 너에게 주는 선물이야.

성민: 뭐예요?

숲의 마음 할아버지: 풀어서 꺼내 봐.

성민, 가죽 주머니의 주둥이를 묶은 검정 끈을 잡아당겨 푼다.
가죽 주머니에 손을 넣어 속에 든 것을 꺼낸다.
주먹을 펴자, 손바닥 위에 작은 초콜릿들이 있다.
순간, 무지갯빛이 찬란하게 무대를 채운다.

성민: (눈이 휘둥그레져서) 와!

숲의 마음 할아버지: 멋지지?

성민: 정말 멋져요!

숲의 마음 할아버지: 몇 개인지 세어 봐.

성민: 하나, 둘, 셋, 넷, 다섯, 여섯, 일곱, 모두 일곱요.

숲의 마음 할아버지: 숲을 사랑하는 우리 성민이에게 주는 마법의 무지갯빛 초콜릿이야.

성민: 마법의, 무지갯빛, 초콜릿요?

숲의 마음 할아버지: 그래. 이 초콜릿을 먹으면 아주 강한 향기가 나오지. 맛도 아주 좋아. 이 초콜릿 향기를 맡은 사람은…… 하하하하…….

성민: 어떻게 되는데요?

숲의 마음 할아버지: 시험해 보렴. 놀랄 만한 일이 일어나지. 네가 먹어도, 다른 사람 입에 들어가도 효과는 마찬가지야. 아무튼 너를 놀리거나 무시하는 사람은 혼이 날 거야. 무지갯빛 순서대로 시험해 봐. 그 마법 효과를 말이야.

성민: 좀, 자세히, 설명해 주세요.

숲의 마음 할아버지: 음, 한 가지만 더 가르쳐 주지. 이 초콜릿 향기를 맡아도 너는 마법에 걸리지 않아. 그리고 네가 좋아하고, 이 마법을 믿는 사람도 변하지 않아. 더 설명할 수도 있지만…… 내 마법은 너무 자세히 설명하면 효과가 떨어진단다. 그리고 미리 알면 재미가 없지 않니? 네가 시험해 봐. 재미있는 일이 벌어질 테니까. 그리고 진짜 멋진 일도 말이야. 그럼 난 간다.

성민: 할아버지, 잠깐만요. 다시, 할아버지를, 만날 수 있나요?

숲의 마음 할아버지: 그럼! 네가 마음으로 바라면 언제든 만날 수 있지. 이만 안녕!

다시 '펑' 소리. 안개가 피어오른다. 안개 속으로 숲의 마음 할아버지 퇴장.
성민이 초콜릿을 주머니에 넣는다. 무대 위 무지갯빛 사라진다.
성민이 초콜릿을 다시 꺼내자 무지갯빛, 무대를 가득 채운다.

13 극본에서는 대사와 지문으로 인물의 마음을 드러냅니다.

(○ , ×)

14 숲의 마음 할아버지는 왜 성민이에게 마법의 무지갯빛 초콜릿을 주었는지 알맞은 것에 ○표를 하시오.

(1) 성민이가 배고프다고 해서 ( )

(2) 성민이가 초콜릿을 좋아한다고 해서 ( )

(3) 성민이가 반성하는 마음을 갖게 하려고 ( )

(4) 성민이를 놀리는 사람들을 혼내 주기 위해서 ( )

15 앞으로 성민이에게 무슨 일이 벌어질지 생각하여 쓰시오.

_____

_____

_____

_____

16 극본의 특성을 생각하며 빈칸에 알맞은 말을 써 보시오.

(1) 극본은 무대 위에서 공연할 것을 생각해 ☐☐을/를 중심으로 쓴 문학 작품이다.

(2) 극본은 동화처럼 이야기를 다루지만 해설, 대사, ☐☐(으)로 이야기를 나타낸다는 점에서 동화와 이야기를 전달하는 형식이 다르다.

연극 연습 ❷ 일상 경험을 극본으로 표현하기

정답과 해설 ● 20쪽

✤ 요즘 학교에서 겪은 일 가운데에서 기억에 남는 일을 떠올려 극본으로 쓰고 싶은 경험을 정하기 【1】

쉬는 시간에 있었던 일	체험학습에서 있었던 일
예 친구와 수다 떤 일	

학교에서 겪은 일

점심시간에 있었던 일	수업 시간에 있었던 일

✤ 친구들과 극본 쓰기 계획을 세우기 【2】

등장인물들에게 어떤 일이 일어났을까요?
---

❶ 친구들과 극본에 나올 인물을 정하고, 한 명씩 역할을 맡는다.
❷ 인물 가운데에서 한 명을 가상으로 초대해 빈 의자에 앉게 한다.
❸ 나머지 친구들은 초대한 인물과 인터뷰를 한다.
❹ 가상으로 초대된 친구는 자기가 맡은 인물처럼 말하고 행동한다.

⬇

사건 흐름은 어떠한가요?

⬇

정리한 사건에 알맞은 말이나 행동, 몸짓을 어떻게 표현할까요?

✤ 극본 쓰는 방법을 떠올리며 친구들과 역할을 나누어 극본을 쓰기 【3~4】

ㄱ 극본에서 때, 곳, 나오는 사람, 무대 시작과 바뀜을 어떻게 나타낼까?

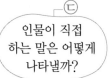
ㄴ 인물의 행동이나 표정은 어떻게 나타낼까?

ㄷ 인물이 직접 하는 말은 어떻게 나타낼까?

---

1 요즘 학교에서 겪은 일 가운데에서 기억에 남는 일을 떠올려 써 보시오.

(   )

2 등장인물을 초대해 인터뷰를 할 때의 물음으로 알맞지 않은 것에 ×표를 하시오.

(1) 무슨 일을 겪었나요?
               (   )
(2) 언제 어디에서 일어난 일인가요?   (   )
(3) 그때 마음은 어떠했나요?   (   )
(4) 극본으로 표현하고 싶은 까닭은 무엇인가요?
               (   )

3 ㉠~㉢에 대한 알맞은 답을 찾아 선으로 이으시오.

(1) ㉠ •

(2) ㉡ •

(3) ㉢ •

• ① 괄호 안에 써서 표현해.

• ② 해설로 하면 돼.

• ③ 말하는 사람을 쓰고, 그 옆에 대사로 나타내.

4 극본을 쓸 때 대사는 빠뜨리고 써도 됩니다.

(◯ , ×   )

정답과 해설 ● 20쪽

✚ 낭독 공연을 할 때 주의할 점 떠올리기 [1]

1 극본을 낭독할 때 주의할 점은 무엇입니까?

_____

_____

✚ 극본을 낭독하려면 무엇을 해야 할지 알아보기 [2]

2 극본을 낭독하려면 어떤 준비물이 필요할지 생각하여 한 가지 이상 쓰시오.

_____

_____

✚ 낭독 연습을 해 보고 극본을 낭독하기 [3]

(반갑게 웃으며) 아, 네가 용범이로구나!

3 낭독 연습을 할 때 지문의 내용에 알맞게 연습합니다.

(　　○ , × 　　)

✚ 극본 낭독을 준비하면서 어떤 점을 가장 잘했는지 친구들과 이야기하기 [4]

4 극본 낭독을 준비하면서 어떤 점을 잘했는지 알맞게 말하지 <u>못한</u> 친구를 쓰시오.

> 진영: 대사를 실감 나게 연기했어.
> 경희: 극본의 특성을 잘 살려 극본을 썼어.
> 서연: 적극적인 태도로 즐겁게 극본을 낭독했어.
> 장우: 자신의 성격이 잘 드러나는 목소리로 말했어.

(　　　　　　)

연극 정리

연극 활동 돌아보기

극본의 특성을 이해했나요?

알맞은 목소리로 극본을 낭독했나요?

친구들과 사이좋게 협동하며 극본을 낭독했나요?

내 삶과 연극 활동을 관련지어 생각해 보았나요?

매우 잘함: ●●●, 잘함: ●●, 보통임: ●

1 연극이 다음과 같은 형식의 작품들과 다른 점으로 알맞지 <u>않은</u> 것은 무엇입니까? (　　)

① 책으로만 볼 수 있다.
② 무대 공연을 위한 것이다.
③ 인물이 무대에서 행동한다.
④ 배우가 대사를 외워서 말한다.
⑤ 인물이 무대에서 직접 관객을 만난다.

[2~4] 글을 읽고, 물음에 답하시오.

버들잎 편지

- 때: 이른 봄
- 곳: 서울 영이의 집
- 나오는 사람들: 영이, 할아버지, 복순　━┐ ㉠

막이 열리면 복순이 콧노래를 부르며 방을 청소하고 있다. 조금 뒤, 창가로 가서 밖을 향하여 소리친다.

복순: 할아버지!
할아버지: (소리만) 오냐.
복순: 다 됐어요?
할아버지: (소리만) 오냐, 다 되어 간다.
복순: 어머! 웬 사람들이 저렇게 쏟아져 나왔을까? (시계를 보며) 그런데 영이는 왜 여태 안 올까?

할아버지, 캔버스 받침을 들고 들어온다.

---

2 ㉠과 같이 극본에서 때, 곳, 나오는 사람, 무대와 무대 바뀜 따위를 설명하는 부분을 무엇이라고 합니까?

(　　　　　　　　)

3 보라색으로 쓰인 부분에 대한 설명으로 알맞지 <u>않은</u> 것의 기호를 쓰시오.

┌─────────────────────────┐
│ ㉠ 지문이라고 한다.
│ ㉡ 괄호 안에 제시된다.
│ ㉢ 인물이 하는 말을 나타낸다.
│ ㉣ 인물의 행동이나 표정을 나타낸다.
└─────────────────────────┘

(　　　　　　　　)

서술형
4 이 글 다음에 이어질 내용은 무엇일지 쓰시오.

_____

_____

5 극본의 특성을 정리할 때 빈칸에 알맞은 말을 각각 쓰시오.

(1) 극본은 (　　　　)을/를 공연하려고 쓴 글이다.
(2) 극본에서 이야기는 해설, 지문, (　　　) (으)로 나타낸다.
(3) 극본은 인물의 (　　　　)과/와 행동을 직접 나타낸다.
(4) 극본에서는 대사와 (　　　　)(으)로 인물의 마음을 드러낸다.

[6~7] 글을 읽고, 물음에 답하시오.

> ② 숲의 마음 할아버지: 숲의 마음은 그 숲을 제일 사랑하는 사람을 위하여 마법의 힘을 사용할 수 있단다. 그러니까 네 마음속 걱정이나 슬픔을 말해 보렴.
>
> 성민: 정말요?
>
> 숲의 마음 할아버지: 그렇다니까.
>
> ④ 숲의 마음 할아버지: (혀를 끌끌 차며) 허, 참, 그러니까 네가 느리다고 사람들이 놀리고 힘들게 한다 이거지? 막 별명을 지어 부르고 말이야?
>
> 성민: 예.
>
> 숲의 마음 할아버지: 그럴 수가! 그것참, 어리석고 한심한 일이군. 그렇다면 어떻게 한다?
>
> ⑤ 숲의 마음 할아버지: 숲을 사랑하는 우리 성민이에게 주는 마법의 무지갯빛 초콜릿이야.
>
> 성민: 마법의, 무지갯빛, 초콜릿요?
>
> 숲의 마음 할아버지: 그래. 이 초콜릿을 먹으면 아주 강한 향기가 나오지. 맛도 아주 좋아. 이 초콜릿 향기를 맡은 사람은…… 하하하하…….
>
> 성민: 어떻게 되는데요?
>
> 숲의 마음 할아버지: 시험해 보렴. 놀랄 만한 일이 일어나지. 네가 먹어도, 다른 사람 입에 들어가도 효과는 마찬가지야. 아무튼 너를 놀리거나 무시하는 사람은 혼이 날 거야. 무지갯빛 순서대로 시험해 봐. 그 마법 효과를 말이야.

6 성민이는 어떤 일로 힘들어합니까? ( )

① 꿈이 없는 것
② 공부를 못하는 것
③ 부모님이 아프신 것
④ 학교에 다니기 싫은 것
⑤ 느리다고 사람들이 놀리는 것

7 숲의 마음 할아버지는 왜 성민이에게 마법의 무지개빛 초콜릿을 주었습니까?

( )

8 극본 쓰는 방법을 바르게 말하지 **못한** 친구를 쓰시오.

> 진희: 극본의 특성을 살려 써야 해.
>
> 소연: 무대의 시작과 바뀜을 해설로 나타내.
>
> 영우: 때, 곳, 나오는 사람을 괄호 안에 써서 표현해.
>
> 미연: 인물이 직접 하는 말은 말하는 사람을 쓰고, 그 옆에 대사로 나타내.

( )

[9~10] 그림을 보고, 물음에 답하시오.

9 극본을 낭독할 때 주의할 점으로 알맞지 **않은** 것은 무엇입니까? ( )

① 진지한 태도로 낭독한다.
② 연습을 충분히 해 자신 있게 참여한다.
③ 관람하는 친구에게 말을 걸며 낭독한다.
④ 인물의 말과 행동을 실감 나게 연기한다.
⑤ 관람하는 학생이 들을 수 있을 정도로 큰 소리로 연기한다.

서술형

10 낭독 공연을 관람할 때 주의할 점을 쓰시오.

_____

_____

연극
단원

● 다음 교과서 문장의 파란색 낱말 중에서 알맞은 것을 골라 인물들이 한 말을 완성하시오.

- 하얀 **두루마기** 같은 긴 옷에 하얀 수염이 무릎까지 내려올 정도로 길다.
- 그것참, 어리석고 **한심**한 일이군.
- **소매**에서 주머니 하나를 꺼낸다.
- 네가 먹어도, 다른 사람 입에 들어가도 **효과**는 마찬가지야.

6

내용을
추론해요

무엇을 배울까요?

 준 비

- 말이나 행동에서 드러나지
  않은 내용 짐작하기

 기 본

- 이야기를 듣고 추론하는 방법 알기
- 내용을 추론하며 글 읽기

 실 천

- 알리고 싶은 내용을
  영상 광고로 만들기

6 내용을 추론해요

1 말이나 행동에서 드러나지 않은 내용 짐작하기

추론	이미 아는 정보를 근거로 삼아 다른 판단을 이끌어 내는 것을 추론이라고 합니다.
추론하며 글을 읽으면 좋은 점	자신의 배경지식을 떠올리거나 여러 가지 상황을 생각하며 드러나지 않은 내용을 짐작해 보면 내용이나 상황을 좀 더 깊고 넓게 이해할 수 있습니다.

예 그림을 보고 추론하기

사람들의 표정을 보니 경기가 흥미진진할 것입니다.

부채를 들고 있는 것으로 보아 날씨가 더울 것입니다.

2 추론하는 방법

① 이야기에서 찾을 수 있는 단서를 확인합니다.
② 자신이 평소에 아는 사실과 경험한 것을 떠올려 보고 무엇을 더 알 수 있는지 생각해 봅니다.
③ 글에 쓰인 다의어나 동형어가 어떤 뜻인지 정확히 이해하려면 국어사전을 찾아봅니다.
④ 이야기의 특정 부분을 바탕으로 하여 알 수 있는 내용과 더 추론할 수 있는 사실을 살펴봅니다.

예 「수원 화성을 어떻게 만들었을까」의 내용을 추론하는 방법

일제 강점기를 거치면서 성곽 일대가 훼손되기 시작했다.

6.25 전쟁 때 수원 화성이 크게 파괴되었다.

추론한 내용
수원 화성은 여러 위기를 거치면서 원래의 모습을 잃었다.

글에서 찾을 수 있는 단서 확인하기

단서란 어떤 일이나 사건이 일어난 까닭을 풀 수 있는 실마리를 말합니다.

3 알리고 싶은 내용을 영상 광고로 만들기

영상 광고 주제, 내용과 분량 정하기 ➡ 역할 나누기 ➡ 촬영 도구와 편집 도구 준비하기 ➡ 장면 촬영하기 ➡ 편집 도구로 자막 넣기 ➡ 완성한 영상 광고를 함께 보며 고치기

역량 활동

준비 **말이나 행동에서 드러나지 않은 내용 짐작하기**

○ 어떤 일이 생겼을지 짐작하며 영상 광고를 보기

> • 영상 광고 설명: 우리 사회에서 함께 살아가는 북한 이탈 주민의 모습을 보여 주고 있습니다.

우리는 이미 하나

① 2006년 8월 탈북 선생님 ○○○

② 2007년 8월 탈북 봉사단 ○○○

③ 1999년 10월 탈북 한의사 ○○○

④ 같은 일상을 살아가는 우리 우리는 이미 하나입니다

> **●드러나지 않은 내용 짐작하기** 예
>
> 「우리는 이미 하나」라는 제목의 뜻
>
> 우리 주변의 북한 이탈 주민들이 모두 같은 민족이자 하나의 겨레이다.
>
> 영상 광고에서 추론할 수 있는 내용
>
> • 우리 주위에 북한 이탈 주민이 많이 있다.
> • 서로 존중하고 더불어 살아가야 행복하다.
> • 북한 이탈 주민이 여러 가지 직업을 가지고 있다.

1 _{교과서 문제} 이 영상 광고 장면에 나오는 사람들은 어떤 공통점이 있습니까? ( )

① 여성이다.　　② 남성이다.
③ 어린이이다.　④ 외국인이다.
⑤ 북한 이탈 주민이다.

2 _{교과서 문제} 「우리는 이미 하나」라는 제목을 이해하려고 떠올린 생각입니다. 어떤 방법으로 생각했는지 보기 에서 골라 쓰시오.

> 보기
> 자신의 경험 떠올리기, 말이나 행동에서 단서 확인하기

(1) 낯선 곳을 잠깐 여행하는 것도 힘든 점이 많던데 잘 적응하며 사시는 게 놀라워.

_____

(2) 표정이나 행동을 보면 모두 즐겁게 자신의 일을 하시는 것 같아.

_____

핵심 서술형

3 「우리는 이미 하나」라는 제목의 뜻은 무엇인지 쓰시오.

_____

_____

_____

역량

4 이 영상 광고 장면에서 추론할 수 있는 내용을 바르게 말하지 못한 친구를 쓰시오.

> 민우: 우리 주위에 북한 이탈 주민이 많이 있구나.
> 진아: 서로 존중하고 더불어 살아가야 행복하다는 것을 알 수 있어.
> 남훈: 북한 이탈 주민이 가질 수 있는 직업이 제한되어 있구나.

( )

● 그림으로 알 수 있는 사실을 살펴보고 추론하기

▲ 야묘도추

고양이를 쫓는 저 긴 막대를 사진에서 본 적이 있어. 아마…….

고양이가 입에 병아리를 물고 달아나는데 어미 닭이 기를 쓰고 쫓아가는 걸 보니…….

• 그림 설명: 그림 **가**는 김득신이 그린 「야묘도추」이고, 그림 **나**는 김홍도가 그린 「씨름」입니다.

나

▲ 씨름

● 그림을 보고 추론하기 예

가	남자가 병아리를 물고 달아나는 고양이를 보고 뛰쳐나가는 것으로 보아 깜짝 놀랐음을 알 수 있다.
나	부채를 들고 있는 것으로 보아 날씨가 더울 것과 사람들의 표정으로 보아 경기가 흥미진진하다는 것을 알 수 있다.

핵심

5 그림 **가**를 보고 알 수 있는 사실은 무엇입니까?
( )

① 여자가 남자를 보고 웃고 있다.
② 고양이가 남자 쪽으로 달려가고 있다.
③ 남자가 어미 닭을 잡으려고 하고 있다.
④ 어미 닭과 병아리가 모이를 쪼고 있다.
⑤ 남자가 긴 막대기를 뻗으며 고양이를 쫓고 있다.

6 그림 **가**를 보고 추론할 수 있는 내용은 무엇인지 빈칸에 알맞은 말을 쓰시오.
(교과서 문제)

• 남자가 병아리를 물고 달아나는 고양이를 보고 뛰쳐나가는 것으로 보아 ( ) 마음일 것이다.

핵심

7 그림 **나**를 보고 추론한 내용을 알맞게 말한 친구는 누구인지 쓰시오.

지아: 사람들의 표정을 보니 씨름에 다들 관심이 없나 봐.
영준: 부채를 들고 있는 사람을 보니 날씨가 더울 것 같아.
수현: 씨름을 하고 있는 두 사람이 부둥켜안은 걸 보니 서로 친한가 봐.

( )

서술형

8 추론하며 글을 읽거나 그림을 보면 좋은 점은 무엇일지 쓰시오.

_____

_____

이야기를 듣고 추론하는 방법 알기

○ 내용을 추론하며 글 읽기

수원 화성을 어떻게 만들었을까

유지현

『화성성역의궤』는 수원 화성에 성을 쌓는 과정을 기록한 책인 의궤야. ㉠수원 화성은 일제 강점기를 거치면서 성곽 일대가 훼손되기 시작하고 6.25 전쟁 때 크게 파괴되었는데, 『화성성역의궤』를 보고 5 원래의 모습대로 다시 만들어졌단다. 덕분에 수원 화성이 1997년에 유네스코 세계 문화유산으로 등록될 수 있었어.

『화성성역의궤』는 정조 임금이 갑자기 세상을 떠나는 바람에 다음 임금인 순조 때 만들어졌는데, 10 건축과 관련된 의궤 가운데에서도 가장 내용이 많아. ㉡수원 화성 공사와 관련된 공식 문서는 물론, 참여 인원, 사용된 물품, 설계 등의 기록이 그림과 함께 실려 있는 일종의 보고서인 셈이야. 내용이

> 화성성역의궤 조선 정조 18~20년(1794~1796년) 사이에, 수원 화성에 성을 쌓은 일을 정리하여 적은 책.

• 글의 종류: 설명하는 글
• 글의 내용: 수원 화성에 성을 쌓는 과정을 기록한 책 『화성성역의궤』와 수원 화성에 대해 알려 주고 있습니다.

아주 세세하고 치밀해서 공사에 참여한 기술자 1800여 명의 이름과 주소, 일한 날수와 받은 임금까지 적혀 있어. 공사에 사용된 모든 물건의 크기와 값은 또 얼마나 상세히 적었는지 입이 떡 벌어질 정도라니까. 당시에 이렇게 자세한 공사 보고서 5 를 남긴 나라는 우리나라밖에 없다고 해.

●내용을 추론하기 ① 예

내용	추론한 사실
덕분에 수원 화성이 1997년에 유네스코 세계 문화유산으로 등록될 수 있었어.	수원 화성은 세계적인 문화유산으로 인정받을 만큼 훌륭한 건축물이다.
수원 화성 공사와 관련된 공식 문서는 물론 ~ 실려 있는 일종의 보고서인 셈이야.	『화성성역의궤』가 자세하게 기록되었기 때문에 수원 화성을 원래의 모습대로 다시 만들 수 있었다.

> 임금(賃 품삯 임, 金 쇠 금) 근로자가 노동의 대가로 사용자에게 받는 보수.

---

1 ㉠ 부분을 통해 어떤 내용을 짐작할 수 있을지 알맞은 말에 ○표를 하시오.

• 수원 화성은 여러 위기를 거치면서 원래의 모습을 (지켰다 , 잃었다).

2 『화성성역의궤』에 담은 기록으로 알맞지 않은 것은 무엇입니까? ( )

① 정조 임금의 당부
② 수원 화성 공사의 설계
③ 수원 화성 공사에 사용된 물품
④ 수원 화성 공사에 참여한 인원
⑤ 수원 화성 공사와 관련된 공식 문서

3 ㉡에서 추론할 수 있는 사실은 무엇인지 빈칸에 알맞은 말을 쓰시오.

• 『화성성역의궤』가 자세하게 기록되었기 때문에 수원 화성을 ( ) 다시 만들 수 있었다.

4 여러 가지 뜻이 있는 낱말을 다의어라고 합니다. 이 글에서 다음 뜻을 가진 낱말은 무엇입니까?
( )

국어사전
1. 여러 개의 물건을 겹겹이 포개어 얹어 놓다.
2. 물건을 차곡차곡 포개어 얹어서 구조물을 이루다.

① 쌓다   ② 적다   ③ 파괴되다
④ 등록되다   ⑤ 훼손하다

수원 화성은 정조 임금의 원대한 꿈이 담긴 곳으로 볼거리가 많아. 건물 하나만 보는 것보다는 주변 경치를 함께 ㉠감상하는 것이 더 좋아. ㉡정조 임금이 엄격하게 고른 좋은 자리에 지었으니까. 수
5 원 화성은 규모가 커서 다 돌아보려면 꽤 시간이 걸려. 다리가 아프면 화성 열차를 타는 것도 좋겠지. 화성 열차는 수원 화성 구경을 하러 온 사람들을 위해 마련한 열차야.

더 둘러보고 싶은 친구가 있다면 근처에 있는 융
10 건릉과 용주사에 가 볼 것을 추천할게. 융건릉은 사도 세자의 무덤인 융릉과 정조 임금의 무덤인 건릉을 합쳐서 부르는 이름이고, 용주사는 사도 세자의 명복을 빌려고 지은 절이야.

▲ 『화성성역의궤』

● 내용을 추론하기 ② 예

내용	추론한 사실
정조 임금이 엄격하게 고른 좋은 자리에 지었으니까.	정조 임금은 수원 화성을 건축하는 데 많은 관심을 가졌다.
더 둘러보고 싶은 친구가 있다면 근처에 있는 융건릉과 용주사에 가 볼 것을 추천할게.	융건릉과 용주사에도 볼거리가 많다.

핵심

원대한 계획이나 희망 따위의 장래성과 규모가 큰.
사도 세자 영조의 아들이자, 정조의 아버지.

명복(冥 어두울 명, 福 복 복) 죽은 뒤 저승에서 받는 복.
예 삼가 고인의 명복을 빕니다.

5 형태가 같지만 뜻이 다른 낱말을 동형어라고 합니다. ㉠'감상'과 같은 뜻으로 낱말이 쓰인 문장을 찾아 ○표를 하시오.
교과서 문제

(1) 비가 내리면 영선이는 감상에 빠지곤 한다.
( )

(2) 자, 우리 모두 혜윤이가 그린 작품을 함께 감상해 보자. ( )

6 글에 쓰인 다의어나 동형어가 어떤 뜻인지 정확히 이해하려면 무엇을 찾아보면 되겠습니까?
교과서 문제
( )

핵심

7 ㉡에서 추론할 수 있는 사실은 무엇입니까?
( )

① 정조 임금은 대담한 성격이다.
② 정조 임금은 건축에 대해 잘 몰랐다.
③ 정조 임금은 성을 많이 짓고 싶어 했다.
④ 정조 임금은 수원 화성을 짓기 싫어했다.
⑤ 정조 임금은 수원 화성을 건축하는 데 많은 관심을 가졌다.

8 수원 화성 근처에는 어떤 문화유산이 더 있는지 두 가지를 쓰시오.
교과서 문제
( )

논술형

9 수원 화성을 완공한 날 정조 임금의 마음은 어떠했을지 추론하여 쓰시오.

_____

_____

역량

10 내용을 추론하는 방법에 맞게 빈칸에 알맞은 말을 쓰시오.

• 자신이 평소에 아는 사실과 ( ) 을/를 떠올려 보고 무엇을 더 알 수 있는지 생각해 본다.

내용을 추론하며 글 읽기

○ 추론하는 방법을 생각하며 글 읽기

서울의 궁궐

❶ 현재 서울에 남아 있는 조선 시대의 궁궐은 모두 다섯 곳으로 경복궁, 창덕궁, 창경궁, 경희궁, 경운궁이다.

중심내용 서울에 남아 있는 조선 시대의 궁궐은 모두 다섯 곳이다.

❷ 궁궐의 건물

5 　궁궐에는 왕과 왕비뿐만 아니라 왕실의 가족과 관리, 군인, 내시, 나인 등 많은 사람이 살았다. ㉠이 사람들은 각자 자신의 신분에 알맞은 건물에서 생활했고, 건물의 명칭 또한 주인의 신분에 따라 달랐다. 예컨대 궁궐에는 강녕전이나 교태전과

10 같이 '전' 자가 붙는 건물이 있는데, 이러한 건물에는 궁궐에서 가장 신분이 높은 왕과 왕비만 살 수 있었다. 왕실 가족이나 후궁들은 주로 '전'보다 한 단계 격이 낮은 '당' 자가 붙는 건물을 사용했다. 그 밖의 궁궐 사람들은 주로, '각', '재', '헌'이 붙는 건

15 물에서 생활했다. 그러나 경우에 따라서는 왕도 '전'이 아닌 다른 건물을 사용했다.

중심내용 궁궐에는 사람이 많이 살았는데, 각자 신분에 알맞은 건물에서 살았다.

• 글의 종류: 설명하는 글
• 글의 내용: 서울에 남아 있는 조선 시대의 궁궐인 경복궁, 창덕궁, 창경궁, 경희궁, 경운궁에 대한 내용을 알려 주고 있습니다.

❸ 경복궁

　'큰 복을 누리며 번성하라'는 뜻을 지닌 경복궁
한창 성하게 일어나 퍼짐.
은 조선 시대 최초의 궁궐이면서 여러 궁궐 가운데 가장 대표적인 것이다. 경복궁은 태조 이성계가 조선을 세운 뒤에 한양, 즉 지금의 서울에 세운 조 5
선의 법궁이다.
나라의 공식적인 궁궐
　경복궁의 건물은 7600여 칸으로 규모가 어마어마하다. 경복궁에서 가장 웅장한 건물은 '부지런히 나라를 다스리라'는 뜻을 지닌 근정전이다. 근정전은 왕의 즉위식, 왕실의 혼례식, 외국 사신과의 만 10
남과 같은 나라의 중요한 행사를 치르던 곳이다.

● 내용을 추론하기 ① 예

내용	추론한 사실
각자 자신의 신분에 알맞은 건물에서 생활했고, 건물의 명칭 또한 주인의 신분에 따라 달랐다.	조선 시대에는 신분에 따른 차이가 매우 명확했다.

나인 고려 · 조선 시대에, 궁궐 안에서 왕과 왕비를 가까이 모시는 내명부를 통틀어 이르던 말.

즉위식(卽 곧 즉, 位 자리 위, 式 법 식) 임금 자리에 오르는 것을 알리려고 치르는 의식.

---

1 현재 서울에 남아 있는 조선 시대의 궁궐 다섯 곳을 찾아 쓰시오.
교과서 문제
(　　　　　　　　　　　　)

핵심 서술형
2 ㉠에서 추론할 수 있는 사실을 한 가지 쓰시오.

_____

_____

3 '전' 자가 붙은 건물에는 누가 살 수 있었습니까?
교과서 문제
(　　)
① 군인　　② 내시　　③ 후궁
④ 왕과 왕비　⑤ 왕실 가족

4 다음 중 경복궁에 대한 설명으로 알맞지 않은 것은 무엇입니까?
(　　)
① 7600여 칸의 건물이 있다.
② 조선 시대 최초의 궁궐이다.
③ 태조 이성계가 세운 법궁이다.
④ '부지런히 나라를 다스리라'는 뜻이다.
⑤ 궁궐 내 가장 웅장한 건물은 '근정전'이다.

경복궁에서 안쪽에 자리 잡은 교태전은 왕비가 생활하던 곳이다. 교태전은 중앙에 대청마루를 두고 왼쪽과 오른쪽에 온돌방을 놓은 구조로 되어 있다. 교태전 뒤쪽으로는 아미산이라는 작고 아름다운 후원이 있다.

_{대궐 안에 있는 동산}

'경사스러운 연회'라는 뜻의 경회루는 커다란 연못 중앙에 섬을 만들고 그 위에 지은, 우리나라에서 가장 큰 누각이다. 이곳은 왕이 외국 사신을 접대하거나 신하들에게 연회를 베풀던 장소이다.

> **중심 내용** 경복궁은 조선 시대 최초의 궁궐로 태조가 한양에 만든 법궁이며 건물이 7600여 칸으로 근정전, 교태전, 경회루 등이 있다.

❹ 창덕궁

창덕궁은 경복궁 동쪽에 있다고 하여 창경궁과 함께 '동궐'로도 불렸다. 건물과 후원이 잘 어우러져 아름다우며 유네스코 세계 문화유산으로 기록되었다. 산이 많은 우리나라답게 산자락에 자연스럽게 배치한 건물이 인상적이다. 넓은 후원의 정자와 연못들은 우리나라 전통 정원의 모습을 잘 보여 주고 있다.

특히 부용지는 '하늘은 둥글고 땅은 네모나다'는 전통적 사상을 반영하여, 땅을 나타내는 네모난 연못 가운데 하늘을 뜻하는 둥근 섬을 띄워 놓은 형태이다. 연못 가장자리에 있는 부용정은 십자(+) 모양의 정자로, ㉠단청이 화려하고 처마 끝 곡선이 무척 아름답다.

> **중심 내용** 창덕궁은 건물과 후원이 잘 어우러져 있으며 연못에 섬을 띄운 부용지가 있다.

△ 창덕궁 부용정

대청마루 한옥에서, 몸채의 방과 방 사이에 있는 큰 마루.
예 대청마루에 바람이 솔솔 불어와 낮잠 자기 딱 좋았습니다.

누각 사방을 바라볼 수 있도록 문과 벽이 없이 다락처럼 높이 지은 집.
예 누각 위에 올라 바라보니 풍경이 한눈에 들어왔습니다.

---

5 경회루에 대한 설명으로 알맞은 것을 <u>두 가지</u> 고르시오. (,)

① 십자 모양의 정자이다.
② 왕비가 생활하던 곳이다.
③ 뒤쪽으로 아미산이 있다.
④ '경사스러운 연회'라는 뜻이다.
⑤ 연못 중앙의 섬 위에 지은 누각이다.

6 건물과 후원이 잘 어우러져 유네스코 세계 문화유산으로 기록된 궁궐은 무엇입니까?

_{교과서 문제}

( )

7 창덕궁에 있는 것으로, 다음 특징을 지닌 것을 찾아 쓰시오.

> • '하늘은 둥글고 땅은 네모나다'는 전통적 사상을 반영하였다.
> • 둥근 섬을 띄워 놓은 네모난 연못이다.

( )

8 ^{핵심} 낱말의 앞뒤 내용에서 알 수 있는 사실을 바탕으로 하여 ㉠'단청'의 뜻을 추론하여 쓰시오.

( )

⑤ 창경궁

창경궁은 성종이 할머니들을 모시려고 지은 궁궐로, 효자로 유명한 정조가 태어난 곳이기도 하여 효와 인연이 깊다. 창경궁은 임진왜란 때 불탔다가 광해군 때 제 모습을 찾았으나, 그 뒤로도 큰 화재를 겪는 수난을 당했다. 문정전 앞뜰은 사도 세자가 목숨을 잃은 비극이 일어난 곳으로 유명하다. 왕비가 생활하던 통명전 서쪽에는 아름다운 연못이 있고, 뒤쪽에는 '열천'이라는 우물이 남아 있다.

한편 ㉠일제 강점기에는 일본 사람들이 창경궁에 동물원과 식물원을 만들면서 많은 건물을 헐고, 이름도 '창경원'으로 바꾸었다. 1983년에 동물원과

△ 창경궁

수난 견디기 힘든 어려운 일을 당함.
예 우리 가족에게 뜻하지 않은 수난이 닥쳤습니다.

식물원 일부를 옮기고 창경궁이라는 이름을 되찾았다.

중심 내용 창경궁은 화재가 여러 번 일어나고 사도 세자가 목숨을 잃은 곳이다.

⑥ 경희궁

경희궁의 처음 이름은 경덕궁이었으나, 영조 때 경희궁으로 고쳐 불렀다. 인조 이후 철종에 이르기까지 10대에 걸쳐 왕들이 머물렀다. 특히 영조는 25년 동안이나 이곳에 머물렀다고 한다. 경희궁은 경복궁 서쪽에 있다고 하여 '서궐'로도 불렸다. ㉡궁궐의 원래 규모는 1500칸에 이르렀으나, 일제 강점기에 강제로 헐려 터만 남아 있다가 최근에 옛 모습의 일부를 되찾았다.

집이나 건물을 지었거나 지을 자리

● 내용을 추론하기 ② 예

내용	추론한 사실
• 일제 강점기에는 일본 사람들이 창경궁에 동물원과 식물원을 만들면서 ~. • 궁궐의 원래 규모는 1500칸에 이르렀으나, 일제 강점기에 강제로 헐려 ~.	일제 강점기가 되면서 차차 왕실이 힘을 잃었다.

헐고 집 따위의 축조물이나 쌓아 놓은 물건을 무너뜨리고.
예 벽을 헐고 주차장을 만들었습니다.

---

9 창경궁이 효와 인연이 깊다고 말한 까닭 두 가지를 고르시오. (,)

① 사도 세자가 목숨을 잃은 궁궐이어서
② 광해군이 효심으로 만든 궁궐이어서
③ 효자로 유명한 정조가 태어난 곳이어서
④ 일제 강점기에 헐렸다가 이름을 되찾아서
⑤ 성종이 할머니들을 모시려고 지은 궁궐이어서

핵심 서술형

10 ㉠, ㉡에서 추론할 수 있는 사실을 쓰시오.

_____

_____

11 경희궁에 대한 내용을 정리할 때 빈칸에 알맞은 말을 쓰시오.
교과서 문제

• 처음 이름인 ( )에서 경희궁으로 고쳐 부르게 된 곳이다.

12 다음 중 경희궁에 대한 설명으로 알맞은 것은 무엇입니까? ( )

① 영조가 지은 궁궐이다.
② 인조 때부터 경희궁으로 불렸다.
③ 철종이 25년 동안 머물렀던 곳이다.
④ 임진왜란 때 일본에 강제로 헐려 터만 남아 있다.
⑤ 경복궁의 서쪽에 있다고 하여 '서궐'로도 불렸다.

이 궁궐 안에는 왕이 신하들과 나랏일을 논의하
거나 사신을 접대하는 등의 행사를 치르던 숭정전
과 영조의 어진을 모신 태령전이 있다.

_{어떤 문제에 대하여 서로 의견을 내어 토의함.}

중심 내용 경희궁은 경덕궁에서 경희궁으로 고쳐 부른 곳이며 숭정전과 태
령전이 있다.

❼ 경운궁

5 지금의 덕수궁은 원래 경운궁이라고 불렸는데,
성종의 형인 월산 대군의 집이었다. 선조가 임진왜
란이 끝난 뒤에 서울로 돌아오니 궁궐이 모두 불타
버려서 이곳을 넓혀 행궁으로 만들었다고 한다. 선
_{임금이 나들이 때에 머물던 궁궐}
조가 죽고 광해군이 왕위에 오른 뒤에 이 행궁을
10 경운궁이라고 했다. 그러다가 조선 왕조 말기에 고
종이 강한 나라들의 정치적 ㉠소용돌이에 휘말리
면서 거처를 경운궁으로 옮긴 뒤, 비로소 궁궐다운
모습을 갖추었다.

경운궁 안에는 중화전과 같은 전통적 건물, 석조

전이나 정관헌과 같은 서양식 건물이 함께 들어서
있다. 중화전은 국가적 의식을 치르던 곳이고, 석
조전은 왕이 일상생활을 하던 곳이다. 정관헌은
고종 황제가 커피를 마시며 여가를 즐기거나 손님
을 맞이하던 곳이다.   5

중심 내용 경운궁은 선조 이후 행궁으로 만들었으며, 전통적 건물과 서양식
건물이 함께 들어서 있다.

▲ 경운궁 중화전

▲ 경운궁 석조전

● 내용을 추론하기 ③ 예   **핵심**

글쓴이가 이 글을 쓴 까닭
서울의 궁궐에는 각각의 의미와 아름다움이 있음을 우리 모두가 알고 있어야 한다고 생각해서이다.

어진 임금의 얼굴 그림이나 사진.
예 조선 시대에는 임금의 어진을 그리는 화가가 따로 있었습니다.

거처 일정하게 자리를 잡고 사는 일. 또는 그 장소.
예 우리 가족은 아버지 직장을 따라 시골로 거처를 옮겼습니다.

---

13 선조가 월산 대군의 집이었던 곳을 행궁으로 만든
까닭은 무엇입니까?   (   )

① 덕수궁에 화재가 나서
② 월산 대군을 기리기 위해서
③ 임진왜란을 대비하기 위해서
④ 원래 있던 궁궐이 모두 불타 버려서
⑤ 서울에서 강화로 거처를 옮겨야 해서

역량 **서술형**

14 낱말의 앞뒤 내용에서 추론한 ㉠'소용돌이'의 뜻
과 그렇게 생각한 까닭은 무엇인지 쓰시오.

(1) 추론한 뜻	
(2) 그렇게 생각
한 까닭	

15 경운궁에 대한 내용을 정리할 때 알맞은 말에 ○
<sub>교과서
문제</sub> 표를 하시오.

• 선조 이후 행궁으로 만들었으며 (전통적 ,
일제식) 건물과 서양식 건물이 함께 들어서
있다.

핵심

16 글쓴이가 이 글을 쓴 까닭이 무엇일지 바르게 짐
작한 것에 ○표를 하시오.

(1) 서울의 궁궐이 점점 훼손되고 있는 것에 대
한 안타까움을 전하려고   (   )

(2) 서울의 궁궐에는 각각의 의미와 아름다움이
있음을 우리 모두가 알고 있어야 한다고 생
각해서   (   )

 알리고 싶은 내용을 영상 광고로 만들기

● 영상 광고를 만들기

어떤 부분을 촬영해야 할까?

여기서 경기 결과는 영상을 보는 친구들이 추론할 수 있게 하자.

그래, 그 자막을 보면 우리가 경쟁보다 협동을 강조한다는 것을 추론할 수 있을 거야.

주제를 살리려면 이 장면을 좀 더 넣는 게 좋겠어.

자막은 이렇게 넣는 게 좋겠어.

맞아. 그 장면이 마지막에 가면 이 영상 광고를 만든 까닭을 친구들이 추론하기 쉬울 거야.

장면 순서는 이렇게 편집해 보자.

• **그림 설명:** 영상 광고를 만드는 과정이 나타나 있습니다.

● **영상 광고 만드는 순서**

영상 광고 주제, 내용과 분량 정하기

↓

역할 나누기

↓

촬영 도구와 편집 도구 준비하기

↓

장면 촬영하기

↓

편집 도구로 자막 넣기

↓

완성한 영상 광고를 함께 보며 고치기

1 다음 주제 가운데 한 가지를 골라 영상 광고로 알리고 싶은 내용을 한 문장으로 써 보시오.

배려	지구	교복	전통문화
미세 먼지	평등	소비	스마트폰	독서
공공시설	학교 폭력	스포츠 정신

(   )

2 영상 광고를 만드는 과정에서 필요하지 않은 역할은 무엇이겠습니까? (   )

① 촬영 담당
② 편집 담당
③ 추론 담당
④ 극본 담당
⑤ 소품과 효과 담당

3 영상 광고를 만드는 과정에서 역할을 나눌 때 주의할 점으로 알맞은 것에 ○표를 하시오.

(1) 서로 의견이 맞지 않을 때에는 민주적인 절차를 거쳐 역할을 나눈다.   (   )
(2) 친구들의 능력과 선호도에 관계없이 역할을 나눈다.   (   )

핵심
4 영상 광고를 만드는 순서대로 기호를 쓰시오.

㉠ 장면 촬영하기
㉡ 편집 도구로 자막 넣기
㉢ 영상 광고 주제, 내용과 분량 정하기
㉣ 완성한 영상 광고를 함께 보며 고치기
㉤ 역할 나누기, 촬영 도구와 편집 도구 준비하기

(   ) ➡ (   ) ➡ (   ) ➡ (   ) ➡ (   )

말이나 행동에서 드러나지 않은 내용 짐작하기

예 「우리는 이미 하나」를 보고 드러나지 않은 내용 짐작하기

「우리는 이미 하나」라는 제목의 뜻	우리 주변의 ❶ ☐☐☐☐ 주민들이 모두 같은 민족이자 하나의 겨레이다.
영상 광고 장면에서 추론할 수 있는 내용	• 우리 주위에 북한 이탈 주민이 많이 있다. • 서로 존중하고 더불어 살아가야 행복하다. • 북한 이탈 주민이 여러 가지 직업을 가지고 있다.

예 그림을 보고 드러나지 않은 내용 짐작하기

「야묘도추」	「씨름」

남자가 병아리를 물고 달아나는 고양이를 보고 뛰쳐나가는 것으로 보아 깜짝 놀랐음을 알 수 있다.	부채를 들고 있는 것으로 보아 날씨가 더울 것과 사람들의 표정으로 보아 경기가 흥미진진하다는 것을 알 수 있다.

이야기를 듣고 추론하는 방법 알기

예 「수원 화성을 어떻게 만들었을까」의 내용을 추론하기

내용	추론한 사실
덕분에 수원 화성이 1997년에 유네스코 세계 문화유산으로 등록될 수 있었어.	수원 화성은 세계적인 문화유산으로 인정받을 만큼 훌륭한 건축물이다.
수원 화성 공사와 관련된 공식 문서는 물론, 참여 인원, 사용된 물품, 설계 등의 기록이 그림과 함께 실려 있는 일종의 보고서인 셈이야.	『화성성역의궤』가 자세하게 기록되었기 때문에 수원 ❷ ☐☐을/를 원래의 모습대로 다시 만들 수 있었다.
정조 임금이 엄격하게 고른 좋은 자리에 지었으니까.	정조 임금은 수원 화성을 건축하는 데 많은 관심을 가졌다.
더 둘러보고 싶은 친구가 있다면 근처에 있는 융건릉과 용주사에 가 볼 것을 추천할게.	융건릉과 용주사에도 볼거리가 많다.

내용을 추론하며 글 읽기

⑩ 「서울의 궁궐」의 내용 정리하기

들어가는 말	서울에 남아 있는 조선 시대의 궁궐은 모두 다섯 곳이다.
궁궐의 건물	궁궐에는 사람이 많이 살았는데, 각자 신분에 알맞은 건물에서 생활했다.
경복궁	조선 시대 최초의 궁궐로 태조가 한양에 만든 법궁이다.
창덕궁	건물과 후원이 잘 어우러져 있으며 연못에 섬을 띄운 부용지가 있다.
창경궁	화재가 여러 번 일어나고 사도 세자가 목숨을 잃은 곳이다.
경희궁	경덕궁에서 경희궁으로 고쳐 부른 곳이며 숭정전과 태령전이 있다.
경운궁	선조 이후 행궁으로 만들었으며 전통적 건물과 서양식 건물이 함께 들어서 있다.

⑩ 「서울의 궁궐」의 내용을 추론하기

내용	추론한 사실
각자 자신의 신분에 알맞은 건물에서 생활했고, 건물의 명칭 또한 주인의 신분에 따라 달랐다.	조선 시대에는 ❸ ☐☐에 따른 차이가 매우 명확했다.
• 일제 강점기에는 일본 사람들이 창경궁에 동물원과 식물원을 만들면서 많은 건물을 헐고 ~. • 궁궐의 원래 규모는 1500칸에 이르렀으나, 일제 강점기에 강제로 헐려 터만 남아 있다가 ~.	조선 시대는 왕권이 강화되었으나 일제 강점기가 되면서 차차 왕실이 힘을 잃었다.

알리고 싶은 내용을 영상 광고로 만들기

⑩ 영상 광고 만드는 과정

❶ 어떤 부분을 촬영해야 할까?

❸ 자막은 이렇게 넣는 게 좋겠어.

그래, 그 자막을 보면 우리가 경쟁보다 협동을 강조한다는 것을 추론할 수 있을 거야.

❹ ☐☐을/를 살리려면 이 장면을 좀 더 넣는 게 좋겠어.

여기서 경기 결과는 영상을 보는 친구들이 추론할 수 있게 하자.

장면 순서는 이렇게 편집해 보자.

맞아. 그 장면이 마지막에 가면 이 영상 광고를 만든 까닭을 친구들이 추론하기 쉬울 거야.

단원 평가

[1~2] 다음을 보고, 물음에 답하시오.

2006년 8월 탈북
선생님 ○○○

2007년 8월 탈북
봉사단 ○○○

1999년 10월 탈북
한의사 ○○○

같은 일상을 살아가는 우리
우리는 이미 하나입니다

1 이 영상 광고 장면에 나오는 사람들의 직업을 세 가지 고르시오. (, ,)

① 환자
② 선생님
③ 봉사단
④ 한의사
⑤ 불우이웃

2 이 영상 광고 장면에서 추론할 수 있는 내용은 무엇인지 빈칸에 알맞은 말을 쓰시오.

• ( )이/가 여러 가지 직업을 가지고 있다는 사실을 알 수 있다.

[3~4] 그림을 보고, 물음에 답하시오.

3 이 그림에서 고양이는 무엇을 하고 있습니까?

( )

4 이 그림을 보고 추론할 수 있는 내용으로 알맞은 것은 무엇입니까? ( )

① 부부의 신분이 높다.
② 밭에서 일어난 일이다.
③ 남자는 병아리에 관심이 없다.
④ 남자는 고양이를 귀하게 여긴다.
⑤ 남자는 놀라고 다급한 마음이다.

[5~6] 그림을 보고, 물음에 답하시오.

5 이 그림 속 내용으로 알맞은 것은 무엇입니까?

( )

① 계절은 겨울이다.
② 비가 내리고 있다.
③ 줄다리기를 하고 있다.
④ 남녀가 어울려 구경하고 있다.
⑤ 부채를 들고 있는 구경꾼이 있다.

서술형
6 이 그림을 보고 추론할 수 있는 내용을 쓰시오.

_____

_____

[7~11] 글을 읽고, 물음에 답하시오.

> ┌ 『화성성역의궤』는 수원 화성에 성을 ㉮쌓는
> │ 과정을 기록한 책인 의궤야. 수원 화성은 일
> │ 제 강점기를 거치면서 성곽 일대가 훼손되기
> ㉠ │ 시작하고 6.25 전쟁 때 크게 파괴되었는데,
> │ 『화성성역의궤』를 보고 원래의 모습대로 다시
> │ 만들어졌단다. 덕분에 수원 화성이 1997년에 유
> └ 네스코 세계 문화유산으로 등록될 수 있었어.
> ┌ 『화성성역의궤』는 정조 임금이 갑자기 세상
> │ 을 떠나는 바람에 다음 임금인 순조 때 만들
> │ 어졌는데, 건축과 관련된 의궤 가운데에서도
> ㉡ │ 가장 내용이 많아. 수원 화성 공사와 관련된
> │ 공식 문서는 물론, 참여 인원, 사용된 물품,
> │ 설계 등의 기록이 그림과 함께 실려 있는 일
> └ 종의 보고서인 셈이야.

7 수원 화성에 성을 쌓는 과정을 기록한 책을 무엇
이라고 합니까?

( )

8 다음 두 문장 중 ㉮'쌓다'와 같은 뜻으로 낱말이
쓰인 것에 ○표를 하시오.

(1) 윤수는 체육 자료실에 깔개를 차곡차곡 쌓
아 놓았다. ( )

(2) 고구려는 국경 지방에 천리장성을 쌓으면서
외적의 침략에 대비했다. ( )

9 ㉮'쌓다'와 같이 여러 가지 뜻이 있는 낱말을 무엇
이라고 합니까?

( )

☆☆10 ㉠에서 추론한 사실로 알맞은 것은 무엇입니까?

( )

① 수원 화성은 파괴된 적이 없다.
② 수원 화성은 훌륭한 건축물이다.
③ 수원 화성은 현재 남아 있지 않다.
④ 수원 화성의 원래 모습을 알 수 없다.
⑤ 수원 화성을 일제 강점기 때 다시 만들었다.

11 ㉡과 같이 『화성성역의궤』가 자세하게 기록되었
기 때문에 무엇을 할 수 있었는지 추론하여 쓰시
오.

( )

[12~13] 글을 읽고, 물음에 답하시오.

> 수원 화성은 규모가 커서 다 돌아보려면 꽤 시
> 간이 걸려. 다리가 아프면 화성 열차를 타는 것
> 도 좋겠지. 화성 열차는 수원 화성 구경을 하러
> 온 사람들을 위해 마련한 열차야.
> ㉠더 둘러보고 싶은 친구가 있다면 근처에 있
> 는 융건릉과 용주사에 가 볼 것을 추천할게. 융
> 건릉은 사도 세자의 무덤인 융릉과 정조 임금의
> 무덤인 건릉을 합쳐서 ㉡부르는 이름이고, 용주
> 사는 사도 세자의 명복을 빌려고 지은 절이야.

서술형

12 ㉠에서 추론할 수 있는 사실을 쓰시오.

_____

_____

13 ㉡'부르다'가 쓰인 뜻으로 알맞은 것에 ○표를 하
시오.

(1) 무엇이라고 가리켜 말하거나 이름을 붙이
다. ( )

(2) 먹은 것이 많아 속이 꽉 찬 느낌이 든다.
( )

6
단
원

[14~16] 글을 읽고, 물음에 답하시오.

궁궐에는 왕과 왕비뿐만 아니라 왕실의 가족과 관리, 군인, 내시, 나인 등 많은 사람이 살았다. 이 사람들은 각자 자신의 신분에 알맞은 건물에서 생활했고, 건물의 명칭 또한 주인의 신분에 따라 달랐다. 예컨대 궁궐에는 강녕전이나 교태전과 같이 '전' 자가 붙는 건물이 있는데, 이러한 건물에는 궁궐에서 가장 신분이 높은 왕과 왕비만 살 수 있었다. 왕실 가족이나 후궁들은 주로 '전'보다 한 단계 격이 낮은 '당' 자가 붙는 건물을 사용했다. 그 밖의 궁궐 사람들은 주로 '각', '재', '헌'이 붙는 건물에서 생활했다. 그러나 경우에 따라서는 왕도 '전'이 아닌 다른 건물을 사용했다.

14 궁궐의 건물 가운데 '당' 자가 붙는 건물을 주로 사용한 사람들은 누구입니까?

(　　　　　　　　　)

15 이 글의 내용을 정리할 때 빈칸에 알맞은 말을 쓰시오.

• 궁궐에는 사람이 많이 살았는데, 각자 (　　　　　　)에 알맞은 건물에서 생활했다.

16 이 글을 읽고 추론한 내용으로 알맞은 것은 무엇입니까? (　　　)
① 궁궐의 규모가 크지 않았다.
② 신분에 따른 차이가 매우 명확했다.
③ 왕은 '전' 자가 붙는 건물에서만 볼 수 있었다.
④ 궁궐에 사는 주인의 이름을 따서 건물의 이름을 지었다.
⑤ 궁궐 사람들 중 내시나 나인들은 궁궐 밖에서 생활했다.

[17~18] 글을 읽고, 물음에 답하시오.

한편 일제 강점기에는 일본 사람들이 창경궁에 동물원과 식물원을 만들면서 많은 건물을 헐고, 이름도 '창경원'으로 바꾸었다. 1983년에 동물원과 식물원 일부를 옮기고 창경궁이라는 이름을 되찾았다.

17 일제 강점기 때 창경궁의 이름은 무엇이었습니까?

(　　　　　　　　　)

18 이 글을 읽고 추론할 수 있는 내용을 알맞게 말한 친구는 누구인지 쓰시오.

동준: 일제 강점기에는 왕실이 힘을 잃었다.
해랑: 일제 강점기 때 동물원과 식물원이 꼭 필요했다.

(　　　　　　　　　)

19 다음 중 영상 광고를 만들 때 가장 나중에 할 일은 무엇입니까? (　　　)
① 역할 나누기
② 장면 촬영하기
③ 편집 도구로 자막 넣기
④ 촬영 도구와 편집 도구 준비하기
⑤ 영상 광고 주제, 내용과 분량 정하기

20 드러나지 않은 내용을 추론하는 방법으로 알맞은 것을 찾아 ○표를 하시오.

(1) 글에 드러난 정확한 사실만을 살펴봐야 글 내용을 추론할 수 있다. (　　　)
(2) 자신이 평소에 아는 사실을 바탕으로 하여 어떤 사실을 더 알 수 있는지 생각해 본다. (　　　)

서술형 평가

1 추론의 뜻이 무엇인지 쓰시오.

_____

_____

[2~3] 글을 읽고, 물음에 답하시오.

> 수원 화성은 정조 임금의 원대한 꿈이 담긴 곳으로 볼거리가 많아. 건물 하나만 보는 것보다는 주변 경치를 함께 감상하는 것이 더 좋아. 정조 임금이 엄격하게 고른 좋은 자리에 지었으니까. 수원 화성은 규모가 커서 다 돌아보려면 꽤 시간이 걸려. 다리가 아프면 화성 열차를 타는 것도 좋겠지. 화성 열차는 수원 화성 구경을 하러 온 사람들을 위해 마련한 열차야.

2 이 글을 읽고 알 수 있는 내용을 바탕으로 하여 추론할 수 있는 사실을 쓰시오.

알 수 있는 내용
(1) 수원 화성은 정조 임금이 엄격하게 고른 (   ) 자리에 지었다.

↓

추론한 사실
(2)

_____

3 이 글을 읽고 민영이는 어떤 방법으로 내용을 추론하였는지 쓰시오.

> 민영: 경주 여행을 갔을 때 편한 신발을 신지 않아서 힘들었던 적이 있었다. 수원 화성에 직접 가 보려면 운동화를 신는 것이 좋겠다.

_____

_____

[4~5] 글을 읽고, 물음에 답하시오.

> 창덕궁은 경복궁 동쪽에 있다고 하여 창경궁과 함께 '동궐'로도 불렸다. 건물과 후원이 잘 어우러져 아름다우며 유네스코 세계 문화유산으로 기록되었다. 산이 많은 우리나라답게 산자락에 자연스럽게 배치한 건물이 인상적이다. 넓은 후원의 정자와 연못들은 우리나라 전통 정원의 모습을 잘 보여 주고 있다.
>
> 특히 부용지는 '하늘은 둥글고 땅은 네모나다'는 전통적 사상을 반영하여, 땅을 나타내는 네모난 연못 가운데 하늘을 뜻하는 둥근 섬을 띄워 놓은 형태이다.

4 창덕궁이 유네스코 세계 문화유산으로 기록된 까닭이 무엇일지 추론하여 쓰시오.

_____

_____

5 글쓴이가 이 글을 쓴 까닭이 무엇일지 짐작하여 쓰시오.

_____

_____

6 영상 광고를 만들 때 가장 먼저 해야 할 일을 쓰시오.

_____

_____

● 다음 교과서 문장의 파란색 낱말 중에서 알맞은 것을 골라 인물들이 한 말을 완성하시오.

• 수원 화성은 일제 강점기를 거치면서 **성곽** 일대가 훼손되기 시작하고 ~.
• 정조 임금이 **엄격하게** 고른 좋은 자리에 지었으니까.
• 산이 많은 우리나라답게 산자락에 자연스럽게 배치한 건물이 **인상적**이다.
• 넓은 후원의 **정자**와 연못들은 우리나라 전통 정원의 모습을 잘 보여 주고 있다.

7

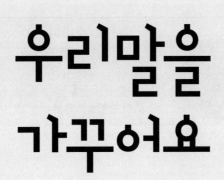

우리말을 가꾸어요

무엇을 배울까요?

 준비

• 자신의 언어생활 점검하기

 기본

• 우리말 사용 실태 알아보기
• 우리말 사용 실태 조사하기
• 실태 조사를 바탕으로 하여 올바른 우리말 사용을 주제로 글 쓰기

 실천

• 올바른 우리말 사례집 만들기

7 우리말을 가꾸어요

1 우리말 사용 실태를 알아보고 올바른 우리말 사용에 대해 생각하기

① 상대를 배려하는 말을 사용합니다.

┌─ 낱말의 일부분을 줄여 만든 말로, 일상에서 굳은 말 외에 우리말 뜻을 쉽게 이해할 수 없게 줄여 쓴 말을 뜻합니다.

② <u>줄임</u> 말, 욕설이나 비속어, 외국어보다 우리말을 올바르게 사용합니다.

③ 부정하는 말보다 긍정하는 말로 상대의 기분을 상하게 하지 않습니다.

예 올바른 우리말 사용하기

캣맘, 캣대디(×)
길고양이 보호 활동을
하는 사람
↓
길고양이 돌봄이(○)

2 우리말 사용 실태 조사하기

우리말 사용 실태 조사 계획을 세웁니다.	조사 날짜와 시간, 조사 장소, 준비물, 조사 방법, 조사 자료, 주의할 점을 계획합니다.
계획에 따라 조사합니다.	신문, 광고, 뉴스, 텔레비전 등에서 조사할 수 있습니다.
우리말 사용 실태를 조사한 내용을 정리합니다.	조사 주제, 조사 내용, 조사 결과와 출처, 조사한 뒤 드는 생각이나 느낌 등을 정리합니다.
발표할 내용에 어울리는 자료를 준비합니다.	발표 내용을 처음, 가운데, 끝으로 나누어 발표할 때 사용할 자료를 정합니다.
발표할 때에 주의할 점을 생각하며 친구들 앞에서 발표합니다.	• 알맞은 목소리로 발표합니다. • 중요한 부분은 강조하며 발표합니다. • 발표 효과를 높이려면 사진이나 그림, 도표, 동영상 따위의 자료를 사용합니다.

3 실태 조사를 바탕으로 하여 올바른 우리말 사용을 주제로 글 쓰기

① 제목, 서론, 본론, 결론으로 내용을 구성하여 씁니다.

② 서론에서 글을 쓴 문제 상황과 주장을 밝힙니다.

③ 본론에서 주장에 대한 근거를 제시합니다.

④ 결론에서 글 내용을 요약하고 글쓴이의 주장을 다시 한번 강조합니다.

4 올바른 우리말 사례집 만들기

① 주제를 무엇으로 정할지 생각합니다.

② 어떤 내용으로, 어떤 형식으로 만들지, 조사를 어떻게 할지 정합니다.

③ 역할 분담을 하여 올바른 우리말 사례집을 만듭니다.

핵 심 개 념 문 제

정답과 해설 ● 25쪽

1 올바른 우리말 사용을 위해 부정하는 말보다 긍정하는 말로 상대의 기분을 상하게 하지 않습니다.

(○ , ×)

2 우리말 사용 실태를 조사할 때 어떤 자료에서 조사하면 좋을지 한 가지를 쓰시오.

( )

3 우리말 사용 실태를 조사하여 발표할 때에는 일정한 목소리보다는 중요한 부분은 □□하며 발표합니다.

4 올바른 우리말 사용을 주제로 글을 쓸 때에는 주장을 밝히고 그 주장에 대한 근거를 제시합니다.

(○ , ×)

5 올바른 우리말 사례집을 만들 때 가장 먼저 무엇을 정해야 합니까?

( )

준비 자신의 언어생활 점검하기

◎ 대화를 보고 자신의 언어생활을 생각해 보기

①
아빠, 이번 생선은 뭐예요?
생선이라니?

②
우리말을 그렇게 줄여서 말하면 어떡하니?
생일 선물요.

③
?
친구들이 다 그렇게 말해요. 그렇게 안 하면 핵노잼이란 말이에요.

④
헐, 이것도 못 알아들으세요?

• **그림 설명:** 여자아이가 줄임 말과 신조어 등을 사용해서 아빠가 알아듣지 못하였습니다.

7 단원

핵심

● **언어생활 점검하기 ①**

줄임 말이나 신조어, 비속어를 사용하는 경우
여자아이가 '생선', '핵노잼', '헐' 등과 같은 말을 사용했다.

---

1 아빠는 여자아이가 한 어떤 말이 잘 이해가 되지 않았는지 두 가지 고르시오. (,)
교과서 문제

① 친구　　　　② 생선
③ 아빠　　　　④ 핵노잼
⑤ 생일 선물

2 여자아이는 왜 그림 ①과 같은 말을 사용했겠습니까?
교과서 문제
( )

3 '핵노잼'의 뜻은 무엇일지 쓰시오.
( )

핵심
4 아빠와 여자아이는 왜 말이 통하지 않았습니까?
( )

① 아빠가 한자어를 많이 사용해서
② 아빠가 어려운 낱말을 사용해서
③ 여자아이가 딴생각을 하고 있어서
④ 여자아이가 줄임 말과 신조어 등을 사용해서
⑤ 여자아이가 아빠의 말을 주의 깊게 듣지 않아서

● 그림을 보고 자신의 언어생활을 떠올려 보기

❶

•**그림 설명**: 경기에서 이기고 있는 모둠의 친구가 지고 있는 모둠의 친구에게 부정적으로 말하는 내용과 지고 있는 모둠의 친구에게 긍정적으로 말하는 내용이 나타나 있습니다.

❷

솔연아, 너희 모둠은 그 정도밖에 못하니? 그냥 기권하지 그래.

❸

강민아, 끝까지 열심히 하는 모습이 멋지다. 힘내.

● 언어생활 점검하기 ②

부정하는 말을 한 경우	그림 ❷에서 친구에게 기권하라고 했다.
긍정하는 말을 한 경우	그림 ❸에서 친구에게 힘내라고 했다.

핵심

---

5 이기고 있는 모둠의 친구가 그림 ❷와 ❸처럼 말한 까닭은 무엇일지 찾아 선으로 이으시오.
〔교과서 문제〕

(1) 그림 ❷ •

• ① 지고 있는 모둠의 친구에게 힘을 내라고

(2) 그림 ❸ •

• ② 지고 있는 모둠의 친구를 무시하고 싶어서

6 그림 ❷와 ❸에서 솔연이와 강민이의 마음은 각각 어땠을지 쓰시오.
〔교과서 문제〕

(1) 솔연: (   )

(2) 강민: (   )

〔논술형〕

7 언어 예절을 지키며 대화한 경험이 있는지 떠올려 쓰시오.

_____

_____

〔핵심〕

8 자신의 언어생활을 점검할 때 다음 내용 중 바람직한 점에 해당하는 것에 ○표를 하시오.

(1) 외국어를 자주 사용한다.   (   )

(2) 줄임 말을 자주 사용한다.   (   )

(3) 다른 사람을 배려하며 말한다.   (   )

(4) 부정하는 말을 자주 사용한다.   (   )

(5) 욕설이나 비속어를 섞어서 말한다.   (   )

역량 제재

기본 1 우리말 사용 실태 알아보기

7 단원

○ 다음 사례를 보고 올바른 우리말 사용이 무엇일지 생각해 보기

사례 1 텔레비전 프로그램

평범한 중고등학생 네 명을 대상으로 욕 사용 실태를 관찰했더니 네 시간 동안 평균 500여 번의 욕설이 쏟아졌습니다.

충격적인 것은 이 학생들이 문제아나 불량 청소년이 아니라는 것입니다. 이제 욕은 많은 학생들의 입에서 거침없이 터져 나오는 일상어가 되어 버렸습니다.

그렇다면 아이들이 최초로 욕을 대하는 때는 언제일까요?

• **글의 내용**: 사례 1과 사례 2에서 학생들이 욕설과 비속어를 사용하는 문제, 사례 3에서 외국어를 자주 사용하는 문제를 알려 주고 있습니다.

대중 매체 환경이 빠르게 바뀌면서 욕설이나 비속어를 대하는 나이가 더욱 어려지는 지금, 초등학교 교실을 찾아 그들이 아는 욕설을 적어 보도록 했습니다.

그 결과, 절반 가까운 학생이 욕을 열 개 이상 버릇처럼 사용하고, 서른 개 이상 사용하는 아이도 있었습니다.

■ 출처: 한국교육방송공사, 2011.

● **우리말 사용 실태와 올바른 우리말 사용 ①**

핵심

	우리말 사용 실태	올바른 우리말 사용
사례 1	학생들이 욕을 너무 많이 사용한다.	욕설이나 비속어보다는 올바른 우리말을 사용한다.

실태(實 열매 실, 態 모습 태) 있는 그대로의 상태. 또는 실제의 모양.
불량(不 아닐 불, 良 어질 량) 행실이나 성품이 나쁨.

거침없이 일이나 행동 따위가 중간에 걸리거나 막힘이 없이.
일상어(日 날 일, 常 항상 상, 語 말씀 어) 일상에서 쓰는 언어.

핵심

1 사례 1을 읽고 알게 된 문제점으로 알맞은 것은 무엇입니까? ( )

① 청소년들이 우울증을 겪고 있다.
② 초등학생들 대부분이 꿈이 없다.
③ 학생들이 욕을 너무 많이 사용한다.
④ 학생들의 체력이 점점 약해지고 있다.
⑤ 문제아나 불량 청소년이 늘어나고 있다.

3 사례 1과 같은 언어생활을 겪으면 기분이 어떨지 말한 내용이 바른 사람을 쓰시오.

> 노영: 욕설이나 비속어를 들으면 기분이 후련해져.
> 강우: 욕설이나 비속어를 들으면 기분이 별로 좋지 않고 씁쓸한 기분이야.

( )

논술형

4 실제 우리 주변에서 올바르지 못한 말을 사용하고 있는 예를 떠올려 써 보시오.

_____

_____

2 욕설이나 비속어를 대하는 나이가 더욱 어려지는 까닭은 무엇입니까?

( )

사례 2   교실에서 일어난 일

며칠 전 우리 반 교실에서 일어난 일입니다. 준형이와 수진이가 교실 뒤쪽을 걷다가 뜻하지 않게 서로 부딪혔습니다. 준형이와 수진이는 서로 노려보면서 눈살을 찌푸렸습니다.

> 야, 넌 눈도 없냐? 똑바로 보고 다녀야지!

> 뭐라고? 재수 없어. 네가 날 쳤잖아.

사례 3   카드 뉴스

우리가 사용하는 반려동물 관련 용어가 대부분 외래어 · 외국어라는 사실, 아시나요?

■ 출처: 『한국일보』, 2017. 10. 9.

펫시터(×)
반려동물을 돌봐 주는 사람
↓
반려동물 돌봄이(○)

추석 때 고향에 내려가 있는 동안 반려견을 펫시터에게 맡겨야겠어!

켄넬(×)
개집, 개 사육장
↓
이동 장(○)

이번 여행은 반려견을 켄넬에 넣어서 이동해야지.

캣맘, 캣대디(×)
길고양이 보호 활동을 하는 사람
↓
길고양이 돌봄이(○)

우리 동네에는 길고양이를 보살피는 캣맘과 캣대디가 많아!

● 우리말 사용 실태와 올바른 우리말 사용 ②

	우리말 사용 실태	올바른 우리말 사용
사례 2	비속어를 사용하며 비난한다.	바른 말과 배려하는 말을 사용한다.
사례 3	외국어를 자주 사용한다.	외국어보다는 올바른 우리말을 사용한다.

핵심

뜻하지 미리 생각하거나 헤아리지.
눈살 두 눈썹 사이에 잡히는 주름.

반려동물 사람이 정서적으로 의지하고자 가까이 두고 기르는 동물. 개, 고양이, 새 따위가 있다.

---

5 사례 2에서 다툼이 커진 까닭은 무엇입니까?

교과서 문제
(   )

① 서로 크게 다쳐서
② 서로 욕심을 부려서
③ 서로 자기 탓을 해서
④ 비속어를 사용하며 비난해서
⑤ 진심이 담기지 않은 사과를 해서

6 사례 2를 보고 우리가 대화할 때 어떤 마음으로 해야 할지 쓰시오.

(   )

7 사례 3에 나온 외국어를 우리말로 바꾸어 쓰시오.

(1) 펫시터: (   )
(2) 켄넬: (   )
(3) 캣맘, 캣대디: (   )

핵심 역량

8 올바른 우리말 사용에 대해 바르게 말하지 <u>못한</u> 것에 ×표를 하시오.

(1) 욕설이나 비속어를 사용하지 않아야겠어.

(   )

(2) 상대를 배려하는 말이나 긍정하는 말을 사용해야겠어.   (   )

(3) 바꾸어 쓸 수 있는 우리말이 있어도 외국어를 즐겨 사용해야겠어.   (   )

 **우리말 사용 실태 조사하기**

○ 우리말 사용 실태 조사 내용을 살펴보기

나는 텔레비전 뉴스 기사를 인터넷에서 찾았어. 「초등학생 줄임 말, 신조어 '심각'」이라는 뉴스야.

초등학생이 가장 많이 사용하는 신조어와 줄임 말	
핵노잼	23퍼센트
생선	22퍼센트
노답	18퍼센트
○○	18퍼센트
멘붕	16퍼센트

지원아, 조사를 참 잘했구나. 나는 선생님과 학생, 학생과 학생끼리도 서로 높임말을 사용하는 언어문화를 조사했어.

그랬구나. 중화야, 그 사례를 좀 더 자세히 이야기해 주겠니?

○○초등학교에서는 선생님과 학생, 학생과 학생끼리 공부 시간은 물론이고 학교에서 지내는 동안 높임말을 사용한대. 학생들이 서로 "진수 님, 창문 좀 닫아 줄 수 있을까요?"라고 존칭과 높임말을 쓰고, 선생님께서도

• **대화 내용**: 지원이는 텔레비전 뉴스 기사를 인터넷에서 찾아서 초등학생의 신조어와 줄임 말 사용 실태를 조사했고, 중화는 학교에서 서로 높임말을 사용하는 언어문화를 조사했습니다.

"연화 님, 연화 님은 배려심이 참 많아 칭찬해 주고 싶어요."처럼 존칭과 높임말을 사용하는 문화가 자리 잡았다고 해. 그래서 존중하고 배려하는 생활 공동체를 만들어 나가고 있대.

와, 그런 학교도 있구나. 우리 반에서도 하루 정도 날을 정해 선생님과 아이들, 친구들 사이에 높임말을 쓰거나 올바른 우리말을 사용해 보면 어떨까? 그러고 난 뒤에 어떤 마음이 들었는지 이야기도 나눠 보고 말이야.

●**우리말 사용 실태 조사하기 예**

조사 주제	욕설·비속어에 중독된 청소년들
조사 내용	우리말을 잘못 사용하는 실태
조사 결과와 출처	• 조사 결과: 욕설·비속어에 중독된 청소년들 • 출처: 한국방송공사(2013. 10. 24.)
조사한 뒤 드는 생각이나 느낌	올바른 우리말을 사용하고 바른 언어생활을 해야겠다.

1 지원이는 잘못된 우리말 사용 실태를 어떻게 조사하였습니까?

( )

2 중화가 조사한 우리말 사용 실태는 어떤 내용입니까? ( )

① 학교에서 욕설을 많이 하는 언어문화
② 학교에서 외국어로 대화하는 언어문화
③ 학교에서 맞춤법을 잘 지키는 언어문화
④ 학교에서 줄임 말을 사용하는 언어문화
⑤ 학교에서 서로 높임말을 사용하는 언어문화

3 다음은 우리말 사용 실태 조사 내용을 정리한 표입니다. 빈칸에 각각 알맞은 말을 써 보시오.

조사 주제	욕설·비속어에 중독된 청소년들
조사 내용	우리말을 잘못 사용하는 실태
조사 결과와 출처	• ( ): 욕설·비속어에 중독된 청소년들 • ( ): 한국방송공사

4 우리말 사용 실태에 대해 발표할 때에 주의할 점으로 알맞은 것에 ○표를 하시오.

(1) 중요한 부분이어도 일정한 목소리를 유지하며 발표한다. ( )

(2) 발표 효과를 높이려면 사진, 그림, 도표, 동영상 따위의 자료를 사용한다. ( )

기본 3 역량 제재 실태 조사를 바탕으로 하여 올바른 우리말 사용을 주제로 글 쓰기

◉ 올바른 우리말 사용을 주제로 쓴 글 읽기

> • **글의 종류**: 주장하는 글
> • **글의 특징**: 긍정하는 말과 고운 우리말을 사용하자는 주장과 그 주장을 뒷받침하는 근거가 나타나 있습니다.

㉠요즘 우리 반 친구들이 대화할 때 짜증 난다는 말이나 비속어, 욕설 따위를 사용합니다. 그런 말을 들으면 기분이 나빠지고 화가 나서 다툼도 일어납니다.

우리 반에는 공놀이할 때마다 실수해서 같은 편 5 이 되기를 꺼려 하는 친구가 있습니다. 대부분 그 친구와 같은 편이 되면 "짜증 나."라는 말이나 비속어, 욕설을 합니다. 그러던 어느 날, 그 친구가 안쓰러워서 "괜찮아, 넌 잘할 수 있어."라고 말했습니다. 그랬더니 신기하게도 그 친구가 승점을 냈습니다.

10 이 일이 있은 뒤에 우리 반 친구들을 대상으로 조사해 보니 긍정하는 말이 부정하는 말보다 듣기 좋다는 결과가 나왔습니다. 긍정하는 말을 하면 말하는 사람은 물론 듣는 사람도 마음이 편안해집니다. 예를 들면 "안 돼."보다는 "할 수 있어.", "짜증 15 나."보다는 "괜찮아.", "이상해 보여."보다는 "멋있어 보여.", "힘들어."보다는 "힘내자."와 같이 부정하는 말을 긍정하는 말로 고쳐 사용하면, 말하는 사람과 듣는 사람 모두 기분도 좋아지고 자신감도 생긴다는 것입니다.

또 비속어나 욕설 같은 거친 말보다는 고운 우리말 사용이 자신과 상대의 마음을 아름답게 해 준다는 결과도 있습니다. 상대의 실수에는 너그러운 말을 하고, 내 잘못에는 미안하다는 말을 하며, 상대의 배려에는 고마운 말을 하는 것입니다. 비속 5 어나 욕설을 사용하면 추한 마음이 생길 것인데 고운 우리말을 사용하면 너그러운 마음이 생기고, 미안한 마음이 생기며, 고마운 마음이 생기므로 아름다운 사람이 된다는 것입니다.

긍정하는 표현은 자신은 물론 주변 사람들 마음 10 에 긍정하는 힘을 줍니다. 그리고 고운 우리말 사용이 아름다운 소통을 이루고, 진정한 말맛을 느끼게 합니다. 그러므로 긍정하는 말과 고운 우리말을 사용해야 합니다.

◉올바른 우리말 사용을 주제로 글 쓰기 **핵심**

주장	긍정하는 말과 고운 우리말을 사용합시다.
근거	• 친구에게 긍정하는 말을 하니 좋은 일이 생겼다. • 말하는 사람은 물론 듣는 사람도 마음이 편안해진다. • 자신과 상대의 마음을 아름답게 해 준다.

꺼려 사물이나 일 따위가 자신에게 해가 될까 하여 피하거나 싫어하여.

소통 뜻이 서로 통하여 오해가 없음.
말맛 말소리나 말투의 차이에 따른 느낌과 맛.

---

1 ㉠은 다음 중 무엇에 해당하는지 찾아 ○표를 하시오.

(주장 , 근거 , 문제 상황)

2 **교과서 문제** 글쓴이의 생각을 뒷받침하는 근거가 **아닌** 것은 무엇입니까? ( )

① 긍정하는 표현이 긍정하는 힘을 준다.
② 긍정하는 말을 하면 기분이 좋아진다.
③ 긍정하는 말을 하면 마음이 편안해진다.
④ 고운 우리말 사용이 마음을 아름답게 한다.
⑤ 친구에게 부정하는 말을 하니 승점을 냈다.

3 **핵심** **서술형** 글쓴이의 주장은 무엇인지 쓰시오.

_____

_____

4 **역량** 빈칸에 들어갈 알맞은 제목을 생각하여 쓰시오.

( )

 올바른 우리말 사례집 만들기

○ 성우네 반 모둠 친구들이 만든 올바른 우리말 사례집 살펴보기

• 글의 특징: 성우네 반 모둠 친구들이 올바른 우리말 사례집을 영상 광고와 신문으로 만든 내용이 나타나 있습니다.

7
단원

 너무 줄여 말하는 낱말을 고쳐 쓴 사례를 영상 광고로…….

여러분에게는 어떤 의미가 떠오르시나요?
고답이 / 솔까 / 안물 / ㅇㅇ

줄임 말이 떠오른다고요?
여러분에게는 올바른 우리말이 어울립니다!

 국립국어원 우리말 다듬기 누리집에서 자료를 수집해 신문으로…….

다듬은 우리말 신문   20○○년 ○○월 호

우리말로 다듬어 새로운 낱말 탄생!

국립국어원 우리말 다듬기 누리집에서는 들어온 지 얼마 안 된 어려운 외국어를 쉬운 우리말로 바꾼 사례를 볼 수 있다.

우리말 다듬기 누리집에 올라온 다듬은 말을 오른쪽 표와 같이 사례집으로 엮어 보았다.

앞으로 외국어를 우리말로 다듬은 낱말을 자주 사용해 올바른 우리말 사용의 터전을 닦아 나가야겠다.

다듬을 말	다듬은 말
포스트잇	붙임쪽지
이모티콘	그림말
버킷 리스트	소망 목록
타임캡슐	기억상자
무빙워크	자동길

●올바른 우리말 사례집 만들기
핵심

가	우리가 너무 줄여 말하는 낱말을 고쳐 쓴 사례를 영상 광고로 만들었다.
나	국립국어원 우리말 다듬기 누리집에서 자료를 수집해 신문으로 만들었다.

1 가에서는 어떤 내용으로 사례집을 만들려고 합니까? (   )

① 긍정하는 우리말 문장 사례
② 발음이 헷갈리는 낱말 사례
③ 외국어를 우리말로 다듬은 사례
④ 외국어 간판을 우리말로 바꾸어 쓴 사례
⑤ 너무 줄여 말하는 낱말을 바르게 고쳐 쓴 사례

2 가와 나는 각각 어떤 형식으로 사례집을 만들었는지 선으로 이으시오.

(1) 가 •   •① 신문

(2) 나 •   •② 영상 광고

3 올바른 우리말 사례집을 만들 때 다음은 무엇에 대한 의견을 나눈 것일지 찾아 ○표를 하시오.
교과서 문제

진우: 신문 같은 자료 형식으로 만들면 어떨까?
영아: 영상 광고나 만화 영화로도 좋을 것 같아.

(1) 어떤 내용으로 만들까요?   (   )
(2) 어떤 형식으로 만들까요?   (   )

핵심 논술형

4 자신이라면 올바른 우리말 사례집을 어떻게 만들고 싶은지 쓰시오.

_____

_____

자신의 언어생활 점검하기

예 대화를 보고 자신의 언어생활을 생각하기

여자아이가 ❶ ☐ ☐ 말을 사용해서 아빠와 말이 통하지 않았습니다.

• 경기에서 지고 있는 모둠의 친구를 무시하고 싶어서 비난을 말을 했습니다.
• 지고 있는 모둠의 친구에게 힘을 내라고 격려의 말을 했습니다.

우리말 사용 실태 알아보기

예 다음 사례를 보고 올바른 우리말 사용에 대해 생각해 보기

사례	우리말 사용 실태	올바른 우리말 사용
사례 1: 텔레비전 프로그램	학생들이 ❷ ☐ 을/를 너무 많이 사용하고 있습니다.	욕설이나 비속어보다는 올바른 우리말을 사용합니다.
사례 2: 교실에서 일어난 일 야, 넌 눈도 없냐? 똑바로 보고 다녀야지! 뭐라고? 재수 없어. 네가 날 쳤잖아.	배려하는 말을 하지 않고 비속어를 사용하며 비난했습니다.	바른 말과 친구를 배려하는 말, 존중하는 말을 사용합니다.
사례 3: 카드 뉴스 추석 때 고향에 내려가 있는 동안 반려견을 펫시터에게 맡겨야겠어!	외국어를 자주 사용합니다.	외국어보다는 올바른 우리말을 사용합니다.

우리말 사용 실태
조사하기

예 우리말 사용 실태 조사 내용을 살펴보기

나는 텔레비전 뉴스 기사를
인터넷에서 찾았어.
「초등학생 줄임 말, 신조어
'심각'」이라는 뉴스야.

초등학생이 가장 많이 사용하는 신조어와 줄임 말	
핵노잼	23퍼센트
생선	22퍼센트

◀ 지원

중화 ▶

지원아, 조사를 참 잘했구나. 나는 선생님과 학생,
학생과 학생끼리도 서로 높임말을 사용하는
언어문화를 조사했어.

실태 조사를
바탕으로 하여
올바른 우리말
사용을 주제로
글 쓰기

예 올바른 우리말 사용을 주제로 쓴 글 살펴보기

❸ ☐☐	긍정하는 말과 고운 우리말을 사용합시다.
❹ ☐☐	• 친구에게 긍정하는 말을 해 주니 좋은 일이 생겼습니다. • 긍정하는 말을 하면 말하는 사람은 물론 듣는 사람도 마음이 편안해집니다. • 고운 우리말 사용이 자신과 상대의 마음을 아름답게 해 줍니다.

예 올바른 우리말 사용에 대해 글을 쓰려면 어떻게 해야 할지 생각하기

올바른 우리말
사례집 만들기

예 성우네 반 모둠 친구들이 만든 사례집 살펴보기

가	너무 줄여 말하는 낱말을 고쳐 쓴 사례를 영상 ❺ ☐☐로…….
나	국립국어원 우리말 다듬기 누리집에서 자료를 수집해 신문으로…….

단원 평가

★ 단원 평가 더 풀기 ≫ 평가 교재 38~43쪽

[1~2] 그림을 보고, 물음에 답하시오.

1 아빠와 여자아이가 '생선'이라는 말을 어떤 뜻으로 생각하고 있는지 찾아 선으로 이으시오.

(1) | 아빠 | • · ① | 생일 선물 |

(2) | 여자아이 | • · ② | 물고기 |

2 아빠와 여자아이가 왜 말이 통하지 않았는지 쓰시오.

( )

[3~4] 그림을 보고, 물음에 답하시오.

3 이 그림에서 솔연이의 마음은 어땠을지 두 가지 고르시오. (,)

① 뿌듯하다.　② 속상하다.
③ 힘이 난다.　④ 기분이 좋다.
⑤ 무시당하는 기분이 든다.

4 이 그림에 나타난 언어생활을 살펴보고 어떻게 말해야 할지 생각하여 쓰시오.

( )

5 다음 중 바람직한 언어생활에 해당하는 것은 무엇입니까? ( )

① 외국어를 자주 사용한다.
② 줄임 말을 자주 사용한다.
③ 올바른 우리말을 사용한다.
④ 비난하는 말을 자주 사용한다.
⑤ 욕설이나 비속어를 섞어서 말한다.

[6~7] 글을 읽고, 물음에 답하시오.

| 사례 1 | 텔레비전 프로그램 |

　평범한 중고등학생 네 명을 대상으로 욕 사용 실태를 관찰했더니 네 시간 동안 평균 500여 번의 욕설이 쏟아졌습니다.

6 이 사례에서 말하는 우리말 사용과 관련한 문제점은 무엇인지 빈칸에 알맞은 말을 쓰시오.

• 학생들이 ( )을/를 너무 많이 사용한다.

`논술형`

7 이와 같은 언어생활 때문에 있었던 경험을 써 보시오.

_____

_____

정답과 해설 ● 26쪽

점수

/ 점

[8~9] 그림을 보고, 물음에 답하시오.

야, 넌 눈도 없냐? 똑바로 보고 다녀야지!

ㄱ

뭐라고? 재수 없어. 네가 날 쳤잖아.

8 남자아이가 ㉠과 같이 말해서 일어난 일은 무엇입니까? ( )

① 부딪힌 친구가 사과했다.
② 부딪힌 친구와 더 친해졌다.
③ 부딪힌 친구와 다툼이 커졌다.
④ 부딪힌 친구가 울음을 터뜨렸다.
⑤ 부딪힌 친구가 자기 잘못을 인정했다.

9 이 그림을 보고 든 생각을 바르게 말한 친구를 쓰시오.

선아: 자신의 생각을 당당하게 말하는 게 좋아.
지영: 배려하는 말을 먼저 하는 것은 좋지 않아.
유준: 비속어를 사용하지 않고 비난하지 말아야겠어.

( )

[10~11] 다음을 보고, 물음에 답하시오.

추석 때 고향에 내려가 있는 동안 반려견을 펫시터에게 맡겨야겠어!

10 '펫시터' 대신에 쓸 수 있는 우리말은 무엇입니까? ( )

① 펫센터
② 펫 돌봄이
③ 베이비시터
④ 반려동물 지킴이
⑤ 반려동물 돌봄이

11 이 내용을 보고 올바른 우리말을 사용하려면 어떻게 해야 할지 써 보시오.

( )

[12~13] 다음을 보고, 물음에 답하시오.

나는 텔레비전 뉴스 기사를 인터넷에서 찾았어. 「초등학생 줄임 말, 신조어 '심각'」이라는 뉴스야.

▲ 지원

지원아, 조사를 참 잘했구나. 나는 선생님과 학생, 학생과 학생끼리도 서로 높임말을 사용하는 언어문화를 조사했어.

▲ 중화

12 우리말 사용 실태를 조사하기 위해 텔레비전 뉴스 기사를 인터넷으로 찾은 사람은 누구입니까?

( )

13 두 아이가 조사한 실태는 어떤 내용인지 찾아 선으로 이으시오.

(1) 지원 •   • ① 좋은 언어문화

(2) 중화 •   • ② 줄임 말과 신조어

14 다음은 우리말 사용 실태를 조사한 내용을 정리한 것입니다. 보기 에서 알맞은 말을 찾아 빈칸에 쓰시오.

보기 방법, 날짜, 주제, 장소

조사 ( )	욕설·비속어에 중독된 청소년들
조사 내용	우리말을 잘못 사용하는 실태
조사 출처	한국방송공사(2013)

15 우리말 사용 실태에 대해 발표할 때에 주의할 점으로 알맞지 <u>않은</u> 것의 기호를 쓰시오.

> ㉠ 발표할 내용에 어울리는 자료를 보여 준다.
> ㉡ 도표나 동영상 따위의 자료는 복잡하니 사용하지 않는다.
> ㉢ 일정한 목소리보다는 중요한 부분은 강조하며 발표한다.
> ㉣ 듣는 사람이 이해하기 쉽도록 알맞은 목소리로 발표한다.

(   )

[16~18] 글을 읽고, 물음에 답하시오.

> ㉮ 요즘 우리 반 친구들이 대화할 때 짜증 난다는 말이나 비속어, 욕설 따위를 사용합니다. 그런 말을 들으면 기분이 나빠지고 화가 나서 다툼도 일어납니다.
> ㉯ 우리 반에는 공놀이할 때마다 실수해서 같은 편이 되기를 꺼려 하는 친구가 있습니다. 대부분 그 친구와 같은 편이 되면 "짜증 나."라는 말이나 비속어, 욕설을 합니다. 그러던 어느 날, 그 친구가 안쓰러워서 "괜찮아, 넌 잘할 수 있어."라고 말했습니다. 그랬더니 신기하게도 그 친구가 승점을 냈습니다.
> ㉰ 고운 우리말 사용이 아름다운 소통을 이루고, 진정한 말맛을 느끼게 합니다. 그러므로 긍정하는 말과 고운 우리말을 사용해야 합니다.

서술형

16 이 글에 나타난 문제 상황은 무엇인지 쓰시오.

_____

_____

17 글 ㉮~㉰ 중 친구에게 긍정하는 말을 해 주니 좋은 일이 생긴 사례를 말한 부분을 쓰시오.

(   )

18 글쓴이의 주장은 무엇입니까? (   )

① 친구를 가리지 말고 사귀자.
② 열린 마음으로 소통을 합시다.
③ 부정하는 말도 때로는 필요하다.
④ 자신의 마음을 숨기지 말고 보여 줍시다.
⑤ 긍정하는 말과 고운 우리말을 사용합시다.

[19~20] 다음을 보고, 물음에 답하시오.

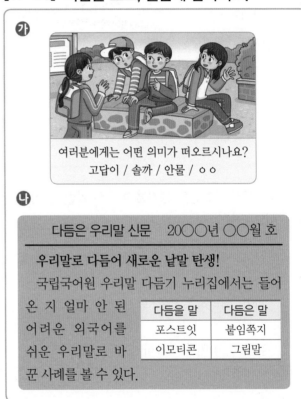

19 ㉮와 ㉯는 올바른 우리말 사례집의 일부분입니다. 어떤 내용으로 만들었는지 찾아 선으로 이으시오.

(1) ㉮ •

(2) ㉯ •

• ① 외국어를 쉬운 우리말로 바꾼 것

• ② 너무 줄여 말하는 낱말

20 ㉮와 ㉯ 중 신문 형식으로 만든 것을 쓰시오.

(   )

서술형 평가

1 다음 '언어생활 자기 점검표'를 보고 자신의 언어 생활에서 바람직한 점을 써 보시오.

언어생활 자기 점검표

언어생활 상태(하루 사용 정도)	횟수
나는 다른 사람을 배려하며 말한다.	
나는 긍정하는 말을 사용한다.	
나는 올바른 우리말을 사용한다.	

2 다음과 같은 언어생활을 지속한다면 어떤 일이 벌어질지 생각하여 쓰시오.

추석 때 고향에 내려가 있는 동안 반려견을 펫시터에게 맡겨야겠어!

3 우리말 사용 실태를 조사한 내용을 어떻게 정리하면 좋을지 써 보시오.

[4~5] 글을 읽고, 물음에 답하시오.

또 비속어나 욕설 같은 거친 말보다는 고운 우리말 사용이 자신과 상대의 마음을 아름답게 해 준다는 결과도 있습니다. 상대의 실수에는 너그러운 말을 하고, 내 잘못에는 미안하다는 말을 하며, 상대의 배려에는 고마운 말을 하는 것입니다. 비속어나 욕설을 사용하면 추한 마음이 생길 것인데 고운 우리말을 사용하면 너그러운 마음이 생기고, 미안한 마음이 생기며, 고마운 마음이 생기므로 아름다운 사람이 된다는 것입니다.

긍정하는 표현은 자신은 물론 주변 사람들 마음에 긍정하는 힘을 줍니다. 그리고 고운 우리말 사용이 아름다운 소통을 이루고, 진정한 말맛을 느끼게 합니다. 그러므로 긍정하는 말과 고운 우리말을 사용해야 합니다.

4 글쓴이가 왜 이 글을 썼을지 짐작하여 쓰시오.

5 글쓴이의 주장과 관련 있는 근거를 찾아 한 문장으로 정리하여 쓰시오.

6 올바른 우리말 사례집을 만들 때 자신은 어떤 내용으로 만들고 싶은지 쓰시오.

● 다음 교과서 문장의 파란색 낱말 중에서 알맞은 것을 골라 인물들이 한 말을 완성하시오.

- 너희 모둠은 그 정도밖에 못하니? 그냥 **기권**하지 그래.
- 나는 욕설이나 **비속어**를 섞어서 말한다.
- **충격적**인 것은 이 학생들이 문제아나 불량 청소년이 아니라는 것입니다.
- 이제 욕은 많은 학생들의 입에서 **거침없이** 터져 나오는 일상어가 되어 버렸습니다.

8

인물의 삶을 찾아서

무엇을 배울까요?

 준비

• 글쓴이가 말하고자 하는 생각 찾기

 기본

• 인물이 추구하는 가치 파악하기
• 인물이 추구하는 다양한 가치 비교하기
• 인물이 추구하는 가치를 자신의 삶과 관련짓기

 실천

• 문학 작품 속 인물 소개하기

8 인물의 삶을 찾아서

1 글쓴이가 말하고자 하는 생각을 찾으며 글을 읽으면 얻을 수 있는 점

└→ 글쓴이가 말하고자 하는 생각을 찾는 방법
'글의 제목, 중요한 낱말, 중심 문장'을 살펴봅니다.

① 글 내용을 더 깊이 이해할 수 있습니다.
② 글을 쓴 의도나 목적을 알 수 있습니다.
③ 대상에 대한 자신의 생각을 다시 점검할 수 있습니다.
④ 자신의 삶을 되돌아볼 수 있습니다.

2 이야기에서 인물이 추구하는 가치를 파악하는 방법

└→ 정의, 행복, 책임 따위를 통틀어 이르는 말로 가치관과 관련이 있습니다.

① 인물이 처한 상황을 떠올려 봅니다.
② 인물이 처한 상황에서 인물이 한 말과 행동을 알아봅니다.
③ 인물이 처한 상황에서 그렇게 말하고 행동한 까닭을 생각해 봅니다.

3 인물이 추구하는 가치를 파악하며 이야기를 읽어야 하는 까닭

① 이야기 속 인물의 생각이나 삶에서 교훈을 얻을 수 있습니다.
② 자신이 현재 겪는 문제나 어려움을 해결할 방법을 찾을 수 있습니다

4 이야기 속 인물이 되기

① 이야기 속 인물이 되어 보면 인물이 추구하는 가치를 더 깊이 이해할 수 있습니다.
② 이야기 속 인물의 선택과 자신의 선택을 비교하면 인물이 추구하는 가치와 자신이 추구하는 가치를 비교해 볼 수 있습니다.

5 인물이 추구하는 가치를 자신의 삶과 관련짓는 방법

① 이야기와 관련한 자신의 경험을 생각해 봅니다.
② 인물과 자신의 삶을 비교해 보고 느낀 점을 생각해 봅니다.
③ 자신이 처한 문제나 고민을 해결하는 데 도움을 준 인물의 말과 행동을 생각해 봅니다.

핵 심 개 념 문 제

정답과 해설 ● 28쪽

1 글쓴이가 말하고자 하는 생각을 찾으며 글을 읽으면 글을 쓴 의도나 목적을 알 수 있습니다.
(○ , ×)

2 이야기에서 인물이 추구하는 가치를 파악할 때 가장 먼저 떠올려야 하는 것을 쓰시오.
( )

3 인물이 추구하는 가치를 파악하며 이야기를 읽으면 삶의 □□을/를 얻거나 문제 해결 방법을 찾을 수 있습니다.

4 이야기 속 인물이 되어 보면 인물이 추구하는 □□을/를 더 깊이 이해할 수 있습니다.

5 인물이 추구하는 가치를 자신의 삶과 관련지을 때, 인물과 자신의 삶을 비교할 필요는 없습니다.
(○ , ×)

준비 글쓴이가 말하고자 하는 생각 찾기

○ 글쓴이가 말하고자 하는 생각을 찾으며 글 읽기

책이 주는 선물을 받고 싶은 어린이들에게

❶ 이야기책을 좋아하니? 나는 이야기를 쓰는 작가야. 책을 읽고 작가가 되는 꿈을 꾸게 되었고 책을 읽으면서 그 꿈을 키웠단다. 너희에게 내가 기억하는 책들을 소개해 줄게.

❷ 내가 처음으로 재미있게 읽은 책은 발데마르 본젤스의 『꿀벌 마야의 모험』인데, 아기 꿀벌이 꿀을 모으러 바깥세상에 나갔다가 모험을 시작하는 이야기야. 그 꿀벌이 여러 가지 경험을 하며 자신의 삶을 이끌어 가는 모습이 내게 꿈과 희망을 줬어. 이야기가 어찌나 흥미로웠던지 발데마르 본젤스처럼 작가가 되는 꿈을 갖게 되었지.

❸ 나는 책을 많이 읽었어. 누구보다 빅토르 위고 작품을 좋아했는데, 『레 미제라블』은 여러 번 읽었단다. 자신이 받은 도움을 생각하며 어려운 사람들을 돕는 인물 모습이 내 마음을 울렸거든. 이렇듯
어떤 무리에서 끼리고 피하여 따돌림을 당하거나 배척된
빅토르 위고는 현실에서 소외된 사람들 이야기에도
자연재해나 사회에서 피해를 당해 어려운 처지에 있는 사람을 도와줌.
관심이 있었는데 빈민 구제를 주장하며 정치가로도
가난한 백성

활동했어. 어니스트 헤밍웨이가 쓴 『노인과 바다』에서는 온갖 어려움에도 의지를 굽히지 않는 늙은 어부의 용기와 도전을 만날 수 있었어. 『갈매기의 꿈』은 『꿀벌 마야의 모험』만큼 내게 특별한 책이었지. 단지 먹으려고 날았던 다른 갈매기와는 달리 자신만의 꿈을 이루려고 끊임없이 나는 법을 연습했던 특별한 갈매기 이야기였거든. 그 책은 내게 꿈을 이루려면 어떻게 해야 하는지 가르쳐 줬어. 그래서 작가라는 꿈을 이루려고 더 많은 책을 읽었단다.

❹ 책 속에는 많은 이야기가 숨어 있어. 그리고 이야기 속 인물들은 우리를 다양한 경험 세계로 데려다주지. 꿈과 희망, 소외된 사람들에 대한 관심, 용기와 도전같이 작가가 말하고자 하는 생각도 든단다. 그 많은 이야기에 공감하며 이야기 속 인물의 삶에서 내 삶을 돌아보는 기회가 되는 것도 책이 주는 선물이야. 그래서 ㉠책을 읽는 사람은 지혜롭게 세상을 살 수 있다고 해. 나는 책에서 꿈을 찾았고 꿈을 이루는 방법까지 배웠으니 책이 주는 더 특별한 선물을 받은 거지.

책이 주는 선물을 받고 싶니? 너희도 책을 읽어 봐.

---

1 글쓴이가 ㉠과 같이 말한 까닭으로 알맞은 것을 세 가지 고르시오. (,   ,   )

교과서 문제

① 다양한 경험을 할 수 있어서
② 선물을 받는 방법을 알 수 있어서
③ 내 삶을 돌아보는 기회가 되어서
④ 큰 재산이 있는 사람을 본받게 되어서
⑤ 작가가 말하고자 하는 생각을 들을 수 있어서

2 글쓴이가 말하고자 하는 생각을 찾기 위해 글에서 살펴볼 것을 생각하며 빈칸에 알맞은 말을 쓰시오.

• 글의 제목, 중요한 낱말, (   ) 문장

핵심

3 이 글의 글쓴이가 말하고자 하는 생각을 쓰시오.

(   )

4 글쓴이가 말하고자 하는 생각을 글의 주제라고 합니다. 주제를 찾으며 글을 읽으면 얻을 수 있는 점이 아닌 것은 무엇입니까? (   )

교과서 문제

① 글을 빠르게 읽을 수 있다.
② 자신의 삶을 되돌아볼 수 있다.
③ 글을 쓴 의도나 목적을 알 수 있다.
④ 글 내용을 더 깊이 이해할 수 있다.
⑤ 대상에 대한 자신의 생각을 점검할 수 있다.

기본 ① 인물이 추구하는 가치 파악하기

○ 인물이 처한 상황을 생각하며 읽기

가 고려 말 상황

　고려 말에 새로 등장한 정치 세력과 무인들은 고려 사회를 개혁하려고 했
다. 그러나 그들 가운데에서 정몽주와 이성계가 생각하는 개혁 방법은 서로
달랐다. 정몽주는 고려를 유지하면서 개혁해야 한다고 생각했고, 이성계는
5 고려를 무너뜨리고 새로운 왕조를 세우고자 했다. 이러한 상황에서 이성계
의 아들 이방원은 「하여가」를 썼고, 정몽주는 「단심가」를 썼다.

나 이런들 어떠하며 저런들 어떠하리

　만수산 드렁칡이 얽혀진들 어떠하리
　개성 북쪽에 있는 산. 송악산의 다른 이름.
　우리도 이같이 얽혀져 백 년까지 누리리　　　　　　 – 이방원, 「하여가」

10 **다** 이 몸이 죽고 죽어 일백 번 고쳐 죽어

　백골이 진토 되어 넋이라도 있고 없고
　티끌과 흙을 통틀어 이르는 말
　임 향한 일편단심이야 가실 줄이 있으랴　　　　　　 – 정몽주, 「단심가」

> ・글 **나**의 특징: 이방원이 정몽주에게 쓴 시조로 칡덩굴처럼 얽혀서 조화롭게 살자고 말하고 있습니다.
> ・글 **다**의 특징: 이방원의 시조에 대해 정몽주가 답한 시조로, 고려를 섬기는 마음은 변치 않을 거라는 굳은 의지를 밝히고 있습니다.

● 인물의 생각 파악하기 예

	인물의 생각
글 **나**의 이방원	뜻을 함께 모아 새 나라를 세우자.
글 **다**의 정몽주	변함없이 고려에 충성을 다하겠다.

무인　무예와 무술을 닦은 사람.
드렁칡　드렁(두렁의 방언)에 있는 칡덩굴.
백골　죽은 사람의 몸이 썩고 남은 뼈.

일편단심　한 조각의 붉은 마음이라는 뜻으로, 진심에서 우러나오는 변치 않는 마음을 이르는 말.
가실　어떤 상태가 없어지거나 달라질.

---

1 고려 말에 다음 인물들이 각각 처한 상황은 무엇인지 보기에서 알맞은 것을 골라 기호를 쓰시오.

> 보기
> ㉠ 고려를 지키려고 한다.
> ㉡ 새로운 나라를 세우려고 한다.

(1) 이성계, 이방원	(2) 정몽주

3 글 **나**와 **다**에서 인상에 남는 표현을 한 가지 찾아보고, 그렇게 생각한 까닭을 쓰시오.
논술형
교과서 문제

(1) 인상에 남는 표현	
(2) 그렇게 생각한 까닭	

2 이방원과 정몽주는 글 **나**와 **다**에서 각각 무엇에 빗대어 자신의 생각을 말하고 있는지 찾아 선으로 이으시오.
교과서 문제

(1) 이방원 　・　　・① 만수산 드렁칡

(2) 정몽주 　・　　・② 백골이 진토 되어

4 이방원과 정몽주의 생각을 파악하여 다음 빈칸에 알맞은 말을 쓰시오.
핵심

・이방원은 (1)(　　　　　)을/를 함께 모아 새 나라를 세우자는 생각이고, 정몽주는 변함없이 (2)(　　　　　)에 충성을 다하겠다는 생각이다.

기본 1

○ 인물이 처한 상황을 생각하며 글 읽기

제게 12척의 배가 있으니

이강엽

❶ 이순신이 물러난 뒤 원균이 삼도 수군통제사가
<u>조선 선조 때의 무신(1540~1597)</u>
되었습니다. 원균은 삼도 수군통제사가 되자마자
부산을 <u>치라는</u> 명령을 받았습니다. 원균 역시 처음
에는 그렇게 할 수 없다고 했습니다. 그렇지만 계
5 속해서 명령이 떨어지자 따를 수밖에 없었습니다.
결과는 뻔했습니다. 조선 수군은 무참하게 져서 원
<u>몹시 끔찍하고 참혹하게</u>
균은 죽고, 배는 부서졌으며, 싸움에 나갔던 병사
들도 대부분 죽거나 <u>포로</u>가 되었습니다.

중심 내용 이순신이 물러난 뒤 삼도 수군통제사가 된 원균은 명령을 받고 싸
움에 나갔다가 무참하게 졌다.

❷ 1597년 8월, 나라에서는 이순신을 다시 삼도 수
10 군통제사로 세웠습니다. 이순신은 전라도로 내려
가면서 남은 배와 군사를 모았습니다. 그나마 여기
저기 상한 배 12척과 120여 명의 군사를 모을 수
<u>배를 세는 단위</u>

수군통제사 조선 시대에 수군을 통솔하던 무관의 벼슬.
치라는 상대편에게 피해를 주기 위하여 공격을 하라는.

• 글의 특징: 단 13척의 배로 일본군 133척의 배를 물리친 '명량대첩' 당
시의 일로, 이순신이 추구하는 가치가 잘 드러나 있습니다.

있었습니다. 나라에서는 아예 바다를 포기하고 육
군으로 싸우라고 했습니다. 이순신은 임금님께 글
을 올렸습니다.

"지난 5, 6년 동안 일본이 충청도와 전라도 쪽으
로 공격해 오지 못한 것은 수군이 그 <u>길목</u>을 막 5
고 있었기 때문입니다. 이제 제게 12척의 배가
있으니 죽을힘을 다해 싸운다면 이길 수 있을
것입니다."

중심 내용 다시 삼도 수군통제사가 된 이순신은 육군으로 싸우라는 명을 따
르지 않고, 그에 반박하는 글을 올려 임금님께 자신의 의견을 전달했다.

● 이순신이 처한 상황에서 한 말과 행동 ①

처한 상황	말이나 행동
수군을 포기하고 육군으로 싸우라는 나라의 명을 받은 상황	• 임금님께 글을 올림. • 12척의 배가 있으니 죽을힘을 다해 싸운다면 이길 수 있을 거라고 말함.

포로 사로잡은 적.
길목 길의 중요한 통로가 되는 어귀.

5 이 글에서 알 수 있는 사실로 알맞지 <u>않은</u> 것은
어느 것입니까? ( )

① 당시에 일본과 전쟁이 일어났다.
② 원균은 임금의 명령에 따라 싸움에 나갔다
가 무참하게 졌다.
③ 이순신은 원균의 자리를 빼앗아 다시 삼도
수군통제사가 되었다.
④ 원균과 달리 이순신은 임금님께 자신의 생
각을 당당하게 말했다.
⑤ 원균과 함께 싸움에 나갔던 병사들이 대부
분 죽거나 포로가 되었다.

6 이순신이 다시 삼도 수군통제사가 된 뒤에 가장
먼저 한 일은 무엇이었는지 쓰시오.
( )

7 글 ❷에서 이순신이 처한 상황으로 알맞은 것에
교과서 문제 ○표를 하시오.
(1) 바다를 포기하지 말라는 나라의 명을 받은
상황 ( )
(2) 수군을 포기하고 육군으로 싸우라는 나라의
명을 받은 상황 ( )
(3) 전쟁에서 지면 삼도 수군통제사 자리를 내
놓아야 한다는 나라의 명을 받은 상황
( )

핵심

8 7번 문제에서 답한 상황에서 이순신은 어떤 행동
교과서 문제 을 했는지 빈칸에 알맞은 말을 쓰시오.
• 12척의 배가 있으니 죽을힘을 다해 싸운다면
( ) 거라고 임금님께 글을
올렸다.

❸ 이순신은 오랜 고민 끝에 '울돌목(명량 해협)'을 싸움터로 정했습니다. 울돌목은 육지와 육지 사이에 낀 아주 좁은 바다였습니다. 그 사이를 흐르는 물살이 어찌나 빠른지, 물 흘러가는 소리가 꼭 흐느껴 우는 소리 같다고 해서 그런 이름이 붙은 곳입니다. 또 물살 방향도 하루에 네 번씩이나 바뀌는 특이한 곳이었습니다.

이순신은 작전을 짰습니다.

"우리는 모든 것이 적다. 무기도 적고, 군사도 적고, 배도 적다. 적은 것을 갑자기 늘릴 방법은 없다. 그러나 많아 보이게 할 수는 있을 것이다."

이순신은 우선 고기잡이배와 피난 가는 배들을 판옥선처럼 꾸미게 했습니다. 비록 실제로 싸울 수 있는 배는 먼저 구한 12척과 나중에 구한 1척, 이렇게 총 13척밖에 안 되었지만, 멀리서 보면 수십 척의 판옥선이 갖추어진 것처럼 보이게 한 것입니다. 백성들에게는 바다가 보이는 육지의 산봉우리에서 계속 돌아다니게 했습니다. 마치 우리 군사의 수가 많은 것처럼 보이도록 한 것입니다.

이순신은 모든 준비를 끝낸 뒤 부하 장수들을 불러 모았습니다.

"죽으려 하면 살고, 살려 하면 죽는다. 오늘 우리는 이 말처럼 죽기를 각오하고 싸워야 한다."

마침내 수많은 적선이 흐르는 물살을 타고 우리 수군 쪽으로 빠르게 쳐들어왔습니다. 그러나 이순신은 물살 방향이 조선 수군에게 유리해질 때까지 공격하지 못하게 했습니다. 드디어 물살 방향이 반대로 바뀌자 이순신은 일제히 공격하도록 지시했습니다. 단번에 30척이 넘는 적의 배가 부서져 버렸습니다. 일본 배들은 뒤로 물러나려고 했습니다. 그렇지만 물살이 너무 세서 배를 돌릴 수도 없고 앞으로 나아갈 수도 없었습니다. 우리 수군은 이때를 놓치지 않았습니다. 적의 배를 향해 총통을 쏘

●이순신이 처한 상황에서 한 말과 행동 ②

처한 상황	말이나 행동
일본군과 울돌목에서 싸우는 상황	• 배와 군사들을 많아 보이게 하려고 미리 작전을 짜고 물살을 이용해 적선을 공격함. • 죽으려 하면 살고, 살려 하면 죽으니 죽기를 각오하고 싸워야 한다고 말함.

핵심

판옥선 조선 시대에 널빤지로 지붕을 덮은 전투선. 명종 때 개발한 것으로 임진왜란 때 크게 활약함.

각오 앞으로 해야 할 일이나 겪을 일에 대한 마음의 준비.
적선 전쟁 상대국의 배.

9 이순신이 싸움터로 정한 장소는 어디인지 쓰시오.

( )

10 글 ❸에서 이순신이 처한 상황으로 알맞은 것은 무엇입니까? ( )
교과서 문제
① 가족과 이별했다.
② 거센 파도에 배를 잃었다.
③ 일본군과 울돌목에서 싸웠다.
④ 군사를 이끌고 일본으로 쳐들어갔다.
⑤ 부하 장수에게 작전을 짤 것을 지시했다.

핵심
11 이순신은 10번 문제에서 답한 상황에서 어떻게 말하고 행동했는지 쓰시오.

(1) 말	
(2) 행동	

고 불화살을 날리며 총공격을 했습니다.

단 13척의 배로 133척의 배를 물리친 기적 같은 전투였습니다. 이 전투가 바로 '명량 대첩'입니다.

중심 내용 이순신은 적은 것을 많아 보이게 작전을 짜고, 울돌목의 지형적 특징을 이용하여 일본군과의 싸움에서 이겼다.

❹ 백성들은 이순신을 믿고 다시 모여들기 시작했습니다. 오랜만의 평화였습니다. 그러나 이상하게도 이순신의 마음은 불안하기만 했습니다. 꿈자리도 뒤숭숭했습니다. ㉠말을 타고 언덕 위를 가다가 _{느낌이나 마음이 어수선하고 불안했습니다} 말에서 떨어졌는데 막내아들 면이 밑에서 이순신을 받는 꿈이었습니다. 참으로 이상했습니다.

나쁜 꿈은 바로 다음 날 현실로 드러났습니다. _{갑자기 들이쳐 공격해} 면이 마을을 기습해 온 일본군과 싸우다가 죽었다는 소식이 날아든 것입니다. 일본군이 이순신에 대한 분풀이로 이순신의 고향 마을을 공격한 것이 분명했습니다. 면은 이제 겨우 스물한 살의 젊디젊은 청년이었습니다. 이순신은 이 일이 자기 탓처럼 여겨졌습니다.

분풀이 분하고 원통한 마음을 풀어 버리는 일.
⑩ 형은 괜히 나한테 분풀이를 했다.

㉡'내가 죽을 것을 그 애가 대신 죽었구나.'

마음속에서는 이런 소리가 터져 나왔습니다. 밤이면 몇 번씩 자다 깨다 했습니다. 그러다가 코피를 한 사발씩 쏟기도 했습니다. 잠깐만 눈을 붙여도 아들 면의 모습이 보였습니다. 이순신은 자기도 모르게 이를 악물었습니다.

'이제는 끝내야만 해.'

"아직도 저에게는 12척의 배가 있습니다. 비록 배는 적지만, 제가 죽지 않는 한 적이 감히 우리를 업신여기지 못할 것입니다."

중심 내용 아들 면이 죽은 뒤에 이순신은 이제는 끝내야만 한다고 다짐했다.

● 이순신이 처한 상황에서 한 말과 행동 ③

처한 상황	말이나 행동
아들 면의 죽음	이를 악물고 이제는 끝내야 한다고 생각함.

➡ 어떤 고난도 포기하지 않고 극복하려는 의지, 용기, 자신감을 추구함.

업신여기지 교만한 마음에서 남을 낮추어 보거나 하찮게 여기지.
⑩ 함부로 남을 업신여기지 않는 게 좋겠습니다.

12 ㉠은 어떤 일이 일어날 것임을 알려 준 꿈이었습니까? ( )

① 이순신의 죽음　　② 아들 면의 죽음
③ 아들 면의 부상　　④ 어머니와의 이별
⑤ 전쟁에서의 패배

13 이순신이 ㉡과 같이 생각한 까닭으로 알맞은 것의 번호를 쓰시오.

① 일본군이 이순신에 대한 분풀이로 이순신의 고향 마을을 공격한 것이 분명해서
② 일본군이 이순신을 해하려 왔다가 이순신이 없자 그의 가족을 공격한 것이 분명해서

( )

핵심
14 이순신이 추구하는 가치로 알맞은 것을 두 가지 고르시오. (,)

① 배려를 추구한다.　　② 용기를 추구한다.
③ 봉사를 추구한다.　　④ 평등을 추구한다.
⑤ 어떤 고난도 포기하지 않고 극복하려는 의지를 추구한다.

논술형
15 이순신이 추구하는 가치가 자신의 삶에 어떤 질문을 던지는지 생각해 보고, 보기 와 같이 쓰시오.

보기　　나에게 비슷한 상황이 일어난다면 어떻게 생각하고 행동할 것인가?

_____

_____

○ 인물들이 추구하는 가치를 비교하며 글 읽기

버들이를 사랑한 죄

황선미

• 글의 종류: 이야기
• 글의 특징: 몽당깨비가 미미에게 도깨비 샘물을 둘러싸고 자신과 버들이가 겪은 일을 들려주는 방식으로 진행되는 이야기입니다.

❶ 은행나무 뿌리에 갇혀 삼백 년 동안 잠자던 도깨비가 깨어났습니다. 대낮이나 위험할 때면 몽당빗자루로 변하기 때문에 몽당깨비라는 이름이 붙었습니다. 키는 열세 살쯤 된 사내아이만 한데, 손등이며 얼굴에 털이 덥수룩하게 나 있고, 옛날 영화를 촬영하다가 온 사람처럼 차림새도 괴상했습니다.

더북룩하게 많이 난 수염이나 머리털이 어수선하게 덮여 있게

보통과 달리 괴이하고 이상했습니다

환경미화원 아저씨는 아침 햇살을 받으며 서서히 몽당빗자루로 변한 몽당깨비를 쓰레기 봉지에 담았습니다. 그러고 나서 몽당깨비가 도착한 곳은 쓰레기 소각장입니다. 몽당깨비는 그곳에서 생각하는 인형 미미를 만났습니다.

"너는 어쩌다 여기까지 왔니?" / "나? 나는……."

몽당깨비는 대답 대신 눈을 감아 버렸습니다. 오랜 세월 가슴에 묻어 둔 사연이 바로 어제 일처럼 떠올랐습니다. / "갈 데라도 있는 거야?"

"기와집으로 가야지, 샘마을 기와집."

"샘마을은 여기에서 멀어? 처음 듣는 이름이야."

"강안이마을에서 여우 고개를 넘어가면 샘마을이 나오지. 병도 나을 만큼 물맛이 달고 향기로운 샘. 일 년 내내 마르지 않는 샘이 거기에 있단다. 난 거기로 꼭 돌아갈 거야."

물이 땅에서 솟아 나오는 곳. 또는 그 물

몽당깨비가 혼잣말처럼 중얼거리자 미미가 알 수 없다는 표정을 지었습니다.

"여우 고개? 샘마을? 강안이마을이라고?"

"세상이 달라졌어. 하지만 밤이 되면 문제없이 찾아갈 수 있을 거야." / "왜 그곳에 가야 하지?"

몽당깨비가 빙그레 웃었습니다.

"샘마을에는 버들이가 살거든. 나는 버들이를 위해 큰 기와집을 지었단다. 버들이랑 같이 사람으로 살고 싶어서. 그런데……."

갑자기 몽당깨비 얼굴이 어두워졌습니다. 미미가 활짝 웃으며 말했습니다. / "너도 사람이 되고 싶었니? 우린 공통점을 가졌구나. 그래서?"

중심 내용 몽당깨비가 쓰레기 소각장에서 생각하는 인형 미미를 만나 자신의 이야기를 하기 시작했다.

소각장 쓰레기나 폐기물 따위를 불에 태워 버리는 장소. '태우는 곳'으로 순화.

빙그레 입을 약간 벌리고 소리 없이 부드럽게 웃는 모양.
예 소민이가 크게 웃자 아버지도 빙그레 웃으셨습니다.

1 몽당깨비에 대한 설명으로 알맞지 <u>않은</u> 것은 무엇입니까? ( )
① 차림새가 괴상하다.
② 대낮에만 몽당빗자루로 변한다.
③ 키가 열세 살쯤 된 사내아이만 하다.
④ 손등과 얼굴에 털이 덥수룩하게 나 있다.
⑤ 은행나무 뿌리에 갇혀 삼백 년 동안 잠자다 깨어났다.

2 몽당깨비가 쓰레기 소각장에서 만난 인물은 누구인지 쓰시오. ( )

3 잠에서 깬 몽당깨비가 가려는 곳은 어디인지 쓰시오. ( )

4 몽당깨비와 미미의 공통점으로 알맞은 것의 기호를 쓰시오.
㉮ 부탁 받은 일이 있다.
㉯ 사람이 되고 싶어 한다.
㉰ 버들이를 만난 적이 있다.
( )

❷ "버들이는 강안이마을에서 늙고 병든 어머니와 둘이 살았어. 가난했지만 누구보다 예쁜 아가씨였단다. 새벽마다 도깨비 샘물을 뜨러 왔었지. 가장 먼저 샘물을 길어 마셔야 효험이 있다니까 어머니 병을 낫게 하려고 새벽마다 온 거였어. 도깨비들은 그때쯤이면 숲으로 숨기 시작하는데 나는 버들이를 보려고 늘 남아 있었지."

"너 같은 인형이 많았어? 숲에 숨을 수도 있고?"

몽당깨비는 미미를 보고 조용히 웃어 주었습니다.

"우리는 친구가 되었지. 나는 숲에서 버섯이랑 산딸기, 머루를 구해 주고 버들이는 내게 음식을 주었어. 잔칫집에서 일하는 날에는 떡이랑 메밀묵도 가져다주었단다. 버들이는 참 좋은 아가씨였어. 버들이를 좋아할수록 내가 사람이 아니고 도깨비라는 사실이 참 슬펐어."

"와! 도깨비는 대단하다. 하지만 사람이 될 수 없다는 건 정말 고통이지."

"언제부터인가 버들이가 고생하는 게 가엾어지기 시작했어. 그래서 ㉠재주를 부려 가랑잎으로 돈을 만들어다 주고 부잣집 돈을 훔쳐 내기도 했지. 나는 풋내기 도깨비라서 큰 재주를 못 부리니까 도둑질하는 날이 많았단다."

"쯧쯧, 그건 옳지 않아. 버들이는 뭐라던?"

"버들이는 몰랐을 거야. 내가 도깨비라서 재주를 부린다고 믿었겠지. 버들이를 위해서라면 뭐든지 할 수 있었어. 파랑이가 나한테 정신 나간 도깨비라고 했을 정도로 버들이가 좋았으니까. 다른 도깨비들과 달리 나는 유난히 사람을 좋아했어. 지금도 사람이 좋아." / "파랑이?"

"내 친구야. 묘지를 지키는 도깨비불이지."

"그래? 도깨비는 할 수 있는 게 많구나. 인형도 그렇게 되면 좋겠다."

> **중심 내용** 몽당깨비는 자신이 좋아하는 버들이가 고생하는 것이 가여워서 돈을 만들거나 훔쳐서 버들이에게 가져다주었다.

● 버들이가 추구하는 가치 파악하기

상황	행동	추구하는 가치
어머니가 편찮으심.	새벽마다 도깨비 샘물을 뜨러 감.	효를 추구함.

효험(效 본받을 **효**, 驗 시험 **험**) 일에서 느끼는 좋은 보람. 또는 어떤 작용의 결과.

풋내기 경험이 없어서 일에 서투른 사람.
유난히 언행이나 상태가 보통과 아주 다르게.

---

5 버들이가 어머니가 편찮으신 상황에서 한 행동으로 알맞은 것은 무엇입니까? ( )

① 밤마다 기도를 했다.
② 용한 의원을 찾아다녔다.
③ 사람들에게 도움을 구하러 다녔다.
④ 한시도 어머니 곁을 떠나지 않았다.
⑤ 어머니 병을 낫게 하려고 새벽마다 도깨비 샘물을 뜨러 갔다.

핵심

6 버들이가 처한 상황에서 5번 답과 같이 행동한 것으로 보아 추구하는 가치는 무엇이겠습니까? ( )

7 몽당깨비가 ㉠과 같이 행동한 까닭은 무엇인지 빈칸에 알맞은 말을 쓰시오.

• 버들이가 ( )하는 게 가엾고, 버들이를 사랑했기 때문에 버들이를 위해 무엇이든지 해 주고 싶은 마음에서 한 행동이다.

8 몽당깨비는 어떤 인물이라 할 수 있는지 알맞은 것에 ○표를 하시오.

(1) 자신에게 도움이 되는 사람에게는 아낌없이 베푸는 인물이다. ( )

(2) 어렵고 힘든 사람을 보면 안타까워하고 도움을 주고자 하는 인물이다. ( )

❸ "어느 날, 버들이가 울면서 어머니가 위독하다고
했어. _{병이 매우 중하여 생명이 위태롭다고} 어머니께 샘물을 좀 더 드리고 싶은데 샘
이 너무 멀어서 조금밖에 못 길어 가니까 샘가에
오두막을 짓고 살겠다더군. 하지만 그건 위험한
5 생각이었어. 그 물은 산에 사는 온갖 동물들도
마시거든. 밤이면 여우도 나오고 호랑이도 나오
는 곳이야. 밤마다 도깨비들까지 모였으니 사람
이 얼씬거릴 곳이 아니었지."

미미는 더 물을 수가 없었습니다. 왠지 도깨비는
10 인형과 뭔가 다를 것 같았기 때문입니다.

"파랑이와 의논했어. 파랑이는 펄쩍 뛰더군. 사
람이 샘가에서 살기 시작하면 결국 도깨비들은
샘을 뺏기고 떠나야 한다고 했어. 버들이는 착한
여자라 그럴 리가 없다고 했지만 소용없었어. 버
15 들이가 나를 꾐에 빠뜨리고 있다고 파랑이는 걱
정만 했지. 대왕님이 알기 전에 버들이를 모른
체하라고 야단쳤어. 정말 화가 났단다."

몽당깨비 몸이 부르르 떨렸습니다. 온몸의 털이
부스스 일어서는 걸 보면서 미미는 조용히 고개를
20 끄덕거렸습니다.

"샘가에 집을 지으면 우리가 더 오래 만날 수 있
다고 버들이가 말했을 때에는 아주 행복했단다.
그래서 결심했어. 샘가에서 살 수 없다면 조금
떨어진 곳에 집을 짓기로. 파랑이도 더 반대하지
못했지. 그때부터 나는 재주를 한껏 발휘해 돈을 5
만들었단다. 부자들의 보물도 훔쳐 냈어. 버들
이에게 오두막이 아닌 대궐 같은 기와집을 지어
주고 싶어서 말이야. 낮에는 사람들이 집을 지었
지만 밤에는 내가 지었지. 아주 튼튼하게. 대왕
님이 알고 호통쳤지만 하나도 무섭지 않았어. 그 10
런데……." / "그런데?"

"버들이가 이번에는 샘을 기와집 뒤란으로 옮겨
달라고 하잖아. 그러면 집에서 샘물을 긷게 될
거라고."

● 몽당깨비가 추구하는 가치 파악하기

상황	말과 행동	추구하는 가치
버들이가 샘가에 오두막을 짓고 살고 싶어 하는 상황	• "버들이는 착한 여자라 그럴 리가 없어." • 버들이에게 기와집을 만들어 주려고 돈을 만들고 부자들의 보물도 훔침.	믿음과 사랑을 추구함.

얼씬거릴 조금 큰 것이 잇따라 눈앞에 잠깐씩 나타났다 없어질.
예 그 연못은 사람이 얼씬거릴 곳이 아닙니다.

꾐 어떠한 일을 할 기분이 생기도록 남을 꾀어 속이거나 부추기는 일.
뒤란 집 뒤 울타리 안.

---

9 버들이가 샘가에 오두막을 짓고 살겠다는 이야기를
몽당깨비에게 듣고 파랑이가 펄쩍 뛴 까닭으로 알
맞은 것을 **두 가지** 고르시오. (,)

① 나중에 샘을 없애려는 버들이의 계획을 알고
있어서
② 버들이가 몽당깨비를 꾐에 빠뜨리고 있다고
생각해서
③ 버들이가 다른 도깨비에게도 부탁을 하는
모습을 봐서
④ 버들이가 산에 사는 동물들에게 잡아먹힐
거라 생각해서
⑤ 사람이 샘가에서 살기 시작하면 도깨비들은
샘을 뺏기고 떠나야 해서

핵심 **서술형**

10 몽당깨비가 버들이를 위해 한 일을 쓰시오.

_____

_____

11 기와집을 지어 준 몽당깨비에게 버들이가 부탁한
것을 골라 기호를 쓰시오.

┌─────────────────────────┐
│ ㉠ 샘을 더 넓고 깊게 만들면 좋겠다. │
│ ㉡ 집 안을 보물로 가득 채우면 좋겠다. │
│ ㉢ 샘을 기와집 뒤란으로 옮기면 좋겠다. │
└─────────────────────────┘

(   )

"이제 보니 버들이는 욕심쟁이구나. 샘을 옮기다니! 그러면 다른 동물들은 샘물을 못 마시잖아?"

"파랑이도 그렇게 말했어. 하지만 나도 그걸 원했으니까 버들이를 탓하지는 마. 나도 어느새 버들이랑 똑같은 생각을 하게 되었던 거야."

"그래서 샘을 옮겨 주었니?"

"땅속의 샘물줄기를 기와집 뒤란으로 흐르도록 해 주겠다고 약속했어. 그때 버들이가 기뻐하던 모습이라니, 지금도 잊을 수가 없어."

중심 내용 몽당깨비는 버들이를 위해 샘가에서 조금 떨어진 곳에 집을 지어 주고, 땅속의 샘물줄기를 기와집 뒤란으로 흐르도록 해 주었다.

❹ 미미는 허공을 향해 빙그레 웃는 몽당깨비가 못마땅해서 고개를 저었습니다. 그런데 이내 몽당깨비의 표정이 어두워졌습니다.
텅 빈 공중

"버들이가 묻더군. 도깨비가 제일 무서워하는 게 뭐냐고." / "무서운 거?"

"말 머리와 말 피를 무서워한다고 했지. 그랬더니 그걸로 도깨비들이 집 안에 얼씬거리지 못하도록 수를 써야 한다고 했어. 내가 샘물줄기를

바꾸고 나면 틀림없이 도깨비들이 노여워할 거라고 말이야. 샘물줄기를 찾아 물길을 바꾸고 며칠 뒤에 가 보니까 기와집 앞은 온통 아수라장이었어." / "왜?"

"샘이 마른 이유를 알아내고 동물과 도깨비 들이 모두 그곳으로 모인 거야. 대왕님은 나를 잡아 오라고 불호령을 내렸지. 하지만 아무도 기와집은 건드리지 못했어. 기와집 담에는 빈틈없이 말 피가 뿌려져 있었고 대문에는 말 머리가 높이 올려져 있었던 거야. 끔찍한 광경이었어."

"너는? 너는 어떻게 들어갔어?"

●인물이 추구하는 가치 파악하기

인물	말과 행동	추구하는 가치
몽당깨비	• "버들이를 탓하지는 마." • 땅속의 샘물줄기를 기와집 뒤란으로 흐르도록 해 줌.	진심을 담아 상대를 대하는 것을 추구함.
버들이	• "도깨비가 제일 무서워하는 게 뭐야?" • 기와집 담에 말 피를 뿌리고 대문에 말 머리를 올려놓음.	현실적인 이익을 추구함.

아수라장 싸움이나 그 밖의 다른 일로 큰 혼란에 빠진 곳. 또는 그런 상태.

불호령 몹시 심하게 하는 꾸지람.
예 선생님께서 학교에 지각하지 말라고 불호령하셨습니다.

---

12 교과서 문제 다음 몽당깨비의 말과 행동에서 인물이 추구하는 가치를 생각해 보고 빈칸에 알맞은 말을 쓰시오.

> • 말: "버들이를 탓하지는 마."
> • 행동: 땅속의 샘물줄기를 기와집 뒤란으로 흐르도록 해 주었다.

• (　　　　　)을/를 담아 상대를 대하는 것을 추구한다.

13 교과서 문제 글 ❹에서 버들이가 한 행동으로 알맞은 것에 ○표를 하시오.

(1) 샘이 말라서 기와집을 떠났다. (　　　)

(2) 기와집 담에 말 피를 뿌리고 대문에 말 머리를 올려놓았다. (　　　)

14 핵심 버들이가 추구하는 가치로 알맞은 것에 ○표를 하시오.

(　　　양심과 도덕, 현실적인 이익　　　)

15 논술형 교과서 문제 자신이 버들이었다면 다음 상황에서 어떤 말이나 행동을 했을지 쓰시오.

> 버들이: 샘물줄기를 바꾸면 도깨비들이 노여워할 테니 도깨비들이 집 안에 얼씬거리지 못하도록 수를 써야겠어.

_____

_____

_____

"나도 도깨비야. 나도 지금까지 그 기와집에 들어가 보지 못했단다. 그게 마지막이야."

"저런! 너무 늦게 돌아왔구나."

"그래. 나는 대왕님한테 잡혀 벌을 받았단다. 대왕님은 기와집 담 밖에 구덩이를 파고 은행나무 한 그루를 심었지. 나도 그 속에 묻고. 나는 천 년 동안 은행나무 뿌리에 얽매여 있어야 하는 벌을 받았단다. 버들이 곁에 있으면서도 만날 수 없는 끔찍한 벌이었지……."

몽당깨비가 말끝을 흐렸습니다.

중심 내용 샘이 마른 까닭을 알게 된 동물과 도깨비 들이 기와집에 몰려들었지만 기와집에 들어가지 못하고, 몽당깨비는 대왕님한테 잡혀 벌을 받았다.

❺ "가엾어라!"

미미는 자기도 모르게 눈물을 흘리고 말았습니다.

"이럴 수가! 너 때문에 내가 눈물을 흘렸어. 내게도 마음이 생겼나 봐." / 미미는 눈물을 손가락으로 찍어 신기한 듯 들여다보았습니다.

"천 년이라니! 버들이를 사랑한 죄가 그렇게 큰 거야? 지독한 형벌이구나. 샘을 건드린 벌이라! 그럼 너는 천 년 만에 세상에 나왔니?"

"아니, 삼백 년 만에 자유가 됐어. 어쩐 일인지 은행나무가 없어졌거든. 벌을 받았으니 이제는 기와집으로 가도 될 거야."

"하지만 너무 오래전 일인걸. 기와집이 지금까지 있기나 하겠어?"

"기와집은 있었어. 그곳에 가고 싶어."

"나도 주인에게 돌아가고 싶어. 강이 보이는 동네야. 강변이라고. 날 데려다주겠니? 나 혼자서는 어림없거든."

몽당깨비가 벌떡 일어났습니다. 날이 어두워지기 시작했기 때문입니다. / 미미는 몽당깨비가 혼자 가 버릴까 봐 은근히 걱정이 되었습니다.

"나를 두고 혼자 가지 않을 거지?" / 몽당깨비는 몸을 굽혀 미미를 손바닥에 올려놓았습니다.

중심 내용 자유가 된 몽당깨비는 기와집에 찾아가기로 했다.

형벌(刑 형벌 **형**, 罰 죄 **벌**) 국가 등이 범죄자에게 제재를 가함. 또는 그 제재.

어림없거든 도저히 될 가망이 없거든.
예 말로만 들은 주소를 기억해서 집을 찾기란 <u>어림없거든</u>.

---

16 이 글의 내용으로 알맞은 것에 ○표를 하시오.

(1) 몽당깨비는 천 년 만에 세상에 나왔다. (　　)

(2) 몽당깨비는 자신이 지은 기와집에 들어가 보지 못했다. (　　)

17 _{교과서}_{문제} 이 이야기 전체 내용에서 일이 일어난 차례대로 기호를 쓰시오.

> ㉠ 은행나무가 없어지면서 몽당깨비가 세상에 나오게 되었다.
> ㉡ 몽당깨비는 쓰레기 소각장에서 미미를 만났고 기와집에 찾아가기로 했다.
> ㉢ 대왕 도깨비는 기와집 담 밖에 은행나무를 심어 몽당깨비에게 천 년 동안 은행나무 뿌리에 얽매여 있게 하는 벌을 주었다.

(　　) ➡ (　　) ➡ (　　)

18 이 글의 주제로 알맞은 것은 무엇입니까? (　　)

① 가족이 가장 중요함을 알자.
② 진정한 사랑과 용서를 추구하자.
③ 노력하는 삶이 아름답다는 것을 알자.
④ 재물을 추구하는 것이 중요함을 알자.
⑤ 삶에서 적절한 휴식이 필요함을 하자.

논술형

19 _{교과서}_{문제} 이 글을 읽고 친구들의 다양한 생각을 들을 수 있는 질문을 만들어 쓰시오.

_____

_____

역량 제재

기본 ③ 인물이 추구하는 가치를 자신의 삶과 관련짓기

○ 인물들이 추구하는 가치가 무엇인지 생각하며 읽기

나무를 심는 사람

• 글의 특징: 나무를 심으며 자연환경을 보호하는 일에 앞장섰던 왕가리 마타이에 대한 이야기로, 왕가리 마타이가 추구하는 가치를 파악할 수 있습니다.

❶ 1940년, 아프리카 케냐 중앙 고원 지역 이히테의 작은 마을에서 왕가리 마타이가 태어났다.
_{보통 해발 고도 600미터 이상에 있는 넓은 벌판}

집안의 맏딸인 왕가리 마타이는 어머니를 도와 집안일을 하고 동생들을 보살폈다. 그 당시 케냐에 5 서는 여자아이를 학교에 보내는 경우가 매우 드물었다. 왕가리 마타이도 자신이 학교에 다니게 될 것이라고는 생각하지 못했다. 그러던 어느 날, 오빠 은데리투가 어머니에게 왕가리 마타이는 왜 학교에 다니지 않느냐고 물었고, 어머니는 고민 끝에 10 왕가리 마타이를 학교에 보내기로 결심했다.

왕가리 마타이는 학교에서 성실하게 공부해 좋은 성적을 거두었다. 선생님들은 왕가리 마타이의 남다른 총명함과 성실함을 눈여겨보고 그녀가 장학금을 받아 외국에서 공부할 수 있도록 도와주었다.

_{중심 내용} 1940년, 아프리카 케냐에서 태어난 왕가리 마타이는 운 좋게 학교에 다닐 수 있었고, 성실하게 공부해 장학금을 받아 외국에서 공부했다.

❷ 외국에서 공부를 마치고 케냐로 돌아온 왕가리 마타이는 황폐해진 케냐의 마을 풍경을 보고 깜짝 놀랐다. 케냐의 새로운 지도자들이 돈벌이를 위해 숲을 없애고 차나무와 커피나무를 심은 것이었다. 울창했던 숲은 벌목으로 벌거벗은 모습이 되었고, 5 비옥했던 토양은 영양분이 고갈되어 동물과 식물을 제대로 길러 낼 수 없는 상태가 되었다. 이러한 _{다 써서 없어져} 변화로 사람들은 땔감을 구하기 어려웠고, 작물이 _{논밭에 심어 가꾸는 곡식이나 채소} 잘 자라지 않아 가난과 굶주림 속에서 고통받게 되었다. 10

파괴된 환경이 그녀와 그녀의 아이들 그리고 케냐의 모든 이에게 고통을 주고 있다는 것을 깨달은 왕가리 마타이는 자신이 할 수 있는 일이 무엇인지 생각해 보았다. / '나무를 심는 거야.'

총명함 썩 영리하고 재주가 있음.
황폐해진 집, 토지, 삼림 따위가 거칠어져 못 쓰게 된.

벌목(伐 칠 벌, 木 나무 목) 숲의 나무를 벰.
비옥 땅이 걸고 기름짐.

---

1 왕가리 마타이가 태어난 곳을 쓰시오.

• 아프리카 (   ), 이히테의 작은 마을

2 왕가리 마타이는 학교에서 어떤 학생이었습니까? (   )

① 성실하게 공부하는 학생이었다.
② 친구들과 많이 다투는 학생이었다.
③ 친구들과 늘 놀기만 하는 학생이었다.
④ 친구들과 어울리지 못하는 학생이었다.
⑤ 노력한 것에 비해 성적이 낮은 학생이었다.

3 왕가리 마타이가 외국에서 돌아왔을 때 케냐의 모습으로 알맞지 않은 것은 무엇입니까? (   )

① 벌거벗은 숲의 모습
② 영양분이 고갈된 토양의 모습
③ 차나무와 커피나무가 잘린 모습
④ 사람들이 굶주림 속에서 고통받는 모습
⑤ 사람들이 땔감을 구하기 어려워하는 모습

서술형
4 왕가리 마타이가 나무를 심겠다고 생각한 까닭을 쓰시오.

_____

_____

왕가리 마타이는 나무를 심기로 마음먹고, 방법을 고민한 끝에 나무를 심어 주는 회사를 세웠다. 그녀는 이 회사가 헐벗고 삭막한 도시를 풍요롭게 만들 뿐만 아니라, 가난한 사람들에게 나무를 심고 5 관리하는 일자리를 제공할 것이라고 생각했다. 그러나 사업은 적자를 면하기 어려웠고, 누구도 그녀를 도와주지 않았다.

중심 내용 왕가리 마타이는 황폐해진 케냐의 마을 풍경을 보고 깜짝 놀랐고, 파괴된 환경을 되살리기 위해 나무를 심어 주는 회사를 세웠다.

❸ 회사 운영이 어려워지자 왕가리 마타이는 묘목 장사를 해서 회사를 살리기로 하고, 1975년 나이로
<u>케냐의 수도</u>
10 비에서 열린 국제 전람회에 참석해 묘목을 전시했다. 그러나 묘목을 사는 사람은 아무도 없었다. 실망스러웠지만 왕가리 마타이는 포기하지 않았다. 때마침 그녀는 국제연합 해비탯 회의에 참석할 수 있는 기회를 얻었다. 왕가리 마타이는 그곳에서 테레
<u>인도의 빈민들을 돌보며 헌신해 1979년에 노벨 평화상을 받음.</u>
15 사 수녀와 마거릿 미드에게 큰 감명을 받고, 나무와
<u>미국의 문화 인류학자</u>

숲이 있는 더 푸른 도시를 만들기로 결심했다. 하지만 ㉠<u>새로운 꿈</u>을 품고 케냐로 돌아온 왕가리 마타이를 맞이한 것은 말라 죽은 묘목들이었다.

"이제 나무 심기는 그만하면 어때?"

주위 사람들은 나무 심기에만 <u>열중하는</u> 왕가리 5
<u>한 가지 일에 정신을 쏟는</u>
마타이를 설득했다.

"나무 심기를 포기할 수는 없어요." / 왕가리 마타이는 포기하지 않고 나무 심기를 계속할 수 있는 방법을 찾아보았다. 그리고 곧 그 기회가 생겼다.

●왕가리 마타이가 처한 상황에서 한 말과 행동

처한 상황	말이나 행동
외국에서 공부를 마치고 케냐로 돌아온 상황	• 황폐해진 케냐의 마을 풍경을 보고 깜짝 놀랐다. • '나무를 심는 거야.' • 나무를 심어 주는 회사를 세웠다.
나무 심기를 계속한 상황	"나무 심기를 포기할 수는 없어요."

적자 지출이 수입보다 많아서 생기는 손실 금액.
묘목 옮겨 심는 어린나무.

해비탯 집을 짓거나 고치는 활동으로 전 세계의 집 없는 사람들이 스스로 살아갈 수 있도록 돕는 국제단체.

5 왕가리 마타이가 한 일의 차례대로 기호를 쓰시오.

> ㉮ 나무를 심어 주는 회사를 세웠다.
> ㉯ 국제연합 해비탯 회의에 참석했다.
> ㉰ 나이로비에서 열린 국제 전람회에 참석해 묘목을 전시했다.

( ) ➡ ( ) ➡ ( )

6 ㉠'새로운 꿈'이 의미하는 것은 무엇입니까?
( )

① 묘목을 많이 팔자.
② 테레사 수녀를 다시 만나자.
③ 해비탯 회의에 또 참석하자.
④ 나무를 베어 새로운 도시를 만들자.
⑤ 나무와 숲이 있는 더 푸른 도시를 만들자.

7 왕가리 마타이가 말라 죽은 묘목들을 본 상황에서
교과서 문제 한 말을 찾아 빈칸에 쓰시오.

말	
행동	왕가리 마타이는 포기하지 않고 나무 심기를 계속할 수 있는 방법을 찾아보았다.

핵심
8 왕가리 마타이가 추구하는 가치로 알맞은 것은 무엇입니까? ( )

① 자유를 추구한다.
② 물질을 추구한다.
③ 용서를 추구한다.
④ 최선과 끈기를 추구한다.
⑤ 개인적인 이익을 추구한다.

1977년, 케냐여성위원회에서 왕가리 마타이에게 해비탯 회의에서 보고 들은 것을 연설해 달라고 부탁한 것이다. 왕가리 마타이의 연설은 많은 사람에게 감동을 주었고, 그 뒤 왕가리 마타이는 케냐여성
5 위원회의 위원이 되어 나무 심기 운동을 추진했다.

중심내용 주위 사람들이 왕가리 마타이에게 나무 심기를 그만하라고 설득했지만 왕가리 마타이는 포기하지 않았고, 왕가리 마타이는 케냐여성위원회의 위원이 되어 나무 심기 운동을 추진했다.

④ 케냐여성위원회는 나무 심기 운동을 전파하려고 여성들이 기른 묘목을 숲이나 정원 등에 옮겨 심을 때마다 한 그루에 4센트씩 대가를 지불하기로 했다. 여성들은 농사를 지어 본 경험이 많아 나무를
10 잘 길러 냈다. 때로는 땅에 화단을 일구었고, 때로는 깨진 화분에 묘목을 키웠다. 일자리를 가져 본 경험이 없는 여성들은 비록 적은 돈이었지만 스스로 돈을 벌 수 있다는 사실에 기쁨을 느끼며 열심히 일했다.

왕가리 마타이는 시골 여성들과 함께 나무를 심었다. 그리고 그녀들을 격려하며 나무 심기 운동을 전파해 달라고 부탁했다. 이러한 노력들이 모여 나무 심기 운동은 큰 변화를 가져왔다. 묘목을 한꺼번에 약 1000그루씩 적당한 간격을 두고 심어 5 '벨트'를 만들도록 권장하면서 나무 심기 운동은 '그린벨트 운동'으로 불렸다.

연설 여러 사람 앞에서 자기의 주의나 주장 또는 의견을 진술함.
전파 전하여 널리 퍼뜨림.

화단 꽃을 심기 위하여 흙을 한층 높게 하여 꾸며 놓은 꽃밭.
일구었고 논밭을 만들기 위해 땅을 파서 흙을 뒤집었고.

---

9 왕가리 마타이가 케냐여성위원회의 위원이 되어 추진한 운동은 무엇인지 쓰시오.

• (   ) 운동

10 9번 문제에서 답한 운동으로 일어난 일이 아닌 것은 무엇입니까? ( )

① 여성들은 땅에 화단을 일구었다.
② 여성들은 깨진 화분에도 묘목을 키웠다.
③ 농사를 지어 본 경험이 많은 여성들은 나무를 잘 길러 냈다.
④ 여성들은 스스로 돈을 벌 수 있다는 사실에 기쁨을 느끼며 열심히 일했다.
⑤ 여성들은 묘목을 숲이나 정원에 옮겨 심을 때마다 열 그루에 4센트씩 대가를 받았다.

11 왕가리 마타이가 한 일로 알맞은 것을 세 가지 고르시오. (, ,)

① 시골 여성들을 격려했다.
② 시골 여성들과 함께 꽃을 심었다.
③ 시골 여성들과 함께 나무를 심었다.
④ 시골 여성들에게 버려진 땅에 화단을 일구라고 했다.
⑤ 시골 여성들에게 나무 심기 운동을 전파해 달라고 부탁했다.

서술형
12 나무 심기 운동이 '그린벨트 운동'으로 불린 까닭은 무엇인지 쓰시오.

_____

_____

그린벨트 운동은 성공적이었지만, 심은 나무를 가꾸기까지는 시간과 노력이 많이 필요했다. 나무를 가꾸는 데 지친 몇몇 사람은 나무를 심기보다는 베어서 쓰고 싶어 했다. / "나무가 빨리 자라지 않으니 나무를 심기 싫어요."

왕가리 마타이는 사람들에게 인내심을 지니고 나무를 심어 줄 것을 부탁했다.

"우리가 오늘 베고 있는 나무는 우리가 심은 것이 아니라 이전에 누군가가 심어 준 것입니다. 그러니까 우리도 우리 아이들을 위해서, 미래의 케냐를 위해서 나무를 심어야 해요."

왕가리 마타이는 꾸준히 그리고 열성적으로 나무 심기 운동을 이끌었다. 하지만 모두가 왕가리 마타이와 같은 생각을 하는 것은 아니었다.

중심 내용 케냐여성위원회의 위원이 된 왕가리 마타이는 '그린벨트 운동'을 성공적으로 이끌었고, 사람들에게 인내심을 지니고 나무를 심어 줄 것을 부탁했다.

열성적 열렬한 정성을 들이는. 또는 그런 것.
녹지(綠 초록빛 **녹**, 地 땅 **지**) 도시의 자연환경 보전과 공해 방지를 위하여 풀이나 나무를 일부러 심은 곳.

❺ 1989년, 케냐 정부는 나이로비 시내 한복판에 있는 우후루 공원에 복합 빌딩을 건설하려고 했다.

우후루 공원은 대도시 나이로비에 남아 있는 유일한 녹지 공간으로, 콘크리트 건물 사이에서 시민들의 쉼터 역할을 하고 있었다. 왕가리 마타이는 도심 속 녹지대와 시민들의 쉼터가 계속 보전되어야 한다고 생각했다. 그녀는 관련 회사와 정부에 편지를 쓰고 언론에 자신의 주장을 알리며 우후루 공원을 지키려고 애썼다. 친구들은 힘들어하는 왕가리 마타이를 걱정했다.

"왜 이렇게까지 하는 거야? 그건 네가 간섭할 일은 아니잖아?"

보전(保 지킬 **보**, 全 온전할 **전**) 온전하게 보호하여 유지함.
언론 매체를 통하여 어떤 사실을 밝혀 알리거나 어떤 문제에 대하여 여론을 형성하는 활동.

---

13 왕가리 마타이가 나무가 빨리 자라지 않아 나무를 심기 싫다는 사람들에게 부탁한 내용을 완성하시오.

• ( )을/를 지니고 나무를 심어 달라.

14 왕가리 마타이는 무엇을 위해 나무를 심어야 한다고 했는지 알맞은 것을 <u>두 가지</u> 고르시오.
(,)

① 우리 아이들
② 미래의 케냐
③ 우리의 조상
④ 케냐여성위원회
⑤ 이전에 나무를 심은 사람들

15 왕가리 마타이가 우후루 공원을 지키려고 한 까닭은 무엇입니까? ( )

① 관광객이 많이 찾는 곳이어서
② 정부와 언론의 관심을 받고 싶어서
③ 세계 문화유산으로 지정된 곳이어서
④ 정부가 하는 일은 무조건 반대해야 해서
⑤ 도심 속 녹지대와 시민들의 쉼터가 계속 보전되어야 한다고 생각해서

16 왕가리 마타이가 우후루 공원을 지키려고 한 일을 <u>두 가지</u> 고르시오. (,)
교과서
문제
① 대학생들에게 강의를 했다.
② 언론에 자신의 주장을 알렸다.
③ 외국에 나가 사람들을 만났다.
④ 관련 회사와 정부에 편지를 썼다.
⑤ 사람들을 찾아다니며 나무를 팔았다.

"우후루 공원은 모든 사람의 것이야. 그러니까 누군가는 그 잘못을 말해야 해."

왕가리 마타이는 포기하지 않고 우후루 공원을 지켜야 한다고 목소리를 높이면서 정부가 생각을
5 바꾸도록 노력했다. 노력은 결실을 맺었다. 우후루 공원에 복합 빌딩을 건설하는 것을 케냐 국민이 거세게 반대하고 세계 언론이 이 문제를 보도하자 케냐 정부는 복합 빌딩의 건설을 포기했다.

중심 내용 왕가리 마타이는 우후루 공원을 지키기 위해 노력했고, 케냐 정부는 복합 빌딩의 건설을 포기했다.

❻ 왕가리 마타이는 아무리 힘든 상황이라도 절망
10 하지 않고 문제를 해결할 수 있는 방법을 찾아 나섰다. 환경 운동가인 왕가리 마타이에게 환경을 보호하는 방법은 나무를 심는 것이었다. 나무를 심고 키우는 것이 환경을 보호하고 사람을 이롭게 한다고 생각했다. 그래서 다른 사람들이 은퇴를 하고

휴식을 취할 무렵인 노년에도 환경 보호 운동에 앞장섰다. 그리고 왕가리 마타이는 이러한 노력을 인정받아 2004년에 아프리카 여성 최초로 노벨 평화상을 받았다.

중심 내용 왕가리 마타이는 노년에도 환경 보호 운동에 앞장선 노력을 인정받아 2004년에 아프리카 여성 최초로 노벨 평화상을 받았다.

● **왕가리 마타이가 한 말과 행동에서 추구하는 가치 파악하기**

처한 상황	말이나 행동
케냐 정부가 우후루 공원에 복합 빌딩을 건설하려고 한 상황	• 관련 회사와 정부에 편지를 쓰고 언론에 자신의 주장을 알리며 우후루 공원을 지키려고 애썼다. • "우후루 공원은 모든 사람의 것이야."
노년에 이른 상황	환경 보호 운동에 앞장섰다.

↓

추구하는 가치
'모두의 이익과 행복, 자연환경 보호, 최선, 책임, 끈기'를 추구함.

결실(結 맺을 **결**, 實 열매 **실**) 일의 결과가 잘 맺어짐. 또는 그런 성과.
거세게 어떤 세력이나 주장 따위가 크고 강하게.

은퇴 직임에서 물러나거나 사회 활동에서 손을 떼고 한가히 지냄.
㉦ 김 선수는 은퇴하고도 계속 운동을 했습니다.

핵심

17 이 글에서 알 수 있는 왕가리 마타이가 추구하는 가치로 알맞은 것을 두 가지 고르시오.
(,)

① 인재 양성을 추구한다.
② 도시 개발을 추구한다.
③ 자연환경 보호를 추구한다.
④ 모두의 이익과 행복을 추구한다.
⑤ 정부 계획에 따르는 것을 추구한다.

19 왕가리 마타이가 노벨 평화상을 받은 것은 무엇 때문입니까? ( )

① 민족 통일을 위해 힘썼기 때문에
② 교육을 위해 평생을 바쳤기 때문에
③ 형편이 어려운 사람들을 도왔기 때문에
④ 자원 개발을 위해 최선을 다했기 때문에
⑤ 오랫동안 환경 보호 운동에 앞장섰기 때문에

역량 **논술형**

20 노년에도 환경 보호 운동에 앞장선 왕가리 마타이의 행동에서 어떤 생각이 드는지 쓰시오.

_____

_____

18 왕가리 마타이가 환경을 보호하는 방법으로 택한 것은 무엇인지 쓰시오.

( )

● 「나무를 심는 사람」을 읽고 왕가리 마타이가 추구하는 가치를 자신의 삶과 관련지어 쓴 승수의 글 읽기

1 오늘도 동생 일기장 속 날씨는 맑음이 아닐 거다. 우중충한 구름 모양에 동그라미가 쳐질 게 뻔하다. 어머니께서 등교하는 우리에게 마스크를 단단히 씌워 주셨기 때문이다. 분명 아침 날씨는 덥게
5 느껴질 정도였고 비가 온다는 일기예보는 없었다. 다만 마스크를 챙기라는 안내는 있었다.

어머니께서 출근하려고 자동차 열쇠를 집어 들던 아버지께도 마스크를 하나 건네셨다.

"우리 아이들을 위해서!"
10 "우리 아이들을 위해서!"

우리는 아버지와 함께 뿌연 아침 공기를 뚫고 집을 나섰다.

2 동생은 아버지께 자동차를 운전해서 출근하는 대신 대중교통을 이용해 출근하는 것이 왜 우리를
15 위한 일인지 여쭈어보았지만 나는 다 알고 있었다. 부모님의 눈빛과 대화에서 우리를 걱정하는 마음이 그대로 느껴졌기 때문이다. 나와 동생뿐만 아니라 같

> ● 글의 내용: 「나무를 심는 사람」의 왕가리 마타이가 추구하는 가치를 자신의 삶과 관련지어 쓴 글입니다.

이 살아갈 우리 모두를 위한 선택이고 실천이라는 것도 안다. 왕가리 마타이가 케냐 사람들을 위해 나무 심기 운동을 했던 것처럼, 또 우후루 공원에 건물 짓는 것을 반대한 것처럼 말이다. 왕가리 마타이가 모두의 이익과 행복을 추구했다는 것은, 5 노년에도 환경 보호 운동에 앞장섰다는 부분에서 가장 크게 느낄 수 있었다. 왕가리 마타이와 우리 부모님께서 보여 주신 말과 행동을 보며 그동안 나는 어떤 사람이었는지 되돌아보게 된다. 나는 우리 모두를 위해 어떤 일을 했던가? 10

3 "우리 아이들을 위해서!" / "모든 사람의 것이야."

왕가리 마타이가 모두의 이익과 행복을 추구하는 모습을 보여 주는 말이다. 부모님께서 하셨던 말씀이기도 하다. 왕가리 마타이와 부모님께서 우리에게 보여 주신 행동처럼 나도 우리 모두를 위한 일이 15 무엇인지 찾아봐야겠다. 그리고 꼭 실천해야겠다.

핵심

21 승수가 왕가리 마타이가 추구하는 가치를 자신의 삶과 어떻게 관련지었는지 살펴보며, 빈칸에 들어갈 말을 보기 에서 골라 각각 쓰시오.

> **보기**   행동   비교   경험

(1) 이야기와 관련한 자신의 (   )을/를 생각해 본다.
(2) 인물과 자신의 삶을 (   )해 보고 느낀 점을 생각해 본다.
(3) 자신이 처한 문제나 고민을 해결하는 데 도움을 준 인물의 말과 (   )을/를 생각해 본다.

22 승수는 누구와 왕가리 마타이가 추구하는 가치가 비슷하다고 생각합니까?

(   )

---

23 왕가리 마타이가 추구하는 가치가 드러난 행동으로 알맞은 것을 <u>세 가지</u> 고르시오.

(,   ,   )

① 마스크를 챙긴 일
② 나무 심기 운동을 한 일
③ 노년에도 환경 보호 운동을 한 일
④ 대중교통 대신 자동차를 이용한 일
⑤ 우후루 공원에 건물 짓는 것을 반대한 일

서술형

24 승수는 왕가리 마타이가 한 말과 행동을 보고 앞으로 무엇을 하기로 결심했는지 쓰시오.

_____

_____

문학 작품 속 인물 소개하기

◉ 문학 작품 속 인물을 소개하는 글 읽기

민수가 쓴 인물 소개서

• 글의 특징: 『샘마을 몽당깨비』의 '몽당깨비'를 소개하려고 각 항목별로 인물에 대해 정리한 인물 소개서입니다.

『샘마을 몽당깨비』의 '몽당깨비'를 소개합니다

• 지은이: 황선미

• 이름: 몽당깨비　　• 성별: 남　　• 나이: 알 수 없음.　　• 특징: 도깨비

• 인물에게 일어난 일
 – 어머니의 병을 낫게 하려고 도깨비 샘물을 뜨러 오는 버들이를 사랑하게 됨.
 – 버들이의 부탁을 받고 도깨비 샘의 물길을 바꾼 벌로 천 년 동안 은행나무 뿌리에 갇힘.
 – 은행나무가 옮겨 가는 바람에 삼백 년 만에 세상에 나왔지만, 도깨비들이 샘을 잃어버린 것과 버들이의 자손인 아름이가 죗값으로 가슴병을 앓는 것을 알게 됨.
 – 은행나무가 다시 살아나고 아름이의 가슴병도 낫자 대왕 도깨비로 거듭나려고 다시 은행나무 뿌리 속으로 들어감.

• 인물을 말해 주는 질문과 대답
 – 좋아하는 것은? 사람, 특히 버들이
 – 싫어하는 것은? 은행나무 뿌리에 갇히는 것
 – 잘하는 것은? 남을 도와주는 것
 – 못하는 것은? 버들이의 부탁을 거절하는 것
 – 희망하는 것은? 버들이를 다시 만나는 것, 대왕 도깨비로 거듭나는 것
 – 걱정하는 것은? 은행나무가 죽어 가는 것, 도깨비들이 사라지는 것

• 기억나는 인물의 말과 행동
 – 기억나는 말: "버들이와 아름이는 내게 사랑과 용서를 가르친 사람들이야."
 – 기억나는 행동: 버들이를 위해 돈을 만들어 주고 부잣집 보물을 훔친 행동, 다시 은행나무 뿌리 속으로 들어가기 전에 미소를 보이며 왼손을 든 행동

---

1 민수가 쓴 인물 소개서에 들어 있는 내용이 아닌 것은 무엇입니까? (　　)
〔교과서 문제〕
① 작품 제목
② 인물의 특징
③ 인물에게 일어난 일
④ 기억나는 인물의 말과 행동
⑤ 인물이 자신의 삶에 준 영향

2 민수가 쓴 인물 소개서 가운데에서 인물이 추구하는 가치가 드러나는 내용으로 알맞은 것의 기호를 모두 쓰시오.
〔교과서 문제〕

㉠ 인물의 성별과 나이
㉡ 기억나는 인물의 말과 행동
㉢ 인물을 말해 주는 질문과 대답

(　　　　　　　)

3 〔서술형〕 몽당깨비가 추구하는 가치와 그렇게 생각한 까닭을 쓰시오.

(1) 추구하는 가치	
(2) 그렇게 생각한 까닭	

4 〔역량〕 그동안 읽은 문학 작품 가운데에서 소개하고 싶은 작품의 제목과 인물을 쓰시오.

(1) 작품 제목	
(2) 소개하고 싶은 인물	

단원 마무리

글쓴이가 말하고자 하는 생각 찾기

예 「책이 주는 선물을 받고 싶은 어린이들에게」에서 글쓴이가 말하고자 하는 생각 찾기

글쓴이는 글의 제목에서 책이 주는 선물이…….

'책'이라는 낱말을 자주 사용한 것을 보니 글쓴이는 어린이들에게…….

글쓴이는 '책을 읽는 사람이 지혜롭게 세상을 살 수 있다고 해.'라는 문장에서 말하고자 하는 생각을 드러냈어.

글의 제목, 중요한 낱말, 중심 문장을 살펴보니 글쓴이가 말하고자 하는 생각이 '책을 읽자.'라는 것을 알 수 있어.

인물이 추구하는 가치 파악하기

예 「제게 12척의 배가 있으니」의 이순신이 추구하는 가치

이순신은 군사와 배가 적었지만 쉽게 포기하지 않았어. 어떤 어려움도 극복할 수 있다고 생각하는 사람이기 때문에 그렇게 행동했을 거야.

→

이순신이 추구하는 가치
어떤 고난도 포기하지 않고 ❶ ⬜⬜하려는 의지, 용기, 자신감을 추구한다.

인물들이 추구하는 다양한 가치 비교하기

예 「버들이를 사랑한 죄」의 인물들이 추구하는 가치 비교하기

	몽당깨비	버들이
인물의 말	• "버들이는 착한 여자라 그럴 리가 없어." • "버들이를 탓하지는 마."	• "위독하신 어머니께 샘물을 좀 더 드리고 싶으니 샘가에 오두막을 짓고 살겠어." • "도깨비가 제일 무서워하는 게 뭐야?"
인물의 행동	• 버들이에게 기와집을 만들어 주려고 돈을 만들고 부자들의 보물도 훔쳤다. • 땅속의 샘물줄기를 기와집 뒤란으로 흐르도록 해 주었다.	• 점점 더 ❷ ⬜⬜을/를 쉽게 얻을 수 있는 방법을 원했다. • 기와집 담에 말 피를 뿌리고 대문에 말 머리를 올려놓았다.
	↓	↓
인물이 추구하는 가치	• ❸ ⬜⬜을/를 담아 상대를 대하는 것을 추구한다. • 믿음과 사랑을 추구한다.	• 효를 추구한다. • 현실적인 이익을 추구한다.

인물이 추구하는 가치를 자신의 삶과 관련짓기

예 「나무를 심는 사람」의 왕가리 마타이가 추구하는 가치를 자신의 삶과 관련짓기

왕가리 마타이가 추구하는 가치를 자신의 삶과 관련지어 이야기하기

왕가리 마타이가 추구하는 가치

모두의 ❹ □□과/와 행복을 추구한다.

황폐해진 케냐의 마을 풍경을 보고 깜짝 놀란 왕가리 마타이는 ❺ □□ □□ 운동을 벌였어. 그 방법이 모두의 이익과 행복을 위한 일이라는 것을 알았기 때문이지. 나도 부모님께서 그와 같은 가치를 추구하는 모습을 본 적이 있어.

왕가리 마타이처럼 자신뿐 아니라 모두의 이익과 행복을 추구하는 부모님께 감사해. 그리고 그동안 나는 어떤 사람이었는지 되돌아보게 돼.

왕가리 마타이가 한 말과 행동을 보고 나도 우리 모두를 위한 일을 찾아봐야겠다고 생각했어.

문학 작품 속 인물 소개하기

예 자신이 쓴 인물 소개서를 보고 문학 작품 속 인물 소개하기

[1~3] 글을 읽고, 물음에 답하시오.

가 『갈매기의 꿈』은 『꿀벌 마야의 모험』만큼 내게 특별한 책이었지. 단지 먹으려고 날았던 다른 갈매기와는 달리 자신만의 꿈을 이루려고 끊임없이 나는 법을 연습했던 특별한 갈매기 이야기였거든. 그 책은 내게 꿈을 이루려면 어떻게 해야 하는지 가르쳐 줬어. 그래서 작가라는 꿈을 이루려고 더 많은 책을 읽었단다.

나 책 속에는 많은 이야기가 숨어 있어. 그리고 이야기 속 인물들은 우리를 다양한 경험 세계로 데려다주지. 꿈과 희망, 소외된 사람들에 대한 관심, 용기와 도전같이 작가가 말하고자 하는 생각도 듣는단다. 그 많은 이야기에 공감하며 이야기 속 인물의 삶에서 내 삶을 돌아보는 기회가 되는 것도 책이 주는 선물이야. 그래서 책을 읽는 사람은 지혜롭게 세상을 살 수 있다고 해. 나는 책에서 꿈을 찾았고 꿈을 이루는 방법까지 배웠으니 책이 주는 더 특별한 선물을 받은 거지.

서술형

1 글쓴이가 되고 싶어 한 것과 그것을 이루기 위해 한 행동을 쓰시오.

(1) 되고 싶어 한 것: _____

(2) 글쓴이의 행동: _____

2 글쓴이는 무엇에서 꿈을 찾고, 꿈을 이루는 방법을 배웠는지 쓰시오.

( )

3 이 글의 글쓴이가 말하고자 하는 생각으로 알맞은 것의 기호를 쓰시오.

ㄱ 진로를 찾으려면 책을 읽자.
ㄴ 책도 좋지만 여러 매체를 경험해 보자.
ㄷ 책을 읽으면 지혜롭게 세상을 살 수 있으니 책을 읽자.

( )

[4~6] 글을 읽고, 물음에 답하시오.

가 고려 말에 새로 등장한 정치 세력과 무인들은 고려 사회를 개혁하려고 했다. 그러나 그들 가운데에서 정몽주와 이성계가 생각하는 개혁 방법은 서로 달랐다. 정몽주는 고려를 유지하면서 개혁해야 한다고 생각했고, 이성계는 고려를 무너뜨리고 새로운 왕조를 세우고자 했다.

나 이런들 어떠하며 저런들 어떠하리
　　만수산 드렁칡이 얽혀진들 어떠하리
　　우리도 이같이 얽혀져 백 년까지 누리리
　　　　　　　　　　　　　　－ 이방원, 「하여가」

다 이 몸이 죽고 죽어 일백 번 고쳐 죽어
　　백골이 진토 되어 넋이라도 있고 없고
　　임 향한 일편단심이야 가실 줄이 있으랴
　　　　　　　　　　　　　　－ 정몽주, 「단심가」

4 글 **나**와 **다**에서 이방원과 정몽주는 무엇으로 자신의 생각을 전하고 있는지 **보기**를 참고하여 쓰시오.

보기 　고려 말부터 발달해 온, 초장·중장·종장의 형태를 가진 우리 고유의 시이다.

( )

5 이방원은 무엇에 빗대어 자신의 생각을 말하고 있는지 글 **나**에서 찾아 쓰시오.

( )

6 글 **나**와 **다**에 나타난 이방원과 정몽주의 생각을 바르게 선으로 이으시오.

(1) 이방원 　•　　•① 뜻을 함께 모아 새 나라를 세우자.

(2) 정몽주 　•　　•② 변함없이 고려에 충성을 다하겠다.

[7~9] 글을 읽고, 물음에 답하시오.

🔵**가** 나라에서는 아예 바다를 포기하고 육군으로 싸우라고 했습니다. 이순신은 임금님께 글을 올렸습니다. / "지난 5, 6년 동안 일본이 충청도와 전라도 쪽으로 공격해 오지 못한 것은 수군이 그 길목을 막고 있었기 때문입니다. 이제 제게 12척의 배가 있으니 죽을힘을 다해 싸운다면 이길 수 있을 것입니다."

🔵**나** 이순신은 작전을 짰습니다.

"우리는 모든 것이 적다. 무기도 적고, 군사도 적고, 배도 적다. 적은 것을 갑자기 늘릴 방법은 없다. 그러나 많아 보이게 할 수는 있을 것이다." / 이순신은 우선 고기잡이배와 피난 가는 배들을 판옥선처럼 꾸미게 했습니다. 비록 실제로 싸울 수 있는 배는 먼저 구한 12척과 나중에 구한 1척, 이렇게 총 13척밖에 안 되었지만, 멀리서 보면 수십 척의 판옥선이 갖추어진 것처럼 보이게 한 것입니다.

7 글 🔵**가**와 🔵**나**에서 이순신이 처한 상황을 생각하며 빈칸에 알맞은 말을 쓰시오.

(1) 글 🔵**가**: 바다를 포기하고 (　　　　　) (으)로 싸우라는 나라의 명을 받았다.

(2) 글 🔵**나**: 적은 수의 군사와 (　　　　　) 을/를 가지고 일본군과 싸우기로 했다.

서술형

8 이순신이 어려운 상황에서도 싸우기를 포기하지 않은 것은 그가 어떤 사람이기 때문인지 쓰시오.

_____

_____

☆☆**9** 이순신이 추구하는 가치를 세 가지 고르시오.

(　　,　　,　　)

① 용기　　② 사랑　　③ 자신감
④ 환경 보호　　⑤ 고난 극복의 의지

[10~13] 글을 읽고, 물음에 답하시오.

🔵**가** "버들이는 강안이마을에서 늙고 병든 어머니와 둘이 살았어. 가난했지만 누구보다 예쁜 아가씨였단다. 새벽마다 도깨비 샘물을 뜨러 왔었지. 가장 먼저 샘물을 길어 마셔야 효험이 있다니까 어머니 병을 낫게 하려고 새벽마다 온 거였어. 도깨비들은 그때쯤이면 숲으로 숨기 시작하는데 나는 버들이를 보려고 늘 남아 있었지."

🔵**나** "언제부터인가 버들이가 고생하는 게 가엾어지기 시작했어. 그래서 재주를 부려 가랑잎으로 돈을 만들어다 주고 부잣집 돈을 훔쳐 내기도 했지. 나는 풋내기 도깨비라서 큰 재주를 못 부리니까 도둑질하는 날이 많았단다."

10 다음은 '나'와 버들이 가운데 어느 인물이 처한 상황인지 쓰시오.

> 어머니가 편찮으셔서 돌봐드려야 한다.

(　　　　　)

11 버들이가 새벽마다 숲으로 가서 한 일은 무엇인지 빈칸에 알맞은 말을 쓰시오.

• (　　　　　)을/를 떴다.

12 이 글에 나타난 '나'의 마음으로 알맞은 것에 ○표를 하시오.

(1) 버들이의 자립심을 키워 주려는 마음
(　　)

(2) 사랑하는 버들이에게 무엇이든지 해 주고 싶은 마음
(　　)

13 '나'의 행동에서 알 수 있는 인물이 추구하는 가치로 알맞은 것의 기호를 쓰시오.

> ㉠ 새로운 일에 도전하는 것을 추구한다.
> ㉡ 진심을 담아 상대를 대하는 것을 추구한다.

(　　　　　)

[14~16] 글을 읽고, 물음에 답하시오.

> ㉮ "버들이가 이번에는 샘을 기와집 뒤란으로 옮겨 달라고 하잖아. 그러면 집에서 샘물을 긷게 될 거라고."
>
> ㉯ "버들이가 묻더군. ㉠도깨비가 제일 무서워하는 게 뭐냐고." / "무서운 거?"
>
> "말 머리와 말 피를 무서워한다고 했지. 그랬더니 그걸로 도깨비들이 집 안에 얼씬거리지 못하도록 수를 써야 한다고 했어. 내가 샘물줄기를 바꾸고 나면 틀림없이 도깨비들이 노여워할 거라고 말이야. 샘물줄기를 찾아 물길을 바꾸고 며칠 뒤에 가 보니까 기와집 앞은 온통 아수라장이었어." / "왜?"
>
> "샘이 마른 이유를 알아내고 동물과 도깨비 들이 모두 그곳으로 모인 거야. 대왕님은 나를 잡아 오라고 불호령을 내렸지. 하지만 아무도 기와집은 건드리지 못했어. 기와집 담에는 빈틈없이 말 피가 뿌려져 있었고 대문에는 말 머리가 높이 올려져 있었던 거야."

14 버들이가 '나'에게 부탁한 일로 알맞은 것에 ○표를 하시오.

(1) 샘을 기와집 뒤란으로 옮기는 것　(　　　)

(2) 기와집 담에 말 피를 뿌리고 대문에 말 머리를 올리는 것　　　　　　　(　　　)

15 버들이가 '나'에게 ㉠을 물은 것은 무엇을 염려한 것이었는지 빈칸에 알맞은 말을 쓰시오.

• (1)(　　　　　　　)을/를 바꾼 것을 안 도깨비들이 (2)(　　　　　　　)할 것을 염려한 것이다.

16 버들이가 추구하는 가치를 바르게 말한 친구를 쓰시오.

> 규현: 배려와 양보를 추구하는 인물이야.
> 수정: 현실적인 이익을 추구하는 인물이야.

(　　　　　　　　　)

[17~19] 글을 읽고, 물음에 답하시오.

> ㉮ 1989년, 케냐 정부는 나이로비 시내 한복판에 있는 우후루 공원에 복합 빌딩을 건설하려고 했다. / 우후루 공원은 대도시 나이로비에 남아 있는 유일한 녹지 공간으로, 콘크리트 건물 사이에서 시민들의 쉼터 역할을 하고 있었다. 왕가리 마타이는 도심 속 녹지대와 시민들의 쉼터가 계속 보전되어야 한다고 생각했다.
>
> ㉯ "우후루 공원은 모든 사람의 것이야. 그러니까 누군가는 그 잘못을 말해야 해."
>
> 왕가리 마타이는 포기하지 않고 우후루 공원을 지켜야 한다고 목소리를 높이면서 정부가 생각을 바꾸도록 노력했다.

17 왕가리 마타이가 지키려고 한 것은 무엇인지 쓰시오.

(　　　　　　　　　)

서술형

18 왕가리 마타이가 처한 상황을 쓰시오.

_____

_____

19 왕가리 마타이가 추구하는 가치로 알맞은 것의 번호를 쓰시오.

> ① 개인적인 이익
> ② 모두의 이익과 행복

(　　　　　　　　　)

20 다음은 인물 소개서 내용 가운데에서 무엇에 해당하는지 빈칸에 알맞은 말을 각각 쓰시오.

> • 좋아하는 것은? 사람, 특히 버들이
> • 싫어하는 것은? 은행나무 뿌리에 갇히는 것

• 인물을 말해 주는 (　　　　　　)과/와 (　　　　　　)

서술형 평가

1 자신이 읽은 이야기 속 인물 가운데에서 기억나는 인물과 그 인물이 중요하게 생각한 것, 인물에게 하고 싶은 말을 쓰시오.

(1) 기억나는 인물	
(2) 인물이 중요하게 생각한 것	
(3) 인물에게 하고 싶은 말	

2 글쓴이가 말하고자 하는 생각을 찾으며 글을 읽으면 얻을 수 있는 점을 한 가지 쓰시오.

_____

_____

3 다음 두 글에서 인물의 생각이 잘 드러난 장을 각각 찾아보고, 왜 그렇게 생각했는지 쓰시오.

> ㉮ 이런들 어떠하며 저런들 어떠하리
> 만수산 드렁칡이 얽혀진들 어떠하리
> 우리도 이같이 얽혀져 백 년까지 누리리
> – 이방원, 「하여가」
>
> ㉯ 이 몸이 죽고 죽어 일백 번 고쳐 죽어
> 백골이 진토 되어 넋이라도 있고 없고
> 임 향한 일편단심이야 가실 줄이 있으랴
> – 정몽주, 「단심가」

(1) 인물의 생각이 잘 드러난 장	
(2) 그렇게 생각한 까닭	

4 자신이 '나'였다면 다음 상황에서 어떤 말이나 행동을 했을지 쓰시오.

> "버들이가 이번에는 샘을 기와집 뒤란으로 옮겨 달라고 하잖아. 그러면 집에서 샘물을 긷게 될 거라고."
> "이제 보니 버들이는 욕심쟁이구나. 샘을 옮기다니! 그러면 다른 동물들은 샘물을 못 마시잖아?"
> "파랑이도 그렇게 말했어. 하지만 나도 그걸 원했으니까 버들이를 탓하지는 마. 나도 어느새 버들이랑 똑같은 생각을 하게 되었던 거야."

_____

_____

5 다음 글에서 알 수 있는 왕가리 마타이가 추구하는 가치를 쓰시오.

> 왕가리 마타이는 도심 속 녹지대와 시민들의 쉼터가 계속 보전되어야 한다고 생각했다. 그녀는 관련 회사와 정부에 편지를 쓰고 언론에 자신의 주장을 알리며 우후루 공원을 지키려고 애썼다. 친구들은 힘들어하는 왕가리 마타이를 걱정했다.
> "왜 이렇게까지 하는 거야? 그건 네가 간섭할 일은 아니잖아?"
> "우후루 공원은 모든 사람의 것이야. 그러니까 누군가는 그 잘못을 말해야 해."
> 왕가리 마타이는 포기하지 않고 우후루 공원을 지켜야 한다고 목소리를 높이면서 정부가 생각을 바꾸도록 노력했다.

_____

● 다음 교과서 문장의 파란색 낱말 중에서 알맞은 것을 골라 인물들이 한 말을 완성하시오.

- 오늘 우리는 이 말처럼 죽기를 **각오**하고 싸워야 한다.
- 가장 먼저 샘물을 길어 마셔야 **효험**이 있다니까 어머니 병을 낫게 하려고 새벽마다 온 거였어.
- 선생님들은 왕가리 마타이의 남다른 **총명**함과 성실함을 눈여겨보고 그녀가 장학금을 받아 외국에서 공부할 수 있도록 도와주었다.
- 비옥했던 토양은 **영양분**이 고갈되어 동물과 식물을 제대로 길러 낼 수 없는 상태가 되었다.

정답 | ❶ 영양분 ❷ 효험 ❸ 총명 ❹ 각오

9

마음을 나누는 글을 써요

무엇을 배울까요?

 준비

- 글을 쓰는 상황과 목적 파악하기

 기본

- 글로 쓸 내용 계획하기
- 마음을 나누는 글 쓰기

 실천

- 학급 신문 만들기

9 마음을 나누는 글을 써요

1 마음을 나누는 글 쓰기 방법

① 글을 쓰는 상황과 목적을 파악합니다.
② 글을 쓰는 상황과 목적을 고려해서 글쓰기 계획을 세웁니다.
③ 내용과 짜임에 맞게 글을 씁니다.
④ 나누려는 마음이 잘 드러나게 씁니다.
⑤ 읽을 사람과의 관계를 고려해서 표현합니다.

2 마음을 나누는 글을 쓰는 상황을 파악하기

① 일어난 사건을 확인합니다.
② 나누려는 마음을 떠올립니다.
③ 읽을 사람을 정합니다.
④ 글을 전하는 방법을 정합니다.
⑤ 글을 쓰는 목적을 생각합니다.

> 글을 전하는 방법에는 편지 쓰기, 학급 게시판에 쓰기, 누리집에 쓰기, 메일 쓰기, 문자 메시지 쓰기 같은 다양한 방법이 있습니다.

3 마음을 나누는 글을 쓸 계획 세우기

상황과 목적 파악하기
• 글을 쓰는 상황 파악하기 • 글을 쓰는 목적 정하기

↓

쓸 내용 정하기
• 일어난 사건 떠올리기 • 일어난 사건에 대한 자신의 생각이나 행동 떠올리기 • 나누려는 마음 생각하기

↓

표현하기
• 읽을 사람을 생각해서 표현하기 →누가, 어떤 사람에게 썼는지에 따라 표현하는 방법이 • 맞춤법, 띄어쓰기를 잘 지켜 표현하기 ┘달라집니다.

4 마음을 나누는 글을 쓰고 점검하기

① 일어난 사건을 다시 한번 떠올려 읽을 사람이 이해하기 쉽게 자세히 썼는지 살펴봅니다.
② 나누려는 마음을 자세하게 나타냈는지 살펴봅니다.
③ 읽을 사람을 위해 정확하고 쉬운 표현을 썼는지 살펴봅니다.

핵 심 개 념 문 제

정답과 해설 • 33쪽

1 마음을 나누는 글을 쓰려면 먼저 글을 쓰는 상황과 무엇을 파악해야 하는지 쓰시오.

(   )

2 마음을 나누는 글에서 글을 전하는 ☐☐에는 '편지 쓰기, 문자 메시지 쓰기' 등 여러 가지가 있습니다.

3 마음을 나누는 글을 쓸 내용을 정할 때에는 일어난 사건에 대한 자신의 생각이나 행동을 떠올립니다.

(○ , ×   )

4 마음을 나누는 글을 표현할 때에는 ☐☐☐과/와 띄어쓰기를 잘 지켜야 합니다.

5 마음을 나누는 글을 쓰고 점검할 때에는 일어난 사건을 자세히 썼는지 살펴보아야 합니다.

(○ , ×   )

준비 글을 쓰는 상황과 목적 파악하기

○ 글을 쓰는 상황과 목적을 생각하며 서연이가 떠올린 상황을 살펴보기

• **그림 설명**: 자원을 아껴야겠다고 결심한 서연이가 친구들이 학용품을 소중히 다루지 않는 것을 보고 안타까워하는 상황입니다.

나무와 같은 자원을 아껴 써야겠구나.

서연

연필과 지우개가 떨어져 있네.

이 연필과 지우개 누구 거니?

아무도 대답이 없네.

뭐야, 주인이 없는 연필과 지우개가 이렇게나 많아?

분실물 보관함

어떻게 하면 안타까운 내 마음을 전할 수 있을까?

● 서연이가 글을 쓰는 상황

마음을 나누는 글을 쓰는 상황	• 무분별한 벌목으로 자연이 파괴된다는 뉴스를 시청한 일 • 분실물 보관함에 쌓여 있는 자연 자원으로 만든 학용품을 본 일
나누려는 마음	친구들이 학용품을 소중히 다루지 않아 안타까운 마음
읽을 사람	친구들
글을 전하는 방법	학급 게시판에 쓰기 / 학급 누리집에 쓰기 / 문자 메시지 쓰기

논술형

1 자신이 마음을 나누는 글을 써 본 경험을 떠올려 쓰시오.

(1) 나눈 마음	
(2) 구체적인 상황	

2 서연이가 자원을 아껴 써야 한다는 생각을 한 까닭으로 알맞은 것에 모두 ○표를 하시오.

(1) 친구가 비싼 학용품을 사는 것을 본 일 ( )

(2) 무분별한 벌목으로 자연이 파괴된다는 뉴스를 시청한 일 ( )

(3) 분실물 보관함에 쌓여 있는 자연 자원으로 만든 학용품을 본 일 ( )

3 서연이가 글로 마음을 나눈다면 서연이가 나누려는 마음은 무엇일지 쓰시오.

( )

핵심

4 마음을 나누는 글을 쓰는 상황과 목적을 파악하기 위해 생각할 점으로 알맞지 <u>않은</u> 것은 무엇입니까? ( )

① 누가 읽을 것인가?
② 어디에 글을 실을 것인가?
③ 나누려는 마음은 무엇인가?
④ 글을 쓸 장소를 어디로 정할 것인가?
⑤ 어떤 사건으로 글을 쓸 생각을 했는가?

○ 마음을 나누는 글 읽기

❷ 선생님께

　선생님, 안녕하세요? 저는 최연아입니다.

　올해 선생님을 만난 건 저에게 큰 행운입니다.
저는 이상하게 국어 공부가 싫었습니다. 책은 만화
5　책 말고는 모두 재미가 없고, 글쓰기도 팔만 아픈
것 같았습니다. 그런데 선생님과 함께 국어를 공부
하고 나서는 조금씩 달라지기 시작했습니다.

　선생님께서는 읽기와 쓰기를 할 때 도움이 되는
여러 가지 재미있는 방법을 알려 주셨습니다. 그리
10　고 이해가 되지 않는 부분은 없는지, 더 알고 싶은
것이 있는지를 물어봐 주시고 진지하게 들어 주셨
습니다. 그래서 저는 용기를 내어 궁금한 점이나 더
알고 싶은 것을 여쭈어보았고, 새로운 내용을 알면
서 국어 공부가 점점 더 좋아지기 시작했습니다.

15　국어 공부를 좋아하게 되니 다른 과목 공부도 재
미있었습니다. 모두 선생님 덕분입니다. 선생님께
서 수업 시간에 늘 말씀하신 것처럼 몸과 마음이
건강한 사람이 되도록 노력하겠습니다. 선생님, 정
말 고맙습니다.

20　　　　　　20○○년 ○○월 ○○일 / 최연아 올림

• **글의 특징**: 글 ❷는 선생님께 고마운 마음을 전하는 편지글이고, 글 ❸는 친구에게 미안한 마음을 전하는 문자 메시지입니다.

❸

> 지수: 정민아, 아까 과학 시간에 물을 엎질러서 정말 미안해.
>
> 정민: 아니야, 지수야. 일부러 그런 것도 아니잖아.
>
> 지수: 그래도 옷이 젖어서 불편했지?
>
> 정민: 아니야. 괜찮았어. 그나저나 너도 많이 놀랐겠다.
>
> 지수: 응, 사실 나도 깜짝 놀랐어.
>
> 정민: 그래, 난 정말 괜찮으니까 너도 너무 걱정하지 마.
>
> 지수: 그래, 고마워. 그리고 진심으로 미안해.

● **글을 쓴 목적과 표현 방법** 예

	목적	표현 방법
글 ❷	감사한 마음을 표현하려고	공손한 말로 편지 쓰기
글 ❸	미안한 마음을 표현하려고	친근한 말로 문자 메시지 쓰기

핵심

1 글 ❷와 ❸를 쓴 목적은 무엇인지 바르게 선으로
이으시오.

（교과서 문제）

(1) 글 ❷ •　• ㉠ 친구에게 미안한 마음을 표현하기 위해

(2) 글 ❸ •　• ㉡ 선생님께 감사한 마음을 표현하기 위해

2 글 ❷는 어떤 종류의 글로 마음을 표현한 것인지
쓰시오.

（　　　　　　　　　）

3 글 ❸와 같이 나누려는 마음을 문자 메시지로 쓰
면 좋은 점을 **두 가지** 고르시오. （　　，　　）

（교과서 문제）

① 길이의 제약 없이 내용을 전할 수 있다.
② 읽을 사람의 반응을 바로 확인할 수 있다.
③ 자신의 생각이나 느낌을 바로 전할 수 있다.
④ 읽을 사람이 내가 쓴 글에 댓글을 쓸 수 있다.
⑤ 설정 방법에 따라 읽을 사람의 범위를 제한
할 수 있다.

4 글 ❷와 ❸에서 사용한 표현 방법으로 알맞은 것
을 골라 ○표를 하시오.

（교과서 문제）

• 글 ❷는 (친근한 / 공손한) 말을, 글 ❸는
(친근한 / 공손한) 말을 사용했다.

○ 글을 쓰는 상황과 목적을 생각하기

가

아까 점심시간에 미역국을 엎질러서 지효 가방이 더러워졌어. 하지만 지효는 나를 이해해 주었다. 지효에게 미안한 마음과 고마운 마음을 나누는 글을 써 볼까?

신우

○ 마음을 나누는 글 내용과 짜임을 생각하며 글 읽기

나 지효에게 / 지효야, 안녕? 나 신우야.

지효야, 아까 내가 네 책상 옆에서 미역국을 엎질렀지? 너는 네 가방이 더러워져서 많이 속상했을 텐데 나에게 "괜찮아?" 하면서 걱정을 해 주었어.
5 그리고 미역국 치우는 것을 도와주었어.

나는 미역국을 엎지르고 너에게 미안하다는 말도 못 하고 멍하니 서 있었어. 너무 당황스러워서 어떻게 해야 할지 생각이 나지 않았어. 그런데

• 글 나의 특징: 신우가 친구 가방을 더럽힌 일로 미안한 마음과 고마운 마음을 나누려고 쓴 편지글입니다.

네가 오히려 나를 걱정해 주고 같이 치워 주어서 감동했단다.

지효야, 아까는 당황스러워서 너에게 고맙다는 말을 제대로 못 했어. 정말 고마워! 네 따뜻한 마음을 잊지 않을게.
5

앞으로 내가 도와줄 일이 있으면 꼭 도와줄게. 그리고 우리 앞으로도 친하게 지내자. / 안녕.

친구 신우가

● 마음을 나누는 글에서 '쓸 내용' 정하기 예

일어난 사건	점심시간에 미역국을 엎질러서 친구 가방이 더러워진 일
일어난 사건에 대한 자신의 생각이나 행동	• 너무 당황해서 친구에게 미안하다는 말을 못 함. • 친구가 오히려 걱정해 주어서 감동받음.
나누려는 마음	미안한 마음, 고마운 마음

서술형

5 그림 가에서 신우는 어떤 사건 때문에 글을 쓰려고 하는지 쓰시오.

_____

_____

6 신우가 글 나를 쓴 목적으로 알맞지 <u>않은</u> 것을 골라 기호를 쓰시오.

> ㉠ 친구 가방을 더럽혀서 미안한 마음을 나눈다.
> ㉡ 어려운 상황에 놓인 친구를 돕고 싶은 마음을 나눈다.
> ㉢ 자신을 이해하고 도와준 친구에게 고마운 마음을 나눈다.

(   )

핵심

7 다음은 글 쓸 계획을 세울 때 어느 단계에서 고려할 점인지 알맞은 것에 ○표를 하시오.

> 일어난 사건 떠올리기, 일어난 사건에 대한 자신의 생각이나 행동 떠올리기, 나누려는 마음 생각하기

(1) 상황과 목적 파악하기 (   )
(2) 쓸 내용 정하기 (   )
(3) 표현하기 (   )

8 표현하기를 할 때 고려할 점을 바르게 말한 친구를 쓰시오.

> 주아: 친구가 읽기 쉽게 친근한 표현, 쉬운 표현을 사용해야 해.
> 지후: 글을 쓰는 목적이 잘 전달된다면 맞춤법은 꼭 지키지 않아도 돼.

(   )

기본②+실천 마음을 나누는 글을 쓰고 학급 신문 만들기

○ 어떤 마음을 나누었는지 생각하며 정약용이 두 아들에게 보낸 편지 읽기

주어라, 또 주어라

정약용

- 글의 종류: 편지글
- 글의 특징: 조선 시대 실학자 정약용이 두 아들에게 다른 사람의 도움을 바라지만 말고 먼저 베풀면서 살기를 바라는 마음을 담아 보낸 편지의 일부분입니다.

❶ 너희는 항상 버릇처럼 말하기를 "일가친척 중에 한 사람도 불쌍히 여겨 돌보아 주는 사람이 없다."라고 개탄하였다. 더러는 험난한 물길 같다느니, 꼬불꼬불 길고 긴 험악한 길을 살아간다느니 하며 한탄하고 있다. 하지만 이는 모두 하늘을 원망하고 사람을 미워하는 말투로, 큰 병이다.

너희가 아픈 데가 있으면 다른 사람들이 돌보아 주기 마련이었다. 날마다 어떠냐는 안부를 전해 오고, 안아서 부축해 주는 사람도 있었다. 약을 먹여 주고 양식까지 대 주는 사람도 있었다. 이런 일에 _{생존을 위하여 필요한 사람의 먹을거리} 너희가 너무 익숙해져 항상 은혜를 베풀어 주기만 바라고 있구나. 너희가 사람의 본분을 망각하지는 _{어떤 사실을 잊어버리지는} 않았는지 걱정이다. 그래서 내가 이 편지를 보낸다.

중심 내용 다른 사람의 도움을 바라기만 하는 두 아들이 걱정스러워 편지를 보낸다.

❷ 예나 지금이나 남의 도움만을 받으면서 살라는 법은 애초에 없었다. 마음속으로 남의 은혜를 받고자 하는 생각을 버린다면, 절로 마음이 평안하고 기분이 화평해져 하늘을 원망한다거나 사람을 _{화목하고 평온해져} 미워하는 그런 병폐는 없어질 것이다. _{사회의 내부에 오랜 시간에 걸쳐 생긴 나쁜 관습} 여러 날 밥을 끓이지 못하고 있는 집이 있을 텐데 너희는 쌀이라도 퍼 주고, 추운 집에는 장작개비라도 나누어 따뜻하게 해 주어라. 병들어 약을 먹어야 할 사람들에게는 한 푼의 돈이라도 쪼개어 약을 지을 수 있도록 도와주어라. 가난하고 외로운 노인이 있는 집에는 때때로 찾아가 무릎 꿇고 모시어 따뜻하고 공손한 마음으로 공경해야 한다. 그리고 근심 _{공손히 받들어 모심.} 걱정에 싸여 있는 집에 가서 연민의 눈빛으로 그 고 _{불쌍하고 가련하게 여김.} 통을 함께 나누며 잘 처리할 방법을 의논해야 한다.

개탄(慨 분개할 개, 歎 읊을 탄) 분하거나 못마땅하게 여겨 한탄함.
　예 불건전한 청소년 문화에 개탄하는 목소리가 높습니다.

부축 겨드랑이를 붙잡아 걷는 것을 도움.
　예 지유는 친구의 부축으로 겨우 계단을 오를 수 있었습니다.

---

1 이 글은 누가 누구에게 보내는 편지인지 빈칸에 알맞은 말을 쓰시오.

　• (　　　　)이/가 (　　　　)에게

2 ^{교과서 문제} 정약용은 두 아들의 어떤 말버릇을 걱정하고 있습니까? 　　　　(　)

① 남의 흉을 보는 말버릇
② 남의 도움을 바라는 말버릇
③ 다른 사람을 속이는 말버릇
④ 자기 자신을 원망하는 말버릇
⑤ 항상 이웃을 근심하는 말버릇

3 정약용은 병들어 약을 먹어야 할 사람에게 어떻게 하라고 했습니까? 　　　　(　)

① 쌀이라도 퍼 주어라.
② 찾아가 무릎 꿇고 모셔라.
③ 약을 지을 수 있게 돈을 주어라.
④ 연민의 눈빛으로 고통을 나누어라.
⑤ 장작개비라도 나누어 따뜻하게 해 주어라.

서술형

4 정약용이 글을 쓰는 목적이 무엇일지 쓰시오.

_____

_____

기본 2 + 실천

9 단원

이러한 몇 가지 일도 못하면서 어떻게 다른 집에서 너희가 위급할 때 깜짝 놀라 허겁지겁 쫓아올 것이며, 너희가 곤경에 처하였을 때 달려올 것을 바라겠느냐?

조급한 마음으로 몹시 허둥거리는 모양

중심 내용 남의 어려움을 먼저 살피지 않으면서 남의 도움과 은혜를 바라는 것은 옳지 않다.

5 ❸ 남이 어려울 때 자기는 은혜를 베풀지 않으면서 남이 먼저 은혜를 베풀어 주기만 바라는 것은 너희가 지닌 그 오기 근성이 없어지지 않았기 때문이다.

뿌리가 깊게 박힌 성질

이후로는 평상시 일이 없을 때라도 항상 공손하고 화목하며, 조심하고 자기 정성을 다해 다른 사람의

10 환심을 얻는 일에 힘쓸

기뻐하고 즐거워하는 마음

것이지, 마음속에 보답받을 생각은 가지지 않도록 해라.

다른 사람을 위해 먼저 베풀어라. 그러나 뒷날 너희가 근심 걱정 할 일이 있을 때 다른 사람이 보답해 주지 않더라도 부디 원망하지 마라. 가벼운 농담일망정 "나는 지난번에 이렇게 저렇게 해 주었는데 저들은 그렇지 않구나!" 하는 소리도 입 밖 5 에 내뱉지 말아야 한다. 만약 그러한 말이 한 번이라도 입 밖에 나오게 되면, 지난날 쌓아 놓은 공덕은 재가 바람에 날아가듯 하루아침에 사라져 버리고 말 것이다.

착한 일을 하여 쌓은 업적과 어진 덕

중심 내용 마음속에 보답받을 생각을 가지지 말고 다른 사람을 위해 먼저 베풀어야 한다.

핵심

● **정약용이 두 아들과 나누고 싶은 마음**

- 다른 사람을 배려하는 마음
- 다른 사람을 아끼는 마음
- 다른 사람에게 베푸는 마음
- 다른 사람을 걱정하는 마음

곤경(困 괴로울 **곤**, 境 지경 **경**) 어려운 형편이나 처지.
예 친구가 곤경에 처하면 마땅히 도와주어야 합니다.

오기 능력은 부족하면서도 남에게 지기 싫어하는 마음.
예 동생은 끝까지 오기를 부리다가 결국 잘못을 인정했습니다.

---

5 교과서 문제 정약용이 두 아들에게 결국 하고 싶은 말은 무엇입니까? ( )

① 은혜에 보답하며 살아라.
② 큰일이 있을 때만 도우며 살아라.
③ 자신의 어려움을 내색하지 마라.
④ 곤경에 처할까 봐 미리 걱정하지 마라.
⑤ 다른 사람의 도움을 바라지만 말고 먼저 베풀면서 살아라.

핵심

6 정약용이 두 아들과 나누고 싶은 마음으로 알맞지 <u>않은</u> 것은 무엇입니까? ( )

① 다른 사람을 아끼는 마음
② 다른 사람에게 베푸는 마음
③ 다른 사람을 걱정하는 마음
④ 다른 사람을 배려하는 마음
⑤ 다른 사람에게 조언하는 마음

7 이와 같은 마음을 나누는 글을 쓰는 방법으로 알맞지 <u>않은</u> 것은 무엇입니까? ( )

① 내용과 짜임에 맞게 글을 쓴다.
② 나누려는 마음이 잘 드러나게 쓴다.
③ 글을 쓰는 상황과 목적을 파악한다.
④ 읽을 사람과의 관계를 고려해서 표현한다.
⑤ 표현 방법을 고려해서 글쓰기 계획을 세운다.

역량

8 인상 깊었던 일을 주제로 학급 신문을 만드는 과정에 맞게 차례대로 번호를 쓰시오.

① 쓸 내용을 정리한다.
② 인상 깊었던 일을 정리한다.
③ 인상 깊었던 일을 글로 쓴다.
④ 신문 기사를 모아 학급 신문을 만든다.
⑤ 쓴 글과 그림이나 사진 자료로 신문 기사를 완성한다.

( ) ➡ ( ) ➡ ( ) ➡ ( ) ➡ ( )

**글을 쓰는 상황과
목적 파악하기**

예 서연이가 겪은 일을 보고, 글을 쓰는 상황과 목적 파악하기

마음을 나누는 글을 쓰는 상황	• 무분별한 벌목으로 자연이 파괴된다는 뉴스를 시청한 일 • 분실물 보관함에 쌓여 있는 연필과 지우개 등 자연 자원으로 만든 학용품을 본 일
나누려는 마음	친구들이 학용품을 소중히 다루지 않아 ❶☐☐☐☐ 마음
읽을 사람	친구들
글을 전하는 방법	학급 게시판에 쓰기 / 학급 누리집에 쓰기 / 문자 메시지 쓰기
글을 쓰는 ❷☐☐	친구들이 학용품을 소중히 쓰지 않아 안타까운 마음을 전하려고

**글로 쓸 내용
계획하기**

예 신우가 글 쓸 계획을 세울 때 고려한 점

상황과 목적 파악하기	점심시간에 미역국을 엎질러서 친구 가방을 더럽힌 상황	상황을 파악한다.
	친구 가방을 더럽혀 미안한 마음, 이해하고 도와준 친구에게 고마운 마음을 나눔.	목적을 정한다.
쓸 내용 정하기	점심시간에 미역국을 엎질러서 친구 가방이 더러워진 일	일어난 사건을 떠올린다.
	• 너무 당황해서 친구에게 ❸☐☐하다는 말을 못 함. • 친구가 오히려 걱정해 주어서 감동받음.	일어난 사건에 대한 자신의 생각이나 행동을 떠올린다.
	미안한 마음, 고마운 마음	나누려는 마음을 생각한다.
표현하기	친구가 읽기 쉽게 ❹☐☐한 표현, 쉬운 표현을 사용함.	읽을 사람을 생각해서 표현한다.
	친구가 잘 이해할 수 있도록 맞춤법, 띄어쓰기를 잘 지킴.	맞춤법, 띄어쓰기를 잘 지켜 표현한다.

**마음을 나누는
글 쓰기**

예 「주어라, 또 주어라」에서 나누려는 마음 생각하기

마음을 나누는 글을 쓰게 된 상황과 목적

• 다른 사람을 배려하는 마음을 두 아들과 나누려고 함.

• 두 아들의 마음가짐을 ❺ ☐☐ 하는 마음을 전하려고 함.

읽을 사람		글을 전하는 방법
두 아들		편지 쓰기

나누려는 마음

• 다른 사람을 배려하는 마음   • 다른 사람을 아끼는 마음

• 다른 사람에게 베푸는 마음   • 다른 사람을 걱정하는 마음

**학급 신문
만들기**

예 자신이 인상 깊었다고 생각한 일을 주제로 학급 신문 만들기

인상 깊었던 일을 정한다.	➡	쓸 내용을 정리한다.	➡	인상 깊었던 일을 글로 쓴다.

➡ 쓴 글과 그림이나 ❻ ☐☐ 자료로 신문 기사를 완성한다. ➡ 신문 기사를 모아 학급 신문을 만든다.

학급 신문 기사를 쓸 때에는 사실을 있는 그대로 쓰고 읽을 사람의 마음을 고려해야 해.

신문 기사를 주제별, 모둠별, 시기별로 모아 학급 신문을 만들 수 있어.

단원 평가

[1~2] 그림을 보고, 물음에 답하시오.

> 나무와 같은 자원을 아껴 써야겠구나.
>
> 이 연필과 지우개 누구 거니?
>
> 서연 ①
>
> ②
>
> 뭐야, 주인이 없는 연필과 지우개가 이렇게나 많아?
>
> 분실물 보관함
>
> ③
>
> 어떻게 하면 안타까운 내 마음을 전할 수 있을까?
>
> ④

1 서연이의 상황으로 알맞지 <u>않은</u> 것은 무엇입니까? ( )

① 자원이 낭비되는 것을 걱정하고 있다.
② 자신의 마음을 다른 사람과 나누려고 한다.
③ 뉴스를 보고 자원을 아끼자는 생각을 하게 되었다.
④ 분실물 보관함에 자신이 잃어버린 학용품이 있는지 찾고 있다.
⑤ 친구들이 연필이나 지우개를 잃어버리고도 찾지 않는다는 것을 알았다.

서술형

2 서연이가 글을 쓰는 목적이 다음과 같다면 누가 글을 읽으면 좋을지, 그렇게 생각한 까닭은 무엇인지 쓰시오.

> 글을 쓰는 목적: 친구들이 학용품을 소중히 쓰지 않아 안타까운 마음을 전하려고 한다.

(1) 읽을 사람	
(2) 그렇게 생각한 까닭	

3 다음 상황을 떠올려 누리집에 글을 쓴다면 나누려는 마음은 무엇이겠습니까? ( )

> 이웃을 도우려고 나눔 장터를 열려고 함.

① 슬픈 마음
② 속상한 마음
③ 고마운 마음
④ 사과하는 마음
⑤ 도움을 주려는 마음

[4~6] 글을 읽고, 물음에 답하시오.

> ㉮ 선생님께
>
> 선생님, 안녕하세요? 저는 최연아입니다.
> 올해 선생님을 만난 건 저에게 큰 행운입니다. 저는 이상하게 국어 공부가 싫었습니다. 책은 만화책 말고는 모두 재미가 없고, 글쓰기도 팔만 아픈 것 같았습니다. 그런데 선생님과 함께 국어를 공부하고 나서는 조금씩 달라지기 시작했습니다.
> ㉯ 국어 공부를 좋아하게 되니 다른 과목 공부도 재미있었습니다. 모두 선생님 덕분입니다. 선생님께서 수업 시간에 늘 말씀하신 것처럼 몸과 마음이 건강한 사람이 되도록 노력하겠습니다. 선생님, 정말 고맙습니다.

4 이 글은 누가 누구에게 쓴 글인지 빈칸에 알맞은 말을 쓰시오.

• ( )(이)가 ( )에게/께 쓴 글이다.

5 이 글을 쓴 목적으로 알맞은 것을 골라 ○표를 하시오.

(1) 죄송한 마음을 표현하려고 ( )
(2) 감사한 마음을 표현하려고 ( )
(3) 속상한 마음을 표현하려고 ( )

6 이와 같이 나누려는 마음을 편지로 쓰면 좋은 점을 쓰시오.

( )

7 마음을 나누는 글은 무엇에 따라 표현하는 방법이 달라지는지 빈칸에 알맞은 말을 쓰시오.

• 누가, 어떤 사람에게 썼는지, 어떤
(　　　　)과/와 (　　　　)을/
를 나누느냐에 따라 달라진다.

[8~13] 글을 읽고, 물음에 답하시오.

> ⑦ 지효에게
>
> 지효야, 안녕? 나 신우야.
>
> 지효야, 아까 내가 네 책상 옆에서 미역국을 엎질렀지? 너는 네 가방이 더러워져서 많이 속상했을 텐데 나에게 "괜찮아?" 하면서 걱정을 해 주었어. 그리고 미역국 치우는 것을 도와주었어.
>
> ④ 나는 미역국을 엎지르고 너에게 미안하다는 말도 못 하고 멍하니 서 있었어. 너무 당황스러워서 어떻게 해야 할지 생각이 나지 않았어. 그런데 네가 오히려 나를 걱정해 주고 같이 치워 주어서 감동했단다.
>
> ④ 지효야, 아까는 당황스러워서 너에게 고맙다는 말을 제대로 못 했어. 정말 고마워! 네 따뜻한 마음을 잊지 않을게.
>
> 앞으로 내가 도와줄 일이 있으면 꼭 도와줄게. 그리고 우리 앞으로도 친하게 지내자. / 안녕.

8 글 ⑦~④는 어떤 내용을 담고 있는지 바르게 선으로 이으시오.

(1) 글 ⑦ ・　・① 첫인사와 일어난 사건

(2) 글 ④ ・　・② 나누려는 마음과 끝인사

(3) 글 ④ ・　・③ 일어난 사건에 대한 자신의 생각이나 행동

서술형

9 신우가 오늘 학교에서 겪은 일은 무엇인지 쓰시오.

_____

_____

10 신우가 나누려는 마음으로 알맞은 것을 두 가지 고르시오. (　, 　)

① 고마운 마음　　② 미안한 마음
③ 걱정하는 마음　　④ 기대하는 마음
⑤ 실망하는 마음

11 이와 같은 글을 쓸 계획을 세울 때, 가장 먼저 고려해야 하는 것을 두 가지 골라 ○표를 하시오.

(상황 , 목적 , 맞춤법)

12 이 글을 쓸 계획을 세우는 과정에서 다음을 떠올렸을 때, 알맞은 것에 ○표를 하시오.

> 일어난 사건에 대한 자신의 생각이나 행동 떠올리기

(1) 친구가 오히려 걱정해 주어서 감동을 받았다. (　)
(2) 실수를 하고 친구에게 바로 미안하다고 사과했다. (　)

13 이 글을 읽을 사람을 생각한다면 다음 중 어떤 표현을 사용하는 것이 좋을지 알맞은 것의 기호를 모두 쓰시오.

> ㉠ 쉬운 표현　　㉡ 딱딱한 표현
> ㉢ 친근한 표현　　㉣ 복잡한 표현

(　　　　)

[14~17] 글을 읽고, 물음에 답하시오.

> ⑦ 너희가 아픈 데가 있으면 다른 사람들이 돌보아 주기 마련이었다. 날마다 어떠냐는 안부를 전해 오고, 안아서 부축해 주는 사람도 있었다. 약을 먹여 주고 양식까지 대 주는 사람도 있었다. 이런 일에 너희가 너무 익숙해져 항상 은혜를 베풀어 주기만 바라고 있구나. 너희가 ㉠사람의 본분을 망각하지는 않았는지 걱정이다. ㉡ 내가 이 편지를 보낸다.
>
> 예나 지금이나 남의 도움만을 받으면서 살라는 법은 애초에 없었다. 마음속으로 남의 은혜를 받고자 하는 생각을 버린다면, 절로 마음이 평안하고 기분이 화평해져 하늘을 원망한다거나 사람을 미워하는 그런 병폐는 없어질 것이다.
>
> 여러 날 밥을 끓이지 못하고 있는 집이 있을 텐데 너희는 쌀이라도 퍼 주고, 추운 집에는 장작개비라도 나누어 따뜻하게 해 주어라.
>
> ④ 다른 사람을 위해 먼저 베풀어라. 그러나 뒷날 너희가 근심 걱정 할 일이 있을 때 다른 사람이 보답해 주지 않더라도 부디 ㉢ 마라. 가벼운 농담일망정 "나는 지난번에 이렇게 저렇게 해 주었는데 저들은 그렇지 않구나!" 하는 소리도 입 밖에 내뱉지 말아야 한다.

14 이 글의 내용으로 보아 ㉠'사람의 본분'이란 무엇을 뜻하겠습니까? ( )

① 은혜를 갚는 일
② 정직하게 사는 일
③ 남의 도움을 받는 일
④ 남을 먼저 도와주는 일
⑤ 마음을 평안하게 가지는 일

15 ㉡에 들어갈 이어 주는 말로 알맞은 것은 무엇입니까? ( )

① 그리고
② 그래서
③ 그러나
④ 그런데
⑤ 그렇지만

16 글의 내용으로 보아 ㉢에 들어갈 말로 알맞은 것은 무엇입니까? ( )

① 잊지
② 무시하지
③ 원망하지
④ 안심하지
⑤ 궁금해하지

서술형
17 글쓴이가 이 글을 통해 나누고 싶은 마음은 무엇인지 쓰시오.

_____

_____

18 마음을 나누는 글에 쓸 내용을 생각하며 빈칸에 알맞은 말을 쓰시오.

> • 일어난 ( ): 텔레비전에서 화재 소식을 봄.
> • 나눌 마음: 소방관분들이 걱정되는 마음과 소방관분들께 감사한 마음이 듦.

( )

19 마음을 나누는 글을 쓰고 점검하는 기준으로 알맞은 것에 <u>모두</u> ○표를 하시오.

(1) 일어난 사건을 자세히 밝혔나? ( )
(2) 나누려는 마음을 자세하게 나타냈는가? ( )
(3) 읽을 사람을 위해 항상 친근한 말을 사용했는가? ( )

20 학급 신문을 만들기 위해 신문 기사를 쓰는 방법으로 알맞은 것의 번호를 <u>모두</u> 쓰시오.

> ① 사실을 있는 그대로 쓴다.
> ② 글쓴이의 마음을 고려해서 작성한다.
> ③ 그림, 사진 따위를 넣어 실감 나게 나타낸다.

( )

서술형 평가

1 슬픈 마음을 나누는 글을 써 본 경험을 떠올려 쓰시오.

_____

_____

[2~3] 그림을 보고, 물음에 답하시오.

2 학용품을 소중히 다루어야 하는 까닭을 쓰시오.

_____

_____

3 서연이가 이 상황으로 마음을 나누는 글을 쓴다면 글을 쓰는 목적은 무엇일지 쓰시오.

_____

_____

4 신우가 마음을 나누는 글을 쓴다면 누구에게, 어떤 마음을 나누려고 할지 생각하여 쓰시오.

_____

_____

5 다음 상황을 바탕으로 마음을 나누는 글을 쓴다면 나눌 마음과 글을 쓰는 방법을 정해 보시오.

> 텔레비전에서 화재 뉴스를 봤는데, 소방관이 위험을 무릅쓰고 불을 끄는 모습이 나왔다.

_____

_____

6 마음을 나누는 글을 쓰고 점검하는 기준을 한 가지 쓰시오.

_____

_____

● 다음 교과서 문장의 파란색 낱말 중에서 알맞은 것을 골라 인물들이 한 말을 완성하시오.

• 어떻게 하면 **안타까운** 내 마음을 전할 수 있을까?
• 날마다 어떠냐는 **안부**를 전해 오고, 안아서 부축해 주는 사람도 있었다.
• 가난하고 외로운 노인이 있는 집에는 **때때로** 찾아가 무릎 꿇고 모시어 따뜻하고 공손한 마음으로 공경해야 한다.
• 너희가 **곤경**에 처하였을 때 달려올 것을 바라겠느냐?

저작자 및 출처의 표시

• 『한끝 초등 국어』는 다음 저작물의 교과서 수록 부분을 재인용하여 만들었습니다.

단원	제재 이름	지은이	나온 곳	한끝 쪽수
1	「뻥튀기」	고일 글, 권세혁 그림	『뻥튀기』, (주)주니어이서원, 2014.	11쪽
	「봄비」	심후섭 글, 노성빈 그림	『내 마음의 동시 6학년』, (주)계림북스, 2011.	12쪽
	「풀잎과 바람」	정완영	『가랑비 가랑가랑 가랑파 가랑가랑』, (주)사계절출판사, 2015.	13쪽
2	「황금 사과」	송희진 글, 이경혜 옮김	『황금 사과』, 뜨인돌어린이, 2011.	25쪽
	「우주 호텔」	유순희 글, 오승민 그림	『우주 호텔』, 해와나무, 2012.	32쪽
	「소나기」	연필로 명상하기	「소나기」, 연필로 명상하기, 2017.	42쪽
3	'2017년 서울 강수량 분석' 도표 자료		기상 자료 개방 포털 누리집 (https://data.kam.go.kr)	54쪽
	100대 기업의 인재상 변화		대한상공회의소, 2018.	58쪽
	「일자리의 미래」	한국교육방송공사	「지식 채널 e: 일자리의 미래」, 한국교육방송공사, 2018.	59쪽
5	「속담 하나 이야기 하나: 독장수구구」	임덕연	『속담 하나 이야기 하나』, 도서출판산하, 2014.	89쪽
	「속담 하나 이야기 하나: 까마귀 고기를 먹었나」	임덕연	『믿거나 말거나 속담 이야기』, 도서출판산하, 2014.	91쪽
연극	「버들잎 편지」	주평	『등대섬 아이들』, 신아출판사, 2016.	103쪽
	「숲이 준 마법 초콜릿」	배봉기	『말대꾸하면 안 돼요?』, (주)창비, 2010.	103쪽
	「우리는 이미 하나」	브랜드 센세이션	한국방송광고진흥공사, 2016.	115쪽
6	그림(「야묘도추」)	김득신	간송미술문화재단	116쪽
	그림(「씨름」)	김홍도	국립중앙박물관	116쪽
	「수원 화성을 어떻게 만들었을까」	유지현	『조선 왕실의 보물 의궤』, 토토북, 2009.	117쪽
	『화성성역의궤』		국립중앙박물관	118쪽
7	사례 1 (「욕해도 될까요?」)	한국교육방송공사	「EBS 다큐 프라임」, 한국교육방송공사, 2011.	135쪽
	사례 3 (「카드 뉴스- 우리말로 바꾼 반려 문화 외래어·외국어」)	김보아	『한국일보』, 2017. 10. 9.	136쪽
	'초등학생이 가장 많이 사용하는 신조어와 줄임 말' 표		「MBC 경남 뉴스데스크: 초등학생 줄임 말, 신조어 '심각'」, (주)문화방송, 2015. 10. 9.	137쪽
8	「제게 12척의 배가 있으니」	이강엽	『불패의 신화가 된 명장 이순신』, (주)웅진씽크빅, 2005.	151쪽
	「버들이를 사랑한 죄」	황선미	『샘마을 몽당깨비』, (주)창비, 2013.	154쪽
9	「주어라, 또 주어라」 (원제목: 「남을 도울 줄 아는 사람이 되거라」)	정약용 글, 한문희 엮음	『아버지의 편지』, 함께읽는책, 2004.	178쪽

MEMO

한 권으로 끝내기!
교과서 학습부터 평가 대비까지 한 권으로 끝!
국어 공부의 진리입니다.

한끝과 함께 언제, 어디서든 즐겁게 공부해!

한끝으로 끝내고, 이제부터 활짝 웃는 거야!

한끝 정답과 해설

정답이구멍~

초등국어

6·1

visang

ABOVE IMAGINATION

우리는 남다른 상상과 혁신으로
교육 문화의 새로운 전형을 만들어
모든 이의 행복한 경험과 성장에 기여한다

한끝

정답과 해설

초등
국어 6·1

1 비유하는 표현

핵 심 개 념 문 제
10쪽

1 비유   **2** 직유법   **3** ㉠, ㉡
4 ○   **5** 그림

준비 비유하는 표현 살펴보기
11쪽

1 ④, ⑤   **2** ③
3 냄새가 고소하고 달콤해서 등
4 나비로 표현하고 싶다. 왜냐하면 번데기가 나비가
되듯이 아주 다른 모습으로 변하는 것이 비슷하
기 때문이다. 등

1 이 글은 뻥튀기가 튀겨질 때 사방으로 튀는 모습과 뻥
튀기를 튀길 때 나오는 고소하고 달콤한 냄새를 표현
하고 있습니다.

2 뻥튀기가 사방으로 날리는 모양을 '봄날 꽃잎, 나비,
함박눈, 폭죽'에 비유하여 표현했습니다.

3 '뻥튀기 냄새'와 '새우 냄새' 모두 고소하고 달콤한 냄
새가 난다는 공통점이 있습니다.

4 뻥튀기와 공통점을 가진 사물을 알맞은 까닭과 함께
씁니다.

> **채점 기준** '뻥튀기'의 특징과 비슷한 사물과 그 까닭을
> 알맞게 썼으면 정답으로 합니다.

기본① 비유하는 표현을 생각하며 시 읽기
12~13쪽

1 큰 은혜로 내리는 교향악   **2** ②
3 (1) 세숫대야 바닥 (2) 악기 (3) 경쾌하고 가볍게
움직이는 것이 비슷해서 등   **4** 풀잎, 바람
5 ⑤
6 풀잎하고 헤어졌다가 되찾아 온 바람의 모습이 만
나면 얼싸안는 친구 같기 때문이다. 등
7 (1) 예 따뜻함. (2) 예 햇볕 같은 친구 좋아 / 따
뜻하게 온 땅을 내리쬐는 햇볕처럼

---

1 봄비를 '큰 은혜로 내리는 교향악'으로 표현했습니다.

2 아기가 아니라 아기 손 씻던 세숫대야 바닥이 작은 북
이 되는 것입니다.

3 세숫대야 바닥에 봄비가 내리는 소리를 작은북에, 이
세상 모든 것을 '악기'에 비유하였고, 봄비 내리는 모
습을 왈츠에 비유한 것은 비 내리는 소리가 왈츠처럼
경쾌하고 가볍게 움직이는 것이 비슷하기 때문입니다.

4 친구를 풀잎과 바람에 비유하여 표현했습니다.

5 바람하고 엉켰다가 풀 줄 아는 풀잎의 모습이 헤어질
때 또 만나자고 손 흔드는 친구 같기 때문에 좋다고
하였습니다.

6 2연에서 친구를 비유하는 표현을 보면 바람 같은 친
구가 좋다고 말한 까닭을 알 수 있습니다.

> **채점 기준** 2연의 내용을 정리하여 알맞은 까닭을 썼으
> 면 정답으로 합니다.

7 자신이 생각하는 친구의 의미를 떠올려 보기 처럼 써
봅니다.

기본② 비유하는 표현을 살려 시 쓰기
14쪽

1 예 친구
2 (1) 예 발전소 (2) 예 내게 힘을 준다.
3 예 변하지 않는 / 나의 영원한 발전소
4 ③

---

1 사람, 날씨, 새 교실 등 봄이 되면 새롭게 만날 수 있
는 대상을 떠올려 봅니다.

2 대상의 특징과 비유하는 표현의 공통점을 생각해 봅
니다.

3 '친구'를 표현할 수 있는 대상을 찾아 비유하는 표현
을 살려 시를 완성합니다.

> **채점 기준** 친구의 특징과 어울리는 비유하는 표현을 사
> 용하여 시를 썼으면 정답으로 합니다.

4 비유하는 표현이 잘 드러나는 부분에 표시해 가며 읽
으면 시 내용이 마음에 더 잘 와닿습니다.

실천 시 낭송회와 시화전 열기 15쪽

1 ③ **2** ② **3** ⑤
4 ㉡

1 시의 내용에 어울리는 목소리로 읽어야 합니다.

2 조용하고 잔잔한 음악에는 클래식이나 통기타 음악이 어울립니다.

3 시 내용에 나오는 사물을 반드시 그릴 필요는 없습니다.

> **정답 친해지기** 시에 어울리는 그림을 그리는 방법
> • 그림은 시를 잘 표현해야 합니다.
> • 그림이 시 읽는 것을 방해하면 안 됩니다.
> • 시 내용이 잘 드러나게 그려야 합니다.
> • 시의 장면을 상상하며 그려야 합니다.

4 그림을 꼭 시의 오른쪽에 배치할 필요는 없고, 시와 그림의 배치가 적절한지만 살펴보면 됩니다.

단원 마무리 16~17쪽

❶ 하늘 ❷ 폭죽 ❸ 고소
❹ 교향악 ❺ 특징 ❻ 노래
❼ 내용

단원 평가 18~20쪽

1 비유 **2** ④
3 냄새가 고소하고 달콤해서 등
4 작은 것이 큰 것으로 변하는 성질이 비슷하다. 등
5 ④ **6** ③
7 봄비 **8** ⑤
9 (1) 예 가로수 (2) 예 리코더 (3) 예 비를 맞으며 일자로 서 있는 모습이 비슷하기 때문이다.
10 ④
11 예 가족, 예 곁에서 슬픔과 기쁨을 같이 나누어서 좋은 가족 **12** 지절 **13** ③
14 설렘, 기대, 희망 등 **15** ①
16 내 친구 등 **17** 효진
18 클래식이나 통기타 음악 등 **19** ③
20 ㉣

1 어떤 현상이나 사물을 비슷한 현상이나 사물에 빗대어 표현하는 것을 '비유하는 표현'이라고 합니다.

2 뻥튀기와 함박눈은 소복하게 내린다는 공통점이 있습니다.

3 이 글에서 뻥튀기의 하얀 연기가 고소하다고 했으므로 옥수수 냄새도 고소할 것입니다.

4 뻥튀기도 작은 것이 크게 변하고, 솜사탕도 작은 것이 크게 변한 것입니다.

> **채점 기준** 뻥튀기와 솜사탕의 공통점을 알맞게 썼으면 정답으로 합니다.

5 비유하는 표현을 사용한다고 해서 읽는 이의 생각을 내 생각에 따르게 할 수 있는 것은 아닙니다.

6 봄비 내리는 소리가 다양하여 교향악에 비유하여 표현한 것입니다.

7 '풍풍 포옹 풍'과 '풍풍 푸웅 풍'은 봄비가 앞마을 냇가와 뒷마을 연못에 내리는 장면을 표현한 말입니다.

8 소리가 비슷한 글자나 일정한 글자 수가 반복될 때 운율이 느껴지는데, ⑤는 글을 읽는 듯한 느낌입니다.

9 봄비 내리는 장면에서 떠오르는 대상과 그 대상의 특징과 어울리는 악기를 생각해 봅니다.

> **채점 기준** 봄비 내리는 장면에서 떠오르는 대상과 그 대상의 특징과 공통점이 있는 악기를 알맞게 썼으면 정답으로 합니다.

10 친구와 바람의 공통점은 다시 찾아온다는 점, 다시 만난다는 점입니다.

11 친구의 의미를 생각해 보고 그 의미를 떠올릴 수 있는 구체적인 사물을 떠올려 빗대어 표현해 봅니다.

12 익숙한 대상도 비유하는 표현을 사용하면 새롭게 느껴집니다.

13 단풍은 가을에 만날 수 있는 것입니다.

14 '사람'에 대한 자신의 생각이나 마음을 씁니다.

15 흥부가 장난이 심하지는 않습니다.

16 친구를 '연예인', '조각상', '호수', '바다'에 비유하여 표현한 시입니다.

17 시에서 은유법을 알맞게 사용하면 대상의 모습을 실감 나게 나타낼 수 있습니다.

18 조용하고 잔잔한 분위기에 어울리는 음악을 생각해 봅니다.

19 시에서 떠오르는 장면을 상상하며 노래하듯이 부드럽고 자연스럽게 읽어야 합니다.

20 그림이 시 읽는 것을 방해하면 안 됩니다.

서술형 평가
21쪽

1 뻥튀기가 사방으로 날리는 모양을 비유한 표현은 '봄날 꽃잎, 나비, 함박눈, 폭죽'이다. 등

2 (1) 큰 소리가 나는 것이 비슷해서이다. 등
(2) 작은 소리가 나는 것이 비슷해서이다. 등

3 봄비를 맞고 서 있는 개나리와 진달래가 떠오른다. 등

4 바람하고 엉켰다가 풀 줄 아는 풀잎의 모습이 헤어질 때 또 만나자고 손 흔드는 친구 같기 때문이다. 등

5 (1) 공기 등 (2) 공기처럼 친구가 항상 소중하고 필요하기 때문에 등

---

1 뻥튀기가 사방으로 날리는 모양을 '봄날 꽃잎, 나비, 함박눈, 폭죽'에 비유하여 표현했습니다.

> **채점 기준** 뻥튀기가 사방으로 날리는 모양을 비유한 표현으로 '봄날 꽃잎, 나비, 함박눈, 폭죽'을 모두 썼으면 정답으로 합니다.

2 봄비가 지붕에 떨어지는 소리가 커서 '큰북', 봄비가 세숫대야 바닥에 떨어지는 소리가 작아서 '작은북'이라고 표현했습니다.

> **채점 기준** (1)에 '큰 소리가 난다', (2)에 '작은 소리가 난다'를 썼으면 정답으로 합니다.

3 봄비 내리는 장면을 상상했을 때 떠오르는 것을 씁니다.

> **채점 기준** 봄비 내리는 장면을 떠올릴 때 마음속에 떠오르는 것을 썼으면 정답으로 합니다.

4 친구를 풀잎에 빗대어 표현한 까닭을 생각해 봅니다.

> **채점 기준** 헤어질 때 또 만나자고 손 흔드는 친구 같기 때문이라는 내용을 썼으면 정답으로 합니다.

5 소중한 친구를 비유하는 표현과 그 까닭을 써 봅니다.

> **채점 기준** '소중함.'을 비유하는 표현과 그 까닭을 알맞게 썼으면 정답으로 합니다.

---

2 이야기를 간추려요

핵심 개념 문제
24쪽

1 전개 **2** × **3** ㉠
4 구조

준비 이야기 속 사건의 흐름 살펴보기
25~27쪽

1 (예쁜 황금) 사과나무 **2** ④
3 ①
4 황금 사과를 팔아서 그 돈으로 공원이나 도로를 만드는 등 두 동네에 모두 필요한 일에 사용한다. 등
5 담을 쌓았다. 등
6 ④, ⑤ **7** 이익 **8** ⑤
9 괴물이 산다며 담 근처에도 가지 말라는 어른들과 달리 먼저 다가가 말을 건네는 사과가 용기 있다고 생각한다. 등
10 ③ **11** ㉠, ㉣, ㉢, ㉡

---

1 어느 작은 도시 한가운데에 예쁜 사과나무가 있었습니다.

2 윗동네와 아랫동네는 사과나무에 황금 사과가 열린다는 것을 알고 황금 사과를 서로 가지고 싶어서 싸웠습니다.

3 두 동네 사람들은 사과나무를 잘 나누기 위해 땅바닥에 금을 긋고, 금 오른쪽에 열리는 사과는 윗동네, 금 왼쪽에 열리는 사과는 아랫동네에서 갖도록 하였습니다. 그래서 땅바닥에 금이 생긴 것입니다.

4 윗동네와 아랫동네가 똑같이 나누거나 공동의 일에 황금 사과를 사용하면 사이좋게 나눌 수 있었을 것입니다.

> **채점 기준** 윗동네와 아랫동네가 사이좋게 황금 사과를 나눌 수 있는 방법을 썼으면 정답으로 합니다.

5 사람들이 약속을 지키지 않고 금을 넘자 두 동네 사람들은 작은 문이 달린 나무 울타리를 세웠다가 담을 쌓았고, 양쪽에 보초를 세워서 담을 넘는 사람이 있나 감시했습니다.

6 두 동네 사람들은 황금 사과를 서로 가져갈까 봐 의심하였고, 나중에는 서로 잡아먹을 듯이 미워하게 되었습니다.

7 서로 자신들의 이익만 추구하면 안 됩니다.

8 엄마는 꼬마 아이의 질문에, 담 너머에는 심술궂고 못된, 아주 나쁜 사람들이 산다고 하였습니다.

9 낯선 아이들에게 용기 있게 다가간 사과의 말에 대한 자신의 생각이나 느낌을 써 봅니다.

> **채점 기준** 용기를 내어 친구들에게 인사를 한 사과에 대한 자신의 생각이나 느낌을 썼으면 정답으로 합니다.

10 그동안 쌓인 오해를 풀어 사이좋게 지내게 될 것입니다.

11 두 동네 사람들 사이에 일어난 일을 정리해 봅니다.

기본❶ 이야기 구조를 생각하며 요약하는 방법 알기   **28~31쪽**

1 발단 **2** ⑤ **3** 곳간
4 (2) ○
5 원님이 이승에 있을 때 남에게 덕을 베푼 일이 없어서 등 **6** ⑤
7 ② **8** (1) 원님 (2) 덕진
9 ⑤ **10** ① **11** ⑤
12 나라면 빌려주지 않을 것이다. 왜냐하면 어렵게 모은 돈이고, 그 사람이 돈을 갚는다는 보장도 없기 때문이다. 등 **13** ③
14 덕진이 원님에게 받은 쌀로 마을 앞을 가로지르는 강가에 다리를 놓았다. 등
15 영훈 **16** (1) ✕

1 글 ❶은 이야기의 사건이 시작되는 부분인 '발단'입니다.

> **정답 친해지기** 이야기 구조
>
> | 발단 | 이야기의 사건이 시작되는 부분 |
> |---|---|
> | 전개 | 사건이 본격적으로 발생하고 갈등이 일어나는 부분 |
> | 절정 | 사건 속의 갈등이 커지면서 긴장감이 가장 높아지는 부분 |
> | 결말 | 사건이 해결되는 부분 |

2 글 ❶의 첫 부분에서 영암 원님이 죽어서 저승에 있는 염라대왕을 만나는 부분으로 시작됩니다.

3 글 ❷가 사건이 본격적으로 발생하고 갈등이 일어나는 부분입니다.

4 글 ❶의 내용 중 중요하지 않은 내용을 삭제하여 요약한 것입니다.

5 원님은 저승에 오기 전 이승에 있을 때 남에게 덕을 베푼 일이 없었기 때문에 저승 곳간에 볏짚이 한 단밖에 없었던 것입니다.

6 원님은 자신의 저승 곳간에 볏짚이 한 단밖에 없자 덕진의 저승 곳간에서 쌀을 꾸어 셈을 치르고 이승으로 돌아갔습니다.

7 원님은 덕진의 곳간에서 쌀 삼백 석을 빌렸으므로, 이승에 내려가서 덕진에게 빚을 갚을 것입니다.

8 글 ❷에 나타난 내용에서 사건의 중심 내용을 요약하여 봅니다.

9 절정은 사건 속의 갈등이 커지면서 긴장감이 가장 높아지는 부분으로, 이 이야기에서는 원님이 덕진을 만나는 부분이 가장 긴장감이 높아지는 부분입니다.

10 덕진이 돈을 빌리는 것이 아니라 어려운 사람에게 돈을 잘 빌려주는 것입니다.

11 원님은 덕진이 선뜻 돈을 빌려주어 감동받았을 것입니다.

12 자신이라면 처음 본 사람에게 큰돈을 빌려줄 수 있을지 생각해 봅니다.

> **채점 기준** 처음 본 사람에게 큰돈을 빌려주는 것에 대한 자신의 생각을 알맞은 까닭을 들어 썼으면 정답으로 합니다.

13 원님은 덕진에게 저승에서 빌린 쌀 삼백 석을 갚기 위해 준 것입니다.

14 결말 부분의 중요한 사건만을 정리하여 써 봅니다.

> **채점 기준** 글 ❹에 나타난 사건의 중심 내용을 알맞게 요약하여 썼으면 정답으로 합니다.

15 덕진은 주변의 어려운 사람들에게 베풀며 삽니다.

16 여러 사건이 관련 있을 때에는 관련 있는 사건을 하나로 묶습니다.

1 종이 할머니가 땅만 보고 종이를 주우며 시작된다. 등   2 수수깡   3 ⑤

4 ⑤   5 ④   6 ③

7 한번 포기하면 다른 곳의 상자나 폐지도 빼앗길지 몰라서 등   8 찬욱   9 ⑤

10 눈에 혹이 난 할머니가 자신보다 힘이 세지 않고 약하다는 것을 알게 되었기 때문이다. 등

11 ④   12 (1) ○

13 ⑤   14 ④

15 다 쓴 종이를 할머니께 갖다드리는 것 등

16 철호   17 날다람쥐   18 ④

19 ②

20 메이가 시커먼 먹구름이 화난 표정으로 비를 퍼붓고 있는 그림을 그렸기 때문이다. 등

21 ⑤   22 ⑤

23 (대문 앞에 버려진) 폐지들이 대부분 젖어 있기 때문에 등

24 지혜   25 우주 그림   26 ①

27 ②   28 ④   29 우주 호텔

30 ③   31 ①   32 ⑤

33 다시는 우주 호텔을 보지 못할 것 같아서 등

34 그림을 본 뒤에는 무기력했던 삶에 조금씩 애착이 생기기 시작했다. 등

35 강낭콩   36 ③   37 외계인

38 ⑤   39 (1) ○ (3) ○

40 종이 할머니가 눈에 혹이 난 할머니와 함께 폐지도 줍고 밥도 같이 먹고 차도 나누어 마신다는 부분에서 두 할머니가 의지하는 모습이 따뜻하게 느껴져 인상 깊다. 등

1 이야기의 사건이 시작되는 부분인 발단이 무엇인지 생각하여 정리해 봅니다.

    채점 기준 종이 할머니가 땅만 보고 종이를 주우며 시작된다라는 내용을 썼으면 정답으로 합니다.

2 이 글에서 할머니의 마른 모습을 수수깡에 빗대어 나타내었습니다.

3 할머니가 종이를 찾으려고 땅만 살필수록 하늘을 쳐다보는 일이 줄어들었습니다. 할머니는 점점 더 납작하게 구부리고 땅을 뚫어져라 살피게 되었습니다.

4 할머니는 땅만 살피며 종이를 줍기 때문에 '종이 할머니'라고 불렸습니다.

5 ㉠에서 할머니가 놀란 까닭은 처음 보는 노인이 자기 상자를 가져가려고 했기 때문입니다.

6 작고 뚱뚱한 할머니는 한쪽 눈두덩에 불룩한 혹이 나 있었습니다.

7 종이 할머니는 한번 포기하면 다른 곳의 상자나 폐지도 흉측하게 생긴 노인에게 빼앗길지 몰라서 포기할 수 없었습니다.

8 이 글은 이야기에서 사건이 본격적으로 발생하고 인물 간 갈등이 일어나는 '전개' 부분입니다. 찬욱이가 말한 부분은 '절정'입니다.

9 종이 할머니는 눈에 혹이 난 할머니에게 종이 상자를 빼앗기지 않으려고 소리치며 할머니를 밀어 버렸습니다.

10 종이 할머니는 눈에 혹이 난 할머니가 자신보다 힘이 셀 줄 알았는데 의외로 약하다는 것을 알게 되어 마음이 놓였습니다.

    채점 기준 자신보다 힘이 셀 것 같은 눈에 혹이 난 할머니가 자신보다 약하다는 것을 알게 되었다는 내용을 썼으면 정답으로 합니다.

11 의사 선생님은 종이 할머니에게 허리를 자꾸 펴시려고 하고 운동도 해야 한다고 말하였습니다. 하지만 종이 할머니는 의사 선생님의 말을 따르지 않습니다.

12 종이 할머니는 허리를 펴고 똑바로 살든, 구부러진 허리로 살든 차이가 없다고 생각하며 삶의 의미를 찾지 못하고 있습니다.

13 '부스러기'는 할머니가 폐지를 주고 고물상에서 받은 돈을 비유한 것입니다.

14 아이의 질문에 엄마는 할머니가 종이를 모으신다고 대답했습니다.

15 다 쓴 종이가 있으면 할머니께 갖다드리라는 엄마의 말을 듣고 아이는 신이 난 듯 대답했고 즐거운 놀이라고 생각했습니다.

16 이야기 흐름에서 중요하지 않은 내용은 삭제하거나 간단히 씁니다.

17 메이는 언제나 날다람쥐처럼 뛰어다녔습니다.

18 종이 할머니는 폐지를 주우러 나가야 하는데도 아이가 올까 봐 기다리게 되었습니다.

19 아이가 할머니와 이야기하는 모습은 메이의 스케치북에 있던 그림이 아닙니다.

20 메이가 그린 그림의 내용을 살펴봅니다.

> **채점 기준** 메이가 시커먼 먹구름이 화난 표정으로 비를 퍼붓고 있는 그림을 그렸다는 내용을 썼으면 정답으로 합니다.

21 종이 할머니는 지금까지 한 번도 보지 못한 세상이 그려져 있는 것을 보고 탄성을 질렀습니다.

22 종이 할머니는 메이가 그린 우주 그림을 보고 어릴 적 자신의 꿈을 떠올리고 하늘을 올려다보았습니다.

23 종이 할머니는 대문 앞에 버려진 폐지들이 대부분 젖어 있기 때문에 비가 오는 날은 폐지를 주우러 가지 않습니다.

24 종이 할머니는 하늘과 별, 달을 품은 듯한 기분이었다고 했습니다.

25 종이 할머니는 마지막 장에 그려진 우주 그림을 가장 마음에 들어 하였습니다.

26 포도 모양의 성은 찌그러진 파란 지구 맞은편 위에 떠 있다고 하였습니다.

27 종이 할머니는 초록색 아이가 자꾸만 생각이 나고 누구인지 궁금해졌습니다.

28 할머니를 찾아온 메이가 종이 할머니의 방으로 들어와 벽에 붙은 자신의 그림을 보고는 기쁜 마음에 팔짝팔짝 뛰었습니다.

29 메이는 종이 할머니의 질문에 포도 모양의 성을 우주여행을 하다가 잠깐 쉬어 가는 우주 호텔이라고 설명하였습니다.

30 메이의 그림 속에 있는 뽀뽀나가 팔짝팔짝 뛰어다닌다는 설명은 없습니다.

31 종이 할머니의 눈에 우주 호텔이 보이는 것 같고 그곳으로 날아가고 싶었다는 것에서 설레는 마음을 짐작할 수 있습니다.

32 종이 할머니는 메이가 그린 우주 호텔을 보고 그곳으로 비둘기처럼 날아가고 싶다고 생각하였습니다.

33 종이 할머니는 쉽게 허리를 구부리면 다시는 우주 호텔을 보지 못할 것 같다고 했습니다.

34 종이 할머니는 하늘을 올려다보며 쉽게 허리를 구부리지 않기로 결심했습니다.

> **채점 기준** 삶에 애착을 가지고 하늘을 보며 살기로 했다는 내용을 썼으면 정답으로 합니다.

35 도서관 앞을 지나다가 종이 할머니는 눈에 혹이 난 할머니를 보았습니다. 그곳에서 눈에 혹이 난 할머니는 강낭콩을 팔고 있었습니다.

36 종이 할머니는 시치미를 떼며 다가가 눈에 혹이 난 할머니에게 말을 건넸습니다.

37 눈에 혹이 난 할머니의 생김새를 보고 동네 꼬마들이 외계인이라고 놀렸습니다.

38 종이 할머니는 자신이 사는 곳을 여행을 하다가 잠시 쉬어 가는 곳이라고 하였습니다.

39 꿈과 행복, 더불어 사는 삶 등의 주제를 떠올릴 수 있는 이야기입니다. 이 글에서 환경의 소중함을 이야기하지는 않았습니다.

40 이 글에서 인상 깊게 느낀 장면이 무엇인지, 그렇게 생각한 까닭은 무엇인지 정리하여 써 봅니다. 인상 깊은 장면은 사람마다 다를 수 있습니다.

> **채점 기준** 자신에게 인상 깊은 장면을 찾아 그 까닭을 알맞게 썼으면 정답으로 합니다.

실천 이야기 구조를 생각하며 작품 감상하기　　42쪽

1 ⓛ, ㉠, ㉣, ㉢　　　　**2** 추억 등
3 ①, ②

1 소년과 소녀가 개울가에서 만난 뒤, 함께 산으로 놀러 가고, 소나기를 맞은 소녀가 죽으면서 작품이 끝납니다.

2 소녀는 소년과 함께 산에 놀러 갔을 때 입었던 옷에 소중한 추억이 있다고 생각하여 무덤에 함께 묻어 달라고 한 것입니다.

3 ①, ②가 이 이야기 매체의 특성을 묻는 질문입니다.

단원 마무리
43쪽

❶ 금　　　❷ 쌀　　　❸ 결말
❹ 종이　　❺ 우주 호텔

단원 평가
44~46쪽

1 황금 사과

2 서로 소통해 황금 사과를 나누어 가졌다면 두 동네가 사이좋게 살았을 텐데 그러지 못해 아쉬운 마음이 든다. 등

3 ③, ④　　　**4** (무시무시한) 괴물들　　**5** ③

6 (1) 담　(2) 아이들　　　**7** ④

8 이 세상에서 좋은 일을 많이 한다. 등

9 ⑤

10 어리둥절했다. 등

11 (1) 덕진　(2) 원님　　　**12** ©

13 ②　　　**14** 절정

15 꼭 한 번이라도 달에 가는 것 등

16 ④

17 종이 할머니는 아이가 그린 우주 그림을 보고 어릴 적 꿈을 떠올렸다. 등

18 ④

19 소년과의 소중했던 추억을 간직하고 싶은 마음이 느껴진다. 등

20 (2) ×

1 윗동네와 아랫동네는 황금 사과를 서로 가지기 위해서 싸웠습니다.

2 사람들의 행동에 대해 생각해 봅니다.

> **채점 기준** 금을 긋고 담을 높게 쌓은 것에 대한 자신의 생각이나 느낌을 썼으면 정답으로 합니다.

3 이 글에서 ①, ②, ⑤에 대한 답을 찾을 수 없습니다.

4 엄마는 어린 딸의 질문에 담 너머에 무시무시한 괴물들이 산다고 하였습니다.

5 먼저 다가가서 친구들에게 말을 거는 것으로 보아 용기 있다는 것을 알 수 있습니다.

6 이야기 속에서 인물의 말과 행동을 통해 사건이 어떻게 전개되는지 살펴봅니다.

7 ㉮, ㉯는 이야기의 사건이 시작되는 부분, ㉰, ㉱는 사건이 본격적으로 발생하고 갈등이 일어나는 부분, ㉲는 사건 속의 갈등이 커지면서 긴장감이 가장 높아지는 부분, ㉳는 사건이 해결되는 부분입니다.

8 글 ㉯에서 알 수 있습니다.

9 저승사자는 원님에게 덕진의 곳간에 쌀이 수백 석이 있으니 거기서 꾸어 계산하고 세상에 나가서 갚도록 했습니다.

10 덕진은 원님이 쌀을 주는 까닭을 알지 못해 어리둥절해했습니다.

11 글 ㉳에 나타난 중심 내용을 간추립니다.

12 관련 있는 사건을 하나로 묶어 요약하는 방법은 '관련 있는 사건은 하나로 묶기'입니다.

13 이야기를 요약할 때 중요하지 않은 사건은 삭제하거나 간단히 써야 합니다.

14 이야기에서 사건 속의 갈등이 커지면서 긴장감이 가장 높아지는 부분입니다.

15 종이 할머니는 우주 그림을 보고 어릴 적 달을 올려다보며 꿈꿨던 기억을 떠올렸습니다.

16 종이 할머니는 아이가 스케치북에 그린 우주 그림을 보고 어릴 적 꿈을 되찾았습니다.

17 중요한 사건만을 간추려 써 봅니다.

> **채점 기준** 종이 할머니가 아이가 그린 그림을 보고 어릴 적 꿈을 떠올렸다는 내용을 썼으면 정답으로 합니다.

18 이야기를 읽고 구조에 따라 중요한 내용을 요약할 때에 주의할 점을 생각해 봅니다.

19 죽기 전에 소년과의 추억이 담긴 옷을 같이 묻어 달라고 한 소녀의 말과 행동에 대한 생각이나 느낌을 써 봅니다.

20 소녀는 자신이 입던 옷을 함께 묻어 달라고 했습니다.

1 두 동네 사람들은 사과를 나누겠다고 땅바닥에 금을 긋고 담까지 높게 쌓았는데, 담을 세운 까닭을 잊고 미워하는 마음만 남았다. 등

2 이승에서 덕진에게 갚기로 하고 저승에 있는 덕진의 곳간에서 쌀 삼백 석을 꾸었다. 등

3 저승사자는 원님에게 덕진이라는 아가씨의 곳간에서 쌀을 꾸어 계산하게 하고 원님을 이승으로 보냈다. 등

4 (1) 종이 할머니는 허리를 굽혀 땅만 보며 종이를 주웠다. 등
(2) 종이 할머니는 자신의 빈 상자를 빼앗기지 않으려고 소리치며 눈에 혹이 난 할머니를 밀어 버렸다. 등

5 (1) 힘들다. 등 (2) 화가 난다. 등

1 글 ㉮~㉰에 나타난 이야기 속 사건의 흐름을 정리해 봅니다.

> **채점 기준** 두 동네 사람들이 담을 쌓은 뒤 서로 미워하는 마음만 남았다는 내용을 썼으면 정답으로 합니다.

2 원님은 저승사자에게 줄 수고비를 덕진의 곳간에서 빌려서 주었습니다.

> **채점 기준** 덕진의 곳간에서 쌀 삼백 석을 꾸었다는 내용을 썼으면 정답으로 합니다.

3 인물들의 말과 행동, 이야기의 흐름을 보고 간추려 봅니다.

> **채점 기준** 원님이 덕진의 곳간에서 쌀을 꾸어 저승사자에게 계산하고 이승으로 갔다는 내용을 썼으면 정답으로 합니다.

4 이야기의 구조를 생각하며 중심 내용을 간추려 써 봅니다.

> **채점 기준** (1)에 글 ㉮의 내용을, (2)에 글 ㉯의 내용을 간추려 썼으면 정답으로 합니다.

5 글 ㉮에서 할머니는 땅만 보며 다니느라 힘들 것이고, 글 ㉯에서 눈에 혹이 난 할머니가 종이 상자를 가져가려고 해서 화가 났을 것입니다.

> **채점 기준** (1)에 힘들다는 감정을, (2)에 화가 난다는 감정을 썼으면 정답으로 합니다.

3 짜임새 있게 구성해요

1 예 수업 시간에 발표하기   2 동영상
3 자료   4 ○   5 끝맺는 말

준비 공식적인 말하기 상황 살펴보기   51~53쪽

1 (1) ㉰ (2) ㉮ (3) ㉯
2 공식적인 말하기 상황   3 ③, ⑤
4 예 여러 사람 앞에서 말할 때에는 높임 표현을 써야 합니다.
5 학생들 등   6 ㉢   7 ①, ⑤
8 ③, ④   9 ②, ④   10 ④
11 자료   12 ㉡, ㉢

1 각각의 말하기 상황에 알맞은 그림을 찾아봅니다.

2 ㉮~㉰ 모두 공식적인 말하기 상황의 예입니다.

3 친구와 이야기를 하거나 집에서 어머니와 대화하는 것은 공식적으로 말하는 상황이 아닙니다.

4 여러 사람 앞에서 어떻게 말하면 좋을지 씁니다.

> **채점 기준** 공식적으로 말할 때 어떻게 말해야 하는지 알맞게 썼으면 정답으로 합니다.

5 전교 학생회 회장단 선거 후보의 연설입니다.

6 공약은 후보자가 당선이 되면 실행할 것을 약속하는 것으로, 나성실 후보자는 깨끗한 환경과 꿈이 있는 학교를 만들겠다는 약속을 하였습니다.

7 나성실 후보는 연설할 때 설문 조사 결과와 책 내용을 활용하였습니다.

8 공식적인 말하기 상황이므로 높임 표현을 사용하고, 바른 자세와 태도로 말해야 합니다.

> **오답 피하기**
> ① 높임 표현을 사용해야 합니다.
> ② 듣는 사람이 알아듣기 쉽게 발표해야 합니다.
> ⑤ 듣는 사람을 쳐다보며 말해야 합니다.

9 그림 **⑦**는 교실 밖에서 친구들과 대화하는 모습이고, 그림 **⑭**는 교실에서 한 친구가 발표하는 모습입니다.

10 그림 **⑭**는 여러 사람 앞에서 발표하는 상황이기 때문에 큰 소리로 또박또박 말해야 합니다.

11 자료를 활용해서 발표하면 듣는 사람이 설명하는 내용을 쉽게 이해할 수 있습니다.

12 자료를 활용하더라도 자료에 대한 설명은 자세하게 하는 것이 좋습니다.

기본 ❶ 다양한 자료의 특성 알기   54~56쪽

1 ③, ⑤   **2** ②
3 (1) **예** 축제 사진, 축제 안내 자료
   (2) **예** 축제 사진이 우리 지역 축제 모습을 잘 보여 줄 수 있고, 축제 안내 자료에 여러 가지 행사가 잘 나와 있기 때문이다.
4 ②   **5** 교실   **6** ②
7 (1) ⓒ (2) ㉠
8 사라진 직업인 보부상의 모습을 생생하게 보여 주기에 동영상이 알맞기 때문이다. 등
9 ④   **10** ⑤
11 (1) **예** 관광 안내서 (2) **예** 지도
12 소진

---

1 동영상 자료는 대상이 움직이는 모습을 잘 전달할 수 있습니다.

2 도표는 대상의 수량을 견주고, 수량의 변화 정도를 보여 주기에 알맞은 자료입니다.

3 축제 모습이나 행사를 잘 보여 줄 수 있는 자료를 생각합니다.

4 자료를 활용하면 효과적으로 설명할 수 있어서 오히려 발표 시간이 단축될 수 있습니다.

5 그림 **⑦**의 학생은 과거에는 있었지만 지금은 사라진 직업의 종류를, 그림 **⑭**의 학생은 과거에 있던 직업인 보부상을 교실에서 발표하고 있습니다.

6 학생들은 '과거의 직업'에 대해 발표하고 있습니다.

7 그림 **⑦**에서는 사라진 직업의 종류와 사라진 까닭을 표로 나타낸 자료를 제시하였고, 그림 **⑭**에서는 보부상의 모습을 동영상을 활용하여 보여 주었습니다.

---

8 설명하는 내용에 따라 활용하는 자료는 달라집니다.

> **채점 기준** 발표할 때 동영상 자료를 활용한 까닭을 동영상 자료의 특성을 생각해 썼으면 정답으로 합니다.

9 지민이는 가족과 다녀온 여행지를 학급 친구들에게 소개하고 있습니다.

10 사진 자료는 설명하는 대상의 정확한 모습을 보여 줄 수 있습니다.

11 여행 일정이나 여행 코스가 잘 설명되어 있는 자료, 여행지까지 가는 길을 한눈에 보여 줄 수 있는 자료를 생각해 봅니다.

12 자료를 활용하면 듣는 사람이 이해하기 쉽고 흥미를 느낄 수 있습니다.

기본 ❷ 발표할 내용 준비하기   57쪽

1 ③   **2** ①, ④   **3** **⑭**
4 컴퓨터

---

1 우리의 미래와 관련이 없는 내용을 찾아봅니다.

2 교실에서 학급 친구들에게 발표할 때는 발표 장소가 넓고 여러 사람 앞에서 발표를 한다는 특성이 있습니다.

3 다른 사람의 창작물을 사용할 때에는 반드시 허락을 구하거나 출처를 밝혀야 합니다.

4 컴퓨터를 활용해서 자료를 만들면 쉽게 만들 수 있고, 발표할 때 효과적으로 보여 줄 수 있습니다.

기본 ❸ 발표할 내용 정리하기   58~59쪽

1 미래에는 어떤 인재가 필요할까
2 ①, ⑤   **3** ③
4 **예** 100대 기업의 인재상 변화를 표로 보여 주며 미래에 필요한 인재에 대하여 설명하였으므로 발표 주제에 어울린다.
5 대상이 움직이는 모습을 잘 전달할 수 있다. 등
6 ①, ⑤   **7** (3) ○
8 발표한 내용을 간단하게 정리한다. 등

1 '미래에는 어떤 인재가 필요할까'라는 주제로 발표를 준비했다고 하였습니다.

2 준비한 표와 동영상 자료를 보면서 발표를 들어 달라고 하였습니다.

3 시대에 따라 필요한 인재상이 달라지고 있다는 것을 보여 주는 표입니다.

4 자료 1의 내용, 자료 1을 첫 번째로 제시한 까닭 등을 생각하며 주제와 어울리는 자료인지 판단해 봅니다.

> **채점 기준** 자료 1에서 제시한 표가 발표 주제와 어울리는지 생각하여 까닭을 알맞게 썼으면 정답으로 합니다.

> **보충 자료** 발표 내용을 구성할 때 표 자료를 제일 처음에 구성한 까닭
> 미래에 필요한 인재상을 설명할 때 100대 기업의 인재상 변화를 보여 주며 흥미를 끌기 위해서입니다.

5 동영상은 대상이 움직이는 모습을 잘 전달할 수 있고, 음악이나 자막을 넣어 분위기를 잘 전달할 수 있다는 특성이 있습니다.

6 설명하는 말에는 자료를 가져온 곳을 반드시 밝혀야 하고, 자료에 담긴 핵심 내용이 들어가야 합니다.

7 동영상 자료를 넣어 마지막까지 듣는 이의 주의를 집중시킬 수 있습니다.

8 끝맺는 말에는 발표한 내용을 간단하게 정리하는 내용이 들어가야 하고, 발표를 준비하며 느낀 점이 들어가면 좋습니다.

실천 자료를 활용해 발표하기   60쪽

1 ②, ⑤   **2** (3) ×   **3** ②, ④, ⑤
4 ①   **5** 표 등

1 교실에서 발표할 때 자료는 뒤쪽에 앉은 친구까지 잘 보이도록 확대하여 제시하고, 텔레비전으로 자료를 보여 주는 것이 좋습니다.

2 교실에서 학급 친구들에게 발표할 때에는 멀리까지 잘 들리도록 큰 목소리로 또박또박 말합니다.

3 발표할 때에 주의할 점을 적으며 들을 필요는 없습니다.

4 발표 내용에 알맞다면 자료를 여러 가지 제시할 수도 있습니다.

---

5 친구들이 원하는 직업을 많이 나온 순서대로 순위를 정해 표로 정리하면 많은 양의 자료를 간단하게 나타낼 수 있어 좋습니다.

단원 마무리   61쪽

❶ 확대   ❷ 복잡하지   ❸ 흥미
❹ 중요한

단원 평가   62~64쪽

1 예 회장 선거를 할 때 소견을 발표한 적이 있다.
2 찬희   **3** ②, ⑤   **4** ③
5 ②, ③   **6** ㉠   **7** ⑤
8 과거의 직업 등
9 (1) 표   (2) 동영상
10 예 말할 내용의 특성에 따라 말하는 내용을 잘 전달할 수 있는 자료가 다르기 때문이다.
11 ④   **12** ①, ④   **13** ㉡
14 ②   **15** 도표 등
16 ③   **17** 소통과 협력   **18** ⑤
19 (2) ○   **20** 장민

1 학급회의에서 발표하기, 국어 시간에 토론하기 등 여러 사람 앞에서 말해 본 경험을 씁니다.

> **채점 기준** 여러 사람 앞에서 공식적으로 말했던 경험을 썼으면 정답으로 합니다.

2 공식적인 말하기는 여러 사람 앞에서 말하는 것이므로 높임 표현을 사용해야 합니다.

3 그림 ㉮와 그림 ㉯ 모두 말하고 듣는 사람이 있고, 듣는 사람이 친구들이라는 비슷한 점이 있습니다.

4 그림 ㉮는 친구들과 개인적으로 교실 밖에서 자유롭게 말하는 상황입니다.

> **정답 친해지기** 그림 ㉮와 그림 ㉯의 말하기 상황 비교
>
> | ㉮의 말하기 상황 | ㉯의 말하기 상황 |
> |---|---|
> | • 교실 밖에서 자유롭게 말하고 있음. | • 수업 시간에 여러 사람 앞에서 발표하고 있음. |
> | • 친구들과 개인적으로 말하고 있음. | • 여러 친구 앞에서 공식적으로 말하고 있음. |

5 자료를 활용하면 설명하는 내용을 한눈에 알아보기 쉽고, 설명하는 내용을 쉽게 전달할 수 있습니다.

6 장면을 있는 그대로 보여 줄 수 있는 것은 사진 자료의 특성입니다.

7 동영상 자료는 대상이 움직이는 모습을 잘 전달할 수 있습니다.

8 과거에는 있었지만 지금은 사라진 직업의 종류, 과거에 있던 직업인 보부상을 소개하고 있습니다.

9 그림 ㉮에서는 표를 활용하여 발표했고, 그림 ㉯에서는 보부상의 모습을 동영상을 활용하여 발표했습니다.

10 발표 상황에 알맞은 자료를 활용하는 것이므로 말할 내용에 따라 활용할 자료가 달라지는 것입니다.

> 채점 기준 말할 내용의 특성에 따라 말하는 내용을 잘 전달할 수 있는 자료가 다르기 때문이라는 내용으로 썼으면 정답으로 합니다.

11 여행지의 자연환경은 있는 그대로의 모습을 보여 줄 수 있는 사진 자료를 활용하는 것이 좋습니다.

12 여러 사람 앞에서 발표하고, 발표 장소가 넓다는 특성이 있습니다.

13 뒤에 앉은 친구는 잘 안 보일 수 있으므로 자료를 크게 확대해서 제시해야 합니다.

14 한꺼번에 너무 많은 자료를 제시하지 않아야 합니다.

15 도표 등을 활용해 정리해서 보여 주면 효과적으로 발표할 수 있습니다.

16 '미래에는 어떤 인재가 필요할까'를 주제로 발표할 내용을 정리한 글의 한 부분입니다.

17 자료 1에서 제시한 표를 보면 알 수 있습니다.

18 발표를 준비하며 느낀 점은 끝맺는 말에 들어가야 하는 내용입니다.

19 자료를 보여 줄 때에는 친구들이 집중할 수 있도록 자세히 소개하고, 준비한 자료를 차례에 맞게 보여 줍니다.

> 오답 피하기
> (1) 준비한 자료를 차례에 맞게 보여 주어야 합니다.
> (3) 친구들에게 자료를 보여 줄 때에는 친구들이 집중할 수 있도록 자세히 소개해야 합니다.

20 발표자가 발표하는 내용에 집중하며 듣습니다.

서술형 평가

1 (1) 친구가 어떤 음식을 소개하는지 잘 몰랐다. 등
(2) 친구가 소개하는 음식이 무엇인지 한눈에 쉽게 알아보았다. 등

2 예 자료를 활용해 발표하면 설명하는 내용을 쉽게 전달할 수 있다.

3 예 대상의 수량을 견주어 볼 수 있다. / 수량의 변화 정도를 알 수 있다.

4 멀리 있는 친구도 잘 볼 수 있도록 자료를 크게 확대해서 제시해야 한다. 등

5 (1) 발표하려는 주제나 제목을 넣는다. 등
(2) 자료를 설명하는 내용과 자료를 가져온 곳을 밝힌다. 등

---

1 자료를 활용하지 않고 발표할 때에는 소개하는 음식을 친구들이 잘 이해하지 못하는 표정이지만, 자료를 활용해 발표할 때에는 소개하는 음식을 쉽게 이해하는 표정입니다.

> 채점 기준 그림을 보고 자료를 활용했을 때와 자료를 활용하지 않았을 때의 듣는 사람의 반응을 알맞게 썼으면 정답으로 합니다.

2 설명하는 내용을 한눈에 알아보기 쉽기도 합니다.

> 채점 기준 '설명하는 내용을 쉽게 전달할 수 있다.' 등의 내용으로 자료를 활용해 발표했을 때의 좋은 점을 썼으면 정답으로 합니다.

3 제시한 자료는 도표입니다.

> 채점 기준 도표의 특성을 썼으면 정답으로 합니다.

4 교실에서 학급 친구들에게 발표할 때에 멀리 있는 친구에게도 잘 보이도록 자료를 확대해서 제시합니다.

> 채점 기준 발표하는 상황의 특성을 생각하여 자료 제시 방법을 알맞게 썼으면 정답으로 합니다.

5 시작하는 말에는 우리가 발표하려는 주제나 제목을 넣고, 듣는 사람의 주의를 집중시킬 수 있는 내용을 넣습니다. 설명하는 말에는 자료에 담긴 핵심 내용이 들어가야 합니다.

> 채점 기준 시작하는 말과 설명하는 말에 들어가는 내용을 알맞게 썼으면 정답으로 합니다.

4 주장과 근거를 판단해요

핵 심 개 념 문 제   68쪽

1 논설문   2 (2) ○   3 ○
4 주관   5 ⓒ

준비 다양한 주장 살펴보기   69~70쪽

1 ②   2 (1) 교육 장소 (2) 스트레스
3 ①
4 동물원은 동물을 보호해 준다.
5 동물원은 없애야 한다. 등   6 ④, ⑤
7 (1) 예 있어야 (2) 예 동물원에서 신기한 동물들을 보고 동물과 교감하는 시간을 가질 수 있기 때문이다.
8 수지

1 글의 처음 부분에 '동물원은 필요한가'라는 주제에 대해 이야기해 보기로 했다고 하였습니다.

2 시은이는 동물들이 좁은 우리에 갇혀 살면서 스트레스를 많이 받는다는 문제 상황을 말하였습니다.

3 지훈이는 동물원이 있어야 한다고 생각합니다.

4 지훈이가 동물원이 있어야 한다고 생각하는 까닭 두 가지를 찾아봅니다.

5 미진이는 동물원은 필요한가라는 주제에 대해 '동물원은 없애야 한다.'라는 주장을 하였습니다.

> **보충 자료** 같은 문제 상황에서 서로 다른 주장이 나오는 까닭
> • 겪은 일이 서로 다르기 때문입니다.
> • 처한 상황이 서로 다르기 때문입니다.

6 미진이가 동물원을 없애야 한다고 생각하는 까닭을 두 가지 찾아봅니다.

7 주장을 정하고 그 주장을 뒷받침할 수 있는 근거를 생각하여 씁니다.

> **채점 기준** 찬성 또는 반대의 주장을 정하고, 그에 알맞은 근거를 썼으면 정답으로 합니다.

8 내 생각과 다른 주장이라도 무시하지 말고, 구체적인 근거와 내용을 보고 판단해야 합니다.

> **정답 친해지기** 자신의 생각과 다른 주장에 대해 가져야 할 마음
> • 내 생각과 다른 주장이라도 무시하지 말고, 구체적인 근거와 내용을 보고 판단해야 합니다.
> • 경험과 처한 상황에 따라서 서로 생각이 다를 수 있습니다.

기본 ❶ 논설문의 특성을 생각하며 글 읽기   71~73쪽

1 우리 전통 음식보다 외국에서 유래한 햄버거나 피자와 같은 음식을 더 좋아하는 어린이를 쉽게 볼 수 있는 상황을 제시했다. 등
2 ④   3 ③   4 현지
5 우리 전통 음식을 가까이하면 계절과 지역에 따라 다양한 맛을 즐길 수 있다.
6 ⑤   7 ④   8 ⑤
9 ④   10 결론   11 (3) ×
12 ②

1 문단 ❶에 글을 쓰게 된 문제 상황이 제시되어 있습니다.

2 우리 전통 음식을 사랑하자고 주장하며 우리 전통 음식을 사랑해야 하는 까닭을 알아보자고 하였습니다.

3 문단의 중심 문장이 맨 처음에 나와 있습니다. 밥과 발효 식품을 예로 들어 우리 전통 음식이 건강에 도움이 된다는 근거를 뒷받침하고 있습니다.

4 주장의 근거와 그 근거를 뒷받침하는 내용을 제시하는 것은 본론이 하는 역할입니다.

5 문단 ❸의 중심 문장이 무엇인지 찾아봅니다.

> **채점 기준** 이 글의 주장에 적절한 근거를 찾아 썼으면 정답으로 합니다.

6 주변 바다와 산천에서 나는 재료들을 이용하여 음식을 만들기 때문에 지역 특색을 살린 독특한 맛을 냅니다.

7 기름에 볶은 밥에 고사리와 가늘게 찢은 닭고기, 각종 나물과 김을 얹어 먹는 것은 해주비빔밥의 특징입니다.

8 본론에서는 글쓴이의 주장에 적절한 근거와 근거를 뒷받침하는 예나 자료를 제시합니다.

9 지역에 따라 다양한 음식을 만들어 먹은 것은 조상의 슬기와 문화를 경험할 수 있는 예가 아닙니다.

10 문단 ❺는 논설문에서 결론에 해당합니다.

11 결론에서는 글 내용을 요약하기도 하고 글쓴이의 주장을 다시 한번 강조할 수도 있습니다.

12 문단 ❺에서 다시 한번 강조하고 있는 글쓴이의 주장이 무엇인지 살펴봅니다.

정답 친해지기	「전통 음식의 우수성」에서 글쓴이의 주장과 근거
주장	우리 전통 음식을 사랑하자.
근거	• 우리 전통 음식은 건강에 이롭습니다. • 우리 전통 음식을 가까이하면 계절과 지역에 따라 다양한 맛을 즐길 수 있습니다. • 우리 전통 음식에서 우리 조상의 슬기와 문화를 경험할 수 있습니다.

기본 ❷ 내용의 타당성과 표현의 적절성 판단하기   74~75쪽

1 ⑤
2 오염된 환경을 되살리는 데는 수십, 수백 배의 시간과 노력이 들며, 자연의 자정 능력을 넘어서는 오염은 자연이 감당하기 어렵기 때문이다. 등
3 민주
4 예 자연을 보호해야 한다는 주장과 관련 있고 근거가 글쓴이의 주장을 뒷받침하는 데 도움이 되므로 타당하다.
5 ④   **6** 단정하는
7 자신이 말하려는 내용을 다른 사람에게 명확하게 전달할 수 없기 때문이다. 등

1 세계 곳곳에서 벌어지는 자연 개발이 우리 삶을 위협한다고 하였습니다. 문단 ❶이 서론으로, 서론에서 문제 상황을 제시합니다.

2 문단 ❷에서 근거를 뒷받침하는 내용을 살펴봅니다.

> 채점 기준 '자연은 한번 파괴되면 복원되기가 어렵다'는 근거를 뒷받침하는 내용을 찾아 까닭을 잘 정리해 썼으면 정답으로 합니다.

---

3 글쓴이의 주장이 가치 있고 중요한지, 근거가 주장과 관련 있는지, 근거가 주장을 뒷받침하는지 판단 기준에 따라 바르게 판단한 사람을 찾아봅니다.

4 근거가 주장과 관련 있고 주장을 뒷받침하는지 판단해 봅니다.

> 채점 기준 이 글에서 제시한 세 번째 근거가 타당한지 판단하여 알맞은 까닭을 들어 썼으면 정답으로 합니다.

5 문단 ❺는 결론으로, 문단 ❺의 마지막 문장이 중심 문장입니다.

6 논설문에서 표현의 적절성을 판단하는 기준을 생각해 봅니다.

7 '적당히'라는 말은 의미가 분명하지 않아 정확하게 해석할 수 없는 모호한 표현이므로 논설문에 쓰기에 적절하지 않습니다.

실천 타당한 근거를 들어 알맞은 표현으로 논설문 쓰기   76쪽

1 예 일회용품을 많이 쓰는 문제
2 (1) 예 일회용품을 쓰지 말자.
   (2) 예 쓰레기가 너무 많이 나온다. / 쓰레기를 처리하는 데 비용이 많이 든다. / 환경 오염이 된다.
3 ②, ③
4 (1) 서론 (2) 본론 (3) 결론   **5** ②, ④, ⑤

1 우리 주변에서 일어나는 문제 가운데에서 자신이 주장을 펼치고 싶은 문제 상황을 정해 씁니다.

2 문제 상황을 해결할 수 있는 주장을 정하고, 그 주장을 뒷받침하는 근거를 생각해 씁니다.

> 채점 기준 문제 상황을 해결할 수 있는 주장과 주장을 뒷받침하는 근거를 알맞게 썼으면 정답으로 합니다.

3 근거가 주장과 관련 있고 주장을 뒷받침하는지 판단해야 합니다.

4 서론에는 글을 쓴 문제 상황과 주장을 밝히고 본론에는 주장에 적절한 근거를 씁니다. 결론에는 글 내용을 요약하고 주장을 다시 한번 강조하는 내용을 씁니다.

5 자신만의 생각이나 감정에 치우치는 주관적인 표현, 의미가 분명하지 않아 정확하게 해석할 수 없는 모호한 표현, '반드시', '절대로', '결코'와 같이 어떤 사실을 딱 잘라 판단하거나 결정해 단정하는 표현은 쓰지 않아야 합니다.

단원 마무리
77쪽

❶ 서론 ❷ 근거 ❸ 주장
❹ 표현

단원 평가
78~80쪽

1 문제 상황 **2** 동물원은 필요한가 등
3 (1) ② (2) ① **4** 미진 **5** ㉠, ㉡
6 예 내 생각과 다른 주장이라도 무시하지 말고, 구체적인 근거와 내용을 보고 판단해야 한다.
7 서론 **8** ⑤ **9** ①
10 ② **11** ⑤ **12** (1) ○
13 ②, ⑤
14 자연을 보호해야 한다. 등 **15** ④
16 경수 **17** ③
18 예 주관적인 표현, 모호한 표현, 단정하는 표현을 쓰지 않았으므로 적절하다.
19 금수강산 **20** ①

1 시은이는 동물들이 동물원의 좁은 우리에 갇혀 스트레스를 많이 받는다는 문제 상황을 말하고 있습니다.

2 지훈이와 미진이가 말한 내용으로 보아 동물원은 필요한가에 대한 주장을 말하고 있음을 알 수 있습니다.

3 지훈이와 미진이는 동물원이 필요한가에 대해 서로 다른 주장을 하고 있습니다.

4 근거의 내용이 동물원을 없애야 한다는 내용을 뒷받침하므로 미진이의 주장에 적절한 근거입니다.

> **오답 피하기**
> 지훈이의 주장에 적절한 근거는 '동물원은 우리에게 큰 즐거움을 준다, 동물원은 동물을 보호해 준다.'입니다.

5 사람마다 겪은 일, 처한 상황 등이 다르기 때문에 같은 문제 상황에서도 서로 다른 생각을 하는 것입니다.

6 자신의 생각과 다른 주장이라도 존중해 주어야 합니다.

> **채점 기준** 내 생각과 달라도 근거와 내용을 보고 판단해야 한다는 내용으로 썼으면 정답으로 합니다.

7 제시한 글은 글쓴이가 글을 쓴 문제 상황과 글쓴이가 글 전체에서 내세우는 주장을 밝힌 서론입니다.

8 이 글의 마지막 문장에서 '왜 우리 전통 음식을 사랑해야 할까요?'라고 한 것에서 이어질 내용을 짐작할 수 있습니다.

9 글 ㉯가 결론으로 글쓴이의 주장이 나타나 있습니다. 마지막 문장이 주장입니다.

10 우리가 날마다 먹는 밥을 예로 들어 우리 전통 음식은 건강에 이롭다는 근거를 내세웠습니다.

11 염장 기술은 소금에 절여 저장하는 것을 말합니다.

12 근거를 뒷받침하는 예를 통하여 어떤 근거를 들었을지 짐작할 수 있습니다.

13 본론은 서론에서 글쓴이가 제시한 주장의 근거와 그 근거를 뒷받침하는 내용으로 구성합니다.

14 서론에서 주장을 밝히고 있습니다.

15 오염된 물을 정화시키고 나무를 성장하게 하는 데 많은 노력과 시간이 필요하다는 것을 예로 들어 근거를 뒷받침하고 있습니다.

16 논설문의 내용이 타당한지 판단하는 기준을 떠올려 봅니다. 주장이 가치 있고 중요한지, 근거가 주장을 뒷받침하는지 살펴봅니다.

17 자연은 우리 후손이 살아갈 삶의 터전이므로 우리는 후손에게 아름다운 자연을 물려주어야 할 의무가 있습니다.

18 논설문에서 표현의 적절성을 판단하는 기준을 떠올려 보고 논설문의 표현으로 적절하지 않은 표현을 사용했는지 살펴봅니다.

> **채점 기준** 표현의 적절성을 판단하는 방법을 생각하여 판단하고 그렇게 판단한 까닭을 알맞게 썼으면 정답으로 합니다.

19 우리나라의 아름다운 자연을 '금수강산'이라는 말로 표현하였습니다.

20 논설문에는 문제 상황, 주장, 주장에 대한 근거, 글을 요약한 내용 등이 들어갑니다.

1 저는 동물원이 있어야 한다고 생각합니다. 등

2 글을 쓴 문제 상황과 글쓴이의 주장을 밝힌다. 등

3 예 자연은 한번 파괴되면 복원되기가 어렵다는 근거는 자연을 보호해야 한다는 주장과 연결될 수 있으므로 타당하다고 생각한다.

4 (1) 국립 공원에 케이블카를 설치해서는 안 된다.
(2) 예 논설문에서 '절대로'와 같이 어떤 사실을 딱 잘라 판단하거나 결정해 단정하는 표현은 조심해서 써야 하기 때문이다.

5 (1) 예 일회용품을 너무 많이 사용한다.
(2) 예 일회용품 사용을 줄이자.

1 지훈이는 동물원이 있어야 한다는 주장에 적절한 근거를 들었습니다.

> 채점 기준 근거를 바탕으로 주장이 무엇인지 바르게 파악하여 썼으면 정답으로 합니다.

2 글쓴이의 주장과 이를 뒷받침하는 근거로 짜인 논설문에서 서론의 역할은 글을 쓴 문제 상황을 제시하고 주장을 분명하게 나타내는 것입니다.

> 채점 기준 논설문에서 서론의 역할을 알맞게 썼으면 정답으로 합니다.

3 글쓴이의 주장은 '자연을 보호해야 한다.'이고, 근거는 '자연은 한번 파괴되면 복원되기가 어렵다.'는 것입니다.

> 채점 기준 제시한 글에서 주장과 근거를 파악하여 근거가 주장과 관련 있는지 알맞게 판단하여 썼으면 정답으로 합니다.

4 논설문에서 모호한 표현, 주관적인 표현, 단정하는 표현은 사용하지 말아야 합니다. 제시한 문장에서는 '절대로'라는 단정하는 표현을 사용했습니다.

> 채점 기준 제시한 표현을 바르게 바꾸어 쓰고, 그렇게 바꾼 까닭을 알맞게 썼으면 정답으로 합니다.

5 문제 상황과 문제 상황을 해결할 수 있는 주장을 정하여 씁니다.

> 채점 기준 주장을 펼치고 싶은 문제 상황을 쓰고, 그 문제 상황을 해결할 수 있는 주장을 알맞게 썼으면 정답으로 합니다.

5 속담을 활용해요

1 교훈   **2** ○   **3** 흥미
4 ○   **5** 예 우물을 파도 한 우물을 파라

1 속담   **2** ①   **3** ③
4 ②   **5** (1) ② (2) ① (3) ③
6 사공이 많으면 배가 산으로 간다
7 (3) ○   **8** ⑤

1 속담을 설명한 내용입니다. 속담은 예로부터 민간에 전해 오는 쉬운 격언이나 잠언으로, 우리 민족의 지혜와 해학, 생활 방식과 교훈이 담겨 있습니다.

2 '백지장도 맞들면 낫다'는 '쉬운 일이라도 협력해서 하면 훨씬 쉽게 할 수 있다'는 뜻입니다.

3 선생님의 말에서 '협동'과 관련 있는 속담이라는 것을 알 수 있습니다.

4 ①, ③, ④, ⑤는 모두 협동과 관련 있는 속담입니다. '돌다리도 두들겨 보고 건너라'는 '잘 아는 일이라도 세심하게 주의를 하라는 말'입니다.

> **정답 친해지기**
> ① 손이 많으면 일도 쉽다: 무슨 일이나 여러 사람이 같이 힘을 합하면 쉽게 잘 이룰 수 있다는 말
> ③ 종이도 네 귀를 들어야 바르다: 종이도 네 귀를 다 들어야 어느 한 귀도 처짐이 없이 판판해진다는 뜻으로, 무슨 일이나 하나도 빠짐없이 모두 힘을 합쳐야 올바르게 되어 감을 비유적으로 이르는 말
> ④ 두 손뼉이 맞아야 소리가 난다: 무슨 일이든지 두 편에서 서로 뜻이 맞아야 이루어질 수 있다는 말
> ⑤ 열의 한 술 밥이 한 그릇 푼푼하다: 열 사람이 한 술씩 보태서 밥 한 그릇을 만든다는 뜻으로, 여럿이 각각 조금씩 도와주어 큰 보탬이 됨을 비유적으로 이르는 말

5 가는 글을 쓸 때, 나는 대화를 할 때, 다는 자신의 의견을 제시할 때입니다.

6 글 가에 나온 '사공이 많으면 배가 산으로 간다'는 속담의 뜻입니다.

7 말과 관련 있는 속담이 어울립니다. '가는 말이 고와야 오는 말이 곱다'는 '내가 남에게 말이나 행동을 좋게 하여야 남도 나에게 좋게 한다'는 말입니다.

8 속담을 사용하면 주장의 논리를 뒷받침할 수 있어 상대를 쉽게 설득할 수 있지만 무조건 내 의견을 따르게 할 수 있는 것은 아닙니다.

기본 ❶ 다양한 상황에서 쓰이는 속담의 뜻 알기   87~88쪽

1 ④   **2** ㉢
3 철없이 함부로 덤빈다는 말이다. 등
4 (2) ○   **5** (1) ㉡ (2) ㉠
6 (1) 별 (2) 응답   **7** ③, ④, ⑤
8 (1) **예** 서로 바르고 고운 말을 사용하면 좋겠다.
   (2) **예** 가는 말이 고와야 오는 말이 곱다

1 '소 잃고 외양간 고친다'는 '소를 도둑맞은 다음에야 빈 외양간의 허물어진 데를 고치느라 수선을 떤다'는 뜻으로 일이 이미 잘못된 뒤에는 손을 써도 소용이 없다는 말입니다.

2 '우물을 파도 한 우물을 파라'라는 속담의 뜻입니다.

3 '하룻강아지 범 무서운 줄 모른다'는 속담은 철없이 함부로 덤비는 경우에 쓸 수 있습니다.

4 ㉡'티끌 모아 태산'은 '아무리 작은 것이라도 모이고 모이면 나중에 큰 덩어리가 된다'는 뜻으로, 용돈을 모아 부모님께 선물을 사 드린 상황에서 사용할 수 있는 속담입니다.

오답 피하기
(1) '하룻강아지 범 무서운 줄 모른다'를 사용할 수 있는 상황입니다.
(3) '소 잃고 외양간 고친다'를 사용할 수 있는 상황입니다.
(4) '우물을 파도 한 우물을 파라'를 사용할 수 있는 상황입니다.

5 '배보다 배꼽이 더 크다'는 '중심이 되는 것보다 부분적인 것이 더 크거나 많은 등 마땅히 작아야 할 것이 크고 커야 할 것이 작다'는 뜻의 속담이고, '바늘 가는 데 실 간다'는 사람의 긴밀한 관계를 비유적으로 이르는 속담입니다.

6 '쥐구멍에도 볕 들 날 있다'는 '아무리 어려운 일이 계속되어 고생이 심해도 언젠가는 좋은 날이 올 수 있다'는 뜻의 속담입니다.

7 ①은 글 **가**의 상황에서, ②는 글 **나**의 상황에서 사용할 수 있습니다.

8 행복한 학교생활을 하기 위해 우리가 지켜야 할 일이 무엇이 있을지 생각하고 그 생각을 효과적으로 드러낼 수 있는 속담을 찾습니다.

채점 기준 '행복한 학교생활을 하려면 우리가 지켜야 할 일'에 대한 자신의 생각을 쓰고, 자신의 생각에 알맞은 속담을 썼으면 정답으로 합니다.

기본 ❷ 주제를 생각하며 글 읽기   89~93쪽

1 독을 만들어 파는 일 등   **2** ④
3 (독이) 워낙 크고 무거워서 등   **4** ①
5 즐거운 생각을 하다 보니 너무 기쁜 나머지 자신도 모르게 팔로 지겟작대기를 밀어 버려서 지게가 쓰러지며 독이 깨졌다. 등
6 ⑤   **7** ⑤
8 헛된 욕심은 손해를 가져온다. 등
9 ②
10 인간 세상의 모든 일을 맡아본다. 등
11 ①   **12** 말고기 냄새 **13** 말고기
14 ④   **15** ①
16 **예** 강 도령에게 가지 않고, 편지를 찾으려고 더 노력했을 것이다.
17 ⑤   **18** ⑤
19 **예** 친구가 알림장을 쓰지 않고 자주 준비물을 챙겨 오지 않는 상황
20 ⑤

1 첫 번째 문장에 독을 만들어 파는 독장수가 있었다고 하였습니다.

2 독을 장식용으로 사용한다는 말은 없습니다.

3 독은 잘만 팔면 큰 부자가 될 수 있었지만 워낙 크고 무거워서 많이 가지고 다니지 못했습니다.

4 독을 세 개나 지고 고갯길을 오른 상황이므로 고개를 다 오른 독장수의 마음은 기쁠 것입니다.

5 독을 팔아 논과 밭을 사고, 기와집을 사는 등 즐거운 생각을 하니 기쁜 나머지 팔을 뻗다가 지게를 쓰러뜨려 독을 깨뜨리고 말았습니다.

> **채점 기준** '독장수가 즐거운 생각을 하다가 팔로 지겟작대기를 밀어 버려서'라는 내용으로 썼으면 정답으로 합니다.

6 독장수가 허황된 꿈을 꾸다 가지고 있는 독마저 깬 상황을 생각하여 '독장수구구는 독만 깨뜨린다'의 뜻을 짐작합니다.

> **정답 친해지기** 글 속에 담긴 속담의 뜻
> • 말하는 상황과 말한 내용을 확인합니다.
> • 속담이 사용된 상황을 찾아보고 속담의 뜻을 짐작합니다.

7 독장수와 같이 실속 없이 허황된 것을 궁리하는 상황을 찾습니다.

8 독장수는 실현성이 없는 허황된 계산을 하느라 자신이 가진 전 재산을 잃고 말았습니다. 이 이야기를 통해 말하고자 하는 것이 무엇일지 생각해 봅니다.

9 염라대왕은 '강 도령에게 편지를 전하는 심부름'을 까마귀에게 시켰습니다.

10 염라대왕이 까마귀에게 인간 세상의 모든 일을 맡아보는 강 도령을 모르냐고 물은 것에서 하는 일을 알 수 있습니다.

11 아주 중요한 편지라서 곧장 강 도령에게 가라고 하면서 몇 번씩 다짐을 받았습니다.

12 말고기 냄새를 말합니다.

13 말고기를 너무 먹고 싶어 말고기를 먹으려고 입을 벌리는 순간 편지는 바람에 날아갔습니다.

14 말고기를 먹느라 편지를 잃어버린 까마귀는 걱정스러울 것입니다.

15 편지를 달라는 강 도령에게 편지는 없고 그냥 아무나 끌어 올리라고 했다는 말을 전했습니다.

16 까마귀의 행동을 보고, 자신은 까마귀와 같은 상황에서 어떻게 행동했을지 생각하여 씁니다.

> **채점 기준** 자신이 까마귀라면 어떻게 행동했을지 까마귀가 되었다고 생각하고 썼으면 정답으로 합니다.

17 까마귀가 강 도령에게 아무나 빨리 끌어 올리라고 전하는 바람에 강 도령이 바빠졌다고 하였습니다. 그전까지는 나이 많은 순서대로 저승에 보내졌습니다.

18 무엇인가를 잘 잊어버리는 사람을 가리켜 까마귀 고기를 먹었냐고 말합니다.

19 '까마귀 고기를 먹었나'는 무엇인가를 잘 잊어버리는 경우에 쓸 수 있는 속담입니다.

> **채점 기준** 무엇인가를 잘 잊어버리는 상황을 썼으면 정답으로 합니다.

20 까마귀가 강 도령에게 편지도 전하지 않고 말고기를 먹는 모습을 보고 어떤 생각을 할 수 있는지 찾습니다.

실천 속담 사전 만들기   94쪽

1 예 소 잃고 외양간 고친다
2 (1) ㉠ (2) ㉢ (3) ㉣ (4) ㉡   **3** ⑤
4 예 우리는 관계를 중요하게 생각하는데 말로써 상대의 마음을 읽을 수 있기 때문이다.
5 (1) 예 떡 (2) 예 떡 줄 사람은 꿈도 안 꾸는데 김칫국부터 마신다

1 '바늘 도둑이 소 도둑 된다' 등 소와 관련 있는 속담을 떠올립니다.

2 속담의 뜻을 생각해 보고, 어떤 상황에서 사용할 수 있는 속담인지 생각해 봅니다.

3 ⑤는 '부모님이 하시는 말씀을 잘 듣고 따르면 좋은 일이 생긴다'는 뜻의 속담입니다.

4 속담 중에 말과 관련 있는 속담이 많은 까닭은 우리 조상이 관계를 중요하게 생각했기 때문입니다.

> **채점 기준** 말과 관련 있는 속담이 많은 까닭을 알맞게 썼으면 정답으로 합니다.

5 탐구하고 싶은 대상을 한 가지 정해서 관련 있는 속담을 떠올려 봅니다.

단원 마무리   95쪽

❶ 생각 등   ❷ 설득   ❸ 배
❹ 구름

1 ②

2 쉬운 일이라도 협력해서 하면 훨씬 쉽다는 뜻이다. 등

3 ①, ④

4 사공이 많으면 배가 산으로 간다 등

5 설득

6 예 고운 말을 쓰자는 말을 할 때 관심을 끌려고 "가는 말이 고와야 오는 말이 곱다."라는 속담을 사용한 적이 있다.

7 ⓒ **8** 티끌 모아 태산

9 예 여러 가지 일을 하다 보니 아무것도 이룬 것이 없는 상황

10 ⑤ **11** (1) ② (2) ①

12 배보다 배꼽이 더 크다

13 ④, ⑤ **14** (2) × **15** 글 ㉮

16 ③ **17** ② **18** 까마귀

19 예 호랑이도 제 말 하면 온다 **20** ④

---

1 '협동'과 관련 있는 속담이 들어가야 합니다.

2 '백지장도 맞들면 낫다'의 뜻을 씁니다.

3 ①, ④ 모두 '힘을 합하면 쉽게 일을 할 수 있다'는 뜻의 속담입니다.

4 여러 사람이 자기주장만 내세우는 상황입니다.

5 속담을 사용하여 주장을 뒷받침하면 상대를 쉽게 설득할 수 있습니다.

6 일상생활에서 속담을 사용한 경험이나 들은 경험을 떠올려 씁니다.

> 채점 기준 속담을 사용하여 말한 경험이나 들은 경험을 알맞게 썼으면 정답으로 합니다.

7 자신의 의견을 쉽고 효과적으로 전달할 수 있습니다.

8 속담 '티끌 모아 태산'의 뜻을 설명한 것입니다.

9 어떤 일이든 한 가지 일을 끝까지 해야 성공할 수 있다는 뜻의 '우물을 파도 한 우물을 파라'는 속담을 사용한 것으로 보아 이것저것 하다가 아무것도 이루지 못한 상황에서 사용할 수 있습니다.

> 채점 기준 '우물을 파도 한 우물을 파라'는 속담의 뜻을 알고 속담을 사용할 수 있는 다른 상황을 알맞게 썼으면 정답으로 합니다.

10 '철없이 함부로 덤빈다'는 뜻의 속담인 '하룻강아지 범 무서운 줄 모른다'가 어울립니다.

11 ㉮는 수리비에 너무 많은 돈을 써야 하는 상황, ㉯는 야구를 좋아하여 언제나 야구공과 야구 장갑이 함께 하는 상황입니다.

12 '배보다 배꼽이 더 크다'는 속담을 설명하는 내용입니다.

13 '쥐구멍에도 볕 들 날 있다'는 속담은 '아무리 어려운 일이 계속되어 고생이 심해도 언젠가는 좋은 날이 올 수 있다'는 뜻으로, 희망을 가지라는 말입니다.

> **오답 피하기**
> ① 기본이 되는 것보다 덧붙이는 것이 더 많거나 큰 경우를 비유적으로 이르는 말로, '배보다 배꼽이 더 크다'와 비슷한 뜻의 속담입니다.
> ② '얼굴보다 코가 더 크다', '배보다 배꼽이 더 크다'와 비슷한 뜻의 속담입니다.
> ③ '소 잃고 외양간 고친다'와 비슷한 뜻의 속담입니다.

14 듣는 사람이 이해하기 쉬운 속담을 활용해 자신의 생각을 표현하는 것이 효과적입니다.

15 제시한 상황은 실속 없이 허황된 것을 궁리하고 미리 셈하는 독장수의 상황과 비슷합니다.

16 부자가 되는 상상을 하며 잔뜩 기대에 찼던 독장수는 실수로 독을 모두 깨뜨리는 바람에 속상한 마음일 것입니다.

17 독장수는 헛된 욕심을 부리다 모든 것을 잃어버린 상황입니다.

> 보충 자료 독장수에게 해 주고 싶은 말
> 실속 없이 헛된 꿈만 꾸지 말고 하루하루 노력하는 생활을 하면 좋겠어요.

18 '무엇인가를 잘 잃어버리는 사람'을 가리켜 까마귀 고기를 먹었냐는 말을 합니다.

19 소, 쥐, 호랑이, 닭, 개 등 동물과 관련 있는 속담을 찾아봅니다. 동물과 관련 있는 속담이 많은 까닭은 자신이 전하고 싶은 내용을 동물의 행동이나 특징에 빗대어 쉽게 말할 수 있기 때문입니다.

20 속담은 예로부터 민간에 전해 오는 쉬운 격언이나 잠언으로, 우리 민족의 지혜와 해학, 생활 방식과 교훈이 담겨 있습니다. 처음 만든 사람이 누구인지는 알 수 없습니다.

서술형 평가

1 예 조상의 지혜와 슬기를 알 수 있다. / 자신의 의견을 쉽고 효과적으로 전달할 수 있다. / 듣는 사람이 흥미를 느낄 수 있다.

2 예 어린아이들이 농구 선수에게 농구 시합을 하자고 하는 상황

3 (1) 예 콩 심은 데 콩 나고 팥 심은 데 팥 난다
(2) 예 오이 덩굴에 오이 열리고 가지 나무에 가지 열린다 / 가시나무에 가시가 난다

4 실현성이 없는 허황된 계산은 도리어 손해만 가져온다 등

5 (1) 예 말 (2) 예 말 한마디에 천 냥 빚도 갚는다
(3) 예 발 없는 말이 천 리 간다

1 속담을 사용하면 듣는 사람이 흥미를 느낄 수 있고, 주장의 논리를 뒷받침해 상대를 쉽게 설득할 수 있습니다.

> **채점 기준** '조상의 지혜와 슬기를 알 수 있다' 등의 내용으로 속담을 사용하면 좋은 점을 썼으면 정답으로 합니다.

2 속담의 뜻을 파악하여 그 속담을 사용할 수 있는 다른 상황을 생각해 씁니다.

> **채점 기준** '하룻강아지 범 무서운 줄 모른다'의 뜻을 파악하여 '철없이 함부로 덤비는 상황'을 알맞게 썼으면 정답으로 합니다.

3 모든 일은 근본에 따라 거기에 걸맞은 결과가 나타난다는 뜻의 속담이 어울리는 상황입니다. 자신이 뿌리고 노력한 만큼 거두게 된다는 뜻의 속담에는 어떤 것이 있는지 생각해 봅니다.

> **채점 기준** 자랑 발표 대회를 준비하지 않고 놀아서 더듬거리며 발표한 상황에 어울리는 속담과 비슷한 속담을 썼으면 정답으로 합니다.

4 독장수가 헛된 생각을 하다가 실수로 독들을 깨뜨린 상황입니다.

> **채점 기준** 빈칸에 들어갈 '독장수구구는 독만 깨뜨린다'의 뜻을 알맞게 썼으면 정답으로 합니다.

5 알맞은 대상을 정하고 그와 관련된 속담을 찾아 써 봅니다.

> **채점 기준** 탐구 대상을 정하고 탐구 대상에 알맞은 속담을 두 가지 썼으면 정답으로 합니다.

연극 단원 함께 연극을 즐겨요

연극 준비 연극과 극본의 관계 살펴보기　102쪽

1 장영실　**2** (1) 전기문 (2) 드라마 (3) 연극
3 (1) ○ (3) ○　**4** 극본

연극 연습 ❶ 극본의 특성 이해하기　103~106쪽

1 ○　　**2** 지문　　**3** 대사
4 침울하다. 등　**5** 숲의 마음 할아버지
6 ○　　**7** ㉣　　**8** 마법
9 대사　　**10** (1) ○
11 어이가 없다. / 안타깝다. 등　**12** 인물
13 ○　　**14** (4) ○
15 예 마법의 무지갯빛 초콜릿을 친구들에게 먹게 하여 친구들의 마음을 바꿀 것 같다. / 더 이상 놀림을 받지 않을 것 같다.
16 (1) 대사 (2) 지문

연극 연습 ❷ 일상 경험을 극본으로 표현하기　107쪽

1 예 점심시간에 식판을 떨어뜨린 일
2 (4) ✕
3 (1) ② (2) ① (3) ③　　**4** ✕

연극 실연 극본 낭독하기　108쪽

1 관람하는 학생이 들을 수 있을 정도로 큰 소리로 연기한다. 등
2 극본, 초대장, 등장인물 이름표, 소품, 의상, 음악 등
3 ○　　　　**4** 장우

단원 평가

110~111쪽

1 ① **2** 해설 **3** ©

4 ⓪ 복순이 영이를 계속 기다린다.

5 (1) 연극 (2) 대사 (3) 말 (4) 지문

6 ⑤

7 숲을 사랑하는 성민이를 위해 마법의 힘을 사용
하고 싶어서 / 성민이를 놀리는 사람들을 혼내 주
기 위해서 등

8 영우 **9** ③

10 진지한 태도로 낭독 공연을 관람한다. 등

---

1 연극은 무대 공연을 위한 것입니다.

2 해설에 대한 설명입니다.

3 보라색으로 쓰인 부분은 지문입니다. 인물이 하는 말
은 '대사'로 나타냅니다.

4 인물의 대사와 해설을 보고 이어질 내용을 짐작해 봅
니다.

> **채점 기준** 나타난 극본의 내용과 어울리게 이어질 내용
> 을 상상하여 잘 썼으면 정답으로 합니다.

5 극본의 특성에 맞게 알맞은 말을 씁니다.

> **정답 친해지기** 연극과 극본의 관계
> • 연극을 하려면 잘 짠 극본이 필요합니다.
> • 연극을 공연하려면 극본을 보고 연습하는 과정이 필
> 요합니다.

6 "네가 느리다고 사람들이 놀리고 힘들게 한다 이거
지? 막 별명을 지어 부르고 말이야?"라는 말에서 알
수 있습니다.

7 놀림을 받는 성민이를 위해 숲의 마음 할아버지는 성
민이에게 마법의 무지갯빛 초콜릿 선물을 주었습니다.

8 때, 곳, 나오는 사람은 해설로 표현합니다. 괄호 안에
는 인물의 행동이나 표정을 나타냅니다.

9 관람하는 친구에게 말을 걸지 말고, 진지한 태도로
낭독합니다.

10 그 밖에 낭독 공연을 관람할 때 주의할 점으로 '떠들
지 않는다.'도 답이 될 수 있습니다.

> **채점 기준** 낭독 공연을 관람할 때 주의할 점을 알고 알
> 맞게 썼으면 정답으로 합니다.

---

6 내용을 추론해요

핵 심 개 념 문 제

114쪽

1 추론 **2** ○ **3** 사실

4 ○ **5** 주제

준비 말이나 행동에서 드러나지 않은 내용 짐작하기

115~116쪽

1 ⑤

2 (1) 자신의 경험 떠올리기
(2) 말이나 행동에서 단서 확인하기

3 ⓪ 우리 주변의 북한 이탈 주민들이 모두 같은 민
족이자 하나의 겨레이다.

4 남훈 **5** ⑤

6 깜짝 놀란 등 **7** 영준

8 ⓪ 내용이나 상황을 좀 더 깊고 넓게 이해할 수
있다.

---

1 영상 광고에 나오는 사람들은 북한 이탈 주민입니다.

2 자신의 경험을 떠올렸는지, 말이나 행동에서 단서를
확인했는지 살펴봅니다.

3 우리 사회에 함께 사는 구성원으로 북한 이탈 주민을
소개함으로써 모두 같은 민족이라는 뜻을 나타내고
있습니다.

> **채점 기준** 북한 이탈 주민이 나오는 영상 광고 내용에서
> 제목의 뜻을 잘 짐작하여 썼으면 정답으로 합니다.

4 북한 이탈 주민이 여러 가지 직업을 가지고 있다는 것
을 추론할 수 있습니다.

> **정답 친해지기** 추론의 뜻
> 이미 아는 정보를 근거로 삼아 다른 판단을 이끌어
> 내는 것입니다.

5 그림 속에서 병아리를 물고 달아나는 고양이를 남자
가 긴 막대기를 들고 쫓아가 잡으려고 하고 있습니다.

6 자신의 배경지식을 떠올리거나 여러 가지 상황을 생
각하며 추론할 수 있는 내용을 써 봅니다.

7 그림 속 인물의 표정이나 행동 등을 자세히 살펴보면
직접 드러나지 않은 내용을 추론할 수 있습니다.

8 작품 속에서 드러나지 않은 내용을 짐작하며 감상하면 내용이나 상황을 좀 더 깊고 넓게 이해할 수 있습니다.

> **채점 기준** 추론하며 작품을 보면 좋은 점을 알맞게 썼으면 정답으로 합니다.

기본 ① 이야기를 듣고 추론하는 방법 알기   117~118쪽

1 잃었다   **2** ①
3 원래의 모습대로   **4** ①
5 (2) ○   **6** 국어사전   **7** ⑤
8 융건릉, 용주사
9 예 자신의 원대한 꿈이 담긴 수원 화성을 완공한 것이 자랑스러웠을 것이다.
10 경험한 것 등

---

1 글에서 찾을 수 있는 단서를 통해 수원 화성은 여러 위기를 거치면서 원래의 모습을 잃었다는 것을 추론할 수 있습니다.

2 수원 화성 공사와 관련된 공식 문서는 물론, 참여 인원, 사용된 물품, 설계 등의 기록이 그림과 함께 실려 있습니다.

3 수원 화성을 원래의 모습대로 다시 만들 수 있었다는 내용을 추론할 수 있습니다.

4 『화성성역의궤』는 수원 화성에 성을 쌓는 과정을 기록한 책인 의궤야.' 부분에 쓰인 '쌓다'의 뜻입니다.

5 '감상'이 '주로 예술 작품을 이해하여 즐기고 평가함.'이라는 뜻으로 쓰인 것을 찾습니다.

6 국어사전에 다의어와 동형어의 뜻이 정확히 실려 있습니다.

7 정조 임금은 수원 화성을 건축하는 데 많은 관심을 가졌기 때문에 짓는 자리를 엄격하게 골랐을 것입니다.

8 더 둘러보고 싶은 친구가 있다면 근처에 있는 융건릉과 용주사에 가 볼 것을 추천한다고 했습니다.

9 글에서 찾을 수 있는 단서와 자신이 평소 아는 사실과 경험을 바탕으로 하여 추론하여 봅니다.

> **채점 기준** 수원 화성에 대한 정조 임금의 마음을 짐작하여 잘 추론하여 썼으면 정답으로 합니다.

---

10 평소에 아는 사실과 경험한 것을 떠올리면 내용을 추론할 수 있습니다.

기본 ② 내용을 추론하며 글 읽기   119~122쪽

1 경복궁, 창덕궁, 창경궁, 경희궁, 경운궁
2 예 조선 시대에는 신분에 따른 차이가 매우 명확했다.
3 ④   **4** ④   **5** ④, ⑤
6 창덕궁   **7** 부용지
8 예 옛날식 건물에 그린 그림이나 무늬
9 ③, ⑤
10 예 일제 강점기가 되면서 차차 왕실이 힘을 잃었다.
11 경덕궁   **12** ⑤   **13** ④
14 (1) 예 서로 엉켜 혼란스러운 상태. (2) 예 낱말 뒤에 '휘말리면서'라는 말이 있고, 낱말에 '돌이'라는 표현이 있어 돌아가는 모습을 생각해 보니 혼란스러운 상태일 것 같다.
15 전통적   **16** (2) ○

---

1 들어가는 말에서 현재 서울에 남아 있는 조선 시대의 궁궐은 모두 다섯 곳이라고 하였습니다.

2 각자 신분에 따라 다른 건물에서 생활한 까닭이 무엇일지 생각해 봅니다.

> **채점 기준** 신분에 알맞은 건물에서 생활했다는 내용에서 추론할 수 있는 사실을 바르게 썼으면 정답으로 합니다.

3 강녕전이나 교태전과 같이 '전' 자가 붙은 건물에는 가장 신분이 높은 왕과 왕비만 살 수 있었다고 하였습니다.

> **오답 피하기**
> ① 군인은 '각', '재', '헌'이 붙는 건물에서 생활했을 것입니다.
> ② 내시는 '각', '재', '헌'이 붙는 건물에서 생활했을 것입니다.
> ③ 후궁은 '당' 자가 붙는 건물을 사용했습니다.
> ⑤ 왕실 가족은 '당' 자가 붙는 건물을 사용했습니다.

4 경복궁은 '큰 복을 누리며 번성하라'는 뜻을 지닌 궁궐입니다.

5 경복궁 안에 있는 우리나라에서 가장 큰 누각인 경회루에 대하여 설명한 부분을 살펴봅니다.

6 창덕궁은 건물과 후원이 잘 어우러져 아름답다고 하였습니다.

7 창덕궁에는 연못에 섬을 띄운 부용지가 있습니다.

8 단청은 '궁궐이나 절의 벽, 기둥, 천장 따위에 여러 가지 빛깔과 무늬로 그린 그림'을 뜻하는데 낱말의 앞뒤 내용을 살펴보고 뜻을 추론하여 봅니다.

9 창경궁은 성종이 할머니들을 모시려고 지은 궁궐로, 효자로 유명한 정조가 태어난 곳이기도 합니다.

10 제시된 내용을 단서로 해서 추론해 봅니다.

> **채점 기준** 일제 강점기 때 궁궐에 있었던 내용에서 추론할 수 있는 사실을 바르게 썼으면 정답으로 합니다.

11 경희궁의 처음 이름은 경덕궁이었으나 영조 때 경희궁으로 고쳐 불렀습니다.

12 경희궁은 경복궁의 서쪽에 있다고 하여 '서궐'로도 불렸다고 했습니다.

13 임진왜란이 끝나고 서울로 돌아와 보니 궁궐이 모두 불타 버렸다고 하였습니다.

14 낱말의 앞뒤 내용에서 알 수 있는 사실을 바탕으로 하여 낱말의 뜻을 추론할 수 있습니다.

> **채점 기준** 낱말의 앞뒤 내용에서 '소용돌이'의 뜻을 잘 추론하여 쓰고, 그렇게 생각한 까닭을 알맞게 썼으면 정답으로 합니다.

15 중화전은 국가적 의식을 치르던 전통적 건물이고, 석조전은 왕이 일상생활을 하던 서양식 건물입니다.

16 글쓴이의 생각을 추론하여 봅니다.

실천 알리고 싶은 내용을 영상 광고로 만들기　123쪽

1 예 스마트폰 사용을 줄이자.
2 ③　　　**3** (1) ○
4 ㉢, ㉤, ㉠, ㉡, ㉣

1 평소 관심 있는 주제 가운데에서 한 가지를 골라 영상 광고로 알리고 싶은 내용을 생각하여 한 문장으로 씁니다.

2 영상 광고를 만들기 위해 촬영, 편집, 극본, 소품과 효과 담당이 필요합니다.

3 친구들의 능력과 선호도를 고려해 역할을 맡을 수 있도록 최대한 배려해야 합니다.

4 가장 먼저 영상 광고 주제, 내용과 분량을 정해야 합니다.

단원 마무리　124~125쪽

❶ 북한 이탈　❷ 화성　❸ 신분
❹ 주제

단원 평가　126~128쪽

1 ②, ③, ④　　　**2** 북한 이탈 주민
3 병아리를 물고 달아나고 있다. 등
4 ⑤　　　　　**5** ⑤
6 날씨가 덥다. / 경기가 흥미진진하다. 등
7 『화성성역의궤』　　　**8** (2) ○
9 다의어　　　**10** ②
11 수원 화성을 원래의 모습대로 다시 만들 수 있었다. 등
12 예 융건릉과 용주사에도 볼거리가 많다.
13 (1) ○　　　**14** 왕실 가족이나 후궁들
15 신분　　　**16** ②　　　**17** 창경원
18 동준　　　**19** ③　　　**20** (2) ○

1 '선생님, 봉사단, 한의사' 직업을 가진 북한 이탈 주민이 나옵니다.

2 북한 이탈 주민이 여러 가지 직업을 가지고 있다는 것을 추론할 수 있습니다.

> **정답 친해지기** 「우리는 이미 하나」에서 추론할 수 있는 내용
> • 우리 주위에 북한 이탈 주민이 많이 있습니다.
> • 서로 존중하고 더불어 살아가야 행복합니다.

3 병아리를 물고 달아나는 고양이를 남자가 쫓아가 잡으려고 하는 모습을 그린 그림입니다.

4 여러 가지 상황을 생각하며 드러나지 않은 내용을 짐작해 봅니다.

5 날씨가 더운지 부채를 들고 있는 구경꾼을 볼 수 있습니다.

6 그림 속 사람들의 행동이나 표정 등으로 추론할 수 있는 내용을 써 봅니다.

> **채점 기준** 씨름을 하고 있는 그림의 내용에서 추론할 수 있는 사실을 바르게 썼으면 정답으로 합니다.

7 『화성성역의궤』는 수원 화성에 성을 쌓는 과정을 기록한 책인 의궤입니다.

8 (1)은 '여러 개의 물건을 겹겹이 포개어 얹어 놓다.'의 뜻이고, (2)는 '물건을 차곡차곡 포개어 얹어서 구조물을 이루다.'의 뜻입니다.

9 여러 가지 뜻이 있는 낱말을 다의어라고 합니다.

10 수원 화성이 세계적인 문화유산으로 인정받을 만큼 훌륭한 건축물이라는 것을 추론할 수 있습니다.

11 자세하게 기록되었기 때문에 파괴되었던 수원 화성을 원래의 모습대로 다시 만들 수 있었습니다.

12 융건릉과 용주사에 가 볼 것을 추천한다는 것은 융건릉과 용주사에도 볼거리가 많다는 것입니다.

> **채점 기준** 융건릉과 용주사에 가 볼 것을 추천하는 내용에서 추론할 수 있는 사실을 바르게 썼으면 정답으로 합니다.

13 ⓛ'부르다'가 '무엇이라고 가리켜 말하거나 이름을 붙이다.'의 뜻으로 쓰였습니다.

14 왕실 가족이나 후궁들은 주로 '전'보다 한 단계 격이 낮은 '당' 자가 붙는 건물을 사용했습니다.

15 각자 신분에 알맞은 건물에서 생활했다는 내용이 나타나 있습니다.

16 글에 드러나 있는 여러 가지 정보를 토대로 추론해 봅니다.

17 일제 강점기 때 일본 사람들이 창경궁의 이름을 '창경원'으로 바꾸었습니다.

18 일본 사람들이 많은 건물을 헐고 창경궁에 동물원과 식물원을 만든 것으로 보아 왕실의 힘이 약했다는 것을 알 수 있습니다.

19 ⑤ → ① → ④ → ② → ③의 순서로 영상 광고를 만듭니다.

20 자신이 평소에 아는 사실을 바탕으로 하여 추론할 수 있습니다.

서술형 평가 129쪽

1 이미 아는 정보를 근거로 삼아 다른 판단을 이끌어 내는 것이다. 등
2 (1) 좋은 (2) 정조 임금은 수원 화성을 건축하는 데 많은 관심을 가졌다. 등
3 자신의 경험을 떠올리는 방법으로 추론하였다. 등
4 예 건물과 후원이 잘 어우러져 아름답기 때문이다.
5 예 창덕궁의 특징을 알려 주기 위해서이다.
6 영상 광고 주제, 내용과 분량을 정한다. 등

1 추론은 자신의 배경지식을 떠올리거나 여러 가지 상황을 생각하며 드러나지 않은 내용을 짐작해 보는 것입니다.

> **채점 기준** 추론이 무엇인지 알고 추론의 뜻을 바르게 썼으면 정답으로 합니다.

2 글에서 찾을 수 있는 단서를 바탕으로 하여 내용을 추론해 봅니다.

> **채점 기준** (1)에 '좋은'이라고 쓰고, (2)에 정조 임금이 좋은 자리에 수원 화성을 지었다는 내용을 바탕으로 하여 추론할 수 있는 사실을 바르게 썼으면 정답으로 합니다.

3 자신이 평소에 아는 사실이나 경험을 바탕으로 하여 글을 읽으면 더 많은 사실을 짐작할 수 있습니다.

> **채점 기준** 민영이가 추론한 방법을 잘 파악하여 자신의 경험을 떠올렸다는 내용으로 썼으면 정답으로 합니다.

4 창덕궁은 건물과 후원이 잘 어우러져 아름답다고 하였습니다.

> **채점 기준** 창덕궁이 유네스코 세계 문화유산으로 기록된 까닭을 잘 추론하여 썼으면 정답으로 합니다.

5 글쓴이가 왜 창덕궁에 대해 소개하고 있는지 생각하여 봅니다.

> **채점 기준** 글쓴이가 글을 쓴 까닭을 알맞게 추론하여 썼으면 정답으로 합니다.

6 영상 광고를 만들 때 가장 먼저 영상 광고 주제나 내용을 정해야 합니다.

> **채점 기준** 영상 광고를 만드는 순서를 알고 영상 광고 주제나 내용과 분량을 정한다는 내용으로 썼으면 정답으로 합니다.

7 우리말을 가꾸어요

핵 심 개 념 문 제   132쪽

1 ○   **2** 신문, 광고, 뉴스, 텔레비전 등
3 강조   **4** ○   **5** 주제

준 비   자신의 언어생활 점검하기   133~134쪽

1 ②, ④
2 줄임 말이 재미있어서 / 줄임 말을 평소에 즐겨 사용하기 때문에 등
3 몹시 재미가 없다. 등
4 ④   **5** (1) ② (2) ①
6 (1) 무시당하는 기분이 들어 속상하다. 등
　　(2) 힘이 나고 기분이 좋다. 등
7 예 놀이를 잘하는 친구에게 진심을 담아 존중하는 말로 칭찬했다.
8 (3) ○

1 생일 선물의 줄임 말인 '생선'과 몹시 재미가 없다는 뜻의 신조어인 '핵노잼'을 이해하지 못했습니다.

2 여자아이는 줄임 말이 재미있고 줄임 말을 평소에 즐겨 사용하기 때문에 사용했을 것입니다.

3 몹시 재미가 없다는 뜻으로 여자아이가 말한 것입니다.

4 여자아이가 줄임 말, 신조어 등을 사용해서 아빠와 의사소통이 안 되고 있습니다.

5 그림 ❷에서는 지고 있는 모둠의 친구를 무시하고 싶어서 비난의 말을 했고, 그림 ❸에서는 지고 있는 모둠의 친구에게 힘을 내라고 격려의 말을 했습니다.

6 솔연이는 무시당하는 기분이 들어 속상했을 것이고, 강민이는 격려해 주니 힘이 나고 기분이 좋았을 것입니다.

7 언어 예절을 지키며 대화한 경험을 떠올려 씁니다.

> **채점 기준** 언어 예절을 지키며 대화한 경험을 알맞게 썼으면 정답으로 합니다.

8 나머지는 바람직하지 않은 점에 해당합니다.

기 본 ❶   우리말 사용 실태 알아보기   135~136쪽

1 ③
2 대중 매체 환경이 빠르게 바뀌어서 등
3 강우
4 예 친구들이 쓰는 감탄사에 비속어가 많다.
5 ④
6 배려하는 마음 / 존중하는 마음 등
7 (1) 반려동물 돌봄이 (2) 이동 장
　　(3) 길고양이 돌봄이
8 (3) ×

1 욕 사용 실태를 알려 주는 내용으로 학생들이 욕을 너무 많이 사용한다는 사례를 제시했습니다.

2 대중 매체 환경이 빠르게 바뀌면서 욕설이나 비속어를 대하는 나이가 더욱 어려지고 있습니다.

3 욕설이나 비속어를 들으면 기분이 좋지 않을 것입니다.

4 욕설이나 비속어를 사용한 경험이나 들은 경험을 떠올려 씁니다.

> **채점 기준** 올바르지 못한 말을 사용하고 있는 예를 떠올려 알맞게 썼으면 정답으로 합니다.

5 준형이와 수진이는 서로 부딪히게 되자 비속어를 사용하며 비난했습니다.

6 상대를 배려하고 존중하는 마음으로 대화했다면 다툼이 일어나지 않았을 것입니다.

7 반려동물 관련 용어를 우리말로 바꾸어 씁니다.

8 바꾸어 쓸 수 있는 우리말이 있다면 외국어를 사용하지 않고 우리말을 사용하는 자세를 가져야 합니다.

기 본 ❷   우리말 사용 실태 조사하기   137쪽

1 텔레비전 뉴스 기사를 인터넷에서 찾았다. 등
2 ⑤   **3** 조사 결과, 출처   **4** (2) ○

1 지원이는 텔레비전 뉴스 기사를 인터넷에서 찾았다고 했습니다.

2 중화는 선생님과 학생, 학생과 학생들끼리도 서로 높임말을 사용하는 언어문화를 조사했습니다.

3 욕설·비속어에 중독된 청소년들은 조사 결과에 해당되고, 한국방송공사는 출처에 해당됩니다.

4 발표할 때에는 일정한 목소리보다는 중요한 부분을 강조하며 발표합니다.

기본 ❸ 실태 조사를 바탕으로 하여 올바른 우리말 사용을 주제로 글 쓰기   138쪽

1 문제 상황   **2** ⑤
3 긍정하는 말과 고운 우리말을 사용합시다. 등
4 예 긍정하는 말과 고운 우리말

1 '요즘 우리 반 친구들이 대화할 때 짜증 난다는 말이나 비속어, 욕설 따위를 사용합니다.'는 문제 상황에 해당합니다.

2 친구에게 긍정하는 말을 하니 승점을 냈다고 했습니다.

3 글의 마지막 부분에 글쓴이의 주장이 나타나 있습니다.

> **채점 기준** 글쓴이의 주장을 잘 파악하여 바르게 썼으면 정답으로 합니다.

4 글의 내용을 대표할 수 있는 제목을 생각하여 씁니다.

실천 올바른 우리말 사례집 만들기   139쪽

1 ⑤   **2** (1) ② (2) ① **3** (2) ○
4 예 우리말을 훼손하는 자료를 수집해 뉴스 형식으로 만들고 싶다.

1 가에서 너무 줄여 말하는 낱말을 바르게 고쳐 쓴 사례를 영상 광고로 만들었습니다.

2 가는 영상 광고, 나는 신문 형식으로 사례집을 만들었습니다.

3 어떤 형식으로 만들지 의견을 나누고 있습니다.

> **정답 친해지기** 올바른 우리말 사례집을 만들 때 의견 나누기 예
> • 주제는 무엇으로 정할까요?
> • 조사는 어떻게 할까요?
> • 역할 분담은 어떻게 할까요?

---

4 올바른 우리말 사례집을 어떤 내용으로, 어떤 형식으로 만들지 생각하여 씁니다.

> **채점 기준** 올바른 우리말 사례집을 어떻게 만들고 싶은지 잘 썼으면 정답으로 합니다.

단원 마무리   140~141쪽

❶ 줄임   ❷ 욕   ❸ 주장
❹ 근거   ❺ 광고

단원 평가   142~144쪽

1 (1) ② (2) ①
2 여자아이가 줄임 말을 사용해서 등
3 ②, ⑤
4 예 다른 사람을 배려하며 말한다.
5 ③   **6** 욕(설)
7 예 서로 자기 의견만 주장하다가 결국 욕을 내뱉어 싸움이 일어났었다.
8 ③   **9** 유준   **10** ⑤
11 외국어보다는 올바른 우리말을 사용한다. 등
12 지원   **13** (1) ② (2) ①
14 주제   **15** ㉡
16 예 짜증 난다는 말이나 비속어, 욕설 따위를 사용한다.
17 글 나   **18** ⑤
19 (1) ② (2) ①   **20** 나

1 여자아이는 생일 선물의 줄임 말로 '생선'을 말했고, 아빠는 물고기 '생선'으로 이해했습니다.

2 여자아이가 '생선'이라는 줄임 말을 사용해서 아빠가 이해하지 못하였습니다.

3 솔연이는 그 정도밖에 못하냐며 기권하라는 친구의 말에 무시당하는 기분이 들어 속상했을 것입니다.

4 친구는 솔연이를 배려하지 않고 비난했습니다.

5 바람직한 언어생활을 위해 올바른 우리말을 사용해야 합니다.

6 욕 사용 실태를 관찰한 결과에서 학생들이 욕을 너무 많이 사용하고 있다는 것을 알 수 있습니다.

7 생활하면서 욕을 사용했거나 들었던 경험을 떠올려 씁니다.

> **채점 기준** 욕을 사용하는 언어생활 때문에 있었던 경험을 적절하게 썼으면 정답으로 합니다.

8 남자아이가 친구를 배려하지 않고 비난해서 부딪힌 여자아이도 화를 내고 있습니다.

9 비속어를 사용하며 친구를 비난해서 다툼이 커졌습니다.

10 '펫시터'가 동물을 돌봐 주는 사람을 뜻하므로 '반려동물 돌봄이'가 대신 쓰기에 알맞습니다.

11 외국어를 그대로 사용하기보다는 올바른 우리말로 바꾸어 사용하는 것이 좋습니다.

12 지원이는 텔레비전 뉴스 기사를 인터넷에서 찾았습니다.

13 지원이는 「초등학생 줄임 말, 신조어 '심각'」이라는 뉴스를 조사했고, 중화는 서로 높임말을 사용하는 언어 문화를 조사했습니다.

14 '욕설·비속어에 중독된 청소년들'은 조사 주제에 해당합니다.

15 발표 효과를 높이려면 사진이나 그림, 도표나 동영상 따위를 사용할 수 있습니다.

16 '요즘 우리 반 친구들이 대화할 때 짜증 난다는 말이나 비속어, 욕설 따위를 사용합니다.'에 문제 상황이 나타나 있습니다.

> **채점 기준** 글에 나타난 문제 상황을 잘 파악하여 짜증 난다는 말, 비속어, 욕설 따위를 사용한다는 내용으로 썼으면 정답으로 합니다.

17 글 ❹에 공놀이할 때마다 실수해서 같은 편이 되기를 꺼려 하는 친구에게 긍정하는 말을 했던 경험을 말하고 있습니다.

18 글 ❺에 긍정하는 말과 고운 우리말을 사용하자는 글쓴이의 주장이 나타나 있습니다.

19 ㉠는 너무 줄여 말하는 낱말을 알려 주고 있고, ㉡는 국립국어원에서 소개한 어려운 외국어를 쉬운 우리말로 바꾼 사례입니다.

20 ㉠는 영상 광고 형식, ㉡는 신문 형식입니다.

---

1 예 다른 사람을 배려하며 말하고 있다.

2 예 올바른 우리말이 점점 사라져 갈 것이다.

3 예 조사 주제, 조사 내용, 조사 결과와 출처, 조사한 뒤 드는 생각이나 느낌을 정리한다.

4 예 긍정하는 말과 고운 우리말을 사용하자는 주장을 하기 위해서이다.

5 예 고운 우리말 사용이 자신과 상대의 마음을 아름답게 해 줍니다.

6 예 비속어를 올바른 우리말로 바꾸어 본 내용으로 만들고 싶다.

1 자신의 언어생활을 점검해 보고 바람직한 점을 찾아 써 봅니다.

> **채점 기준** 자신의 언어생활에서 바람직한 점을 잘 썼으면 정답으로 합니다.

2 '펫시터'라는 외국어를 쉽게 사용하고 있는 것에서 어떤 일이 벌어질지 예상해 봅니다.

> **채점 기준** 외국어를 쉽게 사용하는 언어생활을 지속했을 때 벌어질 일을 알맞게 썼으면 정답으로 합니다.

3 조사 주제, 조사 내용, 조사 결과와 출처, 조사한 뒤 드는 생각이나 느낌 등으로 정리하는 것이 좋습니다.

> **채점 기준** 우리말 사용 실태 조사 내용을 정리하는 방법을 잘 알고 썼으면 정답으로 합니다.

4 글쓴이는 긍정하는 말과 고운 우리말을 사용하자는 주장을 하고 있습니다.

> **채점 기준** 글쓴이의 주장을 파악하여 글쓴이가 글을 쓴 까닭을 잘 짐작하여 썼으면 정답으로 합니다.

5 첫 번째 문단에 글쓴이의 주장을 뒷받침하는 근거가 나타나 있습니다.

> **채점 기준** 글쓴이의 주장을 뒷받침하는 근거를 파악하여 한 문장으로 정리하여 썼으면 정답으로 합니다.

6 어떤 내용으로 올바른 우리말 사례집을 만들고 싶은지 생각하여 씁니다.

> **채점 기준** 올바른 우리말 사례집에 알맞은 내용을 썼으면 정답으로 합니다.

8 인물의 삶을 찾아서

핵 심 개 념 문 제　　　　　　　　148쪽

1 ○　　　　　　**2** 인물이 처한 상황
3 교훈　　　　　**4** 가치　　　　**5** ✕

준비　글쓴이가 말하고자 하는 생각 찾기　　149쪽

1 ①, ③, ⑤　　　**2** 중심　　　**3** 책을 읽자. 등
4 ①

1 글 ④에 책을 읽는 사람이 지혜롭게 세상을 살 수 있는 까닭이 나와 있습니다.

2 글의 주제는 글의 제목, 중요한 낱말, 중심 문장을 통해 파악할 수 있습니다.

3 이 글의 주제는 '책을 읽자.'입니다.

4 글쓴이가 말하고자 하는 생각을 찾으며 글을 읽는 것과 글을 빠르게 읽는 것은 관련이 없습니다.

기본❶　인물이 추구하는 가치 파악하기　　150~153쪽

1 (1) ⓒ　(2) ⓐ　**2** (1) ①　(2) ②
3 (1) 예 이런들 어떠하며 저런들 어떠하리
　(2) 예 정몽주에게 자신과 뜻을 같이 하는 일에 너무 큰 부담을 가지지 말라는 이방원의 생각이 특히 '–들'이라는 말에 잘 표현되었다고 생각한다.
4 (1) 뜻　(2) 고려　　　　　**5** ③
6 전라도로 내려가면서 남은 배와 군사를 모았다. 등
7 (2) ○　　　　**8** 이길 수 있을
9 울돌목(명량 해협)　　　　**10** ③
11 (1) 죽으려 하면 살고, 살려 하면 죽으니 죽기를 각오하고 싸워야 한다고 말했다. 등
　(2) 배와 군사들을 많아 보이게 하려고 미리 작전을 짜고 물살을 이용해 적선을 공격했다. 등
12 ②　　　　**13** ①　　　　**14** ②, ⑤
15 예 나는 주어진 일에 최선을 다했는가?

1 글 ㉮를 보면 고려 말 혼란스러운 상황에서 정몽주는 고려를 유지하면서 개혁해야 한다고 생각했고, 이성계와 그의 아들인 이방원은 새로운 왕조를 세우고자 했음을 알 수 있습니다.

2 이방원은 '만수산 드렁칡'이 얽혀진들 어떠하냐면서 정몽주에게 자신과 뜻을 같이 하자고 했습니다. 이에 정몽주는 고려에 충성하는 마음이 변치 않을 것임을 '백골이 진토 되어'라고 표현했습니다.

3 글 ㉯와 ㉰에서 가장 인상에 남는 표현을 찾아 그 까닭과 함께 씁니다.

> **채점 기준** 자신이 생각하는 가장 인상 깊은 표현을 찾아 쓰고, 그렇게 생각하는 까닭을 알맞게 썼으면 정답으로 합니다.

4 인물이 처한 상황과 글 ㉯와 ㉰에서 인물의 생각이 잘 드러난 표현을 살펴보며 인물의 생각을 파악합니다.

5 전쟁에서 원균이 죽고 난 뒤 나라에서는 이순신을 다시 삼도 수군통제사로 세웠습니다.

6 이순신은 싸움을 준비하기 위해 전라도로 내려가면서 남은 배와 군사를 모았습니다.

7 이순신은 아예 바다를 포기하고 육군으로 싸우라는 나라의 명을 받았습니다.

8 이순신은 임금님께 12척의 배로 죽을힘을 다해 싸운다면 이길 수 있다는 내용의 글을 올렸습니다.

9 이순신은 오랜 고민 끝에 '울돌목(명량 해협)'을 싸움터로 정했습니다.

10 글 ❸에서 이순신은 작전을 짜서 일본군과 울돌목에서 싸웠습니다.

11 이순신이 일본군과 울돌목에서 싸우는 상황에서 한 말과 행동을 살펴봅니다.

12 이순신은 ㉠의 꿈을 꾼 다음 날, 아들 면이 일본군과 싸우다가 죽었다는 소식을 들었습니다.

13 일본군이 울돌목에서의 싸움에서 이순신에게 지자 그에 대한 분풀이로 이순신의 고향 마을을 공격한 것이었습니다.

14 이순신은 전쟁에서 이기기 어려운 상황에서도 쉽게 포기하지 않고, 용기 있게 어려움을 극복해 나가고자 했습니다.

15 이순신이 '고난 극복의 의지, 용기, 자신감'과 같은 가치를 추구한다는 것을 생각하며 이것이 자신의 삶에 어떤 질문을 던지는지 생각해 봅니다.

> **채점 기준** 이순신이 추구하는 가치를 정확히 파악하여 이것이 자신의 삶에 어떤 질문을 던지는지 알맞게 썼으면 정답으로 합니다.

기본 ❷ 인물들이 추구하는 다양한 가치 비교하기　　154~158쪽

1 ②　　　　　　　　**2** 미미
3 샘마을 기와집　　　　　　**4** ㉯
5 ⑤　　　　　　　　**6** 효를 추구한다. 등
7 고생　　　**8** (2) ○　　　**9** ②, ⑤
10 버들이에게 기와집을 만들어 주려고 돈을 만들고 부자들의 보물도 훔쳤다. 등
11 ㉢　　　　**12** 진심　　　**13** (2) ○
14 현실적인 이익
15 **예** 도깨비들이 노여워하는 것은 당연하므로 어머니의 병이 나을 때까지만 도깨비들이 자신의 기와집에 와서 샘을 이용하면 어떻겠냐고 도깨비들을 설득했을 것 같다.
16 (2) ○　　　**17** ㉢, ㉠, ㉡　　**18** ②
19 **예** 앞으로 어떤 이야기가 이어질 것 같나요?

---

1 몽당깨비는 대낮뿐만 아니라 위험할 때도 몽당빗자루로 변합니다.

2 몽당깨비와 미미는 쓰레기 소각장에서 만났습니다.

3 몽당깨비는 샘마을 기와집으로 가야 한다고 말하며 버들이와의 추억을 꺼내 놓기 시작했습니다.

4 몽당깨비와 미미는 사람이 되고 싶었다는 공통점이 있습니다.

5 버들이는 어머니 병을 낫게 할 샘물을 뜨려고 새벽마다 숲에 갔습니다.

6 버들이가 어머니를 위해 새벽마다 도깨비 샘물을 뜨러 간 행동에서 효를 추구한다는 것을 알 수 있습니다.

7 몽당깨비는 사랑하는 버들이가 고생하는 게 가여워서 돈을 만들거나 부잣집 돈을 훔쳐 냈습니다.

8 몽당깨비가 버들이를 대하는 태도에서 (2)와 같은 인물임을 알 수 있습니다.

9 파랑이는 사람이 샘가에서 살면 도깨비들이 샘을 뺏기고 떠날 것을 염려했고, 버들이가 몽당깨비를 꾐에 빠뜨리고 있다고 생각해서 펄쩍 뛴 것입니다.

10 몽당깨비는 돈을 만들고 부자들의 보물을 훔쳐서 버들이에게 대궐 같은 기와집을 지어 주고 싶어 했습니다.

> **채점 기준** 글 ❸에 나온 몽당깨비가 버들이를 위해 한 일을 찾아 알맞게 썼으면 정답으로 합니다.

11 버들이는 몽당깨비가 자신의 부탁을 들어줄 것이라고 생각하고 점점 더 샘물을 쉽게 얻을 수 있는 방법을 떠올렸습니다.

12 몽당깨비는 진심을 담아 버들이를 대했습니다.

13 버들이는 몽당깨비에게 도깨비가 제일 무서워하는 것을 듣고는 도깨비들이 기와집에 들어오지 못하도록 만들었습니다.

14 버들이는 샘물을 쉽게 얻으려고 했고, 다른 도깨비들이 집 안에 얼씬거리지 못하도록 만들었습니다. 이를 통해 현실적인 이익을 추구하는 인물임을 알 수 있습니다.

15 샘물줄기를 바꾸면 샘물을 이용하는 동물이나 도깨비가 피해를 입는다는 것을 생각하며, 자신이 추구하는 가치에 따라 이야기 속 인물이 되어 봅니다.

> **채점 기준** 자신이 추구하는 가치를 떠올려 자신이 버들이라면 주어진 상황에서 어떤 말이나 행동을 했을지 구체적으로 썼으면 정답으로 합니다.

16 몽당깨비는 천 년 동안 땅속에 있어야 하는 벌을 받았지만, 은행나무가 없어지면서 삼백 년 만에 세상에 나올 수 있었습니다.

17 몽당깨비가 쓰레기 소각장에서 미미를 만난 것은 이야기 전체 내용에서 가장 마지막에 일어난 일입니다.

18 이 글은 몽당깨비를 통해 진정한 사랑과 용서를 추구하자는 주제를 드러내고 있습니다.

19 이야기에서 답을 찾을 수 없는 질문을 만들어 봅니다.

> **채점 기준** 친구들의 다양한 생각을 들을 수 있는 질문을 알맞게 썼으면 정답으로 합니다.

1 케냐   **2** ①   **3** ③

4 파괴된 환경이 케냐의 모든 이에게 고통을 주고 있다는 것을 깨달았기 때문이다. 등

5 ㉮, ㉰, ㉯   **6** ⑤

7 "나무 심기를 포기할 수는 없어요."

8 ④   **9** 나무 심기   **10** ⑤

11 ①, ③, ⑤

12 묘목을 한꺼번에 약 1000그루씩 적당한 간격을 두고 심어 '벨트'를 만들도록 권장했기 때문이다. 등

13 인내심   **14** ①, ②   **15** ⑤

16 ②, ④   **17** ③, ④

18 나무를 심는 것 등   **19** ⑤

20 예 희생과 봉사의 마음이 느껴져 왕가리 마타이에게 고마운 생각이 든다.

21 (1) 경험 (2) 비교 (3) 행동

22 부모님   **23** ②, ③, ⑤

24 우리 모두를 위한 일이 무엇인지 찾아보고, 꼭 실천하겠다고 결심했다. 등

1 왕가리 마타이는 아프리카 케냐 중앙 고원 지역에 있는 이히테의 작은 마을에서 태어났습니다.

2 왕가리 마타이는 학교에서 성실하게 공부해 좋은 성적을 거두었고, 그의 총명함과 성실함을 눈여겨본 선생님들이 장학금을 받아 외국에서 공부할 수 있도록 도와주었습니다.

3 외국에서 공부를 마치고 케냐로 돌아온 왕가리 마타이는 숲이 없어지고 그 자리에 차나무와 커피나무가 심어져 있는 모습을 보고 깜짝 놀랐습니다.

4 숲을 없애 황폐해진 환경 때문에 사람들이 가난과 굶주림 속에서 고통받는다는 것을 깨닫고 나무를 심겠다고 마음먹었습니다.

> **채점 기준** 파괴된 환경이 케냐의 모든 이에게 고통을 주고 있다는 것을 깨달았다는 내용과 비슷하게 썼으면 정답으로 합니다.

5 왕가리 마타이는 자신이 처한 상황에서 ㉮, ㉰, ㉯의 차례로 활동했습니다.

6 왕가리 마타이는 국제연합 해비탯 회의에 참석한 뒤에 나무와 숲이 있는 더 푸른 도시를 만들겠다는 새로운 꿈을 품었습니다.

7 주위 사람들이 나무 심기를 그만하라고 설득했지만 왕가리 마타이는 포기하지 않았습니다.

8 왕가리 마타이가 포기하지 않고 나무 심기를 계속한 것에서 맡은 일에 최선을 다하고 끈기를 추구한다는 것을 알 수 있습니다.

> **정답 친해지기** 왕가리 마타이가 추구하는 가치
> 왕가리 마타이는 모두의 이익과 행복, 자연환경 보호, 최선, 책임, 끈기 등을 추구합니다.

9 왕가리 마타이는 케냐여성위원회의 위원이 된 뒤 나무 심기 운동을 추진했습니다.

10 케냐여성위원회는 나무 심기 운동을 전파하려고 여성들이 기른 묘목을 옮겨 심을 때마다 한 그루에 4센트씩 대가를 지불했습니다.

11 왕가리 마타이는 시골 여성들과 함께 나무를 심으며 그들을 격려했고, 나무 심기 운동을 전파해 달라고 부탁했습니다.

12 글 ❹에서 '그린벨트 운동'이라는 말이 생긴 까닭을 찾아봅니다.

> **채점 기준** 나무 심기 운동이 '그린 벨트 운동'이라 불린 까닭을 알맞게 썼으면 정답으로 합니다.

13 나무를 심기 싫다는 사람들에게 왕가리 마타이는 인내심을 지니고 나무를 심어 줄 것을 부탁했습니다.

14 왕가리 마타이는 우리 아이들을 위해서, 미래의 케냐를 위해서 나무를 심어야 한다고 말하며 나무 심기 운동을 이끌었습니다.

15 우후루 공원은 나이로비에 남아 있는 유일한 녹지 공간으로 시민들의 쉼터 역할을 하고 있었습니다.

16 왕가리 마타이는 관련 회사와 정부에 편지를 쓰고 언론에 자신의 주장을 알리며 우후루 공원을 지키려고 애썼습니다.

17 왕가리 마타이는 자신뿐 아니라 현재와 미래의 케냐 사람들을 생각하는 마음에서 우후루 공원에 빌딩을 건설하는 것을 반대했고, 노년에도 환경 보호 운동에 앞장서며 자연환경 보호를 추구했습니다.

18 왕가리 마타이에게 환경을 보호하는 방법은 나무를 심는 것이었습니다.

19 왕가리 마타이는 오랫동안 환경 보호 운동에 앞장선 노력을 인정받아 노벨 평화상을 받았습니다.

20 노년에도 끊임없이 환경 보호 운동에 앞장선 왕가리 마타이의 행동을 보고 든 생각을 써 봅니다.

> **채점 기준** 왕가리 마타이의 행동을 보고 든 생각을 알맞게 썼으면 정답으로 합니다.

21 승수가 인물이 추구하는 가치를 자신의 삶과 어떻게 관련지었는지 살펴보며 빈칸에 알맞은 말을 씁니다.

22 승수는 왕가리 마타이가 추구하는 가치가 부모님이 추구하는 가치와 비슷하다고 생각했습니다.

23 ①, ④는 왕가리 마타이가 한 일이 아닙니다.

24 글 ❸에서 승수는 왕가리 마타이와 부모님께서 보인 행동처럼 자신도 우리 모두를 위한 일을 하겠다는 결심을 했습니다.

실천 문학 작품 속 인물 소개하기　　165쪽

1 ⑤　　　　**2** ㉡, ㉢
3 (1) 예 사랑과 용서를 추구한다.
　(2) 예 몽당깨비가 버들이의 부탁을 들어준 행동과 "버들이와 아름이는 내게 사랑과 용서를 가르친 사람들이야."라는 말에서 짐작할 수 있다.
4 (1) 예 「별을 이고 온 아저씨」 (2) 예 아저씨

1 ⑤는 민수가 쓴 인물 소개서에 나와 있지 않습니다.

2 인물이 처한 상황에서 한 말과 행동을 보면 인물이 추구하는 가치를 알 수 있습니다.

3 민수가 쓴 인물 소개서의 내용에서 몽당깨비가 추구하는 가치를 찾고, 그렇게 생각한 까닭을 씁니다.

> **채점 기준** 몽당깨비가 추구하는 가치와 그렇게 생각한 까닭을 모두 알맞게 썼으면 정답으로 합니다.

4 그동안 읽은 문학 작품 가운데에서 소개하고 싶은 인물이 있는 작품 제목과 그 인물을 씁니다.

단원 마무리　　166~167쪽

❶ 극복　　❷ 샘물　　❸ 진심
❹ 이익　　❺ 나무 심기　　❻ 느낀

단원 평가　　168~170쪽

1 (1) 작가　(2) 많은 책을 읽었다. 등
2 책　　　　**3** ㉢　　　　**4** 시조
5 (만수산) 드렁칡　　　　**6** (1) ①　(2) ②
7 (1) 육군　(2) 배
8 어떤 어려움도 극복할 수 있다고 생각하는 사람이기 때문이다. 등
9 ①, ③, ⑤　　　　**10** 버들이
11 도깨비 샘물　　　　**12** (2) ○
13 ㉡　　　　**14** (1) ○
15 (1) 샘물줄기　(2) 노여워
16 수정　　　　**17** 우후루 공원
18 케냐 정부가 우후루 공원에 복합 빌딩을 건설하려고 했다. 등
19 ②　　　　**20** 질문 등, 대답 등

1 글 ㉮에서 글쓴이는 작가라는 꿈을 이루려고 더 많은 책을 읽었다고 했습니다.

> **채점 기준** (1)에는 '작가'라고 쓰고, (2)에는 많은 책을 읽었다는 내용을 알맞게 썼으면 정답으로 합니다.

2 글 ㉯에서 글쓴이는 책에서 꿈을 찾았고 꿈을 이루는 방법도 배웠다고 했습니다.

3 글쓴이는 책 속 많은 이야기에서 지혜롭게 세상을 사는 방법을 익힐 수 있으므로 책을 읽자고 말하고 있습니다.

4 보기 에서 설명하는 글을 시조라 합니다.

5 이방원은 정몽주에게 '만수산 드렁칡'이 얽힌 것처럼 자신과 뜻을 함께하자고 말하고 있습니다.

6 ①은 이방원, ②는 정몽주의 생각에 해당합니다.

7 글 ㉮와 ㉯에서 이순신이 어떤 상황에 처해 있는지 살펴보며 빈칸에 들어갈 말을 생각해 봅니다.

8 이 글에서 이순신이 한 말과 행동을 보면 어려움을 극복하려는 의지를 추구하는 인물임을 알 수 있습니다.

> **채점 기준** 이순신이 어려움을 극복하려는 의지를 추구하는 인물이기 때문이라는 내용과 비슷하게 썼으면 정답으로 합니다.

9 이순신이 처한 상황에서 그가 한 말이나 행동을 보면 고난을 극복하려는 의지와 용기, 자신감을 추구한다는 것을 알 수 있습니다.

10 제시된 상황은 버들이가 처한 상황입니다.

11 버들이는 어머니의 병을 낫게 하려고 도깨비 샘물을 뜨러 숲에 갔다가 '나'를 만났습니다.

12 '나'는 버들이를 위해 무엇이든지 해 주고 싶어 했습니다.

13 글 ㉯에 제시된 내용을 통해 '나'는 자신이 사랑하는 사람을 위해 진심을 다하는 인물임을 알 수 있습니다.

14 버들이는 샘물을 쉽게 얻기 위해 '나'에게 샘을 기와집 뒤란으로 옮겨 달라고 부탁했습니다.

15 샘물줄기를 바꾸어 샘이 마르면 도깨비들이 노여워할 것을 예상하고 도깨비들을 물리칠 방법을 찾은 것입니다.

16 버들이가 점점 샘물을 쉽게 얻을 수 있는 방법을 원하고 이기적으로 행동한 것에서 인물이 추구하는 가치를 파악할 수 있습니다.

17 왕가리 마타이는 우후루 공원을 보전해야 한다고 생각했습니다.

18 케냐 정부는 나이로비에 남은 유일한 녹지 공간인 우후루 공원에 복합 빌딩을 건설하려고 했습니다.

> **채점 기준** 케냐 정부가 우후루 공원에 복합 빌딩을 건설하려고 했다는 내용과 비슷하게 썼으면 정답으로 합니다.

19 왕가리 마타이가 한 말과 행동에서 모두의 이익과 행복을 추구한다는 것을 알 수 있습니다.

20 인물에 대해 알 수 있는 내용을 질문과 대답의 형식으로 정리한 것입니다.

서술형 평가 171쪽

1 (1) ⑩ 「옹고집전」에 나오는 옹고집 (2) ⑩ 자기 자신 / 물질 (3) ⑩ 옹고집 님, 비록 큰스님의 도술 때문이기는 했지만 부족한 부분을 바꾸고 채우려고 노력하는 모습이 참 보기 좋았습니다.

2 글 내용을 더 깊이 이해할 수 있다. / 글을 쓴 의도나 목적을 알 수 있다. 등

3 (1) ⑩ 두 글 모두 종장이다. (2) ⑩ 중장은 비유하는 표현이고, 초장보다는 종장이 더 직접적으로 자신의 생각을 표현한 부분이라 생각하기 때문이다.

4 ⑩ 버들이를 위한 일이었으므로 버들이의 부탁을 들어주었을 것 같다.

5 모두의 이익과 행복을 추구한다. 등

1 그동안 읽은 이야기 속 인물 가운데에서 특별히 기억나는 인물을 골라 각 문항에 대한 답을 생각해 봅니다.

> **채점 기준** 이야기를 읽고 기억나는 인물과 그에 대한 내용을 알맞게 썼으면 정답으로 합니다.

2 이밖에 대상에 대한 자신의 생각을 다시 점검할 수 있다는 점 등이 있습니다.

> **채점 기준** 글쓴이가 말하고자 하는 생각을 찾으며 글을 읽으면 얻을 수 있는 점을 알맞게 썼으면 정답으로 합니다.

3 시조에서 첫 장은 초장, 가운데 장은 중장, 마지막 장은 종장이라 부른다는 것을 알고 인물의 생각이 잘 드러난 장을 찾아봅니다.

> **채점 기준** (1)에 인물의 생각이 잘 드러난 장을 쓰고, (2)에는 그렇게 생각한 까닭을 알맞게 썼으면 정답으로 합니다.

4 이야기 속 인물이 되어 자신이 '나'였다면 어떻게 했을지 생각해 봅니다.

> **채점 기준** 자신이 추구하는 가치를 떠올려 '나'라면 주어진 상황에서 어떤 말이나 행동을 했을지 구체적으로 썼으면 정답으로 합니다.

5 왕가리 마타이는 우리 모두를 위해 우후루 공원을 지켜야 한다고 생각하고 정부가 생각을 바꾸도록 노력했습니다.

> **채점 기준** 왕가리 마타이가 한 말과 행동에서 인물이 추구하는 가치를 알맞게 썼으면 정답으로 합니다.

9 마음을 나누는 글을 써요

174쪽

1 목적   **2** 방법   **3** ○
4 맞춤법   **5** ○

준비 글을 쓰는 상황과 목적 파악하기   **175쪽**

1 (1) **예** 미안한 마음
(2) **예** 부모님 마음을 상하게 해서 죄송한 마음을 편지에 쓴 적이 있다.
2 (2) ○ (3) ○
3 친구들이 학용품을 소중히 다루지 않아 안타까운 마음 등   **4** ④

1 마음을 나누는 글을 써 본 경험을 떠올려 그때의 상황과 나누었던 마음을 구체적으로 씁니다.

> **채점 기준** 자신의 경험을 떠올려 글로 나누었던 마음과 상황을 구체적으로 썼으면 정답으로 합니다.

2 서연이는 자연이 파괴된다는 사실을 보도한 뉴스와 분실물 보관함에 쌓여 있는 학용품을 보고 자원을 아껴 써야 한다는 생각을 했습니다.

3 친구들이 학용품을 소중히 다루지 않아 안타까워하고 걱정하고 있습니다.

4 글을 쓰는 상황과 목적을 파악하려면 일어난 사건, 나누려는 마음, 읽을 사람, 글을 전하는 방법을 생각해 보아야 합니다.

기본① 글로 쓸 내용 계획하기   **176~177쪽**

1 (1) ㉡ (2) ㉠   **2** 편지   **3** ②, ③
4 공손한, 친근한
5 점심시간에 미역국을 엎질러서 지효 가방이 더러워진 일로 글을 쓰려고 한다. 등
6 ㉡   **7** (2) ○   **8** 주아

---

1 글 **가**는 연아가 선생님께 쓴 편지로 감사한 마음을 나누고 있고, 글 **나**는 지수와 정민이가 나눈 문자 메시지로 미안한 마음을 나누고 있습니다.

2 연아는 편지에 글을 써서 하고 싶은 말을 자세히 표현했습니다.

3 ①, ④, ⑤는 문자 메시지에 글을 쓰면 좋은 점과 '거리가 멉니다.

4 마음을 나누는 글은 누가, 어떤 사람에게 썼는지에 따라, 어떤 내용과 마음을 나누느냐에 따라 표현하는 방법이 달라집니다.

5 그림 **가**의 신우가 떠올린 생각에서 글을 쓰려는 상황을 알 수 있습니다.

> **채점 기준** 점심시간에 미역국을 엎질러서 친구 가방이 더러워진 일이라고 썼으면 정답으로 합니다.

6 신우는 친구 가방을 더럽혀서 미안한 마음과 자신을 이해해 준 친구에게 고마운 마음을 나누려고 글 **나**를 썼습니다.

7 제시된 항목은 글 쓸 계획 세우기 중 쓸 내용 정하기 단계에서 고려할 점입니다.

8 맞춤법을 잘 지켜 표현해야 읽을 사람이 내용을 잘 이해할 수 있습니다.

기본②+실천 마음을 나누는 글을 쓰고 학급 신문 만들기   **178~179쪽**

1 정약용, 두 아들   **2** ②
3 ③
4 두 아들의 마음가짐을 걱정하는 마음을 전하려고 글을 썼다. 등
5 ⑤   **6** ⑤   **7** ⑤
8 ②, ①, ③, ⑤, ④

1 정약용이 두 아들에게 나누고 싶은 마음을 편지로 쓴 글입니다.

2 정약용은 "일가친척 중에 한 사람도 불쌍히 여겨 돌보아 주는 사람이 없다."라고 말하며 남의 도움만 바라는 두 아들의 말버릇을 걱정하고 있습니다.

3 병들어 약을 먹어야 할 사람에게는 한 푼의 돈이라도 쪼개어 약을 지을 수 있도록 도와주라고 했습니다.

4 이밖에 두 아들과 다른 사람을 배려하는 마음을 나누려고 글을 썼다고 할 수도 있습니다.

> **채점 기준** 정약용이 두 아들에게 글을 쓰는 목적을 알맞게 썼으면 정답으로 합니다.

5 정약용은 두 아들이 다른 사람에게 먼저 베풀면서 살기를 바라고 있습니다.

6 정약용이 두 아들에게 다른 사람을 말로 깨우쳐 주어서 도우라는 내용은 편지에 나와 있지 않습니다.

7 표현 방법이 아닌 글을 쓰는 상황과 목적을 고려해서 글쓰기 계획을 세워야 합니다.

8 신문을 만들 때에는 먼저 자신이 생각하는 인상 깊었던 일을 정리하고 쓸 내용을 정리한 뒤 글을 씁니다. 그리고 완성한 기사를 모아 학급 신문을 만듭니다.

단원 마무리
180~181쪽

❶ 안타까운 ❷ 목적 ❸ 미안
❹ 친근 ❺ 걱정 ❻ 사진

단원 평가
182~184쪽

1 ④
2 (1) 친구들 등 (2) 친구들이 학용품을 소중히 다루고 아껴 썼으면 좋겠다는 말을 전하려고 하기 때문이다. 등 **3** ⑤
4 (최)연아, 선생님 **5** (2) ○
6 하고 싶은 말을 자세히 표현할 수 있다. 등
7 내용, 마음 **8** (1) ① (2) ③ (3) ②
9 점심시간에 미역국을 엎질러서 친구 가방을 더럽혔다. 등 **10** ①, ②
11 상황, 목적 **12** (1) ○ **13** ㉠, ㉢
14 ④ **15** ② **16** ③
17 다른 사람에게 베푸는 마음 / 다른 사람을 아끼는 마음 / 다른 사람을 배려하는 마음 등
18 사건 **19** (1) ○ (2) ○ **20** ①, ③

1 서연이는 분실물 보관함을 보며 친구들이 학용품을 잃어버리고도 찾지 않는다는 것을 알았고, 자원이 낭비되는 것을 안타까워했습니다.

2 글을 쓰는 목적과 나누고 싶은 마음을 생각하여 서연이가 쓰는 글을 누가 읽으면 좋을지 생각해 봅니다.

> **채점 기준** 서연이가 쓴 글을 읽을 사람과 그렇게 생각한 까닭을 알맞게 썼으면 정답으로 합니다.

3 이웃에게 도움을 주려고 하는 상황이므로 ⑤의 마음을 나누는 것이 알맞습니다.

4 글쓴이는 최연아 학생이고, 읽을 사람은 선생님입니다.

5 연아는 선생님께 "정말 고맙습니다."라고 하며 감사한 마음을 표현했습니다.

> **보충 자료** **마음을 나누는 글을 쓰는 목적**
> • 자신이 경험했던 일을 떠올리며 마음을 나누기 위해서입니다.
> • 다른 사람과 원활하게 소통하기 위해서입니다.

6 편지에 글을 쓰면 하고 싶은 말을 자세히 표현할 수 있다는 좋은 점이 있습니다.

7 마음을 나누는 글은 무엇에 따라 표현하는 방법이 달라지는지 생각해 봅니다. 마음을 나누는 글은 누가, 어떤 사람에게 썼는지에 따라, 어떤 내용과 마음을 나누느냐에 따라 표현하는 방법이 달라집니다.

8 마음을 나누는 글의 '처음, 가운데, 끝'에 제시된 내용이 무엇인지 찾아봅니다.

9 글 ㉮에 일어난 사건이 자세히 나와 있습니다.

> **채점 기준** 점심시간에 미역국을 엎질러서 친구 가방을 더럽혔다는 내용과 비슷하게 썼으면 정답으로 합니다.

10 신우는 친구 가방을 더럽혀서 미안한 마음과 자신을 이해하고 도와준 친구에게 고마운 마음을 나누려고 합니다.

11 가장 먼저 일어난 사건을 바탕으로 글을 쓰는 상황을 파악하고 목적을 정해야 합니다.

12 글 ㉯에서 신우는 미역국을 엎지르고 너무 당황한 나머지 친구에게 미안하다는 말을 못 했다고 했습니다.

13 읽을 사람이 친구인 점을 생각해서 지효가 읽기 쉽게 친근하고 쉬운 표현을 사용하는 것이 좋습니다.

14 글쓴이는 남이 은혜를 베풀어 주기만 바라는 두 아들을 걱정하고 있습니다.

15 ㉠ 앞에 글쓴이가 편지를 쓰는 까닭이 나와 있으므로, 앞의 내용이 뒤의 내용의 원인이 될 때 쓰는 이어주는 말인 '그래서'가 알맞습니다.

16 "나는~그렇지 않구나!"는 자신에게 은혜를 보답해 주지 않는 상대를 원망하는 말입니다.

17 글쓴이의 입장에서 글을 써서 나누려고 한 마음을 생각해 봅니다.

> **채점 기준** 글쓴이가 나누고 싶은 마음을 알맞게 썼으면 정답으로 합니다.

18 텔레비전에서 화재 소식을 봤다는 것은 일어난 사건에 해당됩니다.

19 읽을 사람이 웃어른일 때에는 공손한 표현을 사용해야 합니다.

20 신문 기사를 쓸 때에는 글쓴이가 아닌 읽을 사람의 마음을 고려해서 작성해야 합니다.

서술형 평가
185쪽

1 예 친한 친구가 전학을 가서 슬펐을 때 그 친구에게 문자 메시지를 썼다.

2 학용품은 자연 자원으로 만들기 때문이다. / 학용품을 아껴서 사용하면 자원을 절약할 수 있기 때문이다. 등

3 친구들이 학용품을 소중히 쓰지 않아 안타까운 마음을 전하기 위해서이다. 등

4 지효에게 글을 써서 미안한 마음을 나누려고 할 것이다. 등

5 예 걱정되는 마음과 감사한 마음을 편지로 쓴다.

6 일어난 사건을 자세히 밝혔나? / 나누려는 마음을 잘 표현했나? / 읽을 사람을 생각해 알기 쉬운 표현을 썼나? 등

1 슬픈 마음을 나누는 글을 써 본 경험이 없다면 슬픈 마음을 나눌 만한 상황을 생각해 봅니다.

> **채점 기준** 슬픈 마음을 나누는 글을 쓰는 상황을 알맞게 썼으면 정답으로 합니다.

2 우리 주변의 학용품들이 어떤 자원으로 만들어졌을지 생각해 보고 학용품을 소중히 다루어야 하는 까닭과 연관 지어 봅니다.

> **채점 기준** 연필과 지우개와 같은 학용품은 자연 자원으로 만든다는 것을 알고 자원 절약과 관련하여 학용품을 소중히 다루어야 하는 까닭을 알맞게 썼으면 정답으로 합니다.

3 이밖에 친구들이 자연이 파괴되고 자원이 낭비되는 것에 안타까운 마음을 가지고 학용품을 아껴 썼으면 하는 마음을 표현하기 위해서라고도 할 수 있습니다.

> **채점 기준** 서연이가 글을 쓰는 목적을 알맞게 썼으면 정답으로 합니다.

4 신우는 점심시간에 지효 가방을 더럽혔으므로 지효에게 미안한 마음을 나누고 싶어 할 것입니다.

> **채점 기준** 지효에게 글을 써서 미안한 마음을 나누고자 한다는 것과 비슷한 내용을 썼으면 정답으로 합니다.

5 화재 현장에서 불을 끄는 소방관의 모습을 보고 글로 써서 나눌 수 있는 마음과 글을 쓰는 방법을 생각해 봅니다.

> **채점 기준** 걱정되는 마음이나 고마운 마음 등과 같이 나눌 마음을 알맞게 쓰고 글을 쓰는 방법도 썼으면 정답으로 합니다.

6 마음을 나누는 글을 쓸 때 고려할 점을 떠올려 자신이 쓴 글을 점검하는 기준을 생각해 봅니다.

> **채점 기준** 마음을 나누는 글을 점검하는 기준을 알맞게 썼으면 정답으로 합니다.

정답과 해설 ^{평가교재}

1 비유하는 표현

1 ②   **2** ④

3 냄새가 고소하고 달콤하기 때문에 등

4 봄비   **5** (1) ② (2) ① (3) ③

6 ③, ④

7 예 꽃잎, 언제나 아름답고 예쁜 꽃을 피우는 꽃잎

8 규철   **9** 내게 힘을 준다. 등

10 미나

1 이 글은 뻥튀기를 튀기는 상황을 실감 나게 나타낸 글입니다.

2 새우는 뻥튀기 냄새를 비유한 것입니다.

3 옥수수 냄새가 뻥튀기 냄새처럼 고소하고 달콤하기 때문입니다.

4 식물들이 자랄 수 있도록 도움을 주는 봄비를 '큰 은혜로 내리는 교향악'으로 표현했습니다.

5 이 세상 모든 것을 악기, 지붕을 큰북, 세숫대야 바닥을 작은북에 비유하였습니다.

> **정답 친해지기** 「봄비」에 나오는 비유하는 표현

대상	비유하는 표현	비유한 까닭
봄비 내리는 소리	교향악	여러 가지 소리가 섞여 있어서
이 세상 모든 것	악기	소리가 나서
지붕	큰북	큰 소리가 나서
세숫대야 바닥	작은북	작은 소리가 나서
봄비 내리는 모습	왈츠	경쾌하고 가볍게 움직여서

6 친구를 풀잎과 바람에 비유했습니다.

7 친구를 비유할 수 있는 다른 대상을 떠올려 원래의 시처럼 표현해 봅니다.

> **채점 기준** 친구의 모습을 빗대어 표현할 수 있는 대상을 시의 내용에 알맞게 썼으면 정답으로 합니다.

8 친구가 더욱 정겹고 친근하게 느껴졌을 것입니다.

9 '친구'와 '발전소'의 공통점을 생각하여 씁니다.

10 시의 분위기와 느낌을 살려서 자신 있게 읽습니다.

1 뻥튀기가 봄날 꽃잎처럼 하늘에 흩날리기 때문에 등

2 ①

3 나비에 비유하여 표현하고 싶다. 왜냐하면 번데기가 나비가 되듯이 아주 다른 모습으로 변하는 것이 비슷해서이다. 등

4 두둑 두드둑 / 도당도당 도당당 / 퐁퐁 포옹 퐁 / 풍풍 푸웅 풍 / 댕그랑댕그랑 등

5 ①   **6** ①   **7** ②, ⑤

8 늘 곁에 있어서 잘 몰랐던 친구를 새롭게 생각해 보게 되었다. / 풀잎과 바람으로 비유한 친구가 더욱 친근하게 느껴졌다. 등

9 ①   **10** ⑤

1 뻥튀기가 사방으로 날리는 모양과 봄날 꽃잎이 하늘에 흩날리는 모습이 비슷합니다.

2 '폭죽'은 뻥튀기가 사방으로 날리는 모양을 비유적으로 표현한 것입니다.

3 뻥튀기와 비슷한 사물을 떠올려 비유하여 봅니다.

> **채점 기준** 뻥튀기와 비슷한 사물을 쓰고, 그 까닭을 알맞게 썼으면 정답으로 합니다.

4 운율은 시에 음악성이 담기게 하는 것으로, 소리가 비슷한 글자나 일정한 글자 수가 반복될 때 느껴집니다.

5 지붕과 큰북은 소리가 크고, 크기가 크다는 점이 비슷하기 때문에 비유한 것입니다.

6 ①은 '~은/는 ~이다'로 빗대어 표현하는 방법인 은유법입니다.

7 친구에 대해 더 정겹고 친근하게 느낄 수 있고, 친구의 성격이나 특성을 생각해 볼 수도 있습니다.

8 시를 읽고 떠오르는 생각이나 느낌을 씁니다.

> **채점 기준** 시의 내용에 알맞은 자신의 생각이나 느낌을 썼으면 정답으로 합니다.

9 친구의 마음이 깊고 넓은 것을 바다에 비유하여 표현한 것입니다.

10 그림이 시 읽는 것을 방해하면 안 됩니다.

서술형평가 6쪽

1 다양한 방향으로 움직여서 / 소복하게 내려서 / 멀리 퍼져 나가서 등

2 뻥튀기하는 상황을 훨씬 실감 나게 표현하기 위해서이다. / 뻥튀기하는 상황을 독자들에게 더 생생하게 전달하기 위해서이다. 등

3 앞마을 냇가와 뒷마을 연못에 봄비가 경쾌하게 내리는 장면을 표현한 것이다. 등

4 새싹을 클라리넷에 비유할 것이다. 왜냐하면 클라리넷의 여린 소리가 새싹의 여린 모습과 닮았기 때문이다. 등

5 바람하고 엉켰다가 풀 줄 아는 풀잎의 모습이 헤어질 때 또 만나자고 손 흔드는 친구 같기 때문이다. 등

6 (1) 예 소중함.
(2) 예 공기 같은 친구 좋아 / 언제나 내 옆에서 함께해 주는 공기처럼
(3) 예 공기처럼 친구가 항상 소중하고 필요하기 때문이다.

1 뻥튀기가 사방으로 날리는 모양과 '나비, 함박눈, 폭죽' 사이에 어떤 비슷한 점이 있는지 떠올려 봅니다.

채점 기준	점수
뻥튀기를 '나비, 함박눈, 폭죽'으로 비유한 까닭을 다양한 방향으로 움직이고, 멀리 퍼져 나가는 등 그 공통점을 알맞게 쓴 경우	5점

2 비유하는 표현을 사용하면 좋은 점을 생각해 봅니다.

채점 기준	점수
뻥튀기를 비유하는 표현을 사용하여 나타냈을 때의 좋은 점을 생각해 답을 알맞게 쓴 경우	5점

3 봄비가 냇가와 연못에 내리는 소리를 운율이 느껴지게 표현했습니다.

채점 기준	점수
앞마을 냇가와 뒷마을 연못에 봄비가 내리는 장면을 표현한 것이라고 쓴 경우	5점
앞마을 냇가와 뒷마을 연못을 썼지만, 봄비가 내리는 장면이라는 것을 알맞게 쓰지 못한 경우	2점

4 봄비 내리는 장면에서 떠오르는 대상을 쓰고, 그 대상의 특징과 어울리는 악기를 생각하여 씁니다.

채점 기준	점수
봄비 내리는 장면에서 떠올릴 수 있는 대상을 다른 악기에 비유하여 그 까닭도 알맞게 쓴 경우	5점
봄비 내리는 장면에서 떠올릴 수 있는 대상을 다른 악기에 비유했지만 그 까닭을 알맞게 쓰지 못한 경우	2점

5 이 시에서 표현한 풀잎의 특성을 살펴봅니다.

채점 기준	점수
헤어질 때 또 만나자고 손 흔드는 친구 같다는 까닭을 알맞게 쓴 경우	5점

6 친구를 다른 대상에 비유하여 표현해 봅니다.

채점 기준	점수
(1)에 친구의 의미를 쓰고, (2)에 알맞은 비유하는 표현을 쓰고, (3)에 비유한 까닭을 알맞게 쓴 경우	5점
(1)~(3) 중 두 가지만 알맞게 쓴 경우	2점

수행평가 7쪽

1 (1) 흔들리는 모습 등 (2) 다시 찾아온다는 점 등
2 (1) 가족 등
(2) 가족처럼 항상 기쁨과 슬픔을 같이해서 등
3 예 가족 같은 친구 좋아
곁에서 슬픔과 기쁨을 같이 나누어서 좋은 가족처럼

1 '친구'를 '풀잎'과 '바람'에 비유한 까닭을 찾아봅니다.

채점 기준	점수
(1)에 '흔들리는 모습'이라는 내용을, (2)에 '다시 찾아온다'라는 내용을 알맞게 쓴 경우	10점
(1), (2) 중 한 가지만 알맞게 쓴 경우	5점

2 친구의 특징을 빗대어 표현할 수 있는 대상을 씁니다.

채점 기준	점수
(1)에 친구를 비유하는 표현을, (2)에 비유하는 까닭을 알맞게 쓴 경우	10점
(1), (2) 중 한 가지만 알맞게 쓴 경우	5점

3 2번 문제에서 답한 내용을 바탕으로 시의 ㉠ 부분을 바꾸어 봅니다.

채점 기준	점수
2번 문제에서 답한 비유하는 표현과 까닭을 시의 내용에 알맞게 쓴 경우	10점

2 이야기를 간추려요

1 ③
2 두 동네 사람들은 황금 사과를 서로 가지겠다고 땅바닥에 금을 긋고 담까지 높게 쌓았다. 등
3 발단   **4** 저승에 있는 곳간
5 ③   **6** ⑤   **7** ④
8 종이 할머니는 자신의 빈 상자를 빼앗기지 않으려고 소리치며 눈에 혹이 난 할머니를 밀어 버렸다. 등
9 ①
10 작품 속 배경 음악은 어떠했니? 등

1 두 동네 사람들은 황금 사과를 서로 가지고 싶어서 싸웠습니다.

2 이야기 속 사건의 흐름을 생각하며 내용을 정리해 봅니다.

> **채점 기준** 두 동네 사람들이 황금 사과 때문에 땅바닥에 금을 긋고 담을 높게 쌓았다는 내용을 썼으면 정답으로 합니다.

3 '발단'은 이야기 구조에서 이야기의 사건이 시작되는 부분을 말합니다.

4 수고비를 달라는 저승사자에게 원님이 빈털터리라고 하자, 저승사자는 수고비를 저승에 있는 곳간에서라도 내놓으라고 하였습니다.

5 이야기의 내용은 차례대로 요약합니다.

6 종이 할머니는 계속 폐지를 빼앗길 것 같아 포기할 수 없었습니다.

7 눈에 혹이 난 할머니에게 화가 나서 밀어 버렸습니다.

8 사건의 흐름을 생각하며 내용을 요약합니다.

> **채점 기준** 종이 할머니가 소리치며 눈에 혹이 난 할머니를 밀어 버렸다는 내용을 썼으면 정답으로 합니다.

9 소녀는 멀리 이사를 간 것이 아니라 앓다가 세상을 떠났습니다.

10 이 이야기 매체의 특성을 나타낼 수 있는 질문을 생각해 봅니다.

1 괴물(들)   **2** ③
3 아이가 담에 있는 문을 열자, 그곳에는 아이들이 즐겁게 놀고 있었다. 등
4 ⑤   **5** ⑤
6 다리를 놓기로 했다 등
7 ③   **8** ④, ⑤   **9** ①
10 몸이 약한 소녀를 배려하는 소년의 마음이 느껴진다. 등

1 엄마는 담 너머에 무시무시한 괴물들이 산다고 하였습니다. 그래서 아가에게 저 담 옆에는 가면 안 된다고 했습니다.

2 엄마의 당부에도 불구하고 괴물들이 산다고 하는 곳을 직접 눈으로 확인한 것에서 아이의 용기 있는 성격을 알 수 있습니다.

3 인물이 어떤 행동을 했는지, 사건의 흐름을 살펴보며 정리합니다. 중요하지 않은 내용은 삭제하거나 간단히 쓰고, 각 부분에서 중요한 사건이 무엇인지 찾습니다.

> **채점 기준** 아이가 구멍으로 보니 그곳에서 아이들이 즐겁게 놀고 있었다는 내용을 썼으면 정답으로 합니다.

4 절정은 이야기에서 사건 속의 갈등이 커지면서 긴장감이 가장 높아지는 부분입니다. 이야기 구조를 파악하며 글을 읽습니다.

5 덕진은 어차피 자기 쌀이 아니니 좋은 일에 쓰기로 하였습니다. 그래서 덕진은 쌀을 팔아서 마을 앞을 가로지르는 강가에 다리를 놓기로 했습니다. 이와 같은 행동에서 덕진의 품성을 알 수 있습니다.

6 이야기 구조 중 이 이야기에서 사건이 해결되는 부분인 '결말'의 중심 내용을 간추려 봅니다.

7 종이 할머니는 눈에 혹이 난 할머니와 함께해서 행복할 것입니다.

8 중요하지 않은 내용은 삭제하고, 이야기 구조를 생각하며 각 부분에서 중요한 사건을 찾습니다.

9 '이웃과 마음을 나눌 줄 아는 사람이 되자, 행복은 마음먹기에 달려 있다'와 같은 주제를 생각해 볼 수 있습니다.

10 소녀를 생각하는 소년의 모습에 대한 자신의 생각이나 느낌을 씁니다. 소년은 몸이 약한 소녀를 배려하고 있습니다.

> **채점 기준** 소녀를 위해 희생하는 소년의 모습에 대한 생각이나 느낌을 썼으면 정답으로 합니다.

서술형평가   12쪽

1 서로 소통해 황금 사과를 나누어 가졌다면 두 동네가 사이좋게 살았을 텐데 그러지 못해 아쉬운 마음이 든다. 등

2 욕심을 부리지 말자. 등

3 저승에 간 원님이 염라대왕에게 이승에서 좀 더 살게 해 달라고 간청하자 염라대왕은 원님을 돌려보냈다. 등

4 땅만 살피며 종이를 줍기 때문이다. 등

5 종이 할머니는 허리를 굽혀 땅만 보며 종이를 주웠다. 등

1 황금 사과 때문에 땅바닥에 금을 긋고 담을 쌓아 서로 미워하는 두 동네 사람들에 대한 생각이나 느낌을 씁니다.

채점 기준	점수
황금 사과를 가지려고 금을 긋고 담을 쌓은 사람들에 대한 자신의 생각을 알맞게 쓴 경우	6점

2 욕심을 부리지 않았다면 황금 사과를 나누어 가질 수 있었을 것입니다.

채점 기준	점수
'욕심을 부리자 말자.', '서로 대화하고 소통하자.' 등의 주제를 알맞게 쓴 경우	6점

3 중요하지 않은 내용은 삭제하고 관련 있는 사건을 묶어서 요약합니다.

채점 기준	점수
저승에 간 원님이 염라대왕에게 간청하여 다시 살아오게 되었다는 내용을 알맞게 쓴 경우	6점

4 땅만 살피며 종이를 줍는 할머니를 사람들은 '종이 할머니'라고 불렀습니다.

채점 기준	점수
땅만 살피며 종이를 줍기 때문에 종이 할머니라고 불리는 까닭을 알맞게 쓴 경우	6점

5 이야기의 사건이 시작되는 발단 부분의 중요한 내용을 정리해 봅니다. 이 이야기는 종이 할머니가 허리를 굽혀 땅만 보며 종이를 줍는 모습으로 시작됩니다.

채점 기준	점수
종이 할머니는 허리를 굽혀 땅만 보며 종이를 줍는다는 내용을 알맞게 쓴 경우	6점

수행평가   13쪽

1 (1) 전개 (2) 절정 (3) 결말

2 이웃과 더불어 살면 행복해진다는 것이다. / 이웃과 마음을 나눌 줄 아는 사람이 되자는 것이다. 등

3 종이 할머니는 빈 상자를 빼앗기지 않으려고 소리치며 눈에 혹이 난 할머니를 밀어 버린다. 그리고 우주 그림을 본 뒤, 눈에 혹이 난 할머니와 친구처럼 지내며 자신이 사는 곳이 바로 우주 호텔이라고 생각한다. 등

1 폐지를 주우며 생활하던 종이 할머니는 어느 날 눈에 혹이 난 할머니와 폐지 줍는 일로 다투게 됩니다. 그리고 아이가 준 그림에서 우주 호텔을 보고 눈에 혹이 난 할머니와 서로 도우며 살게 됩니다. 각각의 이야기 구조를 생각해 봅니다.

채점 기준	점수
(1)에 '전개', (2)에 '절정', (3)에 '결말'을 알맞게 쓴 경우	10점
(1)~(3) 중 두 가지만 알맞게 쓴 경우	5점
(1)~(3) 중 한 가지만 알맞게 쓴 경우	2점

2 이 글에서 할머니는 눈에 혹이 난 할머니와 친구처럼 지내고 자신이 사는 곳이 바로 우주 호텔이라고 생각합니다. 이런 할머니의 생활에서 알 수 있는 주제를 생각해 봅니다.

채점 기준	점수
이웃과 함께 살면 행복해진다는 내용을 알맞게 쓴 경우	10점

3 글 **가**~**다**의 각 부분에서 중요한 사건을 찾아 요약해 봅니다. 중요하지 않은 내용은 삭제하고 관련 있는 사건은 묶어서 요약합니다.

채점 기준	점수
이 이야기에 나타난 중요한 사건을 요약해서 알맞게 쓴 경우	10점

3 짜임새 있게 구성해요

1 ④   **2** 학생들이 학교에 바라는 점
3 ②   **4** (1) 표 (2) 동영상
5 예 대상이 움직이는 모습을 잘 전달할 수 있다.
6 ②, ③
7 예 여행지의 자연환경은 있는 그대로의 모습을 보여 줄 때 더 이해하기 쉽기 때문이다.
8 미래에는 어떤 인재가 필요할까
9 ③, ⑤   **10** ④

1 강당에서 학생들에게 전교 학생회 회장단 선거의 소견을 말하고 있습니다.

2 후보자는 학생들이 학교에 바라는 점에 대한 설문 조사 결과표를 활용하였습니다.

3 여러 사람 앞에서 말하는 것이므로 높임 표현을 사용합니다.

4 그림 **가**는 표, 그림 **나**는 동영상을 활용해 발표하는 모습이 나타나 있습니다.

5 그림 **나**에서는 동영상을 자료로 활용하고 있습니다. 동영상은 대상이 움직이는 모습을 잘 전달할 수 있다는 특성이 있습니다.

> **채점 기준** 동영상 자료의 특성을 알맞게 썼으면 정답으로 합니다.

6 여러 사람 앞에서 발표하므로 큰 소리로 또박또박 발표합니다. 듣는 사람이 알아듣기 쉽게 자료를 활용하면 좋습니다.

7 사진 자료를 활용하면 여행지의 자연환경을 한눈에 보여 줄 수 있습니다.

> **채점 기준** 사진 자료의 특성을 들어 여행지의 자연환경을 사진 자료를 활용해서 발표한 까닭을 썼으면 정답으로 합니다.

> **정답 친해지기** 사진 자료의 특성
> • 장면을 있는 그대로 보여 줄 수 있습니다.
> • 설명하는 대상의 정확한 모습을 보여 줄 수 있습니다.
> • 설명하는 대상을 한눈에 보여 줄 수 있습니다.

8 '미래에는 어떤 인재가 필요할까'라는 주제로 발표를 준비했다고 하였습니다.

9 시작하는 말에는 발표하려는 주제나 제목, 듣는 사람의 주의를 집중시킬 수 있는 내용이 들어가면 좋습니다.

10 발표를 들을 때는 발표하는 사람을 바라보며 들어야 합니다.

1 ③   **2** (1) ① (2) ②   **3** ⑤
4 표   **5** ②, ⑤
6 예 자료를 활용해서 말하면 듣는 사람이 흥미를 느끼게 할 수 있다. / 정보를 효과적으로 전달할 수 있다.
7 예 자료를 활용할 때에는 너무 복잡하지 않아야 한다.
8 일자리의 미래
9 예 친구들이 마지막까지 집중해서 들을 수 있게 하기 위해서이다.
10 ⑤

1 ③은 여러 사람 앞에서 공식적으로 말하는 상황이라고 볼 수 없습니다.

2 자료를 활용해 발표하면 설명하는 내용을 쉽게 전달할 수 있습니다.

3 알맞은 속도로 또박또박 말하는 것이 좋습니다.

4 우리 반 친구들이 좋아하는 운동을 표를 활용해 보여 주고 있습니다.

5 표를 활용하면 대상의 수량이 얼마나 되는지 쉽게 알 수 있고, 여러 가지 자료의 수량을 비교하기 쉽다는 장점이 있습니다.

6 자료를 활용해서 말하면 듣는 사람이 더 잘 이해할 수 있습니다.

> **채점 기준** '자료를 활용해서 말하면 듣는 사람이 흥미를 느끼게 할 수 있다. 정보를 효과적으로 전달할 수 있다' 등의 내용으로 썼으면 정답으로 합니다.

7 자료를 너무 복잡하게 제시하면 발표를 듣는 사람이 이해하기 어렵습니다.

8 일자리의 미래에 대한 내용이 담겨 있습니다.

9 동영상은 흥미를 끌기 좋은 자료이므로 듣는 사람이 마지막까지 집중해서 듣게 됩니다.

> **채점 기준** 동영상 자료를 써서 발표하는 까닭을 알맞게 썼으면 정답으로 합니다.

10 발표할 때 자료를 너무 길고 복잡하게 제시하면 도리어 이해하기 어려울 수 있습니다.

서술형평가 18쪽

1 예 사회 시간에 조사한 내용을 친구들에게 발표한 적이 있다. / 학급 회장 선거에서 소견을 발표한 적이 있다.

2 예 장면을 있는 그대로 보여 줄 수 있다. / 설명하는 대상의 정확한 모습을 보여 줄 수 있다.

3 예 사라진 직업의 종류와 그 까닭을 직업별로 정리해서 보여 주기에 표가 알맞기 때문이다.

4 예 '100대 기업의 인재상 변화'에 대한 내용이다. / 시대에 따라 필요한 인재상이 달라지고 있다는 내용이다.

5 예 미래에 필요한 인재상을 설명할 때 100대 기업의 인재상 변화를 보여 주며 흥미를 끌기 위해서이다.

1 학급 회의에서 발표하거나 수업 시간에 발표를 하는 등 공식적인 상황에서 말해 본 경험을 씁니다.

채점 기준	점수
수업 시간에 발표하거나 토론을 하는 등 여러 사람 앞에서 말한 경험을 쓴 경우	6점

2 사진 자료를 활용하면 장면을 있는 그대로 보여 줄 수 있어서 설명하는 대상의 정확한 모습을 알 수 있습니다. 설명하는 대상을 한눈에 보여 줄 수도 있습니다.

채점 기준	점수
사진 자료의 특성을 알맞게 쓴 경우	6점

3 말할 내용의 특성에 따라 활용할 자료가 달라집니다.

채점 기준	점수
표의 특성을 생각하여 표를 활용하여 발표한 까닭을 알맞게 쓴 경우	6점

---

4 '100대 기업의 인재상 변화'를 나타내는 표를 자료로 준비했습니다.

채점 기준	점수
설명하는 말을 참고하여 어떤 자료인지 알맞게 쓴 경우	6점

5 처음 부분에는 듣는 사람이 흥미를 가질 만한 내용을 넣으면 좋습니다.

채점 기준	점수
표 자료를 활용해서 발표한 까닭을 생각하여 알맞게 쓴 경우	6점

수행평가 19쪽

1 예 미래에는 어떤 인재가 필요할까 / 미래의 인재 등

2 (1) 표
(2) 많은 양의 자료를 간단하게 나타낼 수 있다. / 여러 가지 자료의 수량을 비교하기 쉽다. 등
(3) 동영상
(4) 대상이 움직이는 모습을 잘 전달할 수 있다. 등

3 (1) 예 사진
(2) 예 최근 시대 변화에 따라 새롭게 생겨난 직업에 대해 사진 자료를 보여 주며 발표할 것이다.

1 **자료 1** 과 **자료 2** 는 미래 사회에서 필요한 인재상, 능력에 대해 설명하고 있습니다.

채점 기준	점수
무엇에 대해 발표한 것인지 알맞게 쓴 경우	10점

2 표는 대상의 수량이 얼마나 되는지 알기 쉽고, 동영상은 대상이 움직이는 모습을 잘 전달할 수 있습니다.

채점 기준	점수
자료 1과 자료 2의 자료 종류와 자료의 특성을 모두 쓴 경우	10점
자료 1과 자료 2 중 한 가지만 알맞게 쓴 경우	5점

3 미래의 인재 또는 미래에 필요한 인재에 대해 발표하고 싶은 내용을 떠올리고 효과적으로 발표할 수 있는 자료를 생각해 봅니다.

채점 기준	점수
활용하고 싶은 자료와 발표할 내용을 알맞게 쓴 경우	10점

4 주장과 근거를 판단해요

1 동물원이 있어야 한다.   2 ①, ③
3 우리 전통 음식을 사랑하자는 주장을 하기 위해서이다. 등
4 ⑤   5 ①, ③
6 자연을 보호해야 한다. 등   7 ②
8 예 자연은 한번 파괴되면 복원되기가 어렵다는 근거는 자연을 보호하자는 주장과 연결되므로 근거가 주장과 관련 있다고 생각한다.
9 ⑤
10 예 스마트폰을 너무 많이 사용한다.

1 지훈이는 두 가지 근거를 들어 동물원이 있어야 한다고 말하고 있습니다.

2 지훈이는 동물원이 우리에게 큰 즐거움을 주고, 동물을 보호해 주기 때문에 필요하다고 하였습니다.

3 글쓴이는 우리 전통 음식을 사랑하자는 주장을 하고 있습니다.

> **채점 기준** 글쓴이의 주장을 파악하여 글을 쓴 목적을 알맞게 썼으면 정답으로 합니다.

4 우리 전통 음식보다 외국 음식을 더 좋아하는 어린이가 많다는 문제 상황을 제시했습니다.

5 서론에서는 문제 상황과 글쓴이의 주장이 들어갑니다.

6 자연을 보호하자는 주장이 나타난 글입니다.

7 '첫째' 다음의 내용이 근거입니다. ⑤는 문제 상황을 나타냅니다.

8 논설문의 내용이 타당한지 판단하기 위해 근거가 주장과 관련 있는지 살피며 논설문을 읽을 수 있습니다.

> **채점 기준** '자연을 보호해야 한다.'는 주장과 '자연은 한번 파괴되면 복원되기가 어렵다.'는 근거가 관련 있는지 알맞게 썼으면 정답으로 합니다.

9 모호한 표현은 낱말이나 문장이 나타내는 의미가 분명하지 않아 정확하게 해석할 수 없는 표현입니다. 모호한 표현을 사용하면 자신이 말하려는 내용을 다른 사람에게 명확하게 전달할 수 없습니다.

10 그림에는 스마트폰에 너무 빠져 공부에 집중하지 않는 모습이 나타나 있습니다.

1 ④, ⑤   2 준수   3 ①, ②
4 우리 전통 음식은 건강에 이롭습니다.
5 예 글쓴이가 제시한 주장의 근거와 그 근거를 뒷받침하는 예를 제시한다.
6 ②   7 자연을 보호해야 한다. 등
8 국립 공원에 케이블카를 설치해서는 안 된다.
9 ⑤
10 예 친구들이 욕설을 하는 문제에 대해 논설문을 쓰고 싶다.

1 동물원은 동물의 자유를 구속하고, 동물에게 사람의 구경거리가 되는 고통을 주며, 동물원은 인공적인 환경이기 때문에 자연을 대신할 수 없다고 했습니다.

2 미진이의 주장은 '동물원은 없애야 한다.'입니다.

3 겪은 일이나 처한 상황이 서로 달라서 같은 문제 상황에서도 서로 다른 주장이 나오는 것입니다.

4 우리 전통 음식이 건강에 이롭다는 근거를 들어 우리 전통 음식을 사랑하자는 주장을 하고 있습니다.

5 글 ❹는 논설문의 본론으로, 글쓴이의 주장에 대한 적절한 근거를 제시합니다.

> **채점 기준** 주어진 글에서 알 수 있는 본론의 역할을 썼으면 정답으로 합니다.

6 무리한 자연 개발은 지구 환경을 위협한다고 했습니다.

7 글쓴이는 자연을 보호해야 하는 까닭에 대해 근거를 들었습니다.

8 논설문에는 '절대로'와 같이 어떤 사실을 딱 잘라 판단하거나 결정해 단정하는 표현은 사용하지 않습니다.

9 자신만의 생각이나 감정에 치우치는 주관적인 표현은 사용하지 않습니다.

10 친구들이 욕설을 하는 문제, 휴대 전화에 너무 빠진 문제 등 여러 가지 문제를 떠올려 봅니다.

> **채점 기준** 자신이 주장을 펼치고 싶은 문제 상황을 보기와 같이 썼으면 정답으로 합니다.

1 예 동물원은 동물의 생태와 습성, 자연환경의 소중함을 배울 수 있는 교육 장소이지만 좁은 우리에 갇혀 살아가는 동물들이 스트레스를 많이 받는다는 것이다.

2 예 동물원은 있어야 한다. 동물원에서 신기한 동물들을 보고 동물과 교감하는 시간을 가질 수 있기 때문이다.

3 예 우리 조상의 넉넉한 마음과 삶에서 배어 나온 지혜가 담겨 있다고 하였다.

4 예 글 내용을 요약하기도 하고 글쓴이의 주장을 다시 한번 강조할 수도 있다.

5 예 이상 기후 현상이 점점 심각해지고 있기 때문에 지금 상황에서 이 글의 주장은 가치 있고 중요하다고 생각한다.

6 예 주관적인 표현으로는 다른 사람을 논리적으로 설득하기 어렵다.

1 문제 상황을 말하며 동물원이 필요한지에 대해 친구들의 의견을 들으려 하고 있습니다.

채점 기준	점수
시은이가 말한 문제 상황을 알맞게 쓴 경우	5점

2 동물들이 자유를 누릴 권리가 있으므로 동물원을 없애야 한다는 주장을 할 수도 있습니다. 자유롭게 입장을 정해 알맞은 근거를 들어 씁니다.

채점 기준	점수
찬성 또는 반대 주장을 쓰고, 그 주장을 뒷받침하는 근거를 쓴 경우	5점

3 우리 전통 음식에는 조상의 마음과 지혜가 담겨 있습니다.

채점 기준	점수
우리 전통 음식에 담겨 있다고 한 것을 바르게 파악하여 쓴 경우	5점

4 논설문의 결론에서는 글 내용을 요약하기도 하고 글쓴이의 주장을 다시 한번 강조할 수 있습니다.

채점 기준	점수
논설문에서 결론이 어떤 역할을 해야 하는지 생각하여 알맞게 쓴 경우	5점

> **정답 친해지기 글쓴이의 주장**
> 우리 전통 음식을 사랑합시다. 등

5 논설문의 내용이 타당한지 판단할 때 주장이 가치 있고 중요한지 생각해 봅니다.

채점 기준	점수
글에서 주장하는 것이 가치 있고 중요하다고 생각하는 까닭을 알맞게 쓴 경우	5점

6 논설문에서는 자신만의 생각이나 감정에 치우치는 주관적인 표현보다는 객관적인 표현을 써야 합니다.

채점 기준	점수
제시된 표현이 주관적인 표현인 것을 알고, 주관적인 표현의 문제점을 알맞게 쓴 경우	5점

1 세계 곳곳에서 벌어지는 무분별한 자연 개발이 우리 삶을 위협한다. 등

2 (1) 예 자연은 한번 파괴되면 되돌리기가 매우 어렵다. (2) 예 우리가 자연을 파괴하면 우리뿐만 아니라 우리의 후손이 살아갈 삶의 터전이 사라진다.

3 (1) 예 자신만의 생각이나 감정에 치우치는 주관적인 표현을 썼기 때문에 적절하지 않다.
(2) 예 어떤 사실을 딱 잘라 판단하거나 결정해 단정하는 표현을 썼기 때문에 적절하지 않다.

1 글쓴이는 자연 개발로 환경이 파괴되고 있는 문제를 해결하기 위해 자연 보호를 실천해야 한다고 주장하고 있습니다.

채점 기준	점수
문제 상황을 제대로 파악하여 쓴 경우	10점

2 자연을 보호해야 하는 까닭을 두 가지 씁니다.

채점 기준	점수
본론에 들어갈 근거 두 가지를 쓴 경우	10점
근거를 한 가지만 쓴 경우	5점

3 논설문에서는 주관적인 표현보다는 객관적인 표현을 써야 하고, 단정하는 표현은 쓰지 말아야 합니다.

채점 기준	점수
주관적인 표현과 단정하는 표현을 바르게 이해하고 두 가지 모두 적절하지 않다고 쓴 경우	10점
적절하지 않은 까닭을 한 가지만 알맞게 쓴 경우	5점

평가
교재

5 속담을 활용해요

1 ②   **2** ②   **3** ③

4 ⑤

5 예 용돈을 저축해 부모님께 선물을 사 드려서 자랑스러웠던 상황

6 ③   **7** ⑤

8 예 실속 없이 헛된 꿈만 꾸지 말고, 하루하루 노력하는 생활을 하면 좋겠어요.

9 ④

10 예 발 없는 말이 천 리 간다 / 가는 말이 고와야 오는 말이 곱다

---

1 '백지장도 맞들면 낫다'는 '쉬운 일이라도 협력해서 하면 훨씬 쉽다'는 뜻입니다.

2 협력해서 일을 하면 쉽게 할 수 있다는 뜻의 속담을 찾습니다.

> **정답 친해지기** 협동과 관련 있는 속담 예
> • 종이도 네 귀를 들어야 바르다
> • 열의 한 술 밥이 한 그릇 푼푼하다
> • 손뼉도 부딪쳐야 소리가 난다
> • 한 손뼉이 울지 못한다

3 자랑하기 위해 속담을 사용하는 것은 아닙니다.

4 작은 것도 계속 모이면 태산처럼 큰 덩어리가 된다는 뜻의 속담입니다.

5 작은 것을 모아 큰 것을 만든 상황을 떠올릴 수 있습니다.

> **채점 기준** '티끌 모아 태산'의 뜻을 생각하여 어느 경우에 사용할 수 있을지 알맞게 썼으면 정답으로 합니다.

6 상황이 이치에 맞지 않는다는 뜻으로, 중심이 되는 것보다 부분적인 것이 더 크거나 많은 등 마땅히 작아야 할 것이 크고 커야 할 것이 작다는 뜻의 속담은 '배보다 배꼽이 더 크다'입니다.

7 독장수는 실현성 없는 허황된 계산을 하다가 독을 모두 깨뜨렸습니다. '독장수는 독만 깨뜨린다'는 실속 없이 허황된 것을 궁리하고 미리 셈하는 것을 비유하는 말입니다.

8 헛된 꿈을 꾸다가 독을 깨뜨린 독장수에게 하고 싶은 말을 씁니다.

> **채점 기준** 독장수가 처한 상황을 생각하여 독장수에게 하고 싶은 말을 알맞게 썼으면 정답으로 합니다.

9 잘하는 일에 간혹 실수를 할 때 '원숭이도 나무에서 떨어진다'라고 합니다.

10 우리가 사용하는 말과 관련 있는 속담을 떠올려 써 봅니다.

> **정답 친해지기** 말과 관련 있는 속담
> • 살은 쏘고 주워도 말은 하고 못 줍는다
> • 입은 비뚤어져도 말은 바로 해라
> • 말이 많으면 쓸 말이 적다

---

1 ⑤

2 자신의 생각을 효과적으로 드러낼 수 있어서이다. 등

3 ⑤   **4** 철없이 함부로 덤빈다. 등

5 ③   **6** ④   **7** ⑤

8 ③

9 예 무엇인가를 잘 잊어버리는 사람을 가리키는 말이다.

10 ②

---

1 여러 사람이 서로 자기주장만 내세워서 일이 제대로 되지 않을 때 쓰는 속담입니다.

2 글을 쓸 때 속담을 사용하면 자신의 생각을 효과적으로 드러낼 수 있습니다.

> **채점 기준** 글을 쓸 때 속담을 사용하는 까닭을 알맞게 썼으면 정답으로 합니다.

3 철없이 함부로 덤비는 상황을 나타내는 속담입니다.

4 태권도를 한 달 배운 실력으로 태권도 대표 선수에게 시합을 하자고 하는 상황입니다.

5 '바늘 가는 데 실 간다', '용 가는 데 구름 간다'는 서로 밀접하게 관련 있는 것을 말할 때 쓰는 속담입니다.

6 아무리 어려운 일이 계속되어 고생이 심해도 언젠가는 좋은 날이 올 수 있다는 뜻으로, 희망을 가지라는 말입니다.

7 말고기를 먹다가 편지가 바람에 날려 사라져 버렸습니다.

8 까마귀는 말고기를 먹느라 편지가 없어진 줄 모르고 있다가 편지가 없어진 것을 알고 걱정을 하고 있습니다.

9 '까마귀 고기를 먹었나'는 무엇인가를 잘 잊어버리는 사람을 놀리거나 나무랄 때 잘 쓰는 속담입니다.

> **채점 기준** '까마귀 고기를 먹었나'의 뜻을 알맞게 썼으면 정답으로 합니다.

10 어떤 사람에 대한 말을 하는데 그 사람이 나타날 때 '호랑이도 제 말 하면 온다'라는 말을 합니다.

서술형평가   30쪽

1 예 듣는 사람이 흥미를 느낄 수 있기 때문이다.
2 예 구름 갈 제 비가 간다 / 용 가는 데 구름 간다
3 예 어떤 일이든 한 가지 일을 끝까지 해야 성공할 수 있다.
4 예 여러 가지 일을 하다 보니 아무것도 이룬 것이 없는 상황
5 예 헛된 욕심은 손해를 가져온다.

1 서로 말을 주고받을 때에 속담을 사용해서 말하면 듣는 사람이 흥미를 느낄 수 있습니다.

채점 기준	점수
'듣는 사람이 흥미를 느낄 수 있다'는 내용으로 쓴 경우	6점

2 '바늘 가는 데 실 간다'는 사람의 긴밀한 관계를 비유적으로 이르는 말입니다.

채점 기준	점수
속담 '바늘 가는 데 실 간다'와 뜻이 비슷한 속담을 쓴 경우	6점

3 중간에 포기하지 말고 끝까지 배우면 좋겠다고 말하는 상황입니다.

채점 기준	점수
속담 '우물을 파도 한 우물을 파라'의 뜻을 알맞게 쓴 경우	6점

4 한 가지 일에 집중하지 않고 여러 가지 일을 하다가 한 가지 일도 못한 상황에 쓸 수 있습니다.

채점 기준	점수
'우물을 파도 한 우물을 파라'는 속담을 사용할 수 있는 상황을 쓴 경우	6점

5 독장수는 헛된 욕심을 부리다가 가지고 있던 독을 모두 잃었습니다.

채점 기준	점수
글을 읽고 글의 주제를 알맞게 파악하여 쓴 경우	6점

수행평가   31쪽

1 예 염라대왕의 심부름으로 편지를 전해야 하는데, 말고기를 먹는 데 정신이 팔려 그만 편지를 잃어버리고 말았다.
2 (1) 예 까마귀 고기를 먹었나   (2) 예 중요한 일을 잊어버리지 않도록 노력하자.
3 (1) 예 소 잃고 외양간 고친다   (2) 예 일이 이미 잘못되어 손을 써도 소용이 없는 상황 / 안전에 주의하지 않고 친구들과 놀다가 다친 뒤에 후회했던 상황

1 까마귀는 자신이 해야 할 일을 잊고 말고기를 먹는 데 정신이 빠져 있었습니다.

채점 기준	점수
말고기를 먹다가 편지를 잃어버린 까마귀의 상황을 알맞게 파악하여 쓴 경우	10점

2 까마귀는 자신이 해야 할 일을 잊고 말고기를 먹느라 중요한 편지를 잃어버렸습니다.

채점 기준	점수
이 이야기와 관련 있는 속담과 글의 주제를 두 가지 모두 알맞게 쓴 경우	10점
속담과 글의 주제 중 한 가지만 쓴 경우	5점

3 '소 잃고 외양간 고친다', '낮말은 새가 듣고 밤말은 쥐가 듣는다', '원숭이도 나무에서 떨어진다' 등 동물과 관련 있는 속담을 떠올려 그 뜻을 생각해 봅니다.

채점 기준	점수
동물과 관련 있는 속담과 어떤 상황에서 사용할 수 있는지 모두 알맞게 쓴 경우	10점
속담은 썼지만 어떤 상황에서 사용할 수 있는지 쓰지 못한 경우	5점

6 내용을 추론해요

단원평가 1회   32~33쪽

1 ⑤   **2** ②, ④

3 『화성성역의궤』   **4** ⑤

5 예 『화성성역의궤』가 자세하게 기록되었기 때문에 수원 화성을 원래의 모습대로 다시 만들 수 있었다.

6 ㉠

7 예 임금의 자리에 오르는 것을 백성과 조상에게 알리기 위해 치르는 식

8 ⑤

9 예 경복궁은 조선 시대 최초의 궁궐로 태조가 한 양에 만든 법궁이다. 건물이 7600여 칸으로 근정 전, 교태전, 경회루 등이 있다.

10 ㉤, ㉡, ㉢, ㉥

1 모두 북한 이탈 주민입니다.

2 우리 주위에 북한 이탈 주민이 많다는 것, 북한 이탈 주민이 여러 가지 직업을 가지고 있다는 것을 알 수 있습니다.

3 첫 문장에 『화성성역의궤』가 무엇인지 나타나 있습니다.

4 수원 화성이 여러 위기를 거치면서 원래의 모습을 잃었다는 것을 추론할 수 있습니다.

5 『화성성역의궤』에 자세한 기록이 남아 있어서 6.25 전쟁 때 크게 파괴된 수원 화성을 원래의 모습대로 다시 만들 수 있었습니다.

> **채점 기준** 수원 화성을 원래의 모습대로 다시 만들 수 있었다는 내용으로 잘 추론하여 썼으면 정답으로 합니다.

6 주변 경치를 감상한다는 내용이므로 ㉠의 뜻으로 쓰였습니다. 글에 쓰인 동형어의 뜻을 바르게 알아 둡니다.

> **정답 친해지기** **동형어**
> • 형태는 같지만 뜻이 다른 낱말을 말합니다.
> • 글에 쓰인 동형어가 어떤 뜻인지 정확히 이해하려면 국어사전을 찾아봅니다.

7 앞에 있는 '왕의'라는 말, 뒷부분에 나오는 '왕실의 혼 례식, 외국 사신과의 만남 등과 같은 나라의 중요한 행사를 치르던 곳이다.'와 같은 내용을 살펴 추론할 수 있습니다.

8 낱말의 앞뒤 내용을 보고 알 수 있는 사실을 바탕으로 하여 뜻을 추론할 수 있습니다.

9 경복궁에 대한 설명에서 중심 내용이 무엇인지 생각 하여 요약해 봅니다.

> **채점 기준** 경복궁에 대해 설명하는 내용 중 중심 내용 을 잘 골라 정리해 썼으면 정답으로 합니다.

10 가장 먼저 주제를 정해야 하고, 역할을 나누어 촬영 하고 자막을 넣은 후에 보완하고 고칩니다.

단원평가 2회   34~35쪽

1 ④, ⑤   **2** (1) 병아리 (2) 고양이

3 ①

4 예 정조 임금은 수원 화성을 건축하는 데 많은 관 심을 가졌다.

5 융건릉, 용주사   **6** ②

7 ⑤   **8** ③

9 예 창덕궁은 건물과 후원이 잘 어우러져 있으며 연못에 섬을 띄운 부용지가 있다.

10 ②

1 그림을 보고 알 수 있는 내용을 찾아봅니다.

2 그림에 나타난 여러 가지 상황을 생각하며 내용을 추 론해 봅니다.

3 자신의 경험을 떠올려 수원 화성에 직접 가 볼 때 운 동화를 신는 게 좋겠다고 추론하고 있습니다.

4 글의 내용을 바탕으로 하여 정조 임금이 왜 엄격하게 자리를 골랐을지 추론을 해 봅니다.

> **채점 기준** 정조 임금이 수원 화성 건축에 관심이 많았 다는 내용으로 잘 추론하여 썼으면 정답으로 합니다.

5 더 둘러보고 싶은 친구는 근처에 있는 융건릉과 용주 사에 가 볼 것을 추천하고 있습니다.

6 자신이 평소에 아는 사실과 경험한 것을 떠올려 보 고, 무엇을 더 알 수 있는지 생각해 보는 방법도 있습 니다.

7 ⑤는 '먹은 것이 많아 속이 꽉 찬 느낌이 들다'의 뜻입니다.

8 '단청'은 궁궐이나 절의 벽, 기둥, 천장 따위에 여러 가지 빛깔과 무늬로 그린 그림을 뜻합니다.

9 글의 중심 내용이 무엇일지 생각하여 알맞게 정리합니다.

> **채점 기준** 창덕궁에 대해 설명하는 내용 중 중심 내용을 잘 골라 정리해 썼으면 정답으로 합니다.

10 영상 광고를 만들 때 역할은 공평하게 골고루 맡는 것이 좋습니다.

서술형평가 36쪽

1 📷 부채를 들고 있는 것으로 보아 날씨가 더울 것이다. / 사람들의 표정으로 보아 경기가 흥미진진할 것이다.

2 📷 내용이나 상황을 좀 더 깊고 넓게 이해할 수 있다.

3 📷 수원 화성에 성을 쌓는 과정을 기록한 책이다.

4 📷 수원 화성은 세계적인 문화유산으로 인정받을 만큼 훌륭한 건축물이다.

5 📷 궁궐에는 사람이 많이 살았는데, 각자 신분에 알맞은 건물에서 생활했다.

6 📷 신분에 따른 차이가 매우 명확했기 때문일 것이다.

1 그림을 자세히 살펴보고, 왜 그렇게 추론했는지도 씁니다.

채점 기준	점수
그림 속 내용을 바탕으로 하여 잘 추론하여 쓴 경우	5점

2 추론을 하며 글을 읽거나 그림을 보면 내용을 더 잘 이해할 수 있습니다.

채점 기준	점수
추론을 하며 글을 읽거나 그림을 보면 좋은 점을 잘 쓴 경우	5점

3 『화성성역의궤』는 수원 화성에 성을 쌓는 과정을 기록한 책입니다.

채점 기준	점수
『화성성역의궤』가 무엇을 기록한 책인지 답을 잘 찾아 쓴 경우	5점

4 훌륭한 건축물이기 때문에 유네스코 세계 문화유산으로 등록되었을 것입니다.

채점 기준	점수
글에서 짐작할 수 있는 사실을 잘 추론하여 수원 화성이 훌륭한 건축물이라는 내용으로 쓴 경우	5점

5 궁궐에서는 사람들이 신분에 알맞은 건물에서 생활했습니다.

채점 기준	점수
궁궐의 건물에 대해 설명하는 내용 중 중심 내용을 잘 골라 정리해 쓴 경우	5점

6 신분제 사회였기 때문임을 추론할 수 있습니다.

채점 기준	점수
글에서 짐작할 수 있는 사실을 잘 추론하여 신분에 따른 차이라는 내용이 들어가게 쓴 경우	5점

수행평가 37쪽

1 📷 대궐 안에 있는 동산.

2 📷 창덕궁은 유네스코 세계 문화유산으로 기록될 만큼 아름답다. / 일제 강점기가 되면서 차차 왕실이 힘을 잃었다.

3 📷 서울에 남아 있는 조선 시대의 궁궐이 몇 개인지 알려 주고 싶어서이다. / 서울에 있는 조선 시대의 궁궐에는 각각의 의미와 아름다움이 있음을 우리 모두가 알고 있어야 한다고 생각했기 때문이다.

1 후원에 있는 정자와 연못들이 우리나라 전통 정원의 모습을 잘 보여 준다는 내용에서 낱말의 뜻을 추론할 수 있습니다.

채점 기준	점수
낱말의 앞뒤에 있는 내용을 바탕으로 하여 뜻을 잘 추론하여 쓴 경우	10점

2 글의 내용과 관련된 경험이나 글 속의 단서를 통해 내용을 추론할 수 있습니다.

채점 기준	점수
글에서 짐작할 수 있는 사실을 잘 추론하여 쓴 경우	10점

3 글쓴이가 이 글에서 알려 주고 있는 내용을 통해 짐작해 봅니다.

채점 기준	점수
글쓴이가 글을 쓴 까닭을 잘 짐작하여 쓴 경우	10점

7 우리말을 가꾸어요

38~39쪽

단원평가 1회

1 생선 **2** ①, ② **3** ①

4 ⑤

5 (1) **예** 부딪혀서 미안해. 다치지 않았니?

(2) **예** 괜찮아. 너도 부딪혔는데, 뭘. 괜찮니?

6 ③ **7** ⑤ **8** ②

9 ④

10 **예** '심각한 말 줄임, 올바른 우리말 사용'을 주제로 정하고 싶다.

단원평가 2회

40~41쪽

1 그림 ❷ **2** (1) ② (2) ①

3 **예** 욕설이나 비속어를 올바른 우리말로 바꾸어 사용하려고 노력해야겠다.

4 ③

5 **예** 기분이 좋지 않다.

6 ⑤ **7** 진수 **8** ①

9 **예** 긍정하는 말과 고운 우리말을 사용하자는 주장을 하기 위해서이다.

10 신문 / 광고 / 뉴스 / 영화 / 책 등

---

1 여자아이가 사용한 줄임 말이 아빠는 잘 이해가 되지 않았습니다.

2 줄임 말을 사용하는 것이 재미있어서 평소에 많이 사용하고 있음을 알 수 있습니다.

3 여자아이가 줄임 말을 사용해서 아빠가 알아들을 수가 없었습니다.

4 준형이와 수진이는 서로 배려하지 않고 비난을 하고 있습니다.

5 서로 배려하고 존중하는 말로 고쳐 씁니다.

> **채점 기준** 상대를 배려하면서 고운 말로 잘 고쳐 썼으면 정답으로 합니다.

6 발표할 때에는 일정한 목소리보다는 중요한 부분은 강조합니다.

7 글 **가**에서 글쓴이는 반 친구들이 짜증 난다는 말, 비속어, 욕설 따위를 사용하는 것에 대한 문제를 제기하고 있습니다.

8 "안 돼."보다는 "할 수 있어."와 같은 긍정하는 말을 사용하는 것이 좋습니다.

9 긍정하는 말과 고운 우리말을 사용하자는 주장을 하기 위해 문제 상황과 근거를 제시했습니다.

10 올바른 우리말 사례집으로 만들고 싶은 주제를 생각하여 씁니다.

> **채점 기준** 올바른 우리말 사례집으로 알맞은 주제를 생각하여 썼으면 정답으로 합니다.

---

1 그림 ❶에서는 친구를 비아냥거리며 비꼬는 말을 했습니다.

2 그림 ❶에서는 친구들을 무시하고 싶어서 비난의 말을 했고, 그림 ❷에서는 친구들에게 힘을 내라고 격려의 말을 했습니다.

3 자신의 언어생활 상태가 어떠한지 생각하여 고칠 점을 써 봅니다.

> **채점 기준** 자신의 언어생활에서 고칠 점을 잘 떠올려 썼으면 정답으로 합니다.

> **정답 친해지기** 자신의 언어생활 상태 점검하기
> • 나는 외국어를 사용한다.
> • 나는 줄임 말을 사용한다.
> • 나는 욕설이나 비속어를 섞어서 말한다.

4 글쓴이는 학생들이 욕을 많이 사용하는 문제를 말하고 있습니다.

5 욕설이나 비속어를 섞어서 말하는 친구와 대화하면 기분이 좋지 않고 욕설이나 비속어를 말하는 친구가 좋게 보이지 않을 수도 있습니다.

6 이 그림에는 외국어 간판이 많은 모습이 나타나 있습니다. 바르고 고운 우리말 사용이 이루어지지 않고 있는 우리말 사용 실태입니다.

7 우리말 사용 실태 자료는 인터넷뿐만 아니라 직접 조사하거나 책, 텔레비전 프로그램, 신문 등에서 찾을 수 있습니다.

8 비속어나 욕설을 사용하면 추한 마음이 생기고, 고운 우리말을 사용하면 너그러운 마음, 미안한 마음, 고마운 마음이 생깁니다.

9 긍정하는 말과 고운 우리말을 사용하자는 주장을 하기 위해 쓴 글입니다.

> **채점 기준** 글쓴이가 어떤 주장을 하기 위해 글을 썼는지 파악하여 썼으면 정답으로 합니다.

10 올바른 우리말 사례집은 다양한 형식으로 만들 수 있습니다.

서술형평가 42쪽

1 ⑩ 그림 **②**에서는 경기에서 지는 모둠의 친구들을 무시하고 싶어서 비난의 말을 했고, 그림 **③**에서는 경기에서 지는 모둠의 친구들에게 힘을 내라고 격려의 말을 했다.

2 ⑩ 대화할 때 배려하는 말과 긍정하는 말을 사용하도록 한다.

3 ⑩ 놀이를 잘하는 친구에게 진심을 담아 존중하는 말로 칭찬했다.

4 ⑩ 선생님과 학생, 학생과 학생끼리도 서로 높임말을 사용하는 언어문화를 조사했다.

5 ⑩ 이 학교의 언어문화를 경험해 보고 싶다.

1 그림 **②**에서는 부정하는 말을, 그림 **③**에서는 긍정하는 말을 하였습니다.

채점 기준	점수
그림 **②**와 **③**에서 친구들이 어떤 마음으로 말을 했는지 파악하여 까닭을 쓴 경우	6점

2 배려하는 말, 긍정하는 말을 사용하면 말하는 사람도 듣는 사람도 기분이 좋아집니다.

채점 기준	점수
배려하는 말이나 긍정하는 말을 해야 된다는 내용으로 쓴 경우	6점

3 자신이 긍정하는 말로 언어 예절을 지켰던 경험을 떠올려 씁니다.

채점 기준	점수
언어 예절을 지키며 대화한 경험을 알맞게 떠올려 쓴 경우	6점

4 학교에서 지내는 동안 모두가 높임말을 사용하는 학교의 언어문화를 조사했습니다.

채점 기준	점수
중화가 조사한 내용을 잘 파악하여 높임말을 사용하는 언어문화라는 내용이 들어가게 쓴 경우	6점

5 중화가 말한 좋은 언어문화에 대해 어떤 생각이 들었는지 씁니다.

채점 기준	점수
높임말을 사용하는 좋은 언어문화를 보고 든 자신의 생각을 알맞게 쓴 경우	6점

수행평가 43쪽

1 ⑩ 짜증 난다는 말이나 비속어, 욕설 따위를 사용한다.

2 (1) **⑩** 긍정하는 말과 고운 우리말을 사용합시다.
(2) **⑩** 친구에게 긍정하는 말을 해 주니 좋은 일이 생겼습니다.

3 (1) **⑩** 친구들이 평소 말할 때 우리말 대신 영어로 된 낱말을 많이 쓴다.
(2) **⑩** 외국어보다는 우리말을 사용하자.
(3) **⑩** 아름다운 우리말이 있는데도 불구하고 외국어를 쓰는 것은 뽐내려는 마음으로 보인다. / 외국어를 잘 모르는 사람이면 알아듣지 못하여 대화가 매끄럽지 못하다.

1 서론에 짜증 난다는 말과 비속어, 욕설 따위를 사용한다는 문제 상황이 나타나 있습니다.

채점 기준	점수
서론에 나타난 문제 상황을 잘 파악하여 쓴 경우	10점

2 본론에 나타난 근거와 결론에 나타난 주장을 찾아 정리하여 씁니다.

채점 기준	점수
글에 나타난 내용을 잘 파악하여 (1)에 주장을, (2)에 근거를 잘 쓴 경우	10점
(1)과 (2) 중 한 가지만 바르게 쓴 경우	5점

3 욕설, 비속어, 줄임 말, 부정하는 말, 외국어 등 평소 친구들의 우리말 사용 실태를 생각해 보고 자신의 주장과 근거를 써 봅니다.

채점 기준	점수
우리말 사용 실태에 대한 문제 상황을 (1)에 쓰고, 문제 상황에 대한 자기 주장을 (2)에 쓰고, 그 주장을 뒷받침하는 근거를 (3)에 쓴 경우	10점
(1)~(3) 중 두 가지를 바르게 쓴 경우	6점
(1)~(3) 중 한 가지를 바르게 쓴 경우	3점

8 인물의 삶을 찾아서

단원평가 1회   44~45쪽

1 ⑤   **2** ①
3 책을 읽으면 지혜롭게 세상을 살 수 있으니 책을 읽자. 등   **4** ⑤   **5** ①
6 ④   **7** ⑤
8 ①
9 "나무 심기를 포기할 수는 없어요."
10 인물에게 일어난 일 / 인물이 자신의 삶에 준 영향 등

1 글 ❹에 글쓴이가 생각하는 책을 읽으면 좋은 점이 나와 있습니다.

2 글에서 자주 사용한 낱말이면서 중요한 낱말을 찾아봅니다. 이 글에 나온 중요한 낱말은 '작가, 꿈, 책'으로, 이 중 가장 중요한 낱말은 '책'입니다.

3 글쓴이는 책을 읽는 사람이 지혜롭게 세상을 살 수 있다면서 책을 읽기를 권하고 있습니다.

> **채점 기준** 책을 읽자는 내용을 넣어 알맞게 썼으면 정답으로 합니다.

4 변치 않는 마음이라는 뜻의 '일편단심'이 정몽주의 생각을 가장 잘 보여 준다고 할 수 있습니다.

5 정몽주는 고려에 충성을 다하겠다는 자신의 생각을 「단심가」에 담았습니다.

6 버들이는 집에서 샘물을 손쉽게 길으려고 몽당깨비에게 샘을 기와집 뒤란으로 옮겨 달라고 했습니다.

7 몽당깨비는 진심으로 버들이를 대하고 있습니다.

8 국제연합 해비탯 회의에 참석한 왕가리 마타이는 더 푸른 도시를 만들겠다는 결심을 하고 케냐로 돌아왔습니다.

9 왕가리 마타이는 주위 사람들의 만류에도 나무 심기를 계속했습니다.

10 이밖에 인물을 말해 주는 질문과 대답, 기억나는 인물의 말과 행동 등이 들어갈 수 있습니다.

단원평가 2회   46~47쪽

1 작가   **2** ①   **3** ①
4 어떤 고난도 포기하지 않고 극복하려는 의지를 추구한다. 등   **5** ②   **6** ⑤
7 ①   **8** 환경 보호
9 자연환경 보호를 추구한다. / 끈기를 추구한다. 등
10 상현

1 이 글의 첫 문단에서 글쓴이는 자신이 이야기를 쓰는 작가라고 소개했습니다.

2 글쓴이는 책을 읽으며 꿈을 갖게 되었고 그 꿈을 키웠다는 자신의 경험을 들어 '책이 주는 선물'을 받고 싶은 어린이들에게 이 글을 썼습니다. 따라서 책을 읽자는 말을 하기 위해 이 글을 썼다고 할 수 있습니다.

3 글의 주제를 찾으며 읽는다고 해서 글쓴이의 생각을 바꿀 수 있는 것은 아닙니다.

4 "죽으려 하면 살고, ~ 싸워야 한다."라는 말과 물살을 이용해 적선을 공격한 행동에서 이순신이 추구하는 가치를 알 수 있습니다. 이밖에 용기와 자신감을 추구한다고 할 수도 있습니다.

> **채점 기준** '고난 극복의 의지, 용기, 자신감' 등 이순신이 추구하는 가치를 보여 줄 수 있는 말을 넣어 알맞게 썼으면 정답으로 합니다.

5 인물이 말을 몇 번 했는지 세어 보는 것으로는 인물이 추구하는 가치를 파악할 수 없습니다.

6 버들이는 어머니께 샘물을 좀 더 드리고 싶은 마음에 샘가에 오두막을 짓고 살겠다는 생각을 했습니다.

7 버들이는 편찮으신 어머니를 위해 위험한 곳에 오두막을 짓고 살고 싶어 했습니다.

8 은퇴를 하고 휴식을 취할 무렵인 노년에도 왕가리 마타이는 계속해서 환경 보호 운동에 앞장섰습니다.

9 왕가리 마타이가 한 행동에서 인물이 추구하는 가치를 알 수 있습니다.

> **채점 기준** '자연환경 보호를 추구한다.', '최선을 추구한다.', '끈기를 추구한다.' 등 왕가리 마타이가 추구하는 가치를 알맞게 썼으면 정답으로 합니다.

10 인물 소개서에 작품 제목, 지은이, 인물 이름이 들어가야 어떤 인물을 소개하는 것인지 알 수 있습니다.

1 뜻을 함께 모아 새 나라를 세우자. 등

2 🔵 치마만 입던 여성의 옷 입는 방식이 시대에 맞지 않다고 판단해 여성복을 혁신적으로 고친 코코 샤넬이 떠오른다.

3 어떤 어려움도 극복할 수 있다고 생각하는 사람이기 때문에 그렇게 행동했을 것이다. 등

4 🔵 나에게 비슷한 상황이 일어난다면 어떻게 생각하고 행동할 것인가?

5 🔵 버들이를 위한 일이었으므로 버들이의 부탁을 들어주었을 것 같다. / 샘을 기와집 뒤란으로 옮기면 도깨비와 동물 들이 샘을 이용하지 못하게 되므로 그 부탁만은 들어주지 않았을 것이다.

1 이방원은 정몽주에게 자신과 함께 새로운 왕조를 세우자고 설득하려고 글 ④를 썼습니다.

채점 기준	점수
자신과 뜻을 같이 하자는 내용으로 쓴 경우	6점

2 기존의 것을 새롭게 바꾸려고 노력한 인물을 떠올릴 수 있습니다.

채점 기준	점수
기존의 것을 완전히 바꾸어서 새롭게 만든 인물을 떠올려 쓴 경우	6점

3 이순신이 한 말과 행동을 보고 그가 어떤 인물인지 생각해 봅니다.

채점 기준	점수
이순신이 어떤 인물인지 생각하여 그가 적에 맞서는 것을 포기하지 않은 까닭을 알맞게 쓴 경우	6점

4 어려운 상황에서도 포기하지 않고 최선을 다하는 이순신의 모습을 보고 자신의 삶을 되돌아봅니다.

채점 기준	점수
이순신이 추구하는 가치를 바탕으로 자신의 삶을 되돌아보고 알맞게 질문 형식으로 쓴 경우	6점
이순신이 추구하는 가치를 바탕으로 자신의 삶을 되돌아보았으나 질문 형식으로 쓰지 않은 경우	3점

5 자신이 추구하는 가치를 생각하며 내가 몽당깨비라면 어떤 선택을 했을지 구체적으로 떠올려 봅니다.

채점 기준	점수
자신이 몽당깨비였다면 어떻게 했을지 구체적인 까닭을 들어 쓴 경우	6점
자신이 몽당깨비였다면 어떻게 했을지는 썼으나 구체적인 까닭을 들지 못한 경우	3점

1 (1) "우리도 우리 아이들을 위해서, 미래의 케냐를 위해서 나무를 심어야 해요." 등

(2) 사람들에게 인내심을 지니고 나무를 심어 줄 것을 부탁했고, 꾸준히 그리고 열성적으로 나무 심기 운동을 이끌었다. 등

2 왕가리 마타이는 모두의 이익과 행복을 추구한다. 왕가리 마타이가 나무 심기 운동을 계속해서 실천한 것은 자신뿐 아니라 현재와 미래의 케냐 사람들을 위해 한 일이기 때문이다. 등

3 (1) 🔵 환경 보호를 위해 플라스틱 사용을 줄인다.

(2) • 🔵 일회용 컵 대신 개인 컵을 들고 다닌다.

• 🔵 분리배출을 제대로 해서 플라스틱을 재활용할 수 있도록 한다.

• 🔵 친구들과 함께 플라스틱 줄이기 운동을 홍보한다.

1 왕가리 마타이는 사람들에게 인내심을 지니고 나무를 심어 줄 것을 부탁하면서 우리 아이들과 미래의 케냐를 위해 나무를 심어야 한다고 강조해 말했습니다.

채점 기준	점수
(1)에 왕가리 마타이가 한 말을, (2)에 왕가리 마타이가 한 행동을 알맞게 쓴 경우	10점
(1)과 (2) 중 한 가지만 알맞게 쓴 경우	5점

2 왕가리 마타이가 한 말과 행동에서 인물이 추구하는 가치를 찾고, 그렇게 생각한 까닭을 씁니다.

채점 기준	점수
왕가리 마타이가 추구하는 가치와 그렇게 생각한 까닭 모두 알맞게 쓴 경우	10점
왕가리 마타이가 추구하는 가치는 알맞게 썼으나 그렇게 생각한 까닭은 다소 부족하게 쓴 경우	5점

> **보충 자료** **이야기에서 인물이 추구하는 가치 파악하기**
> 인물이 처한 상황을 살펴보고 그 상황에서 인물이 한 말과 행동을 살펴봅니다.

3 자신의 힘으로 우리 모두를 위해 할 수 있는 일에는 어떤 것이 있을지 생각해 보고, 구체적인 실천 내용을 정리해 봅니다.

채점 기준	점수
(1)에 우리 모두를 위해 할 수 있는 일을, (2)에 구체적인 실천 내용을 모두 알맞게 쓴 경우	10점
(1)에 우리 모두를 위해 할 수 있는 일을 알맞게 썼으나 (2)에 구체적인 실천 내용을 미흡하게 쓴 경우	5점

9 마음을 나누는 글을 써요

1 ⑤　　　　**2** (2) ○　　　　**3** 선생님
4 ③
5 하고 싶은 말을 자세히 표현할 수 있다. 등
6 ③　　　　**7** ②　　　　**8** ①
9 ⑤　　　　**10** 예 5월에 체육 대회를 한 일

1 서연이는 친구들이 학용품을 소중히 다루지 않는 것을 안타까워하고 있습니다.

2 글을 어디에 실으면 좋을지에 대한 답으로, 이는 글을 전하는 방법에 해당됩니다. (1)은 읽을 사람, (3)은 글을 쓰는 목적을 묻는 물음입니다.

> **보충 자료** 마음을 나누는 글을 쓰는 상황 파악하기
> 어떤 일이 일어났는지, 나누려는 마음은 무엇인지, 누가 읽을 것인지, 글을 전하는 방법은 무엇이 효과적인지 생각해 봅니다.

3 이 글은 선생님께 쓴 편지입니다.

4 편지의 내용으로 보아 연아는 선생님께 감사한 마음을 표현하고 있습니다.

5 나누려는 마음을 편지로 쓰면 하고 싶은 말을 자세하게 쓸 수 있다는 좋은 점이 있습니다.

> **채점 기준** 하고 싶은 말을 자세히 표현할 수 있다는 내용을 썼으면 정답으로 합니다.

6 글쓴이는 편지를 읽을 사람의 남의 도움을 바라는 말버릇이 옳지 않다고 여기고 있습니다.

7 글 ❹에 다른 사람을 배려하고 도와주는 방법이 나와 있습니다. 글쓴이는 읽을 사람에게 다른 사람을 배려하는 마음을 나누고 싶어 한 것입니다.

8 글쓴이는 읽을 사람에게 다른 사람의 도움을 바라지만 말라고 하고 있습니다. 이는 곧 남에게 베풀며 살아야 한다는 것을 뜻합니다.

9 일어난 사건에 대한 자신의 생각이나 행동을 떠올려 구체적으로 표현해야 합니다.

10 반 친구들과 함께 한 체육 대회, 봉사 활동, 현장 체험학습 등 인상 깊었던 일을 떠올려 봅니다.

1 ④, ⑤　　　　**2** 친구들이 학용품을 소중히 쓰지 않아 안타까운 마음을 전하기 위해서이다. 등
3 ⓒ　　　　**4** ②, ③
5 문자 메시지 쓰기 / 편지 쓰기 등
6 (1) 신우　(2) 지효　　　　**7** ④
8 ❹
9 다른 사람의 도움을 바라지만 말고 먼저 베풀면서 살아라. 등　　　　**10** ②

1 서연이는 ④, ⑤의 일을 계기로 자원을 아껴 써야 한다는 생각을 하게 되었습니다.

2 서연이는 자연이 파괴되고 낭비되는 것과 친구들이 학용품을 소중히 다루지 않아 안타까운 마음을 전하고 싶어 합니다.

> **채점 기준** 친구들이 학용품을 소중히 다루지 않아 안타까운 마음을 나누려고 할 때의 글을 쓰는 목적을 알맞게 썼으면 정답으로 합니다.

3 신우는 점심시간에 미역국을 엎질러서 친구 가방이 더러워진 일로 글을 쓰려고 합니다.

4 신우의 생각에서 미안한 마음과 고마운 마음을 나누려고 한다는 것을 알 수 있습니다.

5 자신이 신우라면 마음을 나누기 위해 어떤 방법을 사용하는 것이 효과적일지 생각해 봅니다.

6 신우는 점심시간에 미역국을 엎질러서 지효 가방이 더러워진 일로 편지를 썼습니다.

7 미역국을 엎지른 것은 신우가 한 일입니다. ①, ②, ③, ⑤는 신우가 쓴 편지에서 확인할 수 있는 내용입니다.

8 글 ㉮에는 마음을 나누려는 사람, 첫인사, 일어난 사건이 나옵니다. 글 ❹에는 일어난 사건에 대한 글쓴이 자신의 생각이나 행동이 표현되어 있습니다.

9 글쓴이는 다른 사람을 위해 먼저 베풀되, 보답받을 생각은 가지지 말라고 했습니다.

> **채점 기준** 다른 사람에게 먼저 베풀라는 내용을 썼으면 정답으로 합니다.

10 가장 먼저 학급 신문에 실을 인상 깊었던 일을 정해야 합니다.

1 **예** 친구에게 생일 선물을 받았을 때 기쁘고 고마운 마음을 담아 편지를 썼다.

2 선생님께 감사한 마음을 표현하기 위해서이다. 등

3 과학 시간에 물을 엎질러서 정민이의 옷을 젖게 한 것에 미안한 마음을 표현하기 위해서이다. 등

4 자신의 생각이나 느낌을 바로 전할 수 있다. 등

5 두 아들의 마음가짐을 걱정하는 마음을 전하려고 글을 썼다. 등

1 기쁜 마음, 슬픈 마음, 고마운 마음, 미안한 마음 등 다양한 마음을 글로 써 본 경험을 생각해 봅니다.

채점 기준	점수
일어난 일과 나누려는 마음, 읽을 사람, 글을 전하는 방법을 구체적으로 쓴 경우	6점
마음을 나누는 글을 써 본 경험을 썼으나 내용을 구체적으로 밝히지 않은 경우	3점

2 선생님 덕분에 국어 공부를 좋아하게 되면서 다른 과목 공부도 재미있어져서 감사하다는 마음을 나누고 있습니다.

채점 기준	점수
선생님께 감사한 마음 또는 고마운 마음을 표현하기 위해서라고 쓴 경우	6점

3 지수는 정민이에게 자신이 물을 엎지른 일에 대해 미안한 마음과 사과하는 마음을 나누고 있습니다.

채점 기준	점수
지수가 글을 쓴 목적을 알맞게 쓴 경우	6점

정답 친해지기 **지수가 정민이와 나누려는 마음**

과학 시간에 물을 엎질러서 정민이 옷을 젖게 해서 미안한 마음과 자기 상황을 이해해 주고 괜찮다고 말해 준 정민이에게 고마운 마음을 나누고 있습니다.

4 문자 메시지로 글을 쓰면 하고 싶은 말을 바로 전할 수 있고, 상대의 반응도 바로 확인할 수 있습니다.

채점 기준	점수
문자 메시지를 사용하여 마음을 나누는 글을 쓰면 좋은 점을 알맞게 쓴 경우	6점

5 정약용은 두 아들의 남의 도움만을 바라는 말버릇을 걱정하고 있습니다.

채점 기준	점수
두 아들의 마음가짐을 걱정하는 마음을 전하려고 한다는 내용을 알맞게 쓴 경우	6점

1 다른 사람에게 베푸는 마음 등

2 (1) **예** 등굣길에 학교 앞 횡단보도를 건너다가 차 사고가 날 뻔했는데 경찰관님께서 도와주셨다.

(2) **예** 경찰관님 (3) **예** 편지 쓰기

(4) **예** 아침마다 학교 앞에서 우리 학교 학생들을 안전하게 지켜 주시는 것에 대해 고마운 마음을 전하기 위해서이다.

3 **예** 경찰관님께 / 안녕하세요? 저는 ○○초등학교 6학년 △△△입니다. 며칠 전 등굣길에 학교 앞 횡단보도에서 아찔한 일이 있었습니다. 초록불이 되어 횡단보도를 건너려는데 갑자기 제 앞에 자동차가 멈춰 서는 거예요. 저는 깜짝 놀라 그 자리에서 넘어지고 말았습니다. 그때 경찰관님께서 달려와 제 몸을 일으켜 주시고 옷도 털어 주셨어요. 그리고 운전자에게 가서 학교 앞에서는 천천히 운전하고 앞을 잘 살피고 다녀야 한다고 말씀해 주셨어요. / 아침마다 경찰관님이 우리를 지켜 주신다고 생각하면 얼마나 든든한지 몰라요. 그때는 제가 당황해서 제대로 인사를 못 드렸습니다. 그때 저를 도와주셔서 정말 감사합니다. 앞으로 저도 누군가에게 도움을 주는 사람이 되도록 노력하겠습니다. 감사합니다. / △△△ 올림

1 글쓴이는 읽을 사람에게 다른 사람에게 먼저 베풀며 사는 마음가짐을 가질 것을 당부하고 있습니다.

채점 기준	점수
다른 사람에게 베푸는 마음 등과 같이 나누려는 마음을 알맞게 쓴 경우	10점

2 친구나 선생님, 부모님 등 주변 사람들에게 도움을 받았던 경험을 떠올려 각 항목에 맞게 쓸 내용을 계획합니다.

채점 기준	점수
(1)~(4)에 마음을 나누는 글에 쓸 내용을 모두 알맞게 쓴 경우	10점
(1)~(4) 중 세 개 이하만 알맞게 쓴 경우	5점

3 일어난 사건을 자세히 밝혔는지, 나누려는 마음을 잘 표현했는지, 읽을 사람을 고려했는지 등을 확인하며 글을 씁니다.

채점 기준	점수
2번 문제에서 정리한 내용을 바탕으로 감사한 마음을 나누는 한 편의 글을 완성한 경우	10점

평가교재

56~58쪽

1 ④, ⑤　　　　**2** ④

3 사라져 가는 옛것의 소중함인 것 같다. 등

4 ①

5 친구의 성격이나 특성을 생각해 볼 수 있다. 등

6 전개

7 저승사자는 원님에게 덕진이라는 아가씨의 곳간에서 쌀을 꾸어 계산하게 하고 원님을 이승으로 보냈다. 등

8 ③

9 이웃과 더불어 살면 행복해진다. 등

10 ②, ④　　　　**11** 그림 ❹

12 표, 동영상　　　**13** ④

14 지훈

15 예 겪은 일이 서로 다르기 때문이다.

16 ③, ⑤

17 우리 전통 음식을 사랑하자. 등

18 주관적인　　　**19** ⑤

20 예 안전에 주의하지 않고 친구들과 놀다가 다친 뒤에 후회했던 상황

---

1 뻥튀기가 튀겨질 때 사방으로 튀는 모습과 뻥튀기를 튀길 때 나오는 고소한 냄새를 묘사하고 있습니다.

2 '봄날 꽃잎, 나비, 함박눈, 폭죽'은 뻥튀기가 사방으로 날리는 모양을 비유한 것입니다.

정답 친해지기 이 글에 나오는 비유하는 표현

대상	비유하는 표현	비유한 까닭
뻥튀기가 사방으로 날리는 모양	봄날 꽃잎	뻥튀기가 봄날 꽃잎처럼 하늘에 흩날려서
	나비 / 함박눈 / 폭죽	다양한 방향으로 움직여서 / 소복하게 내려서 / 멀리 퍼져 나가서
뻥튀기 냄새	메밀꽃 냄새 / 새우 냄새 / 멍멍이 냄새 / 옥수수 냄새	냄새가 고소하고 달콤해서

3 이제는 뻥튀기를 튀기는 모습을 보기 힘든 것을 글로 표현했습니다.

4 친구와 바람은 헤어졌다가도 다시 만납니다.

5 비유하는 표현을 사용하면 대상의 특징을 쉽게 이해할 수 있습니다.

6 이야기 구조에는 '발단, 전개, 절정, 결말'이 있습니다. 사건이 본격적으로 발생하고 갈등이 일어나는 부분은 '전개'입니다.

7 글에서 중요한 사건이 무엇인지 생각하여 요약합니다.

채점 기준 원님이 덕진의 곳간에서 쌀 삼백 석을 꾸어 계산한 다음 이승으로 돌아갔다는 내용을 썼으면 정답으로 합니다.

8 이웃과 정을 나누며 살아가는 모습에서 행복함을 느낄 수 있습니다.

9 종이 할머니가 눈에 혹이 난 할머니와 친구처럼 지내는 모습에서 알 수 있습니다.

10 친구들과 말하고 있으며, 말하는 사람과 듣는 사람이 있습니다.

11 그림 ❷는 친구들과 개인적으로 자유롭게 말하고 있습니다.

12 표와 동영상을 준비했다고 하였습니다.

13 '시작하는 말'은 발표를 듣는 사람의 주의를 집중시키는 역할을 합니다.

14 지훈이는 동물원이 우리에게 큰 즐거움을 준다는 근거를 들어 동물원이 있어야 한다는 주장을 하고 있습니다.

15 같은 문제에 대해서도 사람마다 생각이 다릅니다. 처한 상황, 겪은 일 등이 서로 다르기 때문입니다.

16 논설문의 결론에서는 글 내용을 요약하기도 하고 주장을 다시 한번 강조할 수도 있습니다.

17 우리 전통 음식에 관심을 가지고 사랑해야 한다는 주장을 하고 있습니다.

18 논설문에서는 자신만의 생각이나 감정에 치우치는 주관적인 표현은 쓰지 않습니다.

19 '소 잃고 외양간 고친다'는 속담을 쓸 수 있는 상황입니다.

20 '소 잃고 외양간 고친다'는 소를 도둑맞은 다음에야 빈 외양간의 허물어진 데를 고치느라 수선을 떤다는 뜻으로, 일이 이미 잘못된 뒤에는 손을 써도 소용이 없다는 말입니다.

채점 기준 그림과 비슷한 상황으로, 뒤늦게 후회하는 상황을 생각하여 썼으면 정답으로 합니다.

기말 평가   59~61쪽

1 한의사   **2** (1) ② (2) ①

3 ④

4 경복궁, 창덕궁, 창경궁, 경희궁, 경운궁

5 ⑤

6 예 자신의 신분에 알맞은 건물에서 생활했고

7 물고기인 생선 등

8 아빠, 이번 생일 선물은 뭐예요? 등

9 ④

10 예 알아듣기 힘들고 씁쓸하다.

11 ①   **12** ③   **13** ③

14 정몽주

15 예 신라의 김유신 장군에게 맞서 싸운 백제의 계백 장군이 떠오른다.

16 큰 기와집을 지었다. 등

17 ②   **18** ①

19 (1) ② (2) ①   **20** ④

1 북한 이탈 주민 중 한의사 직업을 가진 사람이 나타나 있습니다.

2 자신의 경험이나 말이나 행동에서 단서를 확인할 수 있습니다.

3 우리 주위에 많이 있는 북한 이탈 주민의 모습을 보여 주고 있습니다.

4 모두 다섯 곳이 남아 있습니다.

5 궁궐에서 가장 신분이 높은 왕과 왕비만 살 수 있었습니다.

6 신분에 따라 다른 건물에서 생활했다는 내용이 들어 가기에 알맞습니다.

> **채점 기준** 내용을 잘 추론하여 신분에 맞는 건물에서 생활했다는 내용을 썼으면 정답으로 합니다.

7 아빠는 물고기 생선을 떠올렸습니다.

8 '생선'이라는 줄임 말 대신 '생일 선물'이라고 고칩니다.

9 올바른 우리말 대신 외국어를 많이 쓰게 될 것입니다.

10 외국어를 섞어서 말하는 친구와 대화하면 어떤 기분 이 드는지 씁니다.

11 비속어나 욕설을 사용하면 추한 마음이 생깁니다.

12 긍정하는 표현과 고운 우리말을 사용하기를 바라고 있습니다.

13 글쓴이가 말하고자 하는 생각을 글의 주제라고 합 니다.

14 임 향한 일편단심을 지키겠다는 표현에서 변함없이 고려에 충성을 다하겠다는 정몽주의 생각이 드러나 있습니다.

15 충성심과 관련된 인물을 떠올릴 수 있습니다.

> **채점 기준** 정몽주와 같이 나라와 임금에 충성심을 보인 인물을 생각하여 알맞게 썼으면 정답으로 합니다.

16 몽당깨비는 버들이와 같이 사람으로 살고 싶어서 큰 기와집을 지었다고 말했습니다.

17 미미의 말을 통해 둘 다 사람이 되고 싶어 한다는 것 을 알 수 있습니다.

18 버들이 어머니 병을 낫게 하려고 새벽마다 샘물을 뜨러 온 것에서 효를 추구함을 알 수 있습니다.

19 글 **가**는 선생님께 쓴 글로 공손한 말을 사용했고, 글 **나**는 친구에게 쓴 글로 친근한 말을 사용했습니다.

20 글 **가**는 고마운 마음을 나누고 있습니다.

기말 평가   62~64쪽

1 ④   **2** ③

3 예 개구리 울음은 캐스터네츠 연주

4 황금 사과

5 두 동네 사람들이 황금 사과를 서로 가지겠다고 땅바닥에 금을 그었다. 등

6 과거의 직업 등   **7** ⑤

8 ②   **9** 결론   **10** ③

11 예 바늘 가는 데 실 간다   **12** ⑤

13 ②   **14** 융건릉과 용주사

15 ②

16 국립국어원 우리말 다듬기 누리집

17 ③   **18** ①, ④   **19** ②

20 예 고생하시는 경찰관분들께 고마운 마음을 전 하려고 누리집 게시판에 글을 쓴 적이 있다.

평가 교재

1 '봄비 내리는 소리'와 '교향악'은 여러 가지 소리가 섞여서 들린다는 공통점이 있습니다. 그래서 '봄비 내리는 소리'를 '교향악'에 비유하여 표현한 것입니다.

2 지붕을 큰북에 비유했고, 세숫대야 바닥을 작은북에 비유했습니다.

3 ㉠에 쓰인 은유법은 '~은/는 ~이다'로 빗대어 표현하는 방법입니다.

4 윗동네와 아랫동네 사람들은 황금 사과를 서로 가지겠다고 싸웠습니다.

5 두 동네 사이에 무엇 때문에 어떤 일이 벌어졌는지 정리해 봅니다.

> 채점 기준 두 동네 사람들이 황금 사과를 서로 가지겠다고 땅바닥에 금을 그은 내용을 썼으면 정답으로 합니다.

6 여자아이는 과거에는 있었지만 사라진 직업의 종류에 대해 발표하고 있습니다.

7 발표할 때 자료는 듣는 사람의 이해를 돕고 더 쉽게 설명할 수 있는 것으로 고릅니다. 말할 내용의 특성에 따라 활용할 수 있는 자료가 달라집니다.

8 자료를 활용할 때 자료가 너무 길거나 복잡하지 않아야 합니다.

9 글의 내용을 요약하고 주장을 다시 한번 강조하고 있습니다.

10 자연을 보호하자는 주장이 담긴 글입니다.

11 '바늘 가는 데 실 간다'와 같이 사람의 긴밀한 관계를 비유적으로 이르는 말이 어울립니다.

12 순한 사람도 계속 업신여기면 참지 않는다는 뜻입니다.

13 '독장수구구는 독만 깨뜨린다.'는 실현성이 없는 허황된 계산은 도리어 손해만 가져온다는 뜻입니다.

14 볼거리가 많기 때문에 융건릉과 용주사를 추천을 했을 것입니다.

15 ㉠은 '배가 부르다'와 같이 사용할 때 쓰는 뜻입니다.

16 국립국어원 우리말 다듬기 누리집에서 자료를 수집해 사례집을 만들었습니다.

17 신문 형식으로 사례집을 만들었습니다.

18 이순신은 아들이 죽은 상황에서 이를 악물고 이제는 끝내야만 한다고 생각했습니다.

> 보충 자료 **이순신의 생각에 담긴 뜻**
>
> '이제는 끝내야만 해.'
>
> ↓
>
> 아들의 죽음이라는 큰 고난 앞에서도 흔들리지 않고 자신과 나라가 처한 상황을 극복하려고 생각함.

19 이순신이 한 말과 행동에서 편안함을 추구하는 모습은 나타나 있지 않습니다.

20 마음을 나누는 글을 써 본 경험 가운데에서 고마운 마음을 나누는 글을 쓴 경험을 떠올립니다.

> 채점 기준 고마운 마음을 나누는 글을 썼던 경험을 알맞게 썼으면 정답으로 합니다.

초6 김 ○○ 학생에 대한 **진단명**

갑자기 찾아온 공부 슬럼프, 단 하나의 처방은
공부력 향상 프로그램 피어나다입니다!

공부력이 향상되는 5 in 1 토탈 에듀 케어

진단검사
한국심리학회 공인
학습·마음 상태 점검

모둠 코칭
또래 친구들과 함께
성장력과 학습전략 UP

1:1 상담
전문 코치가 이끄는
개별 맞춤 코칭

학부모 상담
아이를 이해하는
가정 연계 분석 상담

스마트 플래너
앱으로 완성하는
목표 관리·습관

공부 친구들과 함께하는 원격 수업으로 매일 매일 **공부 생명력이 피어나다**

· 심리학 기반 검증된 성장 코칭 커리큘럼을 통해 자기 주도력 향상
· 석박사 이상 전문 코치의 체계적인 코칭으로 공부 습관 완성
· 교육업계 유일 한국심리학회 인증 진단검사로 개인 맞춤 솔루션 제공

내가 공부의 주인공이 되는
피어나다가 궁금하다면?
무료 코칭 받아보기

한·끝·시·리·즈 교과서 학습부터 평가 대비까지 한 권으로 끝! 국어 공부의 진리입니다.

대표전화 1544-0554

주소 서울특별시 구로구 디지털로33길 48 대륭포스트타워 7차 20층

협의 없는 무단 복제는 법으로 금지되어 있습니다.

비상 누리집에서 더 많은 정보를 확인해 보세요,
http://book.visang.com/

15개정 교육과정

'평가 교재'는 본책에서 쉽게 분리할 수 있도록 제작되었으므로
유통 과정에서 분리될 수 있으나 파본이 아닌 정상제품입니다.

중간·기말 평가 대비
- 중간 평가
- 기말 평가(중간 이후)
- 기말 평가(전 범위)

한끝 평가 교재

초등국어
6·1

단원 평가 대비
- 단원 평가 2회
- 서술형 평가
- 수행 평가

중간·기말 평가 대비
- 중간 평가
- 기말 평가(중간 이후)
- 기말 평가(전 범위)

책 속의 가접 별책 (특허 제 0557442호)

'평가 교재'는 본책에서 쉽게 분리할 수 있도록 제작되었으므로
유통 과정에서 분리될 수 있으나 파본이 아닌 정상제품입니다.

ABOVE IMAGINATION

우리는 남다른 상상과 혁신으로
교육 문화의 새로운 전형을 만들어
모든 이의 행복한 경험과 성장에 기여한다

한끝 평가 교재

초등 국어 **6·1**

[1~3] 글을 읽고, 물음에 답하시오.

> "뻥이요. 뻥!"
>
> 봄날 꽃잎이 흩날리는 것처럼 아름답게 보였습니다.
> 아니야, 아니야, 나비가 날아갑니다.
> 아니야, 아니야, 함박눈이 내리는 거야.
>
> 맞아요, 맞아요, 폭죽입니다.
>
> 하얀 연기 고소하고요.
>
> 가을날 메밀꽃 냄새가 납니다.
> 아니야, 아니야, 새우 냄새가 납니다.
> 아니야, 아니야, 멍멍이 냄새가 납니다.
>
> 맞아요, 맞아요, ㉠옥수수 냄새입니다.

1 무엇을 하는 상황입니까? ( )

① 옥수수를 따는 상황
② 뻥튀기를 튀기는 상황
③ 함박눈을 맞고 있는 상황
④ 불꽃놀이를 구경하는 상황
⑤ 메밀꽃에 앉은 나비를 잡는 상황

2 뻥튀기가 사방으로 날리는 모양을 비유하는 표현이 <u>아닌</u> 것은 무엇입니까? ( )

① 폭죽이 터지는 모습
② 나비가 날아가는 모습
③ 함박눈이 내리는 모습
④ 새우가 펄떡이는 모습
⑤ 봄날에 꽃잎이 흩날리는 모습

3 '뻥튀기 냄새'를 ㉠'옥수수 냄새'에 비유한 까닭은 무엇인지 쓰시오.
( )

[4~5] 시를 읽고, 물음에 답하시오.

> **봄비**
>
> 해님만큼이나
> ㉠큰 은혜로
> 내리는 교향악
>
> 이 세상
> 모든 것이 다
> 악기가 된다.
>
> 달빛 내리던 지붕은
> 두둑 두드둑
> 큰북이 되고
>
> 아기 손 씻던
> 세숫대야 바닥은
>
> 도당도당 도당당
> 작은북이 된다.
>
> 앞마을 냇가에선
> 퐁퐁 포옹 퐁
> 뒷마을 연못에선
> 풍풍 푸웅 풍
>
> 외양간 엄마 소도 함께
> 댕그랑댕그랑
>
> 엄마 치마 주름처럼
> 산들 나부끼며
> 왈츠
> 봄의 왈츠
> 하루 종일 연주한다.

4 ㉠'큰 은혜로 내리는 교향악'은 무엇을 표현한 것인지 쓰시오.
( )

5 이 시에서 다음 대상을 비유하는 표현을 찾아 알맞게 선으로 이으시오.

(1) 이 세상 모든 것 • • ① 큰북

(2) 지붕 • • ② 악기

(3) 세숫대야 바닥 • • ③ 작은북

[6~8] 시를 읽고, 물음에 답하시오.

풀잎과 바람

나는 풀잎이 좋아, ㉠풀잎 같은 친구 좋아
바람하고 엉켰다가 풀 줄 아는 풀잎처럼
헤질 때 또 만나자고 손 흔드는 친구 좋아.

나는 바람이 좋아, 바람 같은 친구 좋아
풀잎하고 헤졌다가 되찾아 온 바람처럼
만나면 얼싸안는 바람, 바람 같은 친구 좋아.

6 이 시에서 친구를 무엇무엇에 비유하였는지 두 가지 고르시오. (,   )

① 손
② 꽃
③ 풀잎
④ 바람
⑤ 나무

논술형

7 ㉠의 비유하는 표현을 새로운 표현으로 바꾸어 쓰시오.

_____ 같은 친구 좋아

_____ 처럼

8 이 시처럼 우리에게 익숙한 대상을 비유하는 표현을 살려 표현하면 좋은 점을 바르지 <u>않게</u> 말한 친구는 누구인지 쓰시오.

> 호진: 비유하는 표현을 보니 친구가 새롭게 느껴졌어.
> 규철: 비유하는 표현을 사용하니 친구에 대한 친근함이 없어졌어.
> 승희: 익숙한 대상도 비유하는 표현을 사용하면 새롭게 느껴지는 걸 알았어.

(   )

9 '친구'를 발전소에 비유하여 표현하였다면 둘의 공통점은 무엇일지 쓰시오.

대상	비유하는 표현	공통점
친구	발전소	

10 시 낭송을 잘하는 방법을 알맞게 말한 친구는 누구인지 쓰시오.

> 진수: 최대한 빨리 읽어야 해.
> 재영: 작은 목소리로 조심스럽게 읽어야 해.
> 미나: 노래하듯이 부드럽고 자연스럽게 읽어야 해.

(   )

[1~3] 글을 읽고, 물음에 답하시오.

> ### "뻥이요. 뻥!"
>
> 봄날 꽃잎이 흩날리는 것처럼 아름답게 보였습니다.
> 아니야, 아니야, 나비가 날아갑니다.
> 아니야, 아니야, 함박눈이 내리는 거야.
>
> 맞아요, 맞아요, 폭죽입니다.
>
> 하얀 연기 고소하고요.
>
> 가을날 메밀꽃 냄새가 납니다.
> 아니야, 아니야, 새우 냄새가 납니다.
> 아니야, 아니야, 멍멍이 냄새가 납니다.
>
> 맞아요, 맞아요, 옥수수 냄새입니다.

1 뻥튀기가 사방으로 날리는 모양을 '봄날 꽃잎'에 비유한 까닭은 무엇인지 쓰시오.

(   )

2 다음 중 뻥튀기 냄새를 비유하여 표현한 것이 아닌 것은 어느 것입니까? (   )

① 폭죽 냄새　　② 새우 냄새
③ 메밀꽃 냄새　　④ 멍멍이 냄새
⑤ 옥수수 냄새

논술형
3 자신은 뻥튀기를 어떤 사물에 비유하여 표현하고 싶은지 그 까닭과 함께 쓰시오.

_____

_____

[4~5] 시를 읽고, 물음에 답하시오.

> ### 봄비
>
> 해님만큼이나
> 큰 은혜로
> 내리는 교향악
>
> 이 세상
> 모든 것이 다
> 악기가 된다.
>
> 달빛 내리던 지붕은
> 두둑 두드둑
> 큰북이 되고
>
> 아기 손 씻던
> 세숫대야 바닥은
>
> 도당도당 도당당
> 작은북이 된다.
>
> 앞마을 냇가에선
> 풍풍 포옹 퐁
> 뒷마을 연못에선
> 풍풍 푸웅 풍
>
> 외양간 엄마 소도 함께
> 　댕그랑댕그랑
>
> 엄마 치마 주름처럼
> 산들 나부끼며
> 왈츠
> 봄의 왈츠
> 하루 종일 연주한다.

4 이 시에서 운율이 느껴지는 부분을 한 군데만 찾아 쓰시오.

(   )

5 '지붕'을 '큰북'에 비유한 까닭으로 알맞은 것은 어느 것입니까? (   )

① 큰 소리가 나기 때문에
② 작은 소리가 나기 때문에
③ 밤에만 소리가 나기 때문에
④ 여러 가지 소리가 나기 때문에
⑤ 아무 소리도 나지 않기 때문에

1
단원

[6~8] 시를 읽고, 물음에 답하시오.

나는 풀잎이 좋아, ㉠풀잎 같은 친구 좋아
바람하고 엉켰다가 풀 줄 아는 풀잎처럼
헤질 때 또 만나자고 손 흔드는 친구 좋아.

나는 바람이 좋아, 바람 같은 친구 좋아
풀잎하고 헤졌다가 되찾아 온 바람처럼
만나면 얼싸안는 바람, 바람 같은 친구 좋아.

6 ㉠과 같이 직유법으로 표현한 것이 <u>아닌</u> 것은 무엇입니까? ( )

① 내 마음은 호수
② 새우처럼 굽은 등
③ 새처럼 재잘대는 아이들
④ 난로처럼 따뜻한 엄마 품
⑤ 천사같이 착한 우리 누나

7 친구를 바람과 풀잎에 비유할 때 얻는 효과를 <u>두 가지</u> 고르시오. (,)

① 친구의 성격을 바꿀 수 있다.
② 친구가 정겹고 친근하게 느껴진다.
③ 친구가 나를 더 좋아하게 할 수 있다.
④ 친구에게 자연의 아름다움을 알릴 수 있다.
⑤ 친구의 모습을 훨씬 구체적으로 느낄 수 있다.

논술형

8 이 시를 읽고 떠오르는 생각이나 느낌을 비유하는 표현과 관련하여 쓰시오.

_____

_____

9 '친구'를 '바다'에 비유하여 표현하려고 합니다. 두 대상의 공통점으로 가장 알맞은 것은 무엇입니까? ( )

① 깊고 넓다.
② 잘 웃는다.
③ 색이 파랗다.
④ 착하고 순박하다.
⑤ 책에서만 볼 수 있다.

10 친구들과 시화전을 열기로 하였습니다. 시에 어울리는 그림을 그리는 방법으로 알맞지 <u>않은</u> 것은 어느 것입니까? ( )

① 그림은 시를 잘 표현해야 한다.
② 시의 장면을 상상하며 그림을 그린다.
③ 시 내용이 잘 드러나게 그림을 그린다.
④ 그림이 시 읽는 것을 방해하면 안 된다.
⑤ 시보다 그림을 더 중요하게 표현해야 한다.

서술형평가 1. 비유하는 표현

[1~2] 글을 읽고, 물음에 답하시오.

> "뻥이요, 뻥!"
>
> 봄날 꽃잎이 흩날리는 것처럼 아름답게 보였습니다.
> 아니야, 아니야, 나비가 날아갑니다.
> 아니야, 아니야, 함박눈이 내리는 거야.
>
> 맞아요, 맞아요, 폭죽입니다.

1 뻥튀기가 사방으로 날리는 모양을 '나비, 함박눈, 폭죽'으로 비유한 까닭은 무엇인지 쓰시오. [5점]

2 '뻥튀기'를 다른 사물에 비유하여 표현한 까닭은 무엇일지 쓰시오. [5점]

[3~4] 시를 읽고, 물음에 답하시오.

봄비

해님만큼이나
큰 은혜로
내리는 교향악

이 세상
모든 것이 다
악기가 된다.

달빛 내리던 지붕은
두둑 두드둑
큰북이 되고

아기 손 씻던
세숫대야 바닥은

도당도당 도당당
작은북이 된다.

앞마을 냇가에선
퐁퐁 포옹 퐁
ⓛ 뒷마을 연못에선
풍풍 푸웅 풍

3 ㉠은 어떤 장면을 표현한 것인지 쓰시오. [5점]

4 이 시와 같이 봄비 내리는 장면에서 떠올릴 수 있는 대상을 다른 악기에 비유하여 그 까닭과 함께 쓰시오. [5점]

[5~6] 시를 읽고, 물음에 답하시오.

> 나는 풀잎이 좋아, ㉠풀잎 같은 친구 좋아
> 바람하고 엉켰다가 풀 줄 아는 풀잎처럼
> 헤질 때 또 만나자고 손 흔드는 친구 좋아.
>
> 나는 바람이 좋아, 바람 같은 친구 좋아
> 풀잎하고 헤졌다가 되찾아 온 바람처럼
> 만나면 얼싸안는 바람, 바람 같은 친구 좋아.

5 '풀잎 같은 친구'가 좋다고 한 까닭은 무엇인지 쓰시오. [5점]

6 이 시와 같이 친구란 어떤 의미인지 생각해 보고, 그 의미를 비유하는 표현을 사용해 ㉠처럼 나타내 보시오. [5점]

(1) 의미	(2) 비유하는 표현	(3) 비유한 까닭

수행평가   1. 비유하는 표현

관련 성취 기준	비유적 표현의 특성과 효과를 살려 생각과 느낌을 다양하게 표현한다.
평가 목표	비유하는 표현을 생각하며 시를 읽을 수 있다.

[1~3] 비유하는 표현을 생각하며 시를 읽어 봅시다.

풀잎과 바람

나는 풀잎이 좋아, ㉠풀잎 같은 친구 좋아
바람하고 엉켰다가 풀 줄 아는 풀잎처럼
헤질 때 또 만나자고 손 흔드는 친구 좋아.

나는 바람이 좋아, 바람 같은 친구 좋아
풀잎하고 헤졌다가 되찾아 온 바람처럼
만나면 얼싸안는 바람, 바람 같은 친구 좋아.

1 '친구'와 '풀잎', '바람'의 공통점은 무엇인지 쓰시오.   [10점]

(1) 친구와 '풀잎'의 공통점	(2) 친구와 '바람'의 공통점

2 이 시처럼 친구를 무엇에 비유하고 싶은지 그 까닭과 함께 쓰시오.   [10점]

(1) 비유하는 표현	(2) 비유한 까닭

3 2번 문제에서 답한 내용을 바탕으로 ㉠ 부분을 바꾸어 쓰시오.   [10점]

단원평가 1회 2. 이야기를 간추려요

[1~2] 글을 읽고, 물음에 답하시오.

㉮ 나무는 두 동네를 정확하게 반으로 가르는 곳에 있었지.
하지만 아무도 그 나무를 눈여겨보지 않았어.
그 나무에 황금 사과가 열린다는 걸 누군가 알아채기 전까지는 말이야.
㉯ 다들 황금 사과를 갖겠다고 아우성이었지.
할 수 없이 사람들은 모여서 의논을 했어.
"이 나무는 우리 두 동네의 한가운데에 있습니다. 그러니 잘 나누기 위해 땅바닥에 금을 그읍시다."
㉰ 하지만 사람들은 곧 약속을 어겼어.
사과를 따려고 금을 넘어가기 시작한 거야.
두 동네 사이에는 다시 싸움이 일어났지.
결국 금보다 더 확실하고 분명한 방법이 있어야 했어.
이런저런 생각 끝에 사람들은 드나들 수 있는 작은 문이 달린 나무 울타리를 세웠지.
그렇지만 나무 울타리도 사람들의 욕심을 막을 수가 없었어.
사람들은 이제 담을 쌓기 시작했어.
사방이 꽉 막힌 높고 단단한 담을.

1 두 동네 사람들은 왜 싸웠습니까? (　　)

① 담을 낮게 쌓아서
② 담을 튼튼하게 쌓지 않아서
③ 황금 사과를 서로 가지고 싶어서
④ 문이 달린 나무 울타리가 고장나서
⑤ 동네 가운데에 있던 나무가 없어져서

서술형

2 두 동네 사이에 어떤 일이 일어났는지 정리하시오.

두 동네의 한가운데에 있는 사과나무에 황금 사과가 열렸다.

⬇

(　　　　　　　　　　)

[3~5] 글을 읽고, 물음에 답하시오.

옛날, 전라남도 영암 땅에서 있던 일이다.
영암 원님이 죽어서 염라대왕 앞으로 끌려갔다.
"염라대왕님, 소인은 아직 할 일이 많습니다. 그런데 벌써 저를 데려오셨습니까? 이승에서 좀 더 살게 해 주십시오."
원님은 머리를 조아리며 간청했다. 그러자 염라대왕은 수명을 적어 놓은 책을 들여다보고는 아직 원님이 나이가 젊어 딱하다는 생각이 들었다.
"좋다, 내 마음이 변하기 전에 얼른 사라져라."
염라대왕은 원님을 저승사자에게 돌려보냈다.
"이승으로 나가려는데 어떻게 가면 될까요?"
"여기까지 데려왔는데 그냥 보내 줄 수는 없다. 너 때문에 헛걸음을 했으니 수고비를 내놓아라."
"어떡하지요? 지금 저는 빈털터리인데……."
"그러면 저승에 있는 네 곳간에서라도 내놓아라."

3 이 글과 같이 이야기 구조에서 이야기의 사건이 시작되는 부분을 무엇이라고 하는지 쓰시오.

(　　　　　　　　)

4 저승사자는 원님에게 수고비를 어디에서 내놓으라고 하였는지 쓰시오.

(　　　　　　　　)

5 이와 같은 이야기를 요약하는 방법으로 알맞지 않은 것은 어느 것입니까? (　　)

① 중요하지 않은 내용은 삭제한다.
② 관련 있는 사건은 하나로 묶는다.
③ 재미있는 내용을 가장 앞에 둔다.
④ 중요한 사건이 일어난 원인과 그에 따른 결과를 찾는다.
⑤ 이야기 구조를 생각하며 각 부분에서 중요한 사건이 무엇인지 찾는다.

[6~8] 글을 읽고, 물음에 답하시오.

> 종이 할머니는 빈 상자를 포기할 수 없었어. 한번 포기하면 다른 곳의 상자나 폐지도 흉측하게 생긴 이 노인에게 빼앗길지 모르니까.
>
> "내 거여! 이 동네에서 폐지 줍는 노인네들은 다 아는구면."
>
> 하지만 눈에 혹이 난 할머니는 아무 대꾸도 없이 상자를 실은 유모차를 끌고 가려고 했어.
>
> 울뚝, 화가 치밀어 오른 종이 할머니는 눈에 혹이 난 할머니의 팔을 잡고는 힘껏 밀어 버렸어. 벌러덩, 눈에 혹이 난 할머니는 힘없이 넘어졌어.

6 종이 할머니가 빈 상자를 포기할 수 없었던 까닭은 무엇입니까? ( )

① 폐지 줍는 노인들이 준 것이어서
② 종이 할머니가 모아 놓은 상자여서
③ 눈에 혹이 난 할머니가 계속 가져가서
④ 눈에 혹이 난 할머니가 자신을 밀어서
⑤ 한번 포기하면 다른 곳의 상자나 폐지도 빼앗길 것 같아서

7 이 글에서 알 수 있는 종이 할머니의 감정으로 가장 알맞은 것은 무엇입니까? ( )

① 기쁨. ② 부러움.
③ 행복함. ④ 화가 남.
⑤ 감동적임.

서술형
8 이 글의 중요한 사건을 정리하여 쓰시오.

_____

_____

[9~10] 「소나기」의 중요한 내용을 간추린 글을 읽고, 물음에 답하시오.

이야기 구조	사건의 중심 내용 간추리기
발단	소년은 집으로 돌아가던 길에 개울가에서 물장난하는 소녀와 마주치고 소녀가 던진 조약돌을 간직한다.
전개 	소년과 소녀가 가까워져 함께 산으로 놀러 간다.
절정 	산에서 소나기를 만난 소년과 소녀는 수숫단 속에서 비를 피한다. 며칠 뒤 다시 만난 소녀는 그동안 많이 아팠으며 곧 이사를 간다고 쓸쓸해한다.
결말	며칠 뒤, 소년은 소녀가 앓다가 죽었다는 소식을 듣게 된다. 소녀의 유언은 자신이 입던 옷을 그대로 입혀서 묻어 달라는 것이었다.

9 「소나기」의 중요한 사건이 아닌 것은 어느 것입니까? ( )

① 소녀가 멀리 이사 갔다.
② 소년과 소녀가 산으로 놀러 갔다.
③ 소년과 소녀가 산에서 소나기를 만났다.
④ 소년은 소녀가 던진 조약돌을 간직했다.
⑤ 소년은 소녀가 앓다가 죽었다는 소식을 들었다.

10 이 이야기 매체의 특성을 묻는 질문을 한 가지 쓰시오.

( )

[1~3] 글을 읽고, 물음에 답하시오.

> ㉮ "엄마, 저 담 너머에는 누가 살아요?"
> "쉿! 아가야, 절대로 저 담 옆에 가면 안 돼. 저 담 너머에는 무시무시한 괴물들이 산단다."
> ㉯ 그런데 담 쪽으로 다가가 보니 작은 문이 언뜻 보이는 거야.
> 몸이 오싹거렸지만 그 아이는 계속 다가갔어.
> 열쇠 구멍에서 희미한 빛이 새어 나왔거든.
> 아이는 무서운 마음을 꾹 누르고 구멍 속을 들여다보았어.
> "와, 세상에 이럴 수가!"
> 아이의 눈에 보인 건 공을 가지고 즐겁게 노는 아이들이었어.

1 엄마는 아이에게 담 너머에 누가 산다고 하였는지 쓰시오.

(   )

2 이 글에 나오는 아이의 성격은 어떠하겠습니까? (   )

① 건방지다.   ② 게으르다.
③ 용기 있다.   ④ 무뚝뚝하다.
⑤ 잘난 체한다.

서술형

3 이 글의 내용을 정리하여 쓰시오.

아이가 엄마께 담 너머에 누가 사느냐고 묻자 엄마는 괴물이 산다고 했다.

↓

4 이야기 구조에서 '절정' 부분에 대한 설명으로 알맞은 것은 어느 것입니까? (   )

① 갈등이 일어나는 부분이다.
② 이야기의 사건이 시작되는 부분이다.
③ 인물이 처음으로 등장하는 부분이다.
④ 사건이 본격적으로 발생하는 부분이다.
⑤ 사건 속의 갈등이 커지면서 긴장감이 가장 높아지는 부분이다.

[5~6] 글을 읽고, 물음에 답하시오.

> "너에게 빚진 쌀 삼백 석을 갚으러 왔느니라."
> 그러자 덕진은 어리둥절하며 원님을 쳐다보았다.
> "하여튼 받아 두어라. 먼 훗날, 너도 알게 될 것이니라."
> 덕진이 받을 수 없다고 하자 원님은 강제로 쌀을 떠맡겼다.
> 원님이 가고 난 다음에도 덕진은 영문을 몰라 그 자리에 멍하게 서 있었다. 덕진은 어머니와 함께 쌀을 어떻게 할 것인지 의논했다.
> "나도 영문을 모르겠구나. 무슨 까닭이 있는 것 같긴 한데…… 네가 주인이니 네 뜻대로 해라."
> 그날 밤, 덕진은 이리저리 몸을 뒤척이며 고민하다가 결론을 내렸다.
> '어차피 내 쌀이 아니니 좋은 일에 쓰도록 하자.'
> 그리하여 덕진은 쌀을 팔아서 마을 앞을 가로지르는 강가에 다리를 놓기로 했다.

5 덕진은 쌀 삼백 석을 어떻게 하기로 했습니까? (   )

① 빚을 갚기로 했다.
② 자신이 갖기로 했다.
③ 어머니께 드리기로 했다.
④ 원님에게 돌려주기로 했다.
⑤ 쌀을 팔아서 마을 앞 강가에 다리를 놓기로 했다.

6 다음은 이 글의 이야기 구조에 따라 사건의 중심 내용을 간추린 것입니다. 빈칸에 들어갈 알맞은 말을 쓰시오.

이야기 구조	사건의 중심 내용 간추리기
결말	덕진이 원님에게 받은 쌀로 마을 앞을 가로지르는 강가에 ( ).

[7~9] 글을 읽고, 물음에 답하시오.

"심심하면…… 놀러 오우. 우리 집은 도서관 뒷골목 세 번째 집이라오. 참, 대문 안쪽에 폐지들이 쌓여 있어서 금방 찾을 수 있다우."

종이 할머니는 손수레를 끌며 고물상으로 향했어. 그리고 이제는 허리를 구부리지 않았어. 더 이상 고개도 수그리지 않았지.

여러 계절이 왔다가 가고, 다시 왔다가 갔단다. 종이 할머니는 여전히 폐지를 모았어. 그렇지만 이제는 혼자가 아니야. 눈에 혹이 난 할머니와 같이 주웠어. 그리고 ⊙저녁이 되면 따뜻한 밥도 같이 먹고 생강차도 나누어 마셨지.

종이 할머니는 벽에 붙여 놓은 우주 그림을 보며 잠깐잠깐 이런 생각에 빠졌단다.

'여기가 우주 호텔이 아닌가? 여행을 하다가 잠시 이렇게 쉬어 가는 곳이니……, 여기가 바로 우주의 한가운데지.'

7 ⊙ 부분에서 알 수 있는 할머니의 감정으로 알맞은 것은 무엇입니까? (   )

① 힘듦.   ② 슬픔.
③ 행복함.   ④ 귀찮음.
⑤ 화가 남.

8 이 글의 중요한 사건을 간추린 것을 두 가지 고르시오. (,   )

① 종이 할머니는 고물상으로 향한다.
② 종이 할머니는 우주 그림을 그린다.
③ 종이 할머니는 폐지 모으는 일을 그만둔다.
④ 종이 할머니는 눈에 혹이 난 할머니와 친구처럼 지낸다.
⑤ 종이 할머니는 자신이 사는 곳이 바로 우주 호텔이라고 생각한다.

9 이 글의 글쓴이가 전하고 싶은 주제로 가장 알맞은 것은 무엇이겠습니까? (   )

① 이웃과 더불어 살면 행복해진다.
② 여행을 다니면 많은 것을 배울 수 있다.
③ 부지런한 생활을 하면 삶을 바꿀 수 있다.
④ 자신이 맡은 일을 열심히 하는 것이 중요하다.
⑤ 적은 것이라도 열심히 모으면 많은 양이 된다.

논술형
10 「소나기」에서 다음과 같은 사건에 대한 자신의 생각이나 느낌을 쓰시오.

소나기가 멎은 뒤에 소년이 소녀를 업고 물이 불어나 돌다리가 없어진 개울을 건너는 장면

_____

_____

서술형 평가 2. 이야기를 간추려요

[1~2] 글을 읽고, 물음에 답하시오.

㉮ 사람들은 황금 사과를 따려고 마법의 나무 주위로 벌 떼처럼 우르르 몰려들었어.
"이 사과들은 우리 거예요!"
"천만에! 이건 우리 것입니다."
㉯ "이 나무는 우리 두 동네의 한가운데에 있습니다. 그러니 잘 나누기 위해 땅바닥에 금을 그읍시다."
㉰ 하지만 사람들은 곧 약속을 어겼어.
사과를 따려고 금을 넘어가기 시작한 거야.
두 동네 사이에는 다시 싸움이 일어났지.
㉱ 사람들은 이제 담을 쌓기 시작했어.
사방이 꽉 막힌 높고 단단한 담을.
그런 다음 양쪽에 보초를 세우고 담을 넘는 사람이 있나 잘 감시했지.
㉲ 언제 담을 세웠는지, 왜 세웠는지조차 사람들은 까맣게 잊고 만 거야.
담을 넘는 사람들이 없어지자 보초도 사라졌고, 황금 사과까지 사라졌어.
오직 남은 것은 가슴 깊숙이 뿌리박힌 서로 미워하는 마음뿐이었지.

1 황금 사과를 서로 가지겠다고 땅바닥에 금을 긋고 담을 쌓은 사람들의 행동에 대한 자신의 생각이나 느낌을 쓰시오. [6점]

_____

_____

2 이 글의 주제는 무엇일지 쓰시오. [6점]

_____

_____

3 다음 글의 중심 내용을 간추려 쓰시오. [6점]

옛날, 전라남도 영암 땅에서 있던 일이다.
영암 원님이 죽어서 염라대왕 앞으로 끌려갔다. / "염라대왕님, 소인은 아직 할 일이 많습니다. 그런데 벌써 저를 데려오셨습니까? 이승에서 좀 더 살게 해 주십시오."
원님은 머리를 조아리며 간청했다. 그러자 염라대왕은 수명을 적어 놓은 책을 들여다보고는 아직 원님이 나이가 젊어 딱하다는 생각이 들었다.
"좋다, 내 마음이 변하기 전에 얼른 사라져라."

_____

_____

[4~5] 글을 읽고, 물음에 답하시오.

할머니는 이리저리 땅을 살폈어. 종이를 찾는 거야. 무게가 조금도 나가지 않을 것 같은 작은 종이라도, 할머니의 눈에는 무게가 있어 보였거든. 그래서 점점 더 등을 납작하게 구부리고 땅을 뚫어져라 살피게 되었어. 그럴수록 할머니는 하늘을 쳐다보는 일이 줄어들었지. 어느 날부터인가 하늘이 어떻게 생겼는지, 구름이 어떻게 흘러가는지도 까맣게 잊게 되었단다. / 그런 할머니를 사람들은 '종이 할머니'라고 불렀어.

4 할머니는 왜 '종이 할머니'라고 불렸는지 쓰시오. [6점]

_____

_____

5 이 글의 중요한 사건을 정리하여 쓰시오. [6점]

_____

_____

수행평가

2. 이야기를 간추려요

6학년   반   점수

이름   / 30점

관련 성취 기준	글의 구조를 고려하여 글 전체의 내용을 요약한다.
평가 목표	이야기를 읽고 요약할 수 있다.

[1~3] 이야기 구조를 생각하며 글을 읽어 봅시다.

가 "그런 법이 어디 있어!"

눈에 혹이 난 할머니가 벌그데데한 낯빛이 되어 쏘아붙였어. 그 소리는 마치 혹이 난 눈에서 나는 것 같았어. 섬뜩하고 소름이 끼쳤지. 하지만 종이 할머니는 빈 상자를 포기할 수 없었어. 한번 포기하면 다른 곳의 상자나 폐지도 흉측하게 생긴 이 노인에게 빼앗길지 모르니까.

나 종이 할머니는 우주 속에 떠 있는 포도 모양의 성을 가리켰어.

"그란디 저건 뭐여?" / "우주 호텔." / "우주 호텔이 뭐여? 우주에도 호텔이 있단 말이여?"

"네, 우주는 아주아주 넓은 곳이니까요. 우주 호텔은 우주를 여행하다가 쉬는 곳이에요. 목성에 갔다가 쉬고, 토성에 갔다가 쉬고……. 우주여행은 무척 힘들어요. 그래서 우주 호텔에 들러 잠깐 쉬는 거예요. 외계인 친구를 만나서 차도 마시면서요."

다 여러 계절이 왔다가 가고, 다시 왔다가 갔단다. 종이 할머니는 여전히 폐지를 모았어. 그렇지만 이제는 혼자가 아니야. 눈에 혹이 난 할머니와 같이 주웠어. 그리고 저녁이 되면 따뜻한 밥도 같이 먹고 생강차도 나누어 마셨지.

종이 할머니는 벽에 붙여 놓은 우주 그림을 보며 잠깐잠깐 이런 생각에 빠졌단다.

'여기가 우주 호텔이 아닌가? 여행을 하다가 잠시 이렇게 쉬어 가는 곳이니……, 여기가 바로 우주의 한가운데지.'

1 글 **가**~**다**는 이야기 구조 중 무엇에 해당하는지 쓰시오. [10점]

(1) 글 **가**	(2) 글 **나**	(3) 글 **다**

2 이 이야기의 주제는 무엇일지 쓰시오. [10점]

_____

_____

3 이 이야기의 중심 내용을 요약해 쓰시오. [10점]

[1~3] 글을 읽고, 물음에 답하시오.

> **나성실:** 안녕하세요? 저는 전교 학생회 회장단 선거에 입후보한 나성실입니다. 저는 가고 싶은 학교, 즐거운 학교를 만들고 싶어서 이 자리에 섰습니다. 우리 학교에서는 지난해에 학생들이 학교에 바라는 점을 설문 조사 했습니다. 학생들이 학교에 바라는 점 가운데에서 가장 많이 나온 의견은 바로 "깨끗한 화장실을 만들어 주세요."라는 의견으로 47퍼센트가 나왔습니다.
>
> **학생들:** 맞아요, 좋아요.
>
> **나성실:** 저는 이러한 여러분의 의견을 교장 선생님께 적극적으로 말씀드리고 전교 학생회에서도 의견을 모아 꼭 깨끗한 화장실을 만들겠습니다.

1 후보자는 어디에서 누구에게 말하고 있습니까?
( )

① 강당에서 부모님께 말하는 상황
② 교실에서 선생님께 말하는 상황
③ 운동장에서 선생님께 말하는 상황
④ 강당에서 학생들에게 말하는 상황
⑤ 운동장에 모인 몇몇의 친구들에게 말하는 상황

2 후보자가 소견을 발표할 때 무엇을 설문 조사 한 결과표를 사용했는지 쓰시오.
( )

3 이와 같은 상황에서 후보자의 말하기 태도로 알맞은 것은 어느 것입니까? ( )

① 다른 곳을 바라보며 말한다.
② 높임 표현을 사용해서 말한다.
③ 장난을 치며 재미있게 말한다.
④ 작은 목소리로 조심스럽게 말한다.
⑤ 친구에게 말하듯이 편안하게 말한다.

[4~5] 그림을 보고, 물음에 답하시오.

4 그림 ㉮, ㉯에서 각각 어떤 자료를 활용해 발표하였는지 쓰시오.

(1) 그림 ㉮: ( )
(2) 그림 ㉯: ( )

서술형
5 그림 ㉯에서 활용한 자료의 특성을 쓰시오.

_____

_____

6학년	반	점수
이름		

[6~7] 그림을 보고, 물음에 답하시오.

독도의 자연환경

독도는 동도와 서도, 딸린 섬 89개로 이루어져 있다.

6 그림과 같이 교실에서 학급 친구들에게 발표하는 상황의 특성으로 알맞은 것을 두 가지 고르시오.
(,)

① 소리를 내지 않고 발표한다.
② 여러 사람 앞에서 발표한다.
③ 큰 소리로 또박또박 발표한다.
④ 자료를 활용하지 않고 발표한다.
⑤ 듣는 사람을 직접 보지 않고 발표한다.

서술형
7 그림과 같이 발표자가 여행지의 자연환경을 사진 자료를 활용해서 발표한 까닭은 무엇일지 쓰시오.

_____

_____

_____

[8~9] 글을 읽고, 물음에 답하시오.

시작하는 말
안녕하세요? 1모둠 발표를 맡은 김대한입니다. 우리의 미래를 생각하면서 우리 모둠은 '미래에는 어떤 인재가 필요할까'라는 주제로 발표를 준비했습니다. 우리 모둠이 준비한 자료는 표와 동영상입니다. 자료를 보면서 발표를 들어 주십시오.

8 발표 주제는 무엇인지 쓰시오.
( )

9 시작하는 말에 들어가면 좋을 내용을 두 가지 고르시오. (,)

① 자료를 설명하는 내용
② 자료에 담긴 핵심 내용
③ 발표하려는 주제나 제목
④ 발표한 내용을 간단하게 정리하는 내용
⑤ 듣는 사람의 주의를 집중시킬 수 있는 내용

10 발표를 들을 때에 주의할 점이 아닌 것은 어느 것입니까? ( )

① 바른 자세로 듣는다.
② 발표하는 내용에 집중하며 듣는다.
③ 발표하는 내용 가운데에서 중요한 부분은 적으며 듣는다.
④ 발표하는 사람을 바라보면 긴장할 수 있으므로 아래를 본다.
⑤ 발표하는 내용과 방법에 어울리는 자료인지 생각하며 듣는다.

1 다음 중 공식적인 말하기 상황이 <u>아닌</u> 것은 어느 것입니까? (　　)

① 수업 시간에 발표하기
② 학급 회의에서 발표하기
③ 아침에 부모님께 인사하기
④ 회장 선거에서 소견 발표하기
⑤ 방송에서 아나운서가 뉴스 진행하기

2 다음 그림을 보고, 자료를 활용하지 않고 발표할 때와 자료를 활용해 발표할 때 듣는 사람의 반응에 알맞게 선으로 이으시오.

(1) **가** 자료를 활용하지 않고 발표할 때 ・

・① 친구가 어떤 음식을 소개하는지 잘 몰랐다.

(2) **나** 자료를 활용해 발표할 때 ・

・② 친구가 소개하는 음식이 무엇인지 한눈에 쉽게 알아보았다.

3 공식적인 말하기 상황의 특성이 <u>아닌</u> 것은 어느 것입니까? (　　)

① 큰 소리로 또박또박 말한다.
② 듣는 사람은 집중해서 듣는다.
③ 듣는 사람이 이해하기 쉽게 자료를 활용하면 좋다.
④ 여러 사람 앞에서 말하는 것이므로 높임 표현을 사용한다.
⑤ 사람들에게 많은 정보를 전달하기 위해 최대한 빨리 말한다.

[4~5] 다음을 보고, 물음에 답하시오.

우리 반 친구들이 좋아하는 운동				
종목	축구	배드민턴	줄넘기	합계
인원(명)	10	5	8	23

4 이와 같은 자료의 종류는 무엇인지 쓰시오.

(　　　　　　　)

5 이와 같은 자료의 특성으로 알맞은 것을 **두 가지** 고르시오. (　　,　　)

① 장면을 있는 그대로 보여 줄 수 있다.
② 여러 가지 자료의 수량을 비교할 수 있다.
③ 설명하는 대상의 정확한 모습을 알 수 있다.
④ 대상이 움직이는 모습을 잘 전달할 수 있다.
⑤ 대상의 수량이 얼마나 되는지 쉽게 알 수 있다.

서술형
6 발표할 내용에 알맞은 자료를 활용해서 말하면 좋은 점을 **한 가지** 쓰시오.

_____

_____

7 다음 그림을 보고 자료를 활용할 때에 주의할 점은 무엇인지 쓰시오.

자료가 너무 복잡해.

(   )

8 이 발표에서 활용한 동영상 자료에는 어떤 내용이 담겨 있는지 쓰시오.

(   )

3 단원

논술형

9 발표할 때에 동영상 자료를 마지막에 제시했다면 그 까닭은 무엇이겠는지 쓰시오.

_____

_____

[8~9] 글을 읽고, 물음에 답하시오.

자료

출처: 한국교육방송공사(2018), 「지식 채널 e: 일자리의 미래」

설명하는 말

　다음으로 준비한 자료는 한국교육방송공사에서 방송한 「일자리의 미래」입니다. 자료를 보면서 발표를 이어 가겠습니다.

　이 동영상에서는 2020년까지 사라지는 일자리는 510만 개로, 미래에는 한 사람이 평균 4~5개의 직업을 가져야 한다고 합니다. 우리가 이러한 미래 사회에서 성공하려면 여러 분야에서 다양한 능력을 갖춰야 합니다.

10 발표 상황을 생각하며 발표할 때에 주의할 점으로 알맞지 <u>않은</u> 것은 어느 것입니까? (   )

① 발표 상황의 특성을 생각한다.

② 멀리까지 잘 들리도록 큰 목소리로 말한다.

③ 준비한 자료를 차례에 맞게 잘 보여 주면서 말한다.

④ 자료를 보여 줄 때에는 친구들이 집중할 수 있도록 자세히 소개한다.

⑤ 인터넷에서 찾은 자료는 많이 활용할수록 좋으므로 빠짐없이 모두 제시한다.

서술형평가

3. 짜임새 있게 구성해요

6학년	반	점수
이름		/30점

1 공식적인 상황에서 말해 본 경험을 쓰시오. [6점]

_____

_____

2 다음과 같은 자료의 특성은 무엇인지 쓰시오. [6점]

_____

_____

3 다음 그림에서 발표자가 표를 활용해서 발표한 까닭은 무엇인지 쓰시오. [6점]

사라진 직업	사라진 까닭
물장수	수돗물이 집집마다 나오기 때문입니다.
전화 교환원	전화가 자동으로 연결되기 때문입니다.

이 표는 과거에는 있었지만 지금은 사라진 직업의 종류를 보여 줍니다. 기술이 발달해 사라진 직업이 많습니다.

_____

_____

[4~5] 글을 읽고, 물음에 답하시오.

시작하는 말

안녕하세요? 1모둠 발표를 맡은 김대한입니다. 우리의 미래를 생각하면서 우리 모둠은 '미래에는 어떤 인재가 필요할까'라는 주제로 발표를 준비했습니다. 우리 모둠이 준비한 자료는 표와 동영상입니다. 자료를 보면서 발표를 들어 주십시오.

자료 1   100대 기업의 인재상 변화

	2008년	2013년	2018년
1순위	창의성	도전 정신	소통과 협력
2순위	전문성	주인 의식	전문성
3순위	도전 정신	전문성	원칙과 신뢰
4순위	원칙과 신뢰	창의성	도전 정신
5순위	소통과 협력	원칙과 신뢰	주인 의식

■ 출처: 대한상공회의소, 2018.

설명하는 말

미래에는 어떤 인재가 필요할까요? 대한상공회의소에서 조사한 '100대 기업의 인재상 변화'에 따르면 2008년에는 창의성이 1순위였는데 2013년에는 도전 정신이, 2018년에는 소통과 협력이 1순위입니다. 이처럼 시대에 따라 필요한 인재상은 달라지고 있습니다.

4 **자료 1** 의 표 자료는 어떤 내용에 대한 것인지 쓰시오. [6점]

_____

_____

5 이와 같은 표 자료를 발표 내용 구성에서 제일 처음에 넣은 까닭은 무엇일지 쓰시오. [6점]

_____

_____

수행평가

3. 짜임새 있게 구성해요

6학년		반	점수
이름			/ 30점

관련 성취 기준	자료를 정리하여 말할 내용을 체계적으로 구성한다.
평가 목표	발표할 내용을 정리할 수 있다.

[1~3] 발표할 내용을 구성할 때에 활용할 자료를 생각하며 글을 읽어 봅시다.

자료 1 · 100대 기업의 인재상 변화

	2008년	2013년	2018년
1순위	창의성	도전 정신	소통과 협력
2순위	전문성	주인 의식	전문성
3순위	도전 정신	전문성	원칙과 신뢰
4순위	원칙과 신뢰	창의성	도전 정신
5순위	소통과 협력	원칙과 신뢰	주인 의식

■ 출처: 대한상공회의소, 2018.

설명하는 말

미래에는 어떤 인재가 필요할까요? 대한상공회의소에서 조사한 '100대 기업의 인재상 변화'에 따르면 2008년에는 창의성이 1순위였는데 2013년에는 도전 정신이, 2018년에는 소통과 협력이 1순위입니다. 이처럼 시대에 따라 필요한 인재상은 달라지고 있습니다.

자료 2

출처: 한국교육방송공사(2018), 「지식 채널 e: 일자리의 미래」

설명하는 말

이 동영상에서는 2020년까지 사라지는 일자리는 510만 개로, 미래에는 한 사람이 평균 4~5개의 직업을 가져야 한다고 합니다. 우리가 이러한 미래 사회에서 성공하려면 여러 분야에서 다양한 능력을 갖춰야 합니다. 경제협력개발기구[OECD]가 정리한 미래 핵심 역량은 도구 활용 능력, 사회적 상호 작용 능력, 자기 삶에 대한 자주적 관리 능력입니다.

1 글쓴이는 어떤 주제로 발표 자료를 준비했는지 쓰시오. [10점]

2 자료 1 과 자료 2 는 어떤 종류의 자료인지 쓰고, 이 자료의 특성을 쓰시오. [10점]

	자료 종류	자료 특성
자료 1	(1)	(2)
자료 2	(3)	(4)

3 이 발표 주제에 어울리는 자료를 추가한다면 자신이 활용하고 싶은 자료는 무엇인지, 발표할 내용은 무엇인지 쓰시오. [10점]

(1) 활용하고 싶은 자료	(2) 발표할 내용

[1~2] 글을 읽고, 물음에 답하시오.

지훈: 저는 동물원이 있어야 한다고 생각합니다. 그 까닭은 첫째, 동물원은 우리에게 큰 즐거움을 줍니다. 3000년 전에 이미 동물원을 만들었을 만큼 사람은 동물을 좋아하고 가까이해 왔습니다. 동물원에서는 쉽게 만날 수 없는 동물을 가까이에서 볼 수 있는데, 열대 지역에 사는 사자나 극지방에 사는 북극곰도 쉽게 만날 수 있습니다. 서울 동물원에만 한 해 평균 350만 명이 방문한다고 합니다. 이렇게 많은 사람이 동물원을 좋아하고 동물원에서 즐거움을 느낍니다. 둘째, 동물원은 동물을 보호해 줍니다. 야생에서는 약한 동물이 더 강한 동물에게 공격당하거나 먹이가 없어 굶어 죽기도 합니다. 동물원은 자유를 제한하더라도 먹이와 안전을 보장하기 때문에 동물에게 훨씬 이롭습니다. 최근에는 친환경 동물원으로 탈바꿈하는 곳도 많습니다. 동물들이 지내는 환경을 개선하면 동물원은 사람에게도, 동물에게도 이로운 곳이 될 것입니다.

1 지훈이의 주장은 무엇인지 쓰시오.

(   )

2 지훈이가 말한 주장을 뒷받침하는 근거 <u>두 가지</u>를 고르시오. (,   )

① 동물원은 동물을 보호해 준다.
② 동물원은 환경을 보호해 준다.
③ 동물원은 우리에게 큰 즐거움을 준다.
④ 동물원이 있으면 동물에 대한 연구를 할 수 있다.
⑤ 동물원은 사람들이 동물을 사랑하는 마음을 키워 준다.

[3~4] 글을 읽고, 물음에 답하시오.

요즘에 우리 전통 음식보다 외국에서 유래한 햄버거나 피자와 같은 음식을 더 좋아하는 어린이를 쉽게 볼 수 있습니다. 이러한 음식은 지나치게 많이 먹으면 건강이 나빠지기도 합니다. 그에 비해 우리 전통 음식은 오랜 세월에 걸쳐 전해 오면서 우리 입맛과 체질에 맞게 발전해 왔기 때문에 여러 가지 면에서 우수합니다. 우리 전통 음식을 사랑합시다. 왜 우리 전통 음식을 사랑해야 할까요?

서술형

3 글쓴이가 이 글을 쓴 목적은 무엇일지 쓰시오.

_____

_____

4 이 글에서 글쓴이가 제시한 문제 상황은 무엇입니까? (   )

① 우리 전통 음식을 찾기가 어렵다.
② 전통 예절을 잘 모르는 어린이가 많다.
③ 우리 전통 음식의 영양이 떨어지고 있다.
④ 음식을 너무 많이 먹어 비만인 어린이가 늘고 있다.
⑤ 우리 전통 음식보다 외국에서 유래한 음식을 더 좋아하는 어린이를 쉽게 볼 수 있다.

5 논설문의 서론에 들어갈 내용 <u>두 가지</u>를 고르시오. (,   )

① 문제 상황
② 글 내용 요약
③ 글쓴이의 주장
④ 주장에 대한 근거
⑤ 글쓴이의 주장을 다시 한번 강조

[6~8] 글을 읽고, 물음에 답하시오.

우리나라뿐만 아니라 세계 곳곳에서 벌어지는 자연 개발은 우리 삶을 위협한다. 이러한 무분별한 개발로 우리 삶의 터전인 자연은 몸살을 앓고, 이제 인류의 생존까지 위협하는 상황에 이르렀다. 우리는 자연의 목소리에 귀를 기울이고 자연을 보호해야 한다. 왜 자연을 보호해야 할까?

첫째, 자연은 한번 파괴되면 복원되기가 어렵다. 어린나무 한 그루가 아름드리나무로 성장하는 데 약 30년에서 50년이 걸린다고 한다. 우유 한 컵(150밀리미터)으로 오염된 물을 물고기가 살 수 있는 깨끗한 물로 만들려면 우유 한 컵의 약 2만 배의 물이 필요하다. 이처럼 환경을 오염시키는 것은 순식간이지만 오염된 환경을 되살리는 데는 수십, 수백 배의 시간과 노력이 든다. 자연의 힘이 아무리 위대해도 자정 능력을 넘어서는 오염을 감당하기는 어렵다.

6 글쓴이의 주장은 무엇인지 쓰시오.

( )

7 이 글에서 제시한 근거는 무엇입니까? ( )

① 사람들이 나무를 많이 심지 않는다.
② 자연은 한번 파괴되면 복원되기가 어렵다.
③ 우유가 물을 오염시킨다는 사실이 밝혀졌다.
④ 발전된 삶을 위해 자연을 더욱 개발해야 한다.
⑤ 세계 곳곳에서 벌어지는 자연 개발은 우리의 삶을 위협하고 있다.

4 단원

논술형

8 글쓴이가 제시한 근거가 주장과 관련 있는지 판단해 보고, 그렇게 생각한 까닭을 쓰시오.

_____

_____

9 다음과 같은 모호한 표현을 논설문에서 사용하지 않는 까닭은 무엇입니까? ( )

운동회는 우리 학교 전통이니까 하면 좋겠지만, 재미는 없을 것이다.

① 다른 사람의 의견을 말했기 때문이다.
② 사람들이 좋아하지 않는 표현이기 때문이다.
③ 사실이 아닌 것을 사실처럼 꾸몄기 때문이다.
④ 자신의 의견이 전혀 드러나지 않기 때문이다.
⑤ 말하려는 내용을 다른 사람에게 명확하게 전달할 수 없기 때문이다.

10 다음 그림을 보고, 자신이 주장을 펼치고 싶은 문제 상황을 떠올려 쓰시오.

( )

[1~2] 글을 읽고, 물음에 답하시오.

미진: 동물원은 없애야 합니다. 첫째, 동물원은 동물의 자유를 구속하고, 동물에게 사람의 구경거리가 되는 고통을 줍니다. 동물원에서 동물은 제한된 공간에 갇혀 수많은 관람객과 마주해야 합니다. 이러한 상황에서 동물은 극심한 스트레스를 받습니다. 동물은 사람의 눈요깃거리가 아니라 그 자체로 존중받아야 하는 소중한 생명체입니다. 둘째, 동물원은 인공적인 환경이기 때문에 자연을 대신할 수 없습니다. 동물원의 우리는 동물의 행동반경에 비해 턱없이 좁습니다. 친환경 동물원이 생기고 있지만 동물이 원래 살던 환경을 그대로 동물원으로 옮기는 것은 불가능합니다. 동물은 인위적으로 만든 동물원보다 생태계가 어우러진 광활한 자연에서 살아야 합니다.

1 미진이가 든 근거 <u>두 가지</u>를 고르시오.
(,)

① 동물보다 사람의 권리가 중요하다.
② 동물원은 우리에게 즐거움을 준다.
③ 동물원은 동물에게 더 나은 삶을 준다.
④ 동물원은 인공적인 환경이기 때문에 자연을 대신할 수 없다.
⑤ 동물원은 동물의 자유를 구속하고, 동물에게 사람의 구경거리가 되는 고통을 준다.

2 미진이의 주장과 같은 주장을 갖고 있을 친구의 이름을 쓰시오.

준수: 동물원에 있는 동물들도 자유를 누릴 권리가 있어.
지선: 동물원이 있으면 먼 곳에 사는 동물도 직접 볼 수 있어서 편리해.
영아: 동물원에서 평소에 볼 수 없는 동물들을 보고 동물을 사랑하는 마음을 가질 수 있어.

( )

3 같은 문제 상황에서 서로 다른 주장이 나오는 까닭 <u>두 가지</u>를 고르시오. (,)

① 겪은 일이 서로 달라서
② 처한 상황이 서로 달라서
③ 글을 읽는 속도가 달라서
④ 문제 상황이 자꾸 바뀌어서
⑤ 사람들이 서로 존중하지 않아서

[4~5] 글을 읽고, 물음에 답하시오.

㉮ 우리 전통 음식을 사랑합시다. 왜 우리 전통 음식을 사랑해야 할까요?
㉯ 우리 전통 음식은 건강에 이롭습니다. 우리가 날마다 먹는 밥은 담백해 쉽게 싫증이 나지 않으며 어떤 반찬과도 잘 어우러져 균형 잡힌 영양분을 섭취하기 좋습니다. 또한 된장, 간장, 고추장과 같은 발효 식품에는 무기질과 비타민이 풍부하게 들어 있어 몸을 건강하게 해 줍니다. 특히 청국장은 항암 효과는 물론 해독 작용까지 뛰어나다고 합니다. 된장도 건강에 이로운 식품으로 알려져 있습니다.

4 글쓴이의 주장에 대한 근거를 찾아 쓰시오.
( )

서술형
5 글 ㉯에서 알 수 있는, 본론의 역할을 쓰시오.

_____

_____

6학년　　　　반　　점수

이름

[6~7] 글을 읽고, 물음에 답하시오.

둘째, 무리한 자연 개발은 생태계를 파괴한다. 생물은 서로 유기적인 생태계로 얽혀 있으며 주변 환경과 영향을 주고받으면서 살아간다. 자연 개발로 생태계를 파괴하면 결국 사람의 생활 환경을 악화시키는 결과를 초래한다. 예를 들어, 사람의 편의를 돕는 시설을 만들면서 무분별하게 산을 파헤치면 동식물은 삶의 터전을 잃는다. 무리한 자연 개발의 결과로 기후 변화 현상까지 나타나 동물이 멸종 위기에 처하고, 지구 환경이 위협을 받기도 한다. 동식물이 살 수 없는 곳은 사람도 살 수 없는 곳이 된다. 사람도 자연의 일부분이므로 자연과 조화를 이루어야 우리 삶이 풍요로워진다.

셋째, 자연은 우리 후손이 살아갈 삶의 터전이다. 당장의 편리와 이익만을 추구하다 보면 우리 후손에게 훼손된 자연을 물려주게 된다. 환경을 고려하지 않은 개발로 물, 공기, 토양, 해양과 같은 자연환경이 돌이키기 힘들 정도로 훼손되면 우리 후손은 그 훼손된 자연 속에서 살아가야 한다.

6 무리한 자연 개발이 불러오는 결과가 <u>아닌</u> 것은 어느 것입니까? (　　　)

① 생태계를 파괴한다.
② 우리 삶이 풍요로워진다.
③ 기후 변화 현상이 일어난다.
④ 동물이 멸종 위기에 처한다.
⑤ 지구 환경이 위협을 받는다.

7 이 글에서 든 근거 두 가지로 보아 글쓴이의 주장은 무엇일지 쓰시오.

(　　　　　　　　　　　　)

8 다음 표현을 논설문에 알맞은 표현으로 바꾸어 쓰시오.

국립 공원에 절대로 케이블카를 설치해서는 안 된다.

(　　　　　　　　　　　　)

④
단
원

9 논설문에서 근거의 타당성과 표현의 적절성을 판단하는 방법으로 알맞지 <u>않은</u> 것은 무엇입니까?

(　　　)

① 모호한 표현이 없는지 살펴본다.
② 근거가 주장과 관련 있는지 살펴본다.
③ 근거가 주장을 뒷받침하는지 살펴본다.
④ 단정하는 표현을 쓰지 않았는지 살펴본다.
⑤ 주관적인 표현을 써서 주장에 힘을 주었는지 살펴본다.

논술형

10 우리 주변에서 일어나는 문제 가운데에서 자신이 주장을 펼치고 싶은 문제 상황을 정해 보기 와 같이 쓰시오.

보기 일회용품을 많이 쓰는 문제에 대해 논설문을 쓰고 싶다.

_____

_____

서술형평가

4. 주장과 근거를 판단해요

[1~2] 글을 읽고, 물음에 답하시오.

> 시은: 동물원은 살아 있는 동물들을 모아서 기르는 곳입니다. 자연 상태에서 보기 힘든 다양한 동물을 가까이에서 볼 수 있어 동물의 생태와 습성, 자연환경의 소중함을 배울 수 있는 교육 장소입니다. 하지만 좁은 우리에 갇혀 살아가는 동물들은 스트레스를 많이 받습니다. '동물원은 필요한가'에 대해 우리 모둠 친구들은 어떻게 생각하나요?

1 시은이는 어떤 문제 상황을 제시했는지 쓰시오.
[5점]

2 '동물원은 필요한가'라는 주제에 찬성하거나 반대하는 주장을 정하고 그 근거를 쓰시오. [5점]

[3~4] 글을 읽고, 물음에 답하시오.

> 우리나라 전통 음식은 세계 여러 나라 사람에게 주목받고 있습니다. 우리 조상의 넉넉한 마음과 삶에서 배어 나온 지혜가 담긴 우리 전통 음식은 그 맛과 멋과 영양의 삼박자를 모두 갖추고 있습니다. 우리는 우리 전통 음식의 과학성과 우수성을 알고 우리 전통 음식에 관심을 가지고 우리 전통 음식을 사랑해야겠습니다.

3 우리 전통 음식에는 무엇이 담겨 있다고 하였는지 쓰시오. [5점]

4 이 글은 논설문의 결론입니다. 결론의 역할을 쓰시오. [5점]

5 다음 글의 주장이 가치 있고 중요한지 판단해 보고, 그렇게 생각한 까닭을 쓰시오. [5점]

> 우리나라뿐만 아니라 세계 곳곳에서 벌어지는 자연 개발은 우리 삶을 위협한다. 이러한 무분별한 개발로 우리 삶의 터전인 자연은 몸살을 앓고, 이제 인류의 생존까지 위협하는 상황에 이르렀다. 우리는 자연의 목소리에 귀를 기울이고 자연을 보호해야 한다. 왜 자연을 보호해야 할까?

6 논설문에서 다음과 같은 표현을 사용하면 무엇이 문제인지 쓰시오. [5점]

> 내 생각에 급식 시간에 음식을 남기는 것은 괜찮은 것 같다.

수행평가 4. 주장과 근거를 판단해요

6학년	반	점수
이름		/ 30점

관련 성취 기준	글을 읽고 내용의 타당성과 표현의 적절성을 판단한다.
평가 목표	내용의 타당성과 표현의 적절성을 판단할 수 있다.

[1~2] 내용의 타당성을 판단하며 글을 읽어 봅시다.

㉮ 우리나라뿐만 아니라 세계 곳곳에서 벌어지는 자연 개발은 우리 삶을 위협한다. 이러한 무분별한 개발로 우리 삶의 터전인 자연은 몸살을 앓고, 이제 인류의 생존까지 위협하는 상황에 이르렀다. 우리는 자연의 목소리에 귀를 기울이고 자연을 보호해야 한다. 왜 자연을 보호해야 할까?

㉯ 자연은 어머니의 따뜻한 품이자 우리의 영원한 안식처이다. 더 이상 무분별한 개발로 금수강산을 훼손해서는 안 된다. 자연 개발로 사라져 가는 동식물을 다시 이 땅으로 돌아오게 하여 더불어 살아야 한다. 지나친 개발 때문에 나타나는 지구 온난화와 이상 기후 현상이 더 이상 심해지지 않도록 노력하는 일도 우리 모두에게 남겨진 과제이다. 이제 우리 모두 자연 보호를 실천해야 한다.

1 이 글에서 글쓴이가 제시하고 있는 문제 상황을 쓰시오. [10점]

_____

_____

2 ㉮와 ㉯는 각각 논설문의 서론과 결론입니다. 근거의 타당성을 판단하여 본론에 들어갈 근거를 두 가지 쓰시오. [10점]

(1) _____

(2) _____

3 논설문에서 다음과 같은 표현이 적절한지 판단하여 그렇게 판단한 까닭을 쓰시오. [10점]

표현	자신의 의견
나는 자전거 타기보다 걷기를 더 좋아한다. 그래서 걷기는 좋은 운동이다.	(1)
건강하려면 반드시 밖으로 나가 걸어야 한다.	(2)

[1~2] 그림을 보고, 물음에 답하시오.

1 ㉠'백지장도 맞들면 낫다'의 뜻은 무엇입니까?

(   )

① 안 좋은 일이 계속 일어난다.
② 쉬운 일이라도 협력해서 하면 훨씬 쉽다.
③ 잘 아는 일도 세심하게 주의를 해야 한다.
④ 자기주장만 내세우면 일이 제대로 되기 어렵다.
⑤ 어려운 일이 계속되어 고생이 심해도 언젠가는 좋은 날이 올 수 있다.

2 ㉡에 들어가기에 알맞은 속담은 어느 것입니까?

(   )

① 엎친 데 덮친다
② 손이 많으면 일도 쉽다
③ 호랑이도 제 말하면 온다
④ 원숭이도 나무에서 떨어진다
⑤ 가는 말이 고와야 오는 말이 곱다

3 속담을 사용하면 좋은 점이 **아닌** 것은 어느 것입니까? (   )

① 조상의 지혜와 슬기를 알 수 있다.
② 듣는 사람이 흥미를 느낄 수 있다.
③ 자신이 많이 아는 것을 자랑할 수 있다.
④ 자신의 생각을 효과적으로 드러낼 수 있다.
⑤ 주장의 논리를 뒷받침해 상대를 쉽게 설득할 수 있다.

[4~5] 그림을 보고, 물음에 답하시오.

4 ㉠'티끌 모아 태산'의 뜻은 무엇입니까? (   )

① 철없이 함부로 덤빈다.
② 한 가지 일을 끝까지 해야 성공한다.
③ 일이 이미 잘못된 뒤에 손을 써도 소용이 없다.
④ 무슨 일이든 두 편에서 서로 뜻이 맞아야 이룰 수 있다.
⑤ 아무리 작은 것이라도 모이고 모이면 나중에 큰 덩어리가 된다.

서술형

5 ㉠의 속담을 사용할 수 있는 다른 상황을 생각해 쓰시오.

_____

_____

6학년 반 점수
이름

6 다음 상황에서 사용할 수 있는 속담을 떠올려 보았습니다. 빈칸에 알맞은 말은 무엇입니까? ( )

> 만 원을 주고 장난감을 샀습니다. 그런데 가지고 놀다가 고장 나서 고치러 갔더니 수리비가 만오천 원이라고 합니다. 장난감 가격보다 수리비가 더 비쌉니다.
> ➡ 배보다 ( )이/가 더 크다

① 발 　　② 얼굴 　　③ 배꼽
④ 다리 　　⑤ 빗자루

[7~8] 글을 읽고, 물음에 답하시오.

> "야, 이렇게 계산해 보니 며칠 안 가 독이 천만 개나 되겠는걸. 그럼 그 돈으로 논과 밭을 사는 거야. 그리고 남는 돈으로는 고래 등 같은 기와집을 짓는 거야."
> 독장수는 너무 기쁜 나머지 팔을 번쩍 들었습니다. 그러다가 팔로, 지게를 받치던 지겟작대기를 밀어 버렸습니다. 지게는 기우뚱하더니 옆으로 팍 쓰러졌습니다. 지게에 있던 독들도 와장창 깨지고 말았습니다.
> "아이고, 망했다. 이걸 어쩐다?"
> 독장수는 눈물을 뚝뚝 흘리며 박살 난 독 조각들을 쓰다듬었습니다.
> 이와 같이 허황된 것을 궁리하고 미리 셈하는 것을 '독장수구구'라고 하고, ⊙ 뜻으로 "독장수구구는 독만 깨뜨린다."라는 속담이 쓰입니다.

7 ⊙에 들어갈 "독장수구구는 독만 깨뜨린다."의 뜻으로 알맞은 것은 어느 것입니까? ( )

① 무엇인가를 잘 잊어버린다는
② 다른 사람에게 화를 잘 낸다는
③ 게을러서 할 일을 미리 하지 않는다는
④ 지나치게 조심하느라 행동을 못 한다는
⑤ 실현성이 없는 허황된 계산은 도리어 손해만 가져온다는

서술형

8 독장수에게 해 주고 싶은 말을 간단하게 쓰시오.

_____

_____

5 단원

9 다음 속담을 사용하기에 알맞은 상황은 어느 것입니까? ( )

> 원숭이도 나무에서 떨어진다

① 아무도 안 듣는 데서라도 말조심해야 하는 상황
② 변변하지 못한 집안에서 훌륭한 인물이 나는 경우
③ 일이 이미 잘못되어 손을 써도 소용이 없는 상황
④ 아무리 익숙하고 잘하는 사람이라도 간혹 실수하는 상황
⑤ 다른 사람에 대한 이야기를 하는데 공교롭게도 그 사람이 나타나는 상황

10 우리가 사용하는 '말'과 관련 있는 속담을 보기와 같이 한 가지 떠올려 쓰시오.

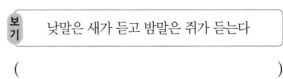

보기 낮말은 새가 듣고 밤말은 쥐가 듣는다

( )

[1~2] 글을 읽고, 물음에 답하시오.

영주네 가족은 이삿짐 싸는 차례를 서로 다르게 생각했어요.

할머니와 이모께서는 깨지기 쉬운 항아리나 유리그릇부터 싸라고 하셨고, 삼촌께서는 텔레비전이나 컴퓨터부터 옮기라고 하셨어요. ㉠"사공이 많으면 배가 산으로 간다."라는 속담처럼 서로 의견을 굽히지 않아 시간만 흘러갔어요.

1 ㉠의 뜻으로 알맞은 것은 무엇입니까? ( )

① 어려움을 당한 사람이 먼저 일을 한다.
② 쉬운 일이라도 협력해서 하면 훨씬 쉽다.
③ 내 사정이 급해서 남을 돌볼 여유가 없다.
④ 아무리 익숙하고 잘하는 사람이라도 간혹 실수한다.
⑤ 주관하는 사람이 없이 여러 사람이 자기주장만 내세우면 일이 제대로 되기 어렵다.

서술형

2 이와 같이 글을 쓸 때에 속담을 사용한 까닭은 무엇인지 쓰시오.

_____

_____

[3~4] 그림을 보고, 물음에 답하시오.

영주에게 태권도 겨루기를 하자고 했어.

㉠ 더니, 한 달 배운 네가 태권도 대표 선수인 영주를 이길 수 있겠니?

3 그림의 상황으로 볼 때, ㉠에 들어가기에 알맞은 속담은 무엇입니까? ( )

① 개천에서 용 난다
② 공든 탑이 무너지랴
③ 쥐구멍에도 볕 들 날 있다
④ 우물을 파도 한 우물을 파라
⑤ 하룻강아지 범 무서운 줄 모른다

4 ㉠에 들어갈 속담은 어떤 뜻이겠는지 쓰시오.
( )

5 다음과 같은 상황에서 사용할 수 있는 속담을 생각해 보았습니다. ㉠, ㉡에 들어갈 알맞은 말은 무엇입니까? ( )

우리 반 지우는 야구를 좋아하고 야구 선수가 되고 싶어 합니다. 그래서 지우가 가는 곳에는 언제나 야구공과 야구 장갑이 있습니다.

관련 속담	비슷한 속담
바늘 가는 데 ㉠ 간다	• 구름 갈 제 비가 간다 • 용 가는 데 ㉡ 간다

	㉠	㉡		㉠	㉡
①	실	뱀	②	실	바늘
③	실	구름	④	비	구름
⑤	비	오이			

6학년 　반　점수
이름

6 다음 상황에 어울리는 속담은 무엇입니까?
（　　）

> 사랑하는 영주야!
> 　처음에는 어렵다고 느껴지는 책도 두세 번씩 읽다 보면 어느덧 담긴 뜻을 생각하며 쉽게 읽을 수 있단다. 그러니 힘든 일이 있더라도 꿋꿋하게 견디며 희망을 가졌으면 좋겠다.

① 가는 날이 장날
② 티끌 모아 태산
③ 같은 값이면 다홍치마
④ 쥐구멍에도 볕 들 날 있다
⑤ 세 살 적 버릇이 여든까지 간다

[7~9] 글을 읽고, 물음에 답하시오.

> 　까마귀가 말고기를 먹으려고 입을 벌리는 순간, 입에 문 편지가 바람에 날려 어디론가 사라졌습니다. 그래도 까마귀는 정신없이 말고기를 먹었습니다.
> 　"후유, 정말 잘 먹었다. 인간 세상은 참 좋아. 나도 여기서 살았으면 좋겠다. 배불리 먹고 나니 부러울 게 하나도 없구나."
> 　㉠까마귀는 좀 쉬고 난 뒤 편지를 찾았습니다. 그러나 편지는 온데간데없었습니다.
> 　㉡"아니, 편지가 없어졌네. 이거 큰일 났다."
> 　까마귀는 높이 날아올라 이리저리 편지를 찾았습니다. 지나가는 새들을 붙잡고 물어보았지만 편지를 본 새가 아무도 없었습니다.

7 까마귀는 어떻게 하다가 편지를 잃어버렸습니까?
（　　）

① 친구와 노느라 정신 팔려서
② 지나가는 새들이 빼앗아 가서
③ 고기를 먹다가 편지까지 함께 먹어서
④ 인간이 말고기와 편지를 바꾸자고 해서
⑤ 말고기를 먹으려고 입을 벌리는 순간 편지가 바람에 날려 사라져 버려서

8 ㉠의 행동과 ㉡의 말에서 짐작할 수 있는 인물의 마음은 무엇인지 번호를 쓰시오.

> ① 편지가 없어져 홀가분한 마음
> ② 말고기를 더 많이 먹고 싶은데 못 먹어 아쉬운 마음
> ③ 정신없이 말고기를 먹느라 중요한 편지를 잃어버려서 걱정하는 마음

（　　　　　　　　）

서술형
9 이 이야기와 관련 있는 다음 속담의 뜻은 무엇인지 쓰시오.

> 까마귀 고기를 먹었나

10 다음과 같은 상황에서 사용할 수 있는 속담은 무엇입니까?
（　　）

> 　다른 사람에 대한 이야기를 하는데 공교롭게도 그 사람이 나타나는 상황

① 말이 많으면 쓸 말이 적다
② 호랑이도 제 말 하면 온다
③ 원숭이도 나무에서 떨어진다
④ 낮말은 새가 듣고 밤말은 쥐가 듣는다
⑤ 호랑이에게 물려 가도 정신만 차리면 산다

서술형평가 5. 속담을 활용해요

6학년	반	점수
이름		/30점

[1~2] 그림을 보고, 물음에 답하시오.

윤경아, 내가 청소 도와줄게.

우진아, 괜찮아. 혼자서도 할 수 있어.

㉠"바늘 가는 데 실 간다."라고 했어. 우리는 짝이니까 함께하자.

재미있는 말이네. 고마워!

1 이와 같이 서로 말을 주고받을 때에 속담을 사용한 까닭은 무엇인지 쓰시오. [6점]

_____

_____

2 ㉠'바늘 가는 데 실 간다'와 비슷한 속담을 쓰시오. [6점]

_____

_____

[3~4] 그림을 보고, 물음에 답하시오.

피아노를 배우다 그만두고, 태권도도 힘들어 그만두고, 이제 수영을 배우려고 해.

㉠우물을 파도 한 우물을 파라는 말이 있듯이 이번에는 수영을 끝까지 배우면 좋겠어.

3 ㉠의 속담의 뜻을 쓰시오. [6점]

_____

_____

4 ㉠의 속담을 사용할 수 있는 다른 상황을 떠올려 쓰시오. [6점]

_____

_____

5 다음 글에 나오는 독장수의 행동을 통해서 글쓴이가 말하려는 글의 주제는 무엇일지 쓰시오. [6점]

> "야, 이렇게 계산해 보니 며칠 안 가 독이 천만 개나 되겠는걸. 그럼 그 돈으로 논과 밭을 사는 거야. 그리고 남는 돈으로는 고래 등 같은 기와집을 짓는 거야."
>
> 독장수는 너무 기쁜 나머지 팔을 번쩍 들었습니다. 그러다가 팔로, 옆에 지게를 받치던 지겟작대기를 밀어 버렸습니다. 지게는 기우뚱하더니 옆으로 팍 쓰러졌습니다. 지게에 있던 독들도 와장창 깨지고 말았습니다.
>
> "아이고, 망했다. 이걸 어쩐다?"
>
> 독장수는 눈물을 뚝뚝 흘리며 박살 난 독 조각들을 쓰다듬었습니다.
>
> 이와 같이 허황된 것을 궁리하고 미리 셈하는 것을 '독장수구구'하고 하고, 실현성이 없는 허황된 계산은 도리어 손해만 가져온다는 뜻으로 "독장수구구는 독만 깨뜨린다."라는 속담이 쓰입니다.

_____

_____

수행평가 5. 속담을 활용해요

관련 성취 기준	관용 표현을 이해하고 적절하게 활용한다.
평가 목표	주제를 생각하며 글을 읽을 수 있다.

5 단원

[1~3] 이야기의 주제를 생각하며 글을 읽어 봅시다.

> ㉮ "가다가 딴전 부리지 말고 곧장 강 도령에게 전해야 한다. 아주 중요한 편지야."
> 염라대왕이 몇 번씩 다짐을 받았습니다.
> "네, 네. 심부름 한두 번 해 보나요. 전 심부름 하나는 틀림없다니까요."
> 까마귀는 염라대왕이 준 편지를 물고 인간 세상에 내려왔습니다.
> ㉯ 까마귀는 침을 삼키며 강 도령에게 빨리 편지를 전하고 와서 배불리 먹어야겠다고 생각했습니다.
> '아냐, 그새 누가 와서 다 먹어 버리면 어떡하지? 조금만 먹고 빨리 갔다 와야지.'
> 까마귀는 생각을 바꿔 말고기를 먹고 가기로 했습니다. 까마귀가 말고기를 먹으려고 입을 벌리는 순간, 입에 문 편지가 바람에 날려 어디론가 사라졌습니다. 그래도 까마귀는 정신없이 말고기를 먹었습니다.
> "후유, 정말 잘 먹었다. 인간 세상은 참 좋아. 나도 여기서 살았으면 좋겠다. 배불리 먹고 나니 부러울 게 하나도 없구나."
> 까마귀는 좀 쉬고 난 뒤 편지를 찾았습니다. 그러나 편지는 온데간데없었습니다.

1 이 이야기에서 까마귀가 처한 상황을 쓰시오.   [10점]

_____

_____

2 이 이야기와 관련 있는 속담과 이야기의 주제를 쓰시오.   [10점]

(1) 속담	
(2) 주제	

3 이 이야기와 같이 동물과 관련 있는 속담을 한 가지 떠올려 어떤 상황에서 쓸 수 있는지 쓰시오.   [10점]

(1) 속담	
(2) 상황	

[1~2] 다음을 보고, 물음에 답하시오.

2006년 8월 탈북
선생님 ○○○

2007년 8월 탈북
봉사단 ○○○

1999년 10월 탈북
한의사 ○○○

같은 일상을 살아가는 우리
우리는 이미 하나입니다

1 이 영상 광고 장면에 나오는 사람들은 어떤 공통점이 있습니까? ( )

① 남자이다.
② 서양 사람이다.
③ 나이가 어리다.
④ 학교에 다니고 있다.
⑤ 북한 이탈 주민이다.

2 이 영상 광고 장면을 보고 추론할 수 있는 내용으로 알맞은 것을 두 가지 고르시오. (,)

① 북한에는 선생님이라는 직업이 없다.
② 우리 주위에 북한 이탈 주민이 많이 있다.
③ 다른 사람과 어울려 살아가는 일은 힘들다.
④ 북한 이탈 주민이 여러 가지 직업을 가지고 있다.
⑤ 다양한 사람들을 만나기 위해서는 여행을 해야 한다.

[3~5] 글을 읽고, 물음에 답하시오.

『화성성역의궤』는 수원 화성에 성을 쌓는 과정을 기록한 책인 의궤야. 수원 화성은 일제 강점기를 거치면서 성곽 일대가 훼손되기 시작하고 6.25 전쟁 때 크게 파괴되었는데, 『화성성역의궤』를 보고 원래의 모습대로 다시 만들어졌단다. 덕분에 수원 화성이 1997년에 유네스코 세계 문화유산으로 등록될 수 있었어.

『화성성역의궤』는 정조 임금이 갑자기 세상을 떠나는 바람에 다음 임금인 순조 때 만들어졌는데, 건축과 관련된 의궤 가운데에서도 가장 내용이 많아. ㉠수원 화성 공사와 관련된 공식 문서는 물론, 참여 인원, 사용된 물품, 설계 등의 기록이 그림과 함께 실려 있는 일종의 보고서인 셈이야.

3 수원 화성에 성을 쌓는 과정을 기록한 책을 무엇이라고 하는지 쓰시오.

( )

4 수원 화성이 훼손된 과정에서 추론할 수 있는 내용은 무엇입니까? ( )

① 수원 화성은 역사적 가치가 없다.
② 수원 화성은 튼튼하게 만들어졌다.
③ 수원 화성은 관광지로 알맞지 않다.
④ 수원 화성은 찾아가기 어려운 곳에 있다.
⑤ 수원 화성은 여러 위기를 거치면서 원래의 모습을 잃었다.

서술형
5 ㉠에서 추론할 수 있는 사실을 쓰시오.

_____

_____

6 다음 문장에서 '감상'이 어떤 뜻으로 쓰였는지 알맞은 것의 기호를 쓰시오.

> 건물 하나만 보는 것보다는 주변 경치를 함께 감상하는 것이 더 좋아.

> ㉠ 주로 예술 작품을 이해하여 즐기고 평가함.
> ㉡ 하찮은 일에도 쓸쓸하고 슬퍼져서 마음이 상함. 또는 그런 마음.

(   )

[7~9] 글을 읽고, 물음에 답하시오.

'큰 복을 누리며 번성하라'는 뜻을 지닌 경복궁은 조선 시대 최초의 궁궐이면서 여러 궁궐 가운데 가장 대표적인 것이다. 경복궁은 태조 이성계가 조선을 세운 뒤에 한양, 즉 지금의 서울에 세운 조선의 법궁이다.

경복궁의 건물은 7600여 칸으로 규모가 어마어마하다. 경복궁에서 가장 웅장한 건물은 '부지런히 나라를 다스리라'는 뜻을 지닌 근정전이다. 근정전은 왕의 ㉠즉위식, 왕실의 혼례식, 외국 사신과의 만남과 같은 나라의 중요한 행사를 치르던 곳이다.

경복궁에서 안쪽에 자리 잡은 교태전은 왕비가 생활하던 곳이다. 교태전은 중앙에 대청마루를 두고 왼쪽과 오른쪽에 온돌방을 놓은 구조로 되어 있다. 교태전 뒤쪽으로는 아미산이라는 작고 아름다운 후원이 있다.

'경사스러운 연회'라는 뜻의 경회루는 커다란 연못 중앙에 섬을 만들고 그 위에 지은, 우리나라에서 가장 큰 누각이다. 이곳은 왕이 외국 사신을 접대하거나 신하들에게 연회를 베풀던 장소이다.

7 ㉠'즉위식'의 뜻을 추론하여 쓰시오.

(   )

8 글에서 뜻을 알지 못하는 낱말을 이해하는 방법으로 가장 알맞은 것은 어느 것입니까? (   )

① 그 낱말이 쓰인 문장은 읽지 않는다.
② 글에 실린 그림이나 사진을 살펴본다.
③ 글에서 가장 많이 나오는 낱말을 찾는다.
④ 비슷한 발음의 낱말과 같은 뜻으로 생각한다.
⑤ 낱말의 앞뒤 내용에서 알 수 있는 사실을 바탕으로 하여 뜻을 추론한다.

서술형

9 이 글의 내용을 정리해 쓰시오.

_____

_____

_____

10 알리고 싶은 내용을 영상 광고로 만들려고 합니다. 영상 광고 만드는 순서에 맞게 기호를 쓰시오.

> ㉠ 역할 나누기
> ㉡ 장면 촬영하기
> ㉢ 편집 도구로 자막 넣기
> ㉣ 촬영 도구와 편집 도구 준비하기
> ㉤ 영상 광고 주제, 내용과 분량 정하기
> ㉥ 완성한 영상 광고를 함께 보며 고치기

(   ) → ㉠ → ㉣ → (   ) → (   ) → (   )

[1~2] 그림을 보고, 물음에 답하시오.

1 이 그림을 보고 알 수 있는 사실을 두 가지 고르시오. (,)

① 나무에 눈이 쌓여 있다.
② 병아리들이 한가로이 모이를 먹고 있다.
③ 여자가 이른 새벽에 마당을 청소하고 있다.
④ 어미 닭이 기를 쓰고 고양이를 쫓아가고 있다.
⑤ 남자가 긴 막대기를 뻗으며 마루에서 뛰쳐나가고 있다.

2 다음은 이 그림을 보고 추론할 수 있는 내용입니다. ㉠, ㉡에 들어갈 말을 쓰시오.

> 남자는 (㉠)을/를 물고 달아나는
> (㉡)을/를 보고 깜짝 놀랐을 것이다.

(1) ㉠: ( )
(2) ㉡: ( )

[3~5] 글을 읽고, 물음에 답하시오.

> 수원 화성은 정조 임금의 원대한 꿈이 담긴 곳으로 볼거리가 많아. 건물 하나만 보는 것보다는 주변 경치를 함께 감상하는 것이 더 좋아. ㉠정조 임금이 엄격하게 고른 좋은 자리에 지었으니까. 수원 화성은 규모가 커서 다 돌아보려면 꽤 시간이 걸려. 다리가 아프면 화성 열차를 타는 것도 좋겠지. 화성 열차는 수원 화성 구경을 하러 온 사람들을 위해 마련한 열차야.
> 더 둘러보고 싶은 친구가 있다면 근처에 있는 융건릉과 용주사에 가 볼 것을 추천할게.

3 다음은 어떤 방법으로 이 글의 내용을 짐작한 것입니까? ( )

> 경주 여행을 갔을 때 편한 신발을 신지 않아서 힘들었던 적이 있다. 수원 화성에 직접 가 보려면 운동화를 신는 게 좋겠다.

① 자신의 경험 떠올리기
② 어려운 낱말의 뜻 짐작하기
③ 비슷한 다른 글의 내용 떠올리기
④ 글쓴이가 추구하는 가치 알아보기
⑤ 인터넷에서 검색한 자료와 비교하기

서술형

4 ㉠에서 추론할 수 있는 사실을 쓰시오.

_____

_____

5 수원 화성 근처에는 어떤 문화유산이 더 있다고 하였는지 두 가지 쓰시오.

( )

6 추론하는 방법으로 알맞지 <u>않은</u> 것은 어느 것입니까? ( )

① 이야기에서 찾을 수 있는 단서를 확인한다.
② 자신이 평소에 아는 사실과 경험한 것은 떠올리지 않는다.
③ 이야기의 특정 부분을 바탕으로 하여 알 수 있는 내용을 살펴본다.
④ 글 내용을 바탕으로 하여 친구들과 함께 질문을 만들고 서로 묻거나 답한다.
⑤ 글에 쓰인 다의어나 동형어가 어떤 뜻인지 정확히 이해하려면 국어사전을 찾아본다.

7 다음 중 '부르다'가 ㉠과 다른 뜻으로 쓰인 것은 어느 것입니까? ( )

> 융건릉은 사도 세자의 무덤인 융릉과 정조 임금의 무덤인 건릉을 합쳐서 ㉠부르는 이름이다.

① 이름을 부르면 대답해 주세요.
② 지금부터 출석을 부르겠습니다.
③ 누군가 부르는 소리에 잠이 깼다.
④ 윤수가 큰 소리로 친구를 불렀다.
⑤ 점심을 너무 많이 먹어 배가 불렀다.

[8~9] 글을 읽고, 물음에 답하시오.

> 창덕궁은 경복궁 동쪽에 있다고 하여 창경궁과 함께 '동궐'로도 불렸다. 건물과 후원이 잘 어우러져 아름다우며 유네스코 세계 문화유산으로 기록되었다. 산이 많은 우리나라답게 산자락에 자연스럽게 배치한 건물이 인상적이다. 넓은 후원의 정자와 연못들은 우리나라 전통 정원의 모습을 잘 보여 주고 있다.
> 특히 부용지는 '하늘은 둥글고 땅은 네모나다'는 전통적 사상을 반영하여, 땅을 나타내는 네모난 연못 가운데 하늘을 뜻하는 둥근 섬을 띄워 놓은 형태이다. 연못 가장자리에 있는 부용정은 십자(+) 모양의 정자로, 단청이 화려하고 처마 끝 곡선이 무척 아름답다.

8 다음은 이 글에 나온 어떤 낱말의 뜻을 추론한 것이겠습니까? ( )

> 뒤에 있는 '화려하다'라는 말을 통해 뜻을 '옛날식 건물에 그린 그림이나 무늬'라고 추론했다.

① 궁궐   ② 연못
③ 단청   ④ 정자
⑤ 산자락

서술형

9 이 글의 내용을 정리해 쓰시오.

_____

_____

10 알리고 싶은 내용을 영상 광고로 만들려고 합니다. 역할을 나눌 때 주의할 점으로 알맞지 <u>않은</u> 것은 어느 것입니까? ( )

① 촬영, 편집, 극본, 소품과 효과 담당 등이 필요하다.
② 역할을 맡기 싫어하는 친구는 아무 역할도 주지 않는다.
③ 영상 광고 주제, 내용과 분량을 정한 후에 역할을 나눈다.
④ 서로 의견이 맞지 않을 때에는 민주적인 절차를 거쳐 역할을 나눈다.
⑤ 친구들의 능력과 선호도를 고려해 역할을 맡을 수 있도록 최대한 배려한다.

서술형평가

6. 내용을 추론해요

[1~2] 그림을 보고, 물음에 답하시오.

1 이 그림을 보고 추론한 내용을 쓰시오. [5점]

_____

_____

2 이와 같이 추론하며 글을 읽거나 그림을 보면 무엇이 좋을지 쓰시오. [5점]

_____

_____

[3~4] 글을 읽고, 물음에 답하시오.

> 『화성성역의궤』는 수원 화성에 성을 쌓는 과정을 기록한 책인 의궤야. 수원 화성은 일제 강점기를 거치면서 성곽 일대가 훼손되기 시작하고 6.25 전쟁 때 크게 파괴되었는데, 『화성성역의궤』를 보고 원래의 모습대로 다시 만들어졌단다. ㉠덕분에 수원 화성이 1997년에 유네스코 세계 문화유산으로 등록될 수 있었어.

3 『화성성역의궤』는 무엇을 기록한 책인지 쓰시오. [5점]

_____

_____

4 ㉠에서 추론할 수 있는 사실은 무엇인지 쓰시오. [5점]

_____

_____

[5~6] 글을 읽고, 물음에 답하시오.

> 궁궐에는 왕과 왕비뿐만 아니라 왕실의 가족과 관리, 군인, 내시, 나인 등 많은 사람이 살았다. 이 사람들은 각자 자신의 신분에 알맞은 건물에서 생활했고, 건물의 명칭 또한 주인의 신분에 따라 달랐다. 예컨대 궁궐에는 강녕전이나 교태전과 같이 '전' 자가 붙는 건물이 있는데, 이러한 건물에는 궁궐에서 가장 신분이 높은 왕과 왕비만 살 수 있었다. 왕실 가족이나 후궁들은 주로 '전'보다 한 단계 격이 낮은 '당' 자가 붙는 건물을 사용했다. 그 밖의 궁궐 사람들은 주로 '각', '재', '헌'이 붙는 건물에서 생활했다. 그러나 경우에 따라서는 왕도 '전'이 아닌 다른 건물을 사용했다.

5 이 글의 내용을 정리해 쓰시오. [5점]

_____

_____

6 궁궐에서는 왜 각자 신분에 따라 다른 건물에서 생활했을지 까닭을 추론하여 쓰시오. [5점]

_____

_____

수행평가 6. 내용을 추론해요

관련 성취 기준	드러나지 않거나 생략된 내용을 추론하며 듣는다.
평가 목표	내용을 추론하며 글을 읽을 수 있다.

[1~3] 내용을 추론하며 글을 읽어 봅시다.

> ㉮ 현재 서울에 남아 있는 조선 시대의 궁궐은 모두 다섯 곳으로 경복궁, 창덕궁, 창경궁, 경희궁, 경운궁이다.
>
> ㉯ 창덕궁은 경복궁 동쪽에 있다고 하여 창경궁과 함께 '동궐'로도 불렸다. 건물과 ㉠후원이 잘 어우러져 아름다우며 유네스코 세계 문화유산으로 기록되었다. 산이 많은 우리나라답게 산자락에 자연스럽게 배치한 건물이 인상적이다. 넓은 후원의 정자와 연못들은 우리나라 전통 정원의 모습을 잘 보여 주고 있다.
>
> ㉰ 창경궁은 임진왜란 때 불탔다가 광해군 때 제 모습을 찾았으나, 그 뒤로도 큰 화재를 겪는 수난을 당했다. 문정전 앞뜰은 사도 세자가 목숨을 잃은 비극이 일어난 곳으로 유명하다. 왕비가 생활하던 통명전 서쪽에는 아름다운 연못이 있고, 뒤쪽에는 '열천'이라는 우물이 남아 있다.
>
> 한편 일제 강점기에는 일본 사람들이 창경궁에 동물원과 식물원을 만들면서 많은 건물을 헐고, 이름도 '창경원'으로 바꾸었다. 1983년에 동물원과 식물원 일부를 옮기고 창경궁이라는 이름을 되찾았다.

1 이 글을 읽고, ㉠의 뜻을 추론하여 쓰시오. [10점]

_____

2 이 글에서 추론할 수 있는 내용을 한 가지 쓰시오. [10점]

_____

_____

3 글쓴이가 이 글을 쓴 까닭이 무엇일지 짐작해 쓰시오. [10점]

_____

_____

[1~3] 그림을 보고, 물음에 답하시오.

1 아빠는 여자아이가 한 어떤 말이 잘 이해가 되지 않았는지 쓰시오.

(   )

2 여자아이는 왜 1번 문제의 답과 같은 표현을 사용했을지 두 가지 고르시오. (,   )

① 재미있어서
② 평소에 즐겨 사용해서
③ 예절에 맞는 표현이어서
④ 어른들이 사용하라는 말이어서
⑤ 이해하기 쉬운 말을 사용하고 싶어서

3 아빠와 여자아이는 왜 말이 통하지 않았습니까?

(   )

① 여자아이가 줄임 말을 사용해서
② 아빠가 너무 어려운 말을 사용해서
③ 여자아이가 다른 나라 말로 말해서
④ 아빠가 여자아이의 말을 잘 듣지 않아서
⑤ 아빠와 여자아이가 너무 작은 목소리로 대화를 나누어서

[4~5] 글을 읽고, 물음에 답하시오.

며칠 전 우리 반 교실에서 일어난 일입니다. 준형이와 수진이가 교실 뒤쪽을 걷다가 뜻하지 않게 서로 부딪혔습니다. 준형이와 수진이는 서로 노려보면서 눈살을 찌푸렸습니다.

4 교실에서 다툼이 커진 까닭은 무엇입니까?

(   )

① 수진이가 준형이를 놀려서
② 수진이가 잘못하고는 그냥 가 버려서
③ 준형이가 수진이에게 짓궂은 장난을 쳐서
④ 준형이가 사과를 했는데 수진이가 받아 주지 않아서
⑤ 서로 배려하는 말을 하지 않고 비속어를 사용하며 비난을 해서

서술형
5 두 친구의 말을 올바르게 고쳐 쓰시오.

(1) 준형	
(2) 수진	

6학년 　　　반　 점수

이름

6 우리말 사용 실태에 대해 발표할 때에 주의할 점으로 알맞지 <u>않은</u> 것은 무엇입니까? 　（　　）

① 중요한 부분은 강조하며 발표한다.

② 발표 내용에 어울리는 자료를 사용한다.

③ 처음부터 끝까지 일정한 목소리로 발표한다.

④ 듣는 사람이 이해하기 쉽도록 알맞은 목소리로 발표한다.

⑤ 발표 효과를 높이려면 사진이나 그림, 도표, 동영상 따위의 자료를 사용한다.

[7~9] 글을 읽고, 물음에 답하시오.

> ㉮ 요즘 우리 반 친구들이 대화할 때 짜증 난다는 말이나 비속어, 욕설 따위를 사용합니다. 그런 말을 들으면 기분이 나빠지고 화가 나서 다툼도 일어납니다.
>
> ㉯ 이 일이 있은 뒤에 우리 반 친구들을 대상으로 조사해 보니 긍정하는 말이 부정하는 말보다 듣기가 좋다는 결과가 나왔습니다. 긍정하는 말을 하면 말하는 사람은 물론 듣는 사람도 마음이 편안해집니다. 예를 들면 "안 돼."보다는 "할 수 있어.", "짜증 나."보다는 "괜찮아.", "이상해 보여."보다는 "멋있어 보여.", "힘들어."보다는 "힘내자."와 같이 부정하는 말을 긍정하는 말로 고쳐 사용하면, 말하는 사람과 듣는 사람 모두 기분도 좋아지고 자신감도 생긴다는 것입니다.

7 이 글에서 문제 상황은 무엇입니까? 　（　　）

① 친구들이 서로 거짓말을 한다.

② 친구들이 서로 대화를 하지 않는다.

③ 친구들이 자신 있게 행동하지 못한다.

④ 친구들이 바른 높임 표현을 쓰지 않는다.

⑤ 친구들이 짜증 난다는 말이나 비속어, 욕설 따위를 사용한다.

8 다음 중 긍정하는 말이 <u>아닌</u> 것은 어느 것입니까? 　（　　）

① 괜찮아.　　　　② 안 돼.

③ 힘내자.　　　　④ 할 수 있어.

⑤ 멋있어 보여.

9 이 글에서 글쓴이가 말하고자 하는 주장은 무엇이겠습니까? 　（　　）

① 외국어를 배우자.

② 솔직하게 말하자.

③ 침묵도 중요하다.

④ 긍정하는 말을 사용하자.

⑤ 친구에게 먼저 말을 걸자.

논술형

10 올바른 우리말 사례집을 만들려고 합니다. 주제는 무엇으로 정하고 싶은지 쓰시오.

_____

_____

7
단원

[1~2] 그림을 보고, 물음에 답하시오.

❶ 솔연아, 너희 모둠은 그 정도밖에 못하니? 그냥 기권하지 그래.

❷ 강민아, 끝까지 열심히 하는 모습이 멋지다. 힘내.

1 그림 ❶과 ❷ 중, 친구에게 힘을 내라고 격려의 말을 한 것의 번호를 쓰시오.

( )

2 그림 ❶과 ❷에서 솔연이와 강민이의 마음은 각각 어떠할지 선으로 이으시오.

(1) 솔연 • • ① 힘이 나고 기분이 좋다.

(2) 강민 • • ② 무시당하는 기분이 들어 속상하다.

논술형
3 자신의 언어생활에서 고칠 점은 무엇인지 쓰시오.

_____

_____

[4~5] 글을 읽고, 물음에 답하시오.

평범한 중고등학생 네 명을 대상으로 욕 사용 실태를 관찰했더니 네 시간 동안 평균 500여 번의 욕설이 쏟아졌습니다.

충격적인 것은 이 학생들이 문제아나 불량 청소년이 아니라는 것입니다. 이제 욕은 많은 학생들의 입에서 거침없이 터져 나오는 일상어가 되어 버렸습니다.

그렇다면 아이들이 최초로 욕을 대하는 때는 언제일까요?

대중 매체 환경이 빠르게 바뀌면서 욕설이나 비속어를 대하는 나이가 더욱 어려지는 지금, 초등학교 교실을 찾아 그들이 알고 있는 욕설을 적어 보도록 했습니다.

그 결과, 절반 가까운 학생이 욕을 열 개 이상 버릇처럼 사용하고, 서른 개 이상 욕을 사용하는 아이도 있었습니다.

4 이 글에서 말하고 있는 우리말 사용과 관련한 문제점은 무엇입니까? ( )

① 불량 청소년들이 늘고 있다.
② 학생들이 거친 행동을 자주 한다.
③ 학생들이 욕을 너무 많이 사용한다.
④ 문제아가 되는 나이가 점차 어려지고 있다.
⑤ 습관적으로 친구들과 다투는 어린이가 많다.

5 욕설이나 비속어를 섞어서 말하는 친구와 대화하면 기분이 어떠한지 쓰시오.

( )

6 다음 그림을 통해 알 수 있는 우리말 사용 실태는 어떠합니까? ( )

① 우리말 간판이 많다.
② 우리말을 모르는 사람이 많다.
③ 해외에서도 우리말을 많이 사용한다.
④ 청소년들이 외국어를 많이 사용한다.
⑤ 바르고 고운 우리말 사용이 이루어지지 않고 있다.

7 우리말 사용 실태를 조사할 때 주의할 점을 바르게 말한 친구의 이름을 쓰시오.

> 솔지: 자료는 전부 인터넷에서 찾아야 해.
> 진수: 조사한 자료는 출처를 정확하게 밝혀야 해.

( )

[8~9] 글을 읽고, 물음에 답하시오.

또 비속어나 욕설 같은 거친 말보다는 고운 우리말 사용이 자신과 상대의 마음을 아름답게 해 준다는 결과도 있습니다. 상대의 실수에는 너그러운 말을 하고, 내 잘못에는 미안하다는 말을 하며, 상대의 배려에는 고마운 말을 하는 것입니다. 비속어나 욕설을 사용하면 추한 마음이 생길 것인데 고운 우리말을 사용하면 너그러운 마음이 생기고, 미안한 마음이 생기며, 고마운 마음이 생기므로 아름다운 사람이 된다는 것입니다.

긍정하는 표현은 자신은 물론 주변 사람들 마음에 긍정하는 힘을 줍니다. 그리고 고운 우리말 사용이 아름다운 소통을 이루고, 진정한 말맛을 느끼게 합니다. 그러므로 긍정하는 말과 고운 우리말을 사용해야 합니다.

8 고운 우리말을 사용하면 일어나는 일이 **아닌** 것은 무엇입니까? ( )

① 추한 마음이 생긴다.
② 아름다운 소통을 이룬다.
③ 진정한 말맛을 느끼게 한다.
④ 상대의 마음을 아름답게 해 준다.
⑤ 자신의 마음을 아름답게 해 준다.

서술형

9 글쓴이가 이 글을 쓴 까닭은 무엇일지 쓰시오.

_____

_____

10 올바른 우리말 사례집을 만들려고 합니다. 어떤 형식으로 할 수 있을지 쓰시오.

( )

서술형평가

7. 우리말을 가꾸어요

6학년	반	점수
이름		/ 30점

[1~2] 그림을 보고, 물음에 답하시오.

1 말하는 친구가 그림 ❷와 ❸처럼 말한 까닭은 무엇일지 쓰시오. [6점]

_____

_____

2 이 그림을 보고 우리가 대화할 때 어떻게 해야 할지 생각하여 쓰시오. [6점]

_____

_____

3 언어 예절을 지키며 대화한 자신의 경험을 떠올려 쓰시오. [6점]

_____

_____

[4~5] 글을 읽고, 물음에 답하시오.

중화: 지원아, 조사를 참 잘했구나. 나는 선생님과 학생, 학생과 학생끼리도 서로 높임말을 사용하는 언어문화를 조사했어.

지원: 그랬구나. 중화야, 그 사례를 좀 더 자세히 이야기해 주겠니?

중화: ○○초등학교에서는 선생님과 학생, 학생과 학생끼리 공부 시간은 물론이고 학교에서 지내는 동안 높임말을 사용한대. 학생들이 서로 "진수 님, 창문 좀 닫아 줄 수 있을까요?"라고 존칭과 높임말을 쓰고, 선생님께서도 "연화 님, 연화 님은 배려심이 참 많아 칭찬해 주고 싶어요."처럼 존칭과 높임말을 사용하는 문화가 자리 잡았다고 해. 그래서 존중하고 배려하는 생활 공동체를 만들어 나가고 있대.

4 중화가 조사한 우리말 사용 실태는 무엇인지 쓰시오. [6점]

_____

_____

5 이와 같은 실태를 보고 어떤 생각이 들었는지 쓰시오. [6점]

_____

_____

수행평가

7. 우리말을 가꾸어요

관련 성취 기준	일상생활에서 국어를 바르게 사용하는 태도를 지닌다.
평가 목표	우리말 사용 실태를 조사하여 올바른 우리말 사용을 주제로 글을 쓸 수 있다.

7 단원

[1~3] 글쓴이의 주장을 파악하며 글을 읽어 봅시다.

㉮ 요즘 우리 반 친구들이 대화할 때 짜증 난다는 말이나 비속어, 욕설 따위를 사용합니다. 그런 말을 들으면 기분이 나빠지고 화가 나서 다툼도 일어납니다.

　우리 반에는 공놀이할 때마다 실수해서 같은 편이 되기를 꺼려 하는 친구가 있습니다. 대부분 그 친구와 같은 편이 되면 "짜증 나."라는 말이나 비속어, 욕설을 합니다. 그러던 어느 날, 그 친구가 안쓰러워서 "괜찮아, 넌 잘할 수 있어."라고 말했습니다. 그랬더니 신기하게도 그 친구가 승점을 냈습니다.

　이 일이 있은 뒤에 우리 반 친구들을 대상으로 조사해 보니 긍정하는 말이 부정하는 말보다 듣기가 좋다는 결과가 나왔습니다.

㉯ 긍정하는 표현은 자신은 물론 주변 사람들 마음에 긍정하는 힘을 줍니다. 그리고 고운 우리말 사용이 아름다운 소통을 이루고, 진정한 말맛을 느끼게 합니다. 그러므로 긍정하는 말과 고운 우리말을 사용해야 합니다.

1 이 글에 나타난 문제 상황을 쓰시오. [10점]

_____

2 이 글에 나타난 주장과 근거를 정리하여 쓰시오. [10점]

(1) 주장	
(2) 근거	

3 이 글과 같이 우리말 사용 실태를 바탕으로 하여 문제 상황을 정하고, 올바른 우리말 사용을 주제로 자신의 주장과 근거를 생각하여 쓰시오. [10점]

(1) 문제 상황	
(2) 주장	
(3) 근거	

[1~3] 글을 읽고, 물음에 답하시오.

책이 주는 선물을 받고 싶은 어린이들에게

㉮ 이야기책을 좋아하니? 나는 이야기를 쓰는 작가야. 책을 읽고 작가가 되는 꿈을 꾸게 되었고 책을 읽으면서 그 꿈을 키웠단다.

㉯ 책 속에는 많은 이야기가 숨어 있어. 그리고 이야기 속 인물들은 우리를 다양한 경험 세계로 데려다주지. 꿈과 희망, 소외된 사람들에 대한 관심, 용기와 도전같이 작가가 말하고자 하는 생각도 듣는단다. 그 많은 이야기에 공감하며 이야기 속 인물의 삶에서 내 삶을 돌아보는 기회가 되는 것도 책이 주는 선물이야. 그래서 책을 읽는 사람은 지혜롭게 세상을 살 수 있다고 해. 나는 책에서 꿈을 찾았고 꿈을 이루는 방법까지 배웠으니 책이 주는 더 특별한 선물을 받은 거지.

책이 주는 선물을 받고 싶니? 너희도 책을 읽어 봐.

1 이 글에서 말한 책을 읽으면 좋은 점이 <u>아닌</u> 것은 무엇입니까? ( )

① 다양한 경험을 할 수 있다.
② 지혜롭게 세상을 살 수 있다.
③ 내 삶을 돌아보는 기회가 된다.
④ 작가가 말하고자 하는 생각을 들을 수 있다.
⑤ 평소에 주변 사람들에게 선물을 많이 받게 된다.

2 다음 중 이 글에서 가장 중요한 낱말은 무엇이겠습니까? ( )

① 책   ② 작가
③ 지혜   ④ 공감
⑤ 이야기

서술형
3 이 글의 글쓴이가 말하고자 하는 생각을 쓰시오.

_____

_____

[4~5] 글을 읽고, 물음에 답하시오.

㉮ 고려 말에 새로 등장한 정치 세력과 무인들은 고려 사회를 개혁하려고 했다. 그러나 그들 가운데에서 정몽주와 이성계가 생각하는 개혁 방법은 서로 달랐다. 정몽주는 고려를 유지하면서 개혁해야 한다고 생각했고, 이성계는 고려를 무너뜨리고 새로운 왕조를 세우고자 했다. 이러한 상황에서 이성계의 아들 이방원은 「하여가」를 썼고, 정몽주는 「단심가」를 썼다.

㉯ 이 몸이 죽고 죽어 일백 번 고쳐 죽어
　백골이 진토 되어 넋이라도 있고 없고
　임 향한 일편단심이야 가실 줄이 있으랴

― 정몽주, 「단심가」

4 글 ㉮를 참고했을 때, 글 ㉯에서 정몽주의 생각이 가장 잘 드러난 낱말은 어느 것입니까? ( )

① 몸   ② 넋
③ 백골   ④ 진토
⑤ 일편단심

5 글 ㉯에 드러난 정몽주의 생각으로 알맞은 것은 무엇입니까? ( )

① 변함없이 고려에 충성을 다하겠다.
② 이방원과 뜻을 모아 새 나라를 세우겠다.
③ 고려를 개혁하기 위해 자신이 왕이 되겠다.
④ 고려에 끝까지 충성할 신하들을 모아 이방원에게 맞서겠다.
⑤ 고려의 개혁도 중요하지만 사랑하는 이를 지키기 위해 떠나겠다.

[6~7] 글을 읽고, 물음에 답하시오.

"버들이가 이번에는 샘을 기와집 뒤란으로 옮겨 달라고 하잖아. 그러면 집에서 샘물을 긷게 될 거라고."

"이제 보니 버들이는 욕심쟁이구나. 샘을 옮기다니! 그러면 다른 동물들은 샘물을 못 마시잖아?"

"파랑이도 그렇게 말했어. 하지만 나도 그걸 원했으니까 버들이를 탓하지는 마. 나도 어느새 버들이랑 똑같은 생각을 하게 되었던 거야."

"그래서 샘을 옮겨 주었니?"

"땅속의 샘물줄기를 기와집 뒤란으로 흐르도록 해 주겠다고 약속했어. 그때 버들이가 기뻐하던 모습이라니, 지금도 잊을 수가 없어."

미미는 허공을 향해 빙그레 웃는 몽당깨비가 못마땅해서 고개를 저었습니다.

6 버들이가 몽당깨비에게 부탁한 일은 무엇이었습니까? (　　)

① 샘물을 대신 길어다 달라는 것
② 파랑이와 친구가 되어 달라는 것
③ 기와집을 더 크게 지어 달라는 것
④ 샘을 기와집 뒤란으로 옮겨 달라는 것
⑤ 다른 동물들도 샘물을 마실 수 있게 해 달라는 것

7 몽당깨비가 추구하는 가치로 알맞은 것은 무엇입니까? (　　)

① 효를 추구한다.
② 발전된 삶을 추구한다.
③ 현실적인 이익을 추구한다.
④ 지혜롭게 사는 것을 추구한다.
⑤ 진심을 담아 상대를 대하는 것을 추구한다.

[8~9] 글을 읽고, 물음에 답하시오.

회사 운영이 어려워지자 왕가리 마타이는 묘목 장사를 해서 회사를 살리기로 하고, 1975년 나이로비에서 열린 국제 전람회에 참석해 묘목을 전시했다. 그러나 묘목을 사는 사람은 아무도 없었다. 실망스러웠지만 왕가리 마타이는 포기하지 않았다. 때마침 그녀는 국제연합 해비탯 회의에 참석할 수 있는 기회를 얻었다. 왕가리 마타이는 그곳에서 테레사 수녀와 마거릿 미드에게 큰 감명을 받고, 나무와 숲이 있는 더 푸른 도시를 만들기로 결심했다. 하지만 새로운 꿈을 품고 케냐로 돌아온 왕가리 마타이를 맞이한 것은 말라 죽은 묘목들이었다.

"이제 나무 심기는 그만하면 어때?"

주위 사람들은 나무 심기에만 열중하는 왕가리 마타이를 설득했다.

"나무 심기를 포기할 수는 없어요."

왕가리 마타이는 포기하지 않고 나무 심기를 계속할 수 있는 방법을 찾아보았다.

8 국제연합 해비탯 회의에 참석한 왕가리 마타이가 품은 새로운 꿈은 무엇입니까? (　　)

① 더 푸른 도시 만들기
② 말라 죽은 묘목 살리기
③ 국제 전람회에 참석하기
④ 유명 인사에게 도움 요청하기
⑤ 자신이 처한 상황을 언론에 알리기

9 주위 사람들이 나무 심기를 그만하라고 했을 때 왕가리 마타이가 한 말을 찾아 쓰시오.

(　　　　　　　　　　　　　　　)

10 문학 작품 속 인물 소개서에 들어갈 내용을 한 가지 더 쓰시오.

• 작품 제목, 지은이, 인물 이름

• _____

_____

[1~2] 글을 읽고, 물음에 답하시오.

책이 주는 선물을 받고 싶은 어린이들에게

이야기책을 좋아하니? 나는 이야기를 쓰는 작가야. 책을 읽고 작가가 되는 꿈을 꾸게 되었고 책을 읽으면서 그 꿈을 키웠단다. 너희에게 내가 기억하는 책들을 소개해 줄게.

내가 처음으로 재미있게 읽은 책은 발데마르 본젤스의 『꿀벌 마야의 모험』인데, 아기 꿀벌이 꿀을 모으러 바깥세상에 나갔다가 모험을 시작하는 이야기야. 그 꿀벌이 여러 가지 경험을 하며 자신의 삶을 이끌어 가는 모습이 내게 꿈과 희망을 줬어. 이야기가 어찌나 흥미로웠던지 발데마르 본젤스처럼 작가가 되는 꿈을 갖게 되었지.

1 글쓴이의 직업은 무엇인지 쓰시오.

( )

2 이 글의 제목과 자주 사용한 낱말, 글의 내용으로 볼 때 글쓴이가 말하고자 하는 생각은 무엇이겠습니까? ( )

① 책을 읽자.
② 작가가 되자.
③ 모험을 하자.
④ 친구에게 선물을 하자.
⑤ 여러 가지 경험을 하자.

3 글쓴이가 말하고자 하는 생각을 찾으며 글을 읽으면 얻을 수 있는 점이 <u>아닌</u> 것은 무엇입니까?

( )

① 글쓴이의 생각을 바꿀 수 있다.
② 자신의 삶을 되돌아볼 수 있다.
③ 글을 쓴 의도나 목적을 알 수 있다.
④ 글 내용을 더 깊이 이해할 수 있다.
⑤ 대상에 대한 자신의 생각을 다시 점검할 수 있다.

[4~5] 글을 읽고, 물음에 답하시오.

이순신은 모든 준비를 끝낸 뒤 부하 장수들을 불러 모았습니다.

"죽으려 하면 살고, 살려 하면 죽는다. 오늘 우리는 이 말처럼 죽기를 각오하고 싸워야 한다."

마침내 수많은 적선이 흐르는 물살을 타고 우리 수군 쪽으로 빠르게 쳐들어왔습니다. 그러나 이순신은 물살 방향이 조선 수군에게 유리해질 때까지 공격하지 못하게 했습니다. 드디어 물살 방향이 반대로 바뀌자 이순신은 일제히 공격하도록 지시했습니다. 단번에 30척이 넘는 적의 배가 부서져 버렸습니다. 일본 배들은 뒤로 물러나려고 했습니다. 그렇지만 물살이 너무 세서 배를 돌릴 수도 없고 앞으로 나아갈 수도 없었습니다. 우리 수군은 이때를 놓치지 않았습니다. 적의 배를 향해 총통을 쏘고 불화살을 날리며 총공격을 했습니다.

단 13척의 배로 133척의 배를 물리친 기적 같은 전투였습니다. 이 전투가 바로 '명량 대첩'입니다.

서술형

4 이순신이 처한 상황에서 한 말과 행동으로 보아 그가 추구하는 가치가 무엇인지 쓰시오.

_____

_____

5 이와 같이 이야기에서 인물이 추구하는 가치를 파악하는 방법으로 알맞지 <u>않은</u> 것은 어느 것입니까? ( )

① 인물이 처한 상황을 떠올려 본다.
② 인물이 말을 몇 번이나 했는지 세어 본다.
③ 인물이 처한 상황에서 인물이 한 말을 알아본다.
④ 인물이 처한 상황에서 인물이 한 행동을 알아본다.
⑤ 인물이 그렇게 말하고 행동한 까닭이 무엇인지 생각해 본다.

[6~7] 글을 읽고, 물음에 답하시오.

> "어느 날, 버들이가 울면서 어머니가 위독하다고 했어. 어머니께 샘물을 좀 더 드리고 싶은데 샘이 너무 멀어서 조금밖에 못 길어 가니까 샘가에 오두막을 짓고 살겠다더군. 하지만 그건 위험한 생각이었어. 그 물은 산에 사는 온갖 동물들도 마시거든. 밤이면 여우도 나오고 호랑이도 나오는 곳이야. 밤마다 도깨비들까지 모였으니 사람이 얼씬거릴 곳이 아니었지."

6 버들이가 샘가에 오두막을 짓고 살겠다고 한 까닭은 무엇입니까? ( )

① 샘가가 살기 좋은 곳이어서
② 도깨비를 자주 만나고 싶어서
③ 여우와 호랑이를 피하기 위해서
④ 동물들이 없는 곳에서 살고 싶어서
⑤ 위독하신 어머니께 샘물을 더 드리고 싶어서

7 버들이가 추구하는 가치는 무엇이겠습니까? ( )

① 효를 추구한다.
② 의리를 추구한다.
③ 부지런한 삶을 추구한다.
④ 자연을 지키는 삶을 추구한다.
⑤ 동물을 사랑하는 삶을 추구한다.

[8~9] 글을 읽고, 물음에 답하시오.

> 환경 운동가인 왕가리 마타이에게 환경을 보호하는 방법은 나무를 심는 것이었다. 나무를 심고 키우는 것이 환경을 보호하고 사람을 이롭게 한다고 생각했다. 그래서 다른 사람들이 은퇴를 하고 휴식을 취할 무렵인 노년에도 환경 보호 운동에 앞장섰다. 그리고 왕가리 마타이는 이러한 노력을 인정받아 2004년에 아프리카 여성 최초로 노벨 평화상을 받았다.

8 노년에 이른 상황에서 왕가리 마타이가 한 일은 무엇인지 완성하시오.

• (   ) 운동에 앞장섰다.

서술형

9 8번 문제에서 답한 것에서 알 수 있는 왕가리 마타이가 추구하는 가치를 쓰시오.

_____

_____

10 다음 문학 작품 속 인물 소개서를 읽고 나눈 대화에서 바르지 <u>않게</u> 말한 친구를 쓰시오.

> 『샘마을 몽당깨비』의 '몽당깨비'를 소개합니다
>
> • 지은이: 황선미   • 이름: 몽당깨비
> • 나이: 알 수 없음.   • 특징: 도깨비
>
> • 인물을 말해 주는 질문과 대답
> – 좋아하는 것은? 사람, 특히 버들이
> – 싫어하는 것은? 은행나무 뿌리에 갇히는 것
> – 잘하는 것은? 남을 도와주는 것
> – 못하는 것은? 버들이의 부탁을 거절하는 것
> – 희망하는 것은? 버들이를 다시 만나는 것, 대왕 도깨비로 거듭나는 것

> 기영: 몽당깨비는 버들이를 좋아해서 버들이의 부탁을 거절하는 것을 어려워했을 거야.
> 상현: 작품 제목, 지은이는 인물 소개서에 꼭 쓰지 않아도 되겠어.
> 유주: 인물을 말해 주는 질문과 대답을 보면서 인물이 추구하는 가치를 파악해 볼 수 있어.

(   )

서술형평가 8. 인물의 삶을 찾아서

6학년　　　반　점수
이름　　　　　/ 30점

[1~2] 글을 읽고, 물음에 답하시오.

> ㉮ 고려 말에 새로 등장한 정치 세력과 무인들은 고려 사회를 개혁하려고 했다. 그러나 그들 가운데에서 정몽주와 이성계가 생각하는 개혁 방법은 서로 달랐다. 정몽주는 고려를 유지하면서 개혁해야 한다고 생각했고, 이성계는 고려를 무너뜨리고 새로운 왕조를 세우고자 했다. 이러한 상황에서 이성계의 아들 이방원은 「하여가」를 썼고, 정몽주는 「단심가」를 썼다.
>
> ㉯ 이런들 어떠하며 저런들 어떠하리
> 만수산 드렁칡이 얽혀진들 어떠하리
> 우리도 이같이 얽혀져 백 년까지 누리리
> 　　　　　　　　　　　　　– 이방원, 「하여가」

1 글 ㉮를 참고했을 때, 글 ㉯에 담긴 이방원의 생각은 무엇인지 쓰시오. [6점]

_____

_____

2 1번 문제에서 답한 이방원의 생각을 보고 떠오르는 인물을 쓰시오. [6점]

_____

_____

[3~4] 글을 읽고, 물음에 답하시오.

> 이순신은 전라도로 내려가면서 남은 배와 군사를 모았습니다. 그나마 여기저기 상한 배 12척과 120여 명의 군사를 모을 수 있었습니다. 나라에서는 아예 바다를 포기하고 육군으로 싸우라고 했습니다. 이순신은 임금님께 글을 올렸습니다.
> "지난 5, 6년 동안 일본이 충청도와 전라도 쪽으로 공격해 오지 못한 것은 수군이 그 길목을 막고 있었기 때문입니다. 이제 제게 12척의 배가 있으니 죽을힘을 다해 싸운다면 이길 수 있을 것입니다."

3 이순신이 적은 수의 배와 군사를 가졌지만 쉽게 포기하지 않은 까닭은 무엇일지 쓰시오. [6점]

_____

_____

4 이순신이 추구하는 가치가 자신의 삶에 어떤 질문을 던지는지 생각하여 쓰시오. [6점]

_____

_____

5 다음 상황에서 자신이 몽당깨비였다면 버들이의 부탁을 듣고 어떻게 했을지 쓰시오. [6점]

> "버들이가 이번에는 샘을 기와집 뒤란으로 옮겨 달라고 하잖아. 그러면 집에서 샘물을 긷게 될 거라고."
> "이제 보니 버들이는 욕심쟁이구나. 샘을 옮기다니! 그러면 다른 동물들은 샘물을 못 마시잖아?"
> "파랑이도 그렇게 말했어. 하지만 나도 그걸 원했으니까 버들이를 탓하지는 마. 나도 어느새 버들이랑 똑같은 생각을 하게 되었던 거야."
> "그래서 샘을 옮겨 주었니?"
> "땅속의 샘물줄기를 기와집 뒤란으로 흐르도록 해 주겠다고 약속했어. 그때 버들이가 기뻐하던 모습이라니, 지금도 잊을 수가 없어."
> 미미는 허공을 향해 빙그레 웃는 몽당깨비가 못마땅해서 고개를 저었습니다.

_____

_____

수행평가

8. 인물의 삶을 찾아서

관련 성취 기준	작품에서 얻은 깨달음을 바탕으로 하여 바람직한 삶의 가치를 내면화하는 태도를 지닌다.
평가 목표	인물이 추구하는 가치를 자신의 삶과 관련지을 수 있다.

[1~3] 인물이 추구하는 가치를 살펴보며 글을 읽어 봅시다.

> 그린벨트 운동은 성공적이었지만, 심은 나무를 가꾸기까지는 시간과 노력이 많이 필요했다. 나무를 가꾸는 데 지친 몇몇 사람은 나무를 심기보다는 베어서 쓰고 싶어 했다.
> "나무가 빨리 자라지 않으니 나무를 심기 싫어요."
> 왕가리 마타이는 사람들에게 인내심을 지니고 나무를 심어 줄 것을 부탁했다.
> "우리가 오늘 베고 있는 나무는 우리가 심은 것이 아니라 이전에 누군가가 심어 준 것입니다. 그러니까 우리도 우리 아이들을 위해서, 미래의 케냐를 위해서 나무를 심어야 해요."
> 왕가리 마타이는 꾸준히 그리고 열성적으로 나무 심기 운동을 이끌었다.

1 왕가리 마타이가 나무를 심기보다 베어서 쓰고 싶어 하는 사람들을 본 상황에서 한 말과 행동을 쓰시오. [10점]

(1) 인물이 한 말	
(2) 인물이 한 행동	

2 왕가리 마타이가 추구하는 가치가 무엇인지, 그렇게 생각한 까닭과 함께 쓰시오. [10점]

_____

_____

3 왕가리 마타이가 모두를 위해 나무 심기를 한 것처럼 자신이 우리 모두를 위해 할 수 있는 일을 생각하여 구체적인 실천 내용을 쓰시오. [10점]

(1) 우리 모두를 위해 할 수 있는 일	
(2) 실천 내용	

[1~2] 그림을 보고, 물음에 답하시오.

1 서연이가 나누려는 마음으로 알맞은 것은 무엇입니까? ( )

① 새로운 학용품을 갖고 싶은 마음
② 신기한 학용품을 소개하고 싶은 마음
③ 학용품이 많은 것을 자랑하고 싶은 마음
④ 친구들과 학용품을 나누어 쓰고 싶은 마음
⑤ 친구들이 학용품을 소중히 다루지 않아 안타까운 마음

2 이 일로 서연이가 마음을 나누는 글을 쓰려고 합니다. 다음은 어떤 물음에 대한 답인지 알맞은 것에 ○표를 하시오.

> 학급 게시판에 쓰기 / 학급 누리집에 쓰기 / 문자 메시지 쓰기

(1) 글을 누가 읽으면 좋을까요? ( )
(2) 어디에 글을 실으면 좋을까요? ( )
(3) 서연이가 글을 쓰는 목적은 무엇인가요? ( )

[3~5] 글을 읽고, 물음에 답하시오.

선생님께서는 읽기와 쓰기를 할 때 도움이 되는 여러 가지 재미있는 방법을 알려 주셨습니다. 그리고 이해가 되지 않는 부분은 없는지, 더 알고 싶은 것이 있는지를 물어봐 주시고 진지하게 들어 주셨습니다. 그래서 저는 용기를 내어 궁금한 점이나 더 알고 싶은 것을 여쭈어보았고, 새로운 내용을 알면서 국어 공부가 점점 더 좋아지기 시작했습니다.

국어 공부를 좋아하게 되니 다른 과목 공부도 재미있었습니다. 모두 선생님 덕분입니다. 선생님께서 수업 시간에 늘 말씀하신 것처럼 몸과 마음이 건강한 사람이 되도록 노력하겠습니다. 선생님, 정말 고맙습니다.

20○○년 ○○월 ○○일
최연아 올림

3 이 글은 누구에게 쓴 글인지 쓰시오.

( )

4 글쓴이가 3번 문제에서 답한 사람과 나누려는 마음은 무엇입니까? ( )

① 슬픈 마음
② 미안한 마음
③ 고마운 마음
④ 부러운 마음
⑤ 궁금한 마음

(서술형)

5 이 글과 같이 나누려는 마음을 편지로 쓰면 좋은 점은 무엇인지 쓰시오.

_____

_____

6학년   반   점수

이름

[6~8] 글을 읽고, 물음에 답하시오.

㉮ 너희는 항상 버릇처럼 말하기를 "일가친척 중에 한 사람도 불쌍히 여겨 돌보아 주는 사람이 없다."라고 개탄하였다. 더러는 험난한 물길 같다느니, 꼬불꼬불 길고 긴 험악한 길을 살아간다느니 하며 한탄하고 있다. 하지만 이는 모두 하늘을 원망하고 사람을 미워하는 말투로, 큰 병이다.

너희가 아픈 데가 있으면 다른 사람들이 돌보아 주기 마련이었다. 날마다 어떠냐는 안부를 전해 오고, 안아서 부축해 주는 사람도 있었다. 약을 먹여 주고 양식까지 대 주는 사람도 있었다. 이런 일에 너희가 너무 익숙해져 항상 은혜를 베풀어 주기만 바라고 있구나. 너희가 ㉠사람의 본분을 망각하지는 않았는지 걱정이다. 그래서 내가 이 편지를 보낸다.

㉯ 가난하고 외로운 노인이 있는 집에는 때때로 찾아가 무릎 꿇고 모시어 따뜻하고 공손한 마음으로 공경해야 한다. 그리고 근심 걱정에 싸여 있는 집에 가서 연민의 눈빛으로 그 고통을 함께 나누며 잘 처리할 방법을 의논해야 한다.

6 글쓴이는 편지를 읽을 사람의 어떤 말버릇이 옳지 않다고 생각합니까? ( )

① 잘난 체하는 말버릇
② 험한 말을 하는 말버릇
③ 남의 도움을 바라는 말버릇
④ 다른 사람을 지나치게 걱정하는 말버릇
⑤ 지킬 수 없는 약속을 함부로 하는 말버릇

7 글쓴이가 편지를 읽을 사람과 나누고 싶은 마음으로 알맞은 것은 무엇입니까? ( )

① 다른 사람을 칭찬하는 마음
② 다른 사람을 배려하는 마음
③ 다른 사람을 뿌듯해하는 마음
④ 다른 사람에게 미안해하는 마음
⑤ 다른 사람을 자랑스러워하는 마음

8 글의 내용을 볼 때, 글쓴이가 말하는 ㉠'사람의 본분'이 뜻하는 것은 무엇이겠습니까? ( )

① 다른 사람에게 베푸는 것
② 다른 사람을 미워하지 않는 것
③ 다른 사람에게 돈을 많이 쓰는 것
④ 다른 사람에게 날마다 안부를 묻는 것
⑤ 다른 사람이 은혜를 베풀어 주기를 바라는 것

9
단원

9 마음을 나누는 글을 쓰는 방법으로 알맞지 않은 것은 어느 것입니까? ( )

① 일어난 사건을 자세히 쓴다.
② 나누려는 마음을 자세하게 표현한다.
③ 맞춤법, 띄어쓰기를 잘 지켜 표현한다.
④ 읽을 사람과의 관계를 고려해서 표현한다.
⑤ 일어난 사건에 대한 친구의 생각을 밝힌다.

10 우리 반 친구들이 겪은 일 가운데 자신이 인상 깊었던 일로 학급 신문을 만들려고 합니다. 자신이 생각하는 인상 깊었던 일을 한 가지 쓰시오.

( )

[1~2] 그림을 보고, 물음에 답하시오.

1 서연이가 자원을 아껴 써야 한다는 생각을 한 까닭으로 알맞은 것을 <u>두 가지</u> 고르시오.

(,)

① 수업 시간에 학용품 절약에 대해 토의한 일

② 부모님께 자원을 아껴야 한다는 말씀을 들은 일

③ 친구들이 게시판에 쓴 자원을 아끼자는 글을 본 일

④ 무분별한 벌목으로 자연이 파괴된다는 뉴스를 시청한 일

⑤ 분실물 보관함에 쌓여 있는 자연 자원으로 만든 학용품을 본 일

(서술형)

2 서연이가 마음을 나누는 글을 쓴다면 글을 쓰는 목적은 무엇일지 쓰시오.

_____

_____

[3~5] 그림을 보고, 물음에 답하시오.

3 신우는 어떤 사건 때문에 글을 쓰려고 하는지 알맞은 것의 기호를 쓰시오.

ㄱ 교실에서 뛰어놀다가 지효 가방을 밟아서 더러워진 일

ㄴ 점심시간에 미역국을 엎질러서 지효 책상이 더러워진 일

ㄷ 점심시간에 미역국을 엎질러서 지효 가방이 더러워진 일

( )

4 신우가 글을 써서 나누려는 마음으로 알맞은 것을 <u>두 가지</u> 고르시오. (,)

① 기쁜 마음   ② 고마운 마음

③ 미안한 마음   ④ 화가 난 마음

⑤ 자랑하는 마음

5 신우가 어떤 방법으로 글을 쓰면 좋을지 한 가지 쓰시오.

( )

[6~8] 글을 읽고, 물음에 답하시오.

> **가** 지효에게
>
> 지효야, 안녕? 나 신우야.
>
> 지효야, 아까 내가 네 책상 옆에서 미역국을 엎질렀지? 너는 네 가방이 더러워져서 많이 속상했을 텐데 나에게 "괜찮아?" 하면서 걱정을 해 주었어. 그리고 미역국 치우는 것을 도와주었어.
>
> **나** 나는 미역국을 엎지르고 너에게 미안하다는 말도 못 하고 멍하니 서 있었어. 너무 당황스러워서 어떻게 해야 할지 생각이 나지 않았어. 그런데 네가 오히려 나를 걱정해 주고 같이 치워 주어서 감동했단다.
>
> **다** 지효야, 아까는 당황스러워서 너에게 고맙다는 말을 제대로 못 했어. 정말 고마워! 네 따뜻한 마음을 잊지 않을게.
>
> 앞으로 내가 도와줄 일이 있으면 꼭 도와줄게. 그리고 우리 앞으로도 친하게 지내자. / 안녕.
>
> 친구 신우가

6 이 글은 누가 누구에게 쓴 편지인지 빈칸에 알맞은 말을 쓰시오.

- (1)(　　　　)이/가 (2)(　　　　)에게 쓴 편지이다.

7 다음 중 지효가 겪거나 한 일이 <u>아닌</u> 것은 무엇입니까? (　　)

① 신우를 걱정해 주었다.
② 신우에게 "괜찮아?"라고 물었다.
③ 미역국 때문에 가방이 더러워졌다.
④ 신우의 책상에 미역국을 엎질렀다.
⑤ 신우가 미역국 치우는 것을 도와주었다.

8 글 **가**~**다** 중 다음 내용이 모두 들어 있는 글의 기호를 쓰시오.

> 나누려는 마음, 끝인사, 글을 쓴 사람

글 (　　　　)

9 다음 글에서 글쓴이가 읽을 사람에게 결국 하고 싶은 말은 무엇일지 쓰시오.

> 남이 어려울 때 자기는 은혜를 베풀지 않으면서 남이 먼저 은혜를 베풀어 주기만 바라는 것은 너희가 지닌 그 오기 근성이 없어지지 않았기 때문이다. 이후로는 평상시 일이 없을 때라도 항상 공손하고 화목하며, 조심하고 자기 정성을 다해 다른 사람의 환심을 얻는 일에 힘쓸 것이지, 마음속에 보답받을 생각은 가지지 않도록 해라.
>
> 다른 사람을 위해 먼저 베풀어라. 그러나 뒷날 너희가 근심 걱정 할 일이 있을 때 다른 사람이 보답해 주지 않더라도 부디 원망하지 마라.

_____

_____

10 자신이 인상 깊었다고 생각한 일을 주제로 학급 신문을 만들 때, 가장 먼저 할 일은 무엇입니까? (　　)

① 쓸 내용을 정리한다.
② 인상 깊었던 일을 정한다.
③ 인상 깊었던 일을 글로 쓴다.
④ 신문 기사를 모아 학급 신문을 만든다.
⑤ 쓴 글과 그림이나 사진 자료로 신문 기사를 완성한다.

9 **단원**

서술형평가

9. 마음을 나누는 글을 써요

1 마음을 나누는 글을 써 본 자신의 경험을 쓰시오. [6점]

_____

_____

2 다음 글을 쓴 목적은 무엇인지 쓰시오. [6점]

> 선생님께서는 읽기와 쓰기를 할 때 도움이 되는 여러 가지 재미있는 방법을 알려 주셨습니다. 〈중략〉 저는 용기를 내어 궁금한 점이나 더 알고 싶은 것을 여쭈어보았고, 새로운 내용을 알면서 국어 공부가 점점 더 좋아지기 시작했습니다.
>
> 국어 공부를 좋아하게 되니 다른 과목 공부도 재미있었습니다. 모두 선생님 덕분입니다. 선생님께서 수업 시간에 늘 말씀하신 것처럼 몸과 마음이 건강한 사람이 되도록 노력하겠습니다. 선생님, 정말 고맙습니다.

_____

_____

[3~4] 다음을 보고, 물음에 답하시오.

지수: 정민아, 아까 과학 시간에 물을 엎질러서 정말 미안해.

정민: 아니야, 지수야. 일부러 그런 것도 아니잖아.

지수: 그래도 옷이 젖어서 불편했지?

정민: 아니야, 괜찮았어. 그나저나 너도 많이 놀랐겠다.

지수: 응, 사실 나도 깜짝 놀랐어.

정민: 그래, 난 정말 괜찮으니까 너도 너무 걱정하지 마.

지수: 그래, 고마워. 그리고 진심으로 미안해.

3 지수가 정민이에게 문자 메시지를 보낸 목적은 무엇인지 쓰시오. [6점]

_____

_____

4 이와 같이 나누려는 마음을 문자 메시지로 쓰면 좋은 점을 한 가지 쓰시오. [6점]

_____

_____

5 다음은 정약용이 두 아들에게 쓴 편지의 일부분입니다. 정약용이 글을 쓰는 목적을 쓰시오. [6점]

> 너희는 항상 버릇처럼 말하기를 "일가친척 중에 한 사람도 불쌍히 여겨 돌보아 주는 사람이 없다."라고 개탄하였다. 더러는 험난한 물길 같다느니, 꼬불꼬불 길고 긴 험악한 길을 살아간다느니 하며 한탄하고 있다. 하지만 이는 모두 하늘을 원망하고 사람을 미워하는 말투로, 큰 병이다.
>
> 너희가 아픈 데가 있으면 다른 사람들이 돌보아 주기 마련이었다. 날마다 어떠냐는 안부를 전해 오고, 안아서 부축해 주는 사람도 있었다. 약을 먹여 주고 양식까지 대 주는 사람도 있었다. 이런 일에 너희가 너무 익숙해져 항상 은혜를 베풀어 주기만 바라고 있구나. 너희가 사람의 본분을 망각하지는 않았는지 걱정이다. 그래서 내가 이 편지를 보낸다.

_____

_____

수행평가

9. 마음을 나누는 글을 써요

9 단원

관련 성취 기준	쓰기는 절차에 따라 의미를 구성하고 표현하는 과정임을 이해하고 글을 쓴다.
평가 목표	마음을 나누는 글을 쓸 수 있다.

[1~3] 어떤 마음을 나누었는지를 생각하며 글을 읽어 봅시다.

> 다른 사람을 위해 먼저 베풀어라. 그러나 뒷날 너희가 근심 걱정 할 일이 있을 때 다른 사람이 보답해 주지 않더라도 부디 원망하지 마라. 가벼운 농담일망정 "나는 지난번에 이렇게 저렇게 해 주었는데 저들은 그렇지 않구나!" 하는 소리도 입 밖에 내뱉지 말아야 한다.

1 글쓴이가 읽을 사람과 나누고 싶은 마음은 무엇인지 쓰시오. [10점]

2 다른 사람에게 도움을 받았던 경험을 떠올려 감사한 마음을 나누는 글을 쓸 내용을 계획하시오. [10점]

(1) 글을 쓰는 상황	
(2) 읽을 사람	
(3) 글을 전하는 방법	
(4) 글을 쓰는 목적	

3 2번 문제에서 계획한 내용을 바탕으로 하여 감사한 마음을 나누는 글을 쓰시오. [10점]

[1~3] 글을 읽고, 물음에 답하시오.

> "뻥이요. 뻥!"
>
> 　봄날 꽃잎이 흩날리는 것처럼 아름답게 보였습니다.
> 아니야, 아니야, 나비가 날아갑니다.
> 아니야, 아니야, 함박눈이 내리는 거야.
>
> 맞아요, 맞아요, 폭죽입니다.
>
> 하얀 연기 고소하고요.
>
> 가을날 메밀꽃 냄새가 납니다.
> 아니야, 아니야, 새우 냄새가 납니다.
> 아니야, 아니야, 멍멍이 냄새가 납니다.
>
> 맞아요, 맞아요, 옥수수 냄새입니다.

1. 비유하는 표현

1 이 글에서 표현하려고 하는 것을 <u>두 가지</u> 고르시오.　(　 ,　)

　① 뻥튀기에 나비가 앉은 모습
　② 아이들이 뻥튀기를 먹는 모습
　③ 뻥튀기를 사 가는 손님들의 모습
　④ 뻥튀기를 튀길 때 나오는 고소한 냄새
　⑤ 뻥튀기가 튀겨질 때 사방으로 튀는 모습

1. 비유하는 표현

2 다음 중 뻥튀기 냄새를 비유한 것은 어느 것입니까?
　　　　　　　　　　　　　　　　　(　 　)

　① 나비　　　　　② 폭죽
　③ 함박눈　　　　④ 옥수수
　⑤ 봄날 꽃잎

1. 비유하는 표현

3 이 글에서 글쓴이가 말하고 싶은 의도는 무엇일지 쓰시오.

　(　　　　　　　　　　　　　　　)

[4~5] 시를 읽고, 물음에 답하시오.

> 나는 바람이 좋아, 바람 같은 친구 좋아
> 풀잎하고 헤졌다가 되찾아 온 바람처럼
> 만나면 얼싸안는 바람, 바람 같은 친구 좋아.

1. 비유하는 표현

4 친구와 바람의 공통점은 무엇입니까?　(　 　)

　① 다시 찾아온다.　　② 비슷하게 생겼다.
　③ 움직임이 빠르다.　④ 내 말을 잘 들어준다.
　⑤ 자주 다투고 화해한다.

1. 비유하는 표현

5 친구를 바람에 비유할 때 얻는 효과는 무엇인지 쓰시오.

　(　　　　　　　　　　　　　　　)

[6~7] 글을 읽고, 물음에 답하시오.

> ㉮ "네 고을에 사는 주막집 딸은 곳간을 그득하게 채웠는데, 고을 원님이라는 사람이 이게 무슨 꼴이냐?" / "아니, 그게 무슨 얘깁니까?"
> "덕진이라는 아가씨의 곳간에는 쌀이 수백 석이나 있으니, 일단 거기서 쌀을 꾸어 계산하고 이승에 나가서 갚도록 해라." / 저승사자가 원님에게 제안했다. 결국 원님은 덕진의 곳간에서 쌀 삼백 석을 꾸어 셈을 치를 수 있었다.
> ㉯ 저승사자는 그 문을 열며
> "이 컴컴한 데로만 들어가면 이승으로 나갈 수 있다. 속히 나가거라."

2. 이야기를 간추려요

6 이 글과 같이, 사건이 본격적으로 발생하고 갈등이 일어나는 부분을 무엇이라고 하는지 쓰시오.
　　　　　　　　　　　(　　　　　　　)

서술형　　　　　　　　　2. 이야기를 간추려요

7 이 글의 중심 내용을 요약해 쓰시오.

　_____

　_____

[8~9] 글을 읽고, 물음에 답하시오.

종이 할머니는 여전히 폐지를 모았어. 그렇지만 이제는 혼자가 아니야. 눈에 혹이 난 할머니와 같이 주웠어. 그리고 저녁이 되면 따뜻한 밥도 같이 먹고 생강차도 나누어 마셨지.

종이 할머니는 벽에 붙여 놓은 우주 그림을 보며 잠깐잠깐 이런 생각에 빠졌단다.

'여기가 우주 호텔이 아닌가? 여행을 하다가 잠시 이렇게 쉬어 가는 곳이니……, 여기가 바로 우주의 한가운데지.'

2. 이야기를 간추려요

8 이 글에서 종이 할머니의 감정으로 가장 알맞은 것은 어느 것입니까? (　　)

① 힘듦.　　　　② 서글픔.
③ 행복함.　　　④ 후회됨.
⑤ 화가 남.

2. 이야기를 간추려요

9 이 글의 주제를 생각하여 쓰시오.

(　　　　　　　　　　　)

[10~11] 그림을 보고, 물음에 답하시오.

3. 짜임새 있게 구성해요

10 그림 ㉮와 ㉯의 말하기 상황에서 비슷한 점은 무엇인지 두 가지 고르시오. (　　,　　)

① 모두 앉아서 말하고 있다.
② 듣는 사람이 친구들이다.
③ 교실에서 말을 하고 있다.
④ 말하는 사람과 듣는 사람이 있다.
⑤ 손을 들어 허락을 구한 후 말하고 있다.

3. 짜임새 있게 구성해요

11 그림 ㉮와 ㉯ 중, 다음과 같은 특성을 가진 것의 기호를 쓰시오.

• 수업 시간에 여러 사람 앞에서 발표하고 있다.
• 여러 친구 앞에서 공식적으로 말하고 있다.

(　　　　　　　　　　　)

[12~13] 글을 읽고, 물음에 답하시오.

안녕하세요? 1모둠 발표를 맡은 김대한입니다. 우리의 미래를 생각하면서 우리 모둠은 '미래에는 어떤 인재가 필요할까'라는 주제로 발표를 준비했습니다. 우리 모둠이 준비한 자료는 표와 동영상입니다. 자료를 보면서 발표를 들어 주십시오.

3. 짜임새 있게 구성해요

12 발표를 하기 위해 준비한 자료를 <u>두 가지</u> 쓰시오.

(　　　　　　　　　　　)

3. 짜임새 있게 구성해요

13 이와 같이 발표를 할 때 '시작하는 말'의 역할로 가장 알맞은 것은 무엇입니까? (　　)

① 다른 발표에 대해 소개한다.
② 발표를 듣는 사람에 대해 알린다.
③ 발표 내용을 요약하고 마무리한다.
④ 발표를 듣는 사람의 주의를 집중시킨다.
⑤ 발표를 하면서 힘들었던 점에 대해 알린다.

[14~15] 글을 읽고, 물음에 답하시오.

> 지훈 동물원은 우리에게 큰 즐거움을 줍니다. 3000년 전에 이미 동물원을 만들었을 만큼 사람은 동물을 좋아하고 가까이해 왔습니다. 동물원에서는 쉽게 만날 수 없는 동물을 가까이에서 볼 수 있는데, 열대 지역에 사는 사자나 극지방에 사는 북극곰도 쉽게 만날 수 있습니다.
>
> 미진 동물원은 동물의 자유를 구속하고, 동물에게 사람의 구경거리가 되는 고통을 줍니다. 동물원에서 동물은 제한된 공간에 갇혀 수많은 관람객과 마주해야 합니다. 이러한 상황에서 동물은 극심한 스트레스를 받습니다.

4. 주장과 근거를 판단해요

14 지훈이와 미진이는 '동물원은 필요한가'에 대해 서로 다른 주장을 하고 있습니다. 지훈이와 미진이 중, '동물원은 있어야 한다'라는 주장을 하는 친구는 누구인지 이름을 쓰시오.

( )

4. 주장과 근거를 판단해요

15 이와 같이 서로 다른 주장을 하는 까닭은 무엇이겠는지 쓰시오.

( )

[16~17] 글을 읽고, 물음에 답하시오.

> 우리나라 전통 음식은 세계 여러 나라 사람에게 주목받고 있습니다. 우리 조상의 넉넉한 마음과 삶에서 배어 나온 지혜가 담긴 우리 전통 음식은 그 맛과 멋과 영양의 삼박자를 모두 갖추고 있습니다. 우리는 우리 전통 음식의 과학성과 우수성을 알고 우리 전통 음식에 관심을 가지고 우리 전통 음식을 사랑해야겠습니다.

4. 주장과 근거를 판단해요

16 이와 같은 논설문의 결론에 들어갈 내용으로 알맞은 것을 **두 가지** 고르시오. (,)

① 문제 상황
② 주장과 근거
③ 글 내용 요약
④ 주장을 하게 된 까닭
⑤ 글쓴이의 주장 다시 한번 강조

4. 주장과 근거를 판단해요

17 글쓴이의 주장은 무엇인지 쓰시오.

( )

4. 주장과 근거를 판단해요

18 논설문에서 다음과 같은 표현을 쓰지 않는 까닭은 무엇인지 빈칸에 알맞은 말을 쓰시오.

> 나는 자전거 타기보다 걷기를 더 좋아한다. 그래서 걷기는 좋은 운동이다.

• '나는 ~을/를 좋아한다.'와 같은 ( ) 표현으로는 다른 사람을 논리적으로 설득하기 어렵기 때문이다.

[19~20] 그림을 보고, 물음에 답하시오.

5. 속담을 활용해요

19 이 그림의 상황에 어울리는 속담으로, ㉠에 들어가기에 알맞은 말은 무엇입니까? ( )

① 마당
② 송아지
③ 쥐구멍
④ 기둥
⑤ 외양간

논술형   5. 속담을 활용해요

20 여자아이가 말한 속담을 사용할 수 있는 다른 상황을 생각하여 쓰시오.

_____

_____

[1~3] 다음을 보고, 물음에 답하시오.

1999년 10월 탈북 한의사 ○○○	같은 일상을 살아가는 우리 우리는 이미 하나입니다

6. 내용을 추론해요

1 이 영상 광고 장면 **①**에 나오는 사람의 직업은 무엇인지 쓰시오.

(   )

6. 내용을 추론해요

2 이 영상 광고 장면을 보고 어떤 방법으로 생각한 것인지 찾아 선으로 이으시오.

(1)	자신의 경험 떠올리기	•		• ①	표정이나 행동을 보면 모두 즐겁게 자신의 일을 하시는 것 같아.
(2)	말이나 행동에서 단서 확인하기	•		• ②	낯선 곳을 잠깐 여행하는 것도 힘든 점이 많던데 잘 적응하며 사시는 게 놀라워.

6. 내용을 추론해요

3 이 영상 광고 장면에서 추론할 수 있는 내용은 무엇입니까? (   )

① 더불어 살아가기 어렵다.
② 우리 주위에 불우이웃이 많다.
③ 북한 이탈 주민이 차별받고 있다.
④ 서로 존중하고 더불어 살아가야 행복하다.
⑤ 북한 이탈 주민이 직업을 찾는 일은 힘들다.

[4~6] 글을 읽고, 물음에 답하시오.

　현재 서울에 남아 있는 조선 시대의 궁궐은 모두 다섯 곳으로, 경복궁, 창덕궁, 창경궁, 경희궁, 경운궁이다.

> 궁궐의 건물
>
> 　궁궐에는 왕과 왕비뿐만 아니라 왕실의 가족과 관리, 군인, 내시, 나인 등 많은 사람이 살았다. 이 사람들은 각자 (⊙   ), 건물의 명칭 또한 주인의 신분에 따라 달랐다. 예컨대 궁궐에는 강녕전이나 교태전 같이 '전' 자가 붙는 건물이 있는데, 이러한 건물에는 궁궐에서 가장 신분이 높은 왕과 왕비만 살 수 있었다. 왕실 가족이나 후궁들은 주로 '전'보다 한 단계 격이 낮은 '당' 자가 붙는 건물을 사용했다.

6. 내용을 추론해요

4 현재 서울에 남아 있는 조선 시대의 궁궐을 <u>모두</u> 쓰시오.

(   )

6. 내용을 추론해요

5 궁궐에서 '전' 자가 붙은 건물에서 살 수 있는 사람은 누구였습니까? (   )

① 관리 　　　　　② 군인
③ 후궁 　　　　　④ 왕실 가족
⑤ 왕과 왕비

6. 내용을 추론해요

서술형

6 ⊙에 들어갈 내용을 추론하여 쓰시오.

_____

_____

[7~8] 그림을 보고, 물음에 답하시오.

7. 우리말을 가꾸어요

7 여자아이의 말을 듣고 아빠가 떠올린 것은 무엇인지 쓰시오.

( )

7. 우리말을 가꾸어요

8 여자아이의 말을 아빠가 알아들을 수 있도록 바르게 고쳐 쓰시오.

( )

[9~10] 다음을 보고, 물음에 답하시오.

 우리 동네에는 길고양이를 보살피는 캣맘과 캣대디가 많아!

7. 우리말을 가꾸어요

9 이 사례와 같은 언어생활을 지속한다면 어떤 일이 벌어지겠습니까? ( )

① 외국어를 배우지 않게 된다.
② 사람들이 말을 하지 않는다.
③ 동물을 키우기가 어려워진다.
④ 올바른 우리말이 점점 사라진다.
⑤ 아름다운 우리말을 지킬 수 있게 된다.

7. 우리말을 가꾸어요

10 이 사례와 같이 외국어를 섞어서 말하는 친구와 대화하면 기분이 어떠한지 쓰시오.

( )

[11~12] 글을 읽고, 물음에 답하시오.

비속어나 욕설을 사용하면 추한 마음이 생길 것인데 고운 우리말을 사용하면 너그러운 마음이 생기고, 미안한 마음이 생기며, 고마운 마음이 생기므로 아름다운 사람이 된다는 것입니다.

긍정하는 표현은 자신은 물론 주변 사람들 마음에 긍정하는 힘을 줍니다. 그리고 고운 우리말 사용이 아름다운 소통을 이루고, 진정한 말맛을 느끼게 합니다. 그러므로 긍정하는 말과 고운 우리말을 사용해야 합니다.

7. 우리말을 가꾸어요

11 비속어나 욕설을 사용하면 어떤 마음이 생긴다고 하였습니까? ( )

① 추한 마음   ② 고마운 마음
③ 미안한 마음   ④ 긍정하는 마음
⑤ 너그러운 마음

7. 우리말을 가꾸어요

12 글쓴이는 우리가 어떤 말을 사용하기를 바라고 있습니까? ( )

① 부정하는 말
② 비판하는 말
③ 고운 우리말
④ 비교하는 말
⑤ 새로 생긴 말

8. 인물의 삶을 찾아서

13 글에서 글쓴이가 말하고자 하는 생각을 무엇이라고 합니까? ( )

① 글감   ② 매체
③ 주제   ④ 인물
⑤ 구성

[14~15] 글을 읽고, 물음에 답하시오.

㉮ 정몽주는 고려를 유지하면서 개혁해야 한다고 생각했고, 이성계는 고려를 무너뜨리고 새로운 왕조를 세우고자 했다. 이러한 상황에서 이성계의 아들 이방원은 「하여가」를 썼고, 정몽주는 「단심가」를 썼다.

㉯ 이 몸이 죽고 죽어 일백 번 고쳐 죽어
백골이 진토 되어 넋이라도 있고 없고
임 향한 일편단심이야 가실 줄이 있으랴

8. 인물의 삶을 찾아서

14 글 ㉮로 미루어 볼 때, 글 ㉯를 쓴 사람은 누구겠는지 글 ㉮에서 찾아 쓰시오.

( )

논술형
8. 인물의 삶을 찾아서

15 글 ㉯에 나타난 생각을 보고 떠오르는 인물을 쓰시오.

_____

_____

[16~18] 글을 읽고, 물음에 답하시오.

"샘마을에는 버들이가 살거든. 나는 버들이를 위해 큰 기와집을 지었단다. 버들이랑 같이 사람으로 살고 싶어서. 그런데……."
갑자기 몽당깨비 얼굴이 어두워졌습니다. 미미가 활짝 웃으며 말했습니다. / "너도 사람이 되고 싶었니? 우린 공통점을 가졌구나. 그래서?"
"버들이는 강안이마을에서 늙고 병든 어머니와 둘이 살았어. 가난했지만 누구보다 예쁜 아가씨였단다. 새벽마다 도깨비 샘물을 뜨러 왔었지. 가장 먼저 샘물을 길어 마셔야 효험이 있다니까 어머니 병을 낫게 하려고 새벽마다 온 거였어."

8. 인물의 삶을 찾아서

16 몽당깨비가 버들이를 위해 한 일을 쓰시오.

( )

8. 인물의 삶을 찾아서

17 몽당깨비와 미미의 공통점으로 알맞은 것은 무엇입니까? ( )

① 병이 낫고 싶어 한다.
② 사람이 되고 싶어 한다.
③ 기와집에서 살고 싶어 한다.
④ 고향으로 돌아가고 싶어 한다.
⑤ 어머니와 함께 살고 싶어 한다.

8. 인물의 삶을 찾아서

18 이 글에서 짐작할 수 있는, 버들이가 추구하는 가치로 알맞은 것은 무엇입니까? ( )

① 효를 추구한다.
② 우정을 추구한다.
③ 은혜를 갚는 것을 추구한다.
④ 부자가 되는 것을 추구한다.
⑤ 약속을 지키는 것을 추구한다.

[19~20] 글을 읽고, 물음에 답하시오.

㉮ 선생님께서 수업 시간에 늘 말씀하신 것처럼 몸과 마음이 건강한 사람이 되도록 노력하겠습니다. 선생님, 정말 고맙습니다.

㉯

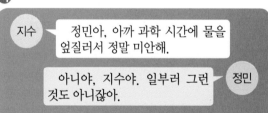

지수: 정민아, 아까 과학 시간에 물을 엎질러서 정말 미안해.

정민: 아니야, 지수야. 일부러 그런 것도 아니잖아.

9. 마음을 나누는 글을 써요

19 글 ㉮와 ㉯에 사용된 표현 방법을 바르게 선으로 이으시오.

(1) 글 ㉮ •   • ① 친근한 말

(2) 글 ㉯ •   • ② 공손한 말

9. 마음을 나누는 글을 써요

20 글 ㉮와 ㉯ 가운데 미안한 마음을 나누는 글은 무엇인지 기호를 쓰시오.

글 ( )

기말 평가
1. 비유하는 표현 ~ 9. 마음을 나누는 글을 써요

[1~3] 시를 읽고, 물음에 답하시오.

봄비

ⓐ해님만큼이나
큰 은혜로
내리는 교향악

이 세상
모든 것이 다
악기가 된다.

달빛 내리던 지붕은
두둑 두드둑
큰북이 되고

아기 손 씻던
세숫대야 바닥은

도당도당 도당당
작은북이 된다.

1. 비유하는 표현

1 '봄비 내리는 소리'와 '교향악'의 공통점은 무엇입니까? ( )

① 밤에만 소리가 난다.
② 실내에서만 들을 수 있다.
③ 비가 올 때만 들을 수 있다.
④ 여러 가지 소리가 섞여 있다.
⑤ 사람들이 싫어하는 소리가 난다.

1. 비유하는 표현

2 '지붕'을 무엇에 비유하고 있습니까? ( )

① 해님 ② 달빛 ③ 큰북
④ 작은북 ⑤ 세숫대야 바닥

1. 비유하는 표현

3 ⓐ과 같이 은유법을 사용하여 짧은 글을 쓰시오.
( )

[4~5] 글을 읽고, 물음에 답하시오.

다들 황금 사과를 갖겠다고 아우성이었지.
할 수 없이 사람들은 모여서 의논을 했어.
"이 나무는 우리 두 동네의 한가운데에 있습니다. 그러니 잘 나누기 위해 땅바닥에 금을 그읍시다. 금 오른쪽에 열리는 사과는 윗동네, 금 왼쪽에 열리는 사과는 아랫동네에서 갖도록 말입니다." / 그렇게 해서 땅바닥에 금이 생겼지.

2. 이야기를 간추려요

4 사람들은 서로 무엇을 가지겠다고 싸웠는지 쓰시오.
( )

서술형
2. 이야기를 간추려요

5 이 글에서 일어난 일을 정리하여 쓰시오.

_____

_____

[6~7] 그림을 보고, 물음에 답하시오.

3. 짜임새 있게 구성해요

6 여자아이는 무엇에 대해 발표하고 있는지 쓰시오.
( )

3. 짜임새 있게 구성해요

7 여자아이가 표 자료를 활용하여 발표하는 까닭은 무엇입니까? ( )

① 소리를 직접 들려주기 위해서
② 장면을 생생하게 보여 주기 위해서
③ 대상의 모습을 정확히 알려 주기 위해서
④ 음악을 넣어 분위기를 잘 전달하기 위해서
⑤ 사라진 직업의 종류와 그 까닭을 직업별로 정리해서 보여 주기 위해서

6학년　　　반　점수
이름

8 자료를 활용해 발표할 때에 주의할 점으로 알맞지 않은 것은 어느 것입니까? （　　　）

① 자료를 가져온 곳을 꼭 밝힌다.
② 많은 자료를 최대한 길게 제시한다.
③ 자료를 너무 복잡하지 않게 제시한다.
④ 발표 상황에 알맞게 자료를 제시한다.
⑤ 발표할 주제와 내용에 알맞은 자료를 사용한다.

[9~10] 글을 읽고, 물음에 답하시오.

더 이상 무분별한 개발로 금수강산을 훼손해서는 안 된다. 자연 개발로 사라져 가는 동식물을 다시 이 땅으로 돌아오게 하여 더불어 살아야 한다. 지나친 개발 때문에 나타나는 지구 온난화와 이상 기후 현상이 더 이상 심해지지 않도록 노력하는 일도 우리 모두에게 남겨진 과제이다. 이제 우리 모두 자연 보호를 실천해야 한다.

9 이 글은 논설문의 짜임에서 무엇에 해당하는지 쓰시오.

（　　　　　　　　　）

10 글쓴이의 주장은 무엇입니까? （　　　）

① 지구 개발이 필요하다.
② 동식물을 사랑해야 한다.
③ 자연 보호를 실천해야 한다.
④ 자연 개발로 새로운 것을 만들어야 한다.
⑤ 지구 온난화는 과학의 힘으로 해결할 수 있다.

11 다음 상황에 어울리는 속담을 쓰시오.

우리 반 지우는 야구를 좋아하고 야구 선수가 되고 싶어 합니다. 그래서 지우가 가는 곳에는 언제나 야구공과 야구 장갑이 있습니다.

（　　　　　　　　　）

12 다음 속담의 뜻은 무엇입니까? （　　　）

지렁이도 밟으면 꿈틀한다

① 말은 순식간에 퍼진다.
② 무슨 일이나 그 일의 시작이 중요하다.
③ 어릴 때 몸에 밴 버릇은 늙어서도 고치기 어렵다.
④ 모든 일은 근본에 따라 거기에 걸맞은 결과가 나타난다.
⑤ 순하고 좋은 사람이라도 너무 업신여기면 가만있지 않는다.

13 다음 글에 나오는 인물이 처한 상황에 어울리는 속담으로, ㉠에 들어갈 속담은 무엇입니까? （　　　）

"야, 이렇게 계산해 보니 며칠 안 가 독이 천만 개나 되겠는걸. 그럼 그 돈으로 논과 밭을 사는 거야. 그리고 남는 돈으로는 고래 등 같은 기와집을 짓는 거야."
독장수는 너무 기쁜 나머지 팔을 번쩍 들었습니다. 그러다가 팔로, 지게를 받치던 지겟작대기를 밀어 버렸습니다. 지게는 기우뚱하더니 옆으로 팍 쓰러졌습니다. 지게에 있던 독들도 와장창 깨지고 말았습니다.
"아이고, 망했다. 이걸 어쩐다?"
독장수는 눈물을 뚝뚝 흘리며 박살 난 독 조각들을 쓰다듬었습니다.
이와 같이 허황된 것을 궁리하고 미리 셈하는 것을 '독장수구구'라고 하고, 실현성이 없는 허황된 계산은 도리어 손해만 가져온다는 뜻으로 "　　㉠　　."라는 속담이 쓰입니다.

① 고래 싸움에 새우 등 터진다
② 독장수구구는 독만 깨뜨린다
③ 가랑잎으로 눈 가리고 아웅 한다
④ 호미로 막을 것을 가래로 막는다
⑤ 쌀은 쏘고 주워도 말은 하고 못 줍는다

[14~15] 글을 읽고, 물음에 답하시오.

> 더 둘러보고 싶은 친구가 있다면 근처에 있는 융건릉과 용주사에 가 볼 것을 추천할게. 융건릉은 사도 세자의 무덤인 융릉과 정조 임금의 무덤인 건릉을 합쳐서 ㉠부르는 이름이고, 용주사는 사도 세자의 명복을 빌려고 지은 절이야.

6. 내용을 추론해요

14 이 글을 읽으면 어디어디에도 볼거리가 많다는 것을 추론할 수 있습니까?

( )

6. 내용을 추론해요

15 ㉠'부르다'의 뜻으로 알맞은 것의 번호를 쓰시오.

> ① 먹은 것이 많아 속이 꽉 찬 느낌이 들다.
> ② 무엇이라고 가리켜 말하거나 이름을 붙이다.

( )

[16~17] 다음을 보고, 물음에 답하시오.

> 국립국어원 우리말 다듬기 누리집에서 자료를 수집해 신문으로……

> **다듬은 우리말 신문**   20○○년 ○○월 호
> ─────────────────
> **우리말로 다듬어 새로운 낱말 탄생!**
> 국립국어원 우리말 다듬기 누리집에서는 들어온 지 얼마 안 된 ~.

7. 우리말을 가꾸어요

16 올바른 우리말 사례집을 만든 과정입니다. 어디에서 자료를 수집했습니까?

( )

7. 우리말을 가꾸어요

17 올바른 우리말 사례집을 어떤 형식으로 만들었습니까? ( )

① 책   ② 음악   ③ 신문
④ 그림   ⑤ 광고

[18~19] 글을 읽고, 물음에 답하시오.

> '내가 죽을 것을 그 애가 대신 죽었구나.'
> 마음속에서는 이런 소리가 터져 나왔습니다. 밤이면 몇 번씩 자다 깨다 했습니다. 그러다가 코피를 한 사발씩 쏟기도 했습니다. 잠깐만 눈을 붙여도 아들 면의 모습이 보였습니다. 이순신은 자기도 모르게 이를 악물었습니다.
> '이제는 끝내야만 해.'
> "아직도 저에게는 12척의 배가 있습니다. 비록 배는 적지만, 제가 죽지 않는 한 적이 감히 우리를 업신여기지 못할 것입니다."

8. 인물의 삶을 찾아서

18 아들 면이 죽은 상황에서 이순신이 한 말이나 행동을 두 가지 고르시오. (,)

① 이를 악물었다.
② 싸움을 포기했다.
③ 고향으로 돌아갔다.
④ 이제는 끝내야만 한다고 생각했다.
⑤ 배가 적어서 싸울 수 없다고 말했다.

8. 인물의 삶을 찾아서

19 이순신이 추구하는 가치로 알맞지 <u>않은</u> 것은 무엇입니까? ( )

① 용기를 추구한다.
② 편안함을 추구한다.
③ 자신감을 추구한다.
④ 고난 극복의 의지를 추구한다.
⑤ 어려운 상황에서도 포기하지 않는 것을 추구한다.

논술형   9. 마음을 나누는 글을 써요

20 고마운 마음을 나누는 글을 썼던 경험을 떠올려 쓰시오.

_____

_____